Gedichte und Interpretationen 6

Gedichte und Interpretationen

Band 1	Renaissance und Barock
Band 2	Aufklärung und Sturm und Drang
Band 3	Klassik und Romantik
Band 4	Vom Biedermeier zum Bürgerlichen Realismus
Band 5	Vom Naturalismus bis zur Jahrhundertmitte
Band 6	Gegenwart

Philipp Reclam jun. Stuttgart

Gedichte und Interpretationen

Band 6

Gegenwart

Herausgegeben von
Walter Hinck

Philipp Reclam jun. Stuttgart

Universal-Bibliothek Nr. 7895 [5]

Gesamtherstellung: Reclam, Ditzingen. Printed in Germany 1985
ISBN 3-15-007895-4

Inhalt

Walter Hinck

Einleitung

Als Gottfried Benn, dessen Sammlungen *Statische Gedichte* und *Trunkene Flut* 1948/49 erschienen waren, mit dem Marburger Vortrag *Probleme der Lyrik* endgültig und triumphal in die literarische Öffentlichkeit zurückkehrte, im Jahre 1951, erschien im Ost-Berliner Aufbau-Verlag Bertolt Brechts Auswahlband *Hundert Gedichte. 1918–1950*, dem erst 1956 eine westdeutsche Ausgabe *Gedichte und Lieder* folgte. Diese verzögerte Wirkung Brechts in der Bundesrepublik war keineswegs nur eine Folge seiner Entscheidung, nach der Heimkehr aus dem amerikanischen Exil den Wohnsitz in Ost-Berlin zu nehmen. Als Stückeschreiber, als Regisseur und eigentlicher künstlerischer Kopf des »Berliner Ensembles« erwarb er sich rasch ein internationales Ansehen, das selbstverständlich – trotz sich vertiefender Gegensätze zwischen den beiden deutschen Staaten – auch in die Bundesrepublik hinüberstrahlte. Aber ebendiesen Vorsprung des Theatermannes vermochte der Lyriker Brecht nur langsam auszugleichen, obwohl viele Kenner der Exilgedichte sofort von seiner Gleichrangigkeit überzeugt waren. Die fünfziger Jahre standen, zumindest in der ersten Hälfte, bei uns ganz im Zeichen eines Benn redivivus.

Benn und Brecht sind – als exemplarische Lyriker – die beiden Väter der Nachkriegs- und Gegenwartslyrik. Insofern haben sie zu Recht ihren Platz am Anfang unseres Interpretationsbandes. Benn ist – nimmt man die späte Lyrik (*Fragmente*, *Destillationen*, *Apèslude*) und die späte Poetik aus – als Dichter und Theoretiker beispielgebend für die magische, absolute und hermetische Poesie, Brecht hat Maßstäbe gesetzt für eine auf Mitteilung und Erkenntnis gerichtete und der sozialen Wirklichkeit verpflichtete Lyrik; für den einen bleibt das Gedicht letztlich immer monologisch, dem anderen ist es auch ein Organ zur Kommunika-

tion. Benn und Brecht stehen für gegensätzliche Richtungen neuerer Lyrik, sie vertreten zwei Pole, zwischen denen es selbstverständlich einen großen Reichtum an Formen gibt – eine Fülle von Variationen, deren Möglichkeiten nur eben dadurch begrenzt sind, daß sie jeweils mehr der Anziehungskraft des einen oder des anderen Pols unterliegen.
Wie wir einen großen Abschnitt in der politischen Nachkriegsgeschichte der Bundesrepublik Adenauer-Ära nennen, so ließe sich auch in der Geschichte der Nachkriegslyrik von einer Benn-Ära sprechen. Zweifellos gibt es einen Zusammenhang zwischen der frühen politischen Entwicklung der Bundesrepublik, gegen deren konservativ-liberale Antriebskräfte sich der Wille zu grundlegenden gesellschaftlichen Veränderungen nicht durchsetzen konnte, und einer Dichtungsauffassung, die der Lyrik den Zugriff zur konkreten geschichtlichen Situation verwehrte. Nur war die Ära Benns erheblich kürzer bemessen als die Adenauers, weil politische und kulturgeschichtliche Epochen nicht völlig synchron zu verlaufen pflegen, weil Bewußtseinsprozesse sozialen und politischen Prozessen nachhängen oder sie vorwegnehmen können. In diesem Falle antizipierten neue Tendenzen in der Literatur, in der Lyrik jene politische Bewegung, die der – relativ kurzen – Ära Brandt den Weg ebnete, traten aber andererseits auch in Opposition zur Großen Koalition und zu Verhärtungen staatlicher Macht unter der sozialliberalen Regierung. Solchen literarischen Strömungen kam das Modell der Lyrik Brechts entgegen. Und überblickt man heute die dreieinhalb Nachkriegsjahrzehnte, so hat sich im ganzen das Brechtsche Vorbild als wirkungsvoller erwiesen denn das Bennsche Programm, zumal wenn man die in der DDR entstandene Lyrik mit einbezieht.
Natürlich reichen solche groben Scheidemuster nicht aus, die ganze Vielfalt lyrischer Produktionen zu erschließen oder wenigstens bestimmte Entwicklungslinien genauer zu bestimmen. Im übrigen enthüllt sich auch hier – und in Anbetracht des betont individuellen Moments in der Lyrik

vielleicht gerade hier – das Problematische aller Periodisierungsversuche. Gegensätzliche Richtungen existieren nebeneinander, eine Reihe von Autoren entzieht sich überhaupt der Zuordnung zu Gruppen oder Programmen. Ja, die Wahl von Themen und Formen kann allgemeinen Erwartungen geradezu zuwiderlaufen.

So hat Peter Rühmkorf (*Das lyrische Weltbild der Nachkriegsdeutschen. 1962*, in: Rühmkorf, S. 11 ff.) gezeigt, daß der Großteil von Lyrik, die in den ersten beiden Nachkriegsjahren ans Licht kam, keineswegs, wie man nachträglich vermuten möchte, das Grauen der überstandenen Kriegskatastrophe zum Gegenstand hatte und durchaus nicht dem Entsetzen oder der Erschütterung über die Naziverbrechen Sprache verlieh, sondern Halt und Zuflucht im »ungetrübt Herkömmlichen« suchte, damit allerdings auch einem Publikum von »Einkehrwilligen« entsprach, die »wieder Heimchen am Herde werden wollten« und die es »nach nichts so sehr verlangte wie nach der Windstille in der Zeit«. Den Beruhigungs- und Beschwichtigungsvorsatz signalisieren schon Buchtitel wie *Mittagswein* (Anton Schnack), *Die Herberge* (Albrecht Goes), *Die Silberdistelklause* (Friedrich Georg Jünger) oder *Alten Mannes Sommer* (Rudolf Alexander Schröder). Da bildeten Marie Luise Kaschnitz' *Totentanz und Gedichte zur Zeit* (1947) eine der denkwürdigen Ausnahmen. Bereits eine postume Veröffentlichung waren die *Moabiter Sonette* (1946), die dichterischen Dokumente eines Widerstandes aus christlichem Geist; ihren Autor, Albrecht Haushofer, hatte noch kurz vor dem Kriegsende ein Rollkommando der SS im Gefängnis erschossen.

Weite Bezirke der frühen Nachkriegslyrik, für die Hans Egon Holthusens und Friedhelm Kemps Anthologie *Ergriffenes Dasein* (1950) repräsentativ ist, lassen sich unter den bei Werner Bergengruen entlehnten und rasch populär gewordenen Begriff der »heilen Welt« fassen. Die Naturlyrik eroberte ihr altes Terrain zurück und neues dazu, das naturmythische oder gar naturmystische Gedicht hielt einen Geborgenheitstrost bereit, den die Wirklichkeit noch versagte. Auch Günter Eichs Sammlung *Abgelegene Gehöfte* (1948) weist Titel wie *Märzmorgen*, *Wacholderschlaf*, *Mohn* oder *Variationen über eine Novemberlandschaft* auf – Gedichte allerdings, die sich auf die Naturbildlichkeit einlassen, um vor allem Verlorenheit auszudrücken. Aber da kommt auch eine ganz andere Seh- und Sprechweise zum Durchbruch, ein kühles Herangehen an Dinge und ein nüchternes Konstatieren, ein von Selbsttäuschung, aber auch von Selbstmitleid freies Erfassen der Wirklichkeit. In solchen Versen, zumal in den *Inventur* überschriebenen, konnte seine eigene Haltung wiedererkennen, wer desillusioniert aus dem Krieg zurückgekehrt und an einem »Nullpunkt« angelangt war, sich aber deshalb nicht auch der Verzweiflung überließ. Hier war Lyrik zur Bestandsaufnahme und die Bestandsaufnahme des Ich zu der einer ganzen Generation geworden.

Nicht immer enthalten Titel von Anthologien zugleich deren Resümee; gelegentlich führen sie sogar auf eine falsche Fährte. So hat *Mein Gedicht ist mein Messer*, der Titel einer Sammlung programmatischer Kommentare von Lyrikern zu ihren Gedichten, die Hans Bender im Jahre 1955 herausgab, sicherlich keinen allgemeinen Signalwert für die Position des Lyrikers und des Gedichts um die Mitte der fünfziger Jahre. Und auch die Forderung nach dem transparenten, unverschlüsselten Gedicht, die Lyriker wie Karl Krolow und Heinz Piontek hier erhoben, war keine unbestritten geltende Maxime. Denn gerade zeigte die Kärntnerin Ingeborg Bachmann mit ihren Bänden *Die gestundete Zeit* (1953) und *Anrufung des großen Bären* (1956), welche neuen Möglichkeiten des magisch-metaphorischen Sprechens noch zu entdecken waren. Und seit 1948 erschienen die Gedichtbände Paul Celans, in denen die hermetische Dichtung der Nachkriegszeit ihren Höhepunkt erreichte und zugleich ihre Aporien austrug, bis der fortschreitende Rückzug der Sprache ins Schweigen im endgültigen und freiwilligen Verstummen des Autors, mit seinem selbstgewählten Tod (1970), endete.

Der Sprachskepsis des späten Celan steht scheinbar ein grenzenloser Sprachoptimismus in der sogenannten Konkreten Poesie gegenüber: die Sprache wird zu ihrem eigenen Inhalt, ihrem eigenen Material. Doch kommt im provokatorischen Verzicht auf die Metapher, auf die üblichen semantischen und grammatischen Bezüge, mit deren Ordnungsstrukturen man auch ein überliefertes Weltbild konserviert sieht, in Wahrheit Sprachkritik zum Zuge. In der Absage an die kommunikative Sprache waren Eugen Gomringers *konstellationen* (1953) und die Texte anderer Experimentatoren der Konkreten Poesie noch ungleich konsequenter als die Gedichte der absoluten oder hermetischen Dichtung. Zwischen den ›Konkreten‹ und den Mitgliedern der »Wiener Gruppe« (vor allem H. C. Artmann und Gerhard Rühm) mit ihrer schockierenden, witzigen Sprachakrobatik und -gaukelei steht Helmut Heißenbüttel mit seinen spielerischen *Kombinationen* (1954), seiner antigrammatischen Schreibweise und seinen Zitatmontagen.
Ein stark parodistisches Element verbindet den Norddeutschen Peter Rühmkorf und die geborenen Wiener Artmann, Rühm und Ernst Jandl, aber von Anfang an schlug bei seinem respektlos-artistischen Umgang mit überlieferten Formen durch die Traditionskritik die Zeitkritik durch. So stellte sich Rühmkorf, als ein neuer Heine und als ein ernüchterter Benn-Bewunderer, eher in jene Linie, die durch Namen wie Hans Magnus Enzensberger und Erich Fried (in bedingter Weise auch Günter Grass) markiert wird und die auf die Lyrik Brechts zurückweist.
Indem Enzensberger im Band *landessprache* (1960) eine Formel Brechts aus den zwanziger Jahren abwandelte und seine Gedichte zu »Gebrauchsgegenständen« erklärte, suchte er Lyrik zum sozialen und politischen Leben hin zu öffnen. Freilich rivalisierte in Enzensbergers Poetik mit dem Erbe Brechts der Einfluß der Ästhetik Theodor W. Adornos, für die das Gesellschaftliche von Lyrik gerade dadurch verbürgt ist, daß sie sich der negierten Wirklichkeit verweigert, sich nicht durch eine Mitteilungsfunktion der Gesell-

schaft anpaßt. So sah auch Enzensberger zunächst (*Poesie und Politik*, 1962), das Politische mit Herrschaft oder Macht gleichsetzend, den ›politischen‹ Auftrag eines Gedichtes eben darin, auf politische Mitteilungen zu verzichten. Die einseitige Beschränkung ließ sich nicht aufrechterhalten, als auch Enzensberger von der durch Studentenbewegung und Außerparlamentarische Opposition (APO) ausgelösten Politisierung des Lebens miterfaßt wurde und nunmehr die »politische Alphabetisierung Deutschlands« forderte (im *Kursbuch 15* von 1968).

Schon in den *Warngedichten* (1963/64) hatte Erich Fried, aus London nicht heimgekehrter österreichischer Emigrant, sich aus dem Bann von Vorbildern wie Dylan Thomas gelöst und das erlesene poetische Bild zugunsten der zeitdiagnostischen Aussage preisgegeben. Aber den eigentlichen Umschlag in die Direktheit des politischen Gedichts brachte erst die Sammlung *und Vietnam und* von 1966, mit der sich Fried der internationalen Bewegung gegen den Vietnam-Krieg der Amerikaner anschloß. Mit diesem Buch öffneten sich die Schleusen für eine wahre Flut politischer Lyrik. Die besten der Schüler Frieds eigneten sich seine Technik des dialektischen Kurzkommentars und der epigrammatischen politischen Reflexion an (Formen, mit denen schon Brecht im Exil experimentiert hatte). Aber die größere Gruppe politischer Autoren war an der lyrischen Form wenig interessiert und suchte den kürzesten Weg zum Adressaten: über die Anklage, den Protest, den Aufruf. Die Anthologie *agitprop. Lyrik. Thesen. Berichte* (1969) versammelt außer Erich Fried und Nicolas Born Autoren wie Uwe Friesel, Roman Ritter, Peter Schütt, Volker von Törne, Uwe Timm oder Guntram Vesper. Unzählige politische Gedichte dieser Jahre blieben allerdings im Plakativen stecken. Für sie scheint Brecht (*Die Dialektik*) sein Verdikt schon vorweggenommen zu haben: »Flach, leer, platt werden Gedichte, wenn sie ihrem Stoff seine Widersprüche nehmen, wenn die Dinge, von denen sie handeln, nicht in ihrer lebendigen, d. h. allseitigen, nicht zu Ende gekommenen und nicht zu Ende zu formulierenden

Form auftreten. Geht es um Politik, so entsteht dann die *schlechte* Tendenzdichtung.«
Doch die politische Lyrik im ganzen trug sicherlich zu jener »Wiederentdeckung der Wirklichkeit« bei, zu der Peter Hamm im Nachwort seiner Anthologie *Aussichten – Junge Lyriker des deutschen Sprachraums* (1966) aufgerufen hatte. In diesen Zusammenhang gehört auch Walter Höllerers Angriff gegen lyrische »Kurzatmigkeit« und Preziosität, gegen starrgewordene Metaphorik und Rhythmik in seinen *Thesen zum langen Gedicht* (1965). Von anderen Voraussetzungen her – und zum Teil in Opposition zum politischen Gedicht, in Anlehnung an amerikanische Muster – näherte sich der Wirklichkeit eine Lyrik, für die Rolf Dieter Brinkmann und seine Technik des »snap-shot« sowie die Anleihen bei der Subkultur bezeichnend sind.
Überdruß an der politischen Lyrik, der Wir-Lyrik, und Resignation angesichts ihrer praktischen Wirkungslosigkeit, angesichts des Scheiterns der politischen Aufbruchsbewegung von 1968, ließen das Pendel zwar nicht zur hermetischen Dichtung, wohl aber zu einer Ich-Lyrik zurückschlagen. Für diese neue, in den siebziger Jahren dominierende Richtung bürgerten sich rasch die Begriffe »Neue Subjektivität« und »Neue Sensibilität« ein. Zur Sprache kommen sollten, wie es Jürgen Theobaldy in seinem Essay *Das Gedicht im Handgemenge* (1975) programmatisch formulierte, »die Erfahrungen eines gewöhnlichen, nicht eines ungewöhnlichen Individuums«. Nicht aufzugeben gedachte man, bei aller Hinwendung zum Privaten, die gesellschaftliche Perspektive.
Die Rehabilitierung des Subjekts räumte dem lyrischen Autor neue Freiheiten ein, und schon bald sprach man von einer Wiedergeburt der Poesie. Freilich ließ auch die Verflachung nicht auf sich warten, die Verstrickung in die Banalität des Alltags, das Schrumpfen der Erfahrung zur »Flächenwahrnehmung« (Hiltrud Gnüg) oder das Abgleiten in eine – wie Spötter sagten – »Neue Weinerlichkeit«. Eine kritische Analyse von Jörg Drews löste eine heftige Diskussion im

Jahrgang 1977 der Zeitschrift *Akzente* aus. Und auf der Tagung der bundesrepublikanischen PEN-Sektion im Herbst 1978 fiel das deklassierende Wort vom »lyrischen Journalismus«.
Auch in der DDR entwickelte sich eine Diskussion über die Rolle der Subjektivität in der Dichtung, zumal der Lyrik. Aber sie hatte hier doch einen anderen Stellenwert, weil sie einer offiziösen Kunstideologie abgerungen werden mußte. Immerhin deutet sie an – was auch durch die Ausweisung bzw. die Übersiedlung so bekannter Lyriker wie Wolf Biermann, Günter Kunert oder Sarah Kirsch in die Bundesrepublik nicht widerlegt wird –, daß sich die Unterschiede der lyrischen Tendenzen diesseits und jenseits der Grenze einzuebnen beginnen.
Prognosen für den weiteren Gang der Entwicklung zu stellen ist mißlich; zu rasch können sie sich als Irrtümer erweisen. Walter Hinderer sieht Anzeichen dafür, daß die »Berührungsangst vor metaphorischen Aussagen« abklingt, beispielsweise »in Nicolas Borns letzten Gedichten, bei Jürgen Becker, Karin Kiwus, Dietrich Krusche und Michael Krüger«. Schwieriger sein dürfte, angesichts der technologischen Zerstörung der Natur und der stärker ins Bewußtsein gedrungenen ökologischen Probleme, eine unreflektierte Rückkehr zum Naturgedicht (vgl. Hiltrud Gnüg, *Die Aufhebung des Naturgedichts in der Lyrik der Gegenwart*, in: Jordan/Marquardt/Woesler). Keine wirkliche Zukunft hat, wie mir scheint, die Bescheidung auf das banale Alltagssujet und das völlige Aufgehen der poetischen in der Umgangs- oder Prosasprache. Gegen die Beliebigkeit der Themen und der lyrischen Mittel gelten zwei Argumente: ihren Abdruck in der Lyrik findet ein Subjekt in einer geschichtlichen Situation, und »Gedichte sind genaue Form« (Peter Wapnewski).

Die Auswahl der Texte zu diesem Interpretationsband zwang zum Verzicht auf Gedichte, die selbst der Herausgeber gern darin gesehen hätte. Kein Zweifel, daß öfter anders hätte entschieden werden können. Zwei Ziele waren zu verbinden: einmal die bedeutendsten deutschsprachigen Lyriker der Nachkriegsjahrzehnte aufzunehmen, zum anderen die wichtigsten lyrischen Richtungen zu dokumentieren. Kriterium war also das Exemplarische. So muß nun – um nur einige Beispiele zu nennen – Nelly Sachs für die jüdische Emigrantin Rose Ausländer mitsprechen, Ingeborg Bachmann für andere österreichische Lyrikerinnen, Erich Fried für Autoren politischer Lyrik, Wolf Biermann für andere Liedermacher. Keine Auswahl, wie immer sie ausgesehen hätte, wäre ohne eine gewisse Ungerechtigkeit ausgekommen – läßt sich zu den hier vertretenen doch ohne Schwierigkeiten die gleiche Zahl von Lyrikern nennen, über deren Aufnahme man diskutieren könnte: Ilse Aichinger, Christine Busta, Christine Lavant, Friederike Mayröcker, Oda Schäfer, Helga M. Novak, Dagmar Nick, Christa Reinig, Friederike Roth, Ulla Hahn, Horst Bienek, Wolfdietrich Schnurre, Rudolf Hagelstange, Wolfgang Bächler, Heinz Piontek, Peter Härtling, Hans-Jürgen Heise, Peter Handke, Walter Höllerer, Ludwig Fels, Reiner Kunze, Peter Hacks, Franz Mon, Oskar Pastior, Günter Herburger, Rolf Haufs, Arnfried Astel, Volker von Törne, Jürgen Theobaldy, F. C. Delius, Uwe Timm, Roman Ritter, Peter-Paul Zahl, Rainer Malkowski, Ralf Thenior, Alfred Kolleritsch, Harald Hartung, Michael Krüger ... usf. So hätte sich leicht ein zweiter Band füllen lassen.

Literaturhinweise: Hans BENDER / Michael KRÜGER (Hrsg.): Was alles hat Platz in einem Gedicht? München 1977. – Peter BEKES / Wilhelm GROSSE / Georg GUNTERMANN / Hans-Otto HÜGEL / Hajo KURZENBERGER: Deutsche Gegenwartslyrik von Biermann bis Zahl. Interpretationen. München 1982. – Alexander von BORMANN: Politische Lyrik in den sechziger Jahren. Vom Protest zur Agitation. In: Die deutsche Literatur der Gegenwart. Aspekte und Tendenzen. Hrsg. von Manfred Durzak. Stuttgart 1971. S. 170–191. – Jörg DREWS: Selbsterfahrung und Neue Subjektivität in der Lyrik. In: Akzente 24 (1977) S. 89–95. – Hiltrud GNÜG: Was heißt »Neue Subjektivität«? In: Merkur 32 (1978) S. 48–59. – Volker HAGE (Hrsg.): Lyrik für Leser. Deutsche Gedichte der siebziger Jahre. Stuttgart 1980. Einleitung. S. 3–18. – Ulla HAHN: Literatur in der Aktion. Zur Entwicklung operativer Literaturformen in der

Bundesrepublik. Wiesbaden 1978. – Walter HINDERER: »Komm! ins Offene Freund!« Tendenzen der westdeutschen Lyrik nach 1965. In: Deutsche Literatur in der Bundesrepublik seit 1965. Hrsg. von Paul M. Lützeler und Egon Schwarz. Königstein (Ts.) 1980. S. 13–29. – Lothar JORDAN / Axel MARQUARDT / Winfried WOESLER (Hrsg.): Lyrik – von allen Seiten. Gedichte und Aufsätze des ersten Lyrikertreffens in Münster. Frankfurt a. M. 1981. – Otto KNÖRRICH: Die deutsche Lyrik seit 1945. Stuttgart ^{2}1978. – Karl RIHA: Das Naturgedicht als Stereotyp der deutschen Nachkriegslyrik. In: Tendenzen der deutschen Literatur seit 1945. Hrsg. von Thomas Koebner. Stuttgart 1971. S. 157–178. – Peter RÜHMKORF: Strömungslehre I. Poesie. Reinbek bei Hamburg 1978. – Jürgen THEOBALDY / Gustav ZÜRCHER: Veränderung der Lyrik. Über westdeutsche Gedichte seit 1965. München 1976. – Peter WAPNEWSKI: Gedichte sind genaue Form. In: P. W.: Zumutungen. Essays zur Literatur des 20. Jahrhunderts. Düsseldorf 1979. S. 26–42. – Klaus WEISSENBERGER: Die deutsche Lyrik 1945 bis 1975. Zwischen Botschaft und Spiel. Düsseldorf 1981. – Gottfried WILLEMS: Großstadt- und Bewußtseinspoesie. Über Realismus in der modernen Lyrik, insbesondere im lyrischen Spätwerk Gottfried Benns und in der deutschen Lyrik seit 1965. Tübingen 1981. – Michael ZELLER: Gedichte haben Zeit. Aufriß einer zeitgenössischen Poetik. Stuttgart 1982.

Gottfried Benn

Nur zwei Dinge

Durch so viel Formen geschritten,
durch Ich und Wir und Du,
doch alles blieb erlitten
durch die ewige Frage: wozu?

Das ist eine Kinderfrage.
Dir wurde erst spät bewußt,
es gibt nur eines: ertrage
– ob Sinn, ob Sucht, ob Sage –
dein fernbestimmtes: Du mußt.

Ob Rosen, ob Schnee, ob Meere,
was alles erblühte, verblich,
es gibt nur zwei Dinge: die Leere
und das gezeichnete Ich.

Zitiert nach: Gottfried Benn: Gesammelte Werke in vier Bänden. Hrsg. von Dieter Wellershoff. Wiesbaden: Limes, 1958–61. Bd. 3: Gedichte. 1960. S. 342.

Entstanden: 2. Januar 1953.
Erstdruck: Destillationen. Neue Gedichte. Wiesbaden: Limes, 1953.

Jürgen Schröder

Destillierte Geschichte. Zu Gottfried Benns Gedicht *Nur zwei Dinge*

Für Paul Hoffmann
zum 5. April 1982

Das Gedicht ist nicht schwer zu verstehen. Es spricht deutlich aus, ja es definiert geradezu, was es sagen will. Gottfried Benn hat Gedichte dieser Art schon 1936 etwas salopp als »gereimte Weltanschauung« bezeichnet. Und als sich das Bändchen *Destillationen* mit dem Gedicht *Nur zwei Dinge* im Druck befand, da schrieb er im März 1953 an den Brieffreund Oelze: »Ich fürchte, es sind langweilige altmodische Aussagegedichte.«
Die Aussage dieses Spätgedichts, in dem Benn dreieinhalb Jahre vor seinem Tode die Summe seiner Existenz zu ziehen scheint, ist auf derart griffige und wohlklingende Formulierungen gebracht, daß man den Autor bald ganz darauf festlegte. Die erste Taschenbuchausgabe seiner Briefe (1962ff.) trägt den Titel *Das gezeichnete Ich* und benutzt *Nur zwei Dinge* als Mottogedicht. Benn selber hat den Bilanz- und Vermächtnischarakter betont, als er es 1956 in der Gedichtausgabe letzter Hand (*Gesammelte Gedichte*) an die vorletzte Stelle, vor den *Epilog 1949* rückte.
Es ist wohl eines seiner populärsten Gedichte geworden – eingängig nicht nur durch die formelhafte, schwerelose Klarheit, die etwas höchst Komplexes, die Welt und das menschliche Leben, auf »nur zwei Dinge« reduziert (wobei das eine, die Welt, noch zum Vakuum entwirklicht ist), sondern eingängig auch durch den reizvollen Kontrast, den die Härte der Aussage und die Weichheit des Aussagens, die apodiktische Prosa des Inhalts und die parlandohafte Poesie der Form bilden. Denn der Ton des Gedichts wird bestimmt von musikalischen Assonanzen, Alliterationen und Anaphern, von Wiederholungen verschiedener Art. Am auffäl-

ligsten ist der weiche d-Laut, mit dem die ersten sechs Verse beginnen und an den dann die letzte antwortende Zeile der zweiten Strophe (»dein fernbestimmtes: Du mußt«) ebenso anschließt wie das zweiversige Fazit des Gedichts (12f.). Die dreifache Substantiv-Reihung erscheint in jeder Strophe (2, 8, 10), der zuspitzende Doppelpunkt viermal (4, 7, 9, 12), das Enjambement jeweils in den Schlußversen; die dreifache »ob«-Konstruktion – ein letzter Rest sinnlicher Vergänglichkeitsklage inmitten leerer Abstraktionen – wird ebenso wiederholt wie die entschiedene Wendung: »es gibt nur«.
Metrisch-rhythmisch der gleiche Eindruck: Variationen des dreihebigen Verses, jede metrische Verseinheit erscheint höchstens zweimal im Gedicht, Polyphonie in der Monotonie. Nur die letzte Strophe nimmt, mit ihren zahlreichen Doppelsenkungen, eine Sonderstellung ein, und ganz einsam und abgehoben steht ihr letzter Vers; er beginnt als einziger mit einer Hebung. Seine (daktylische) Antwort bringt die (anapästische) »Frage: wozu?« zum Schweigen.
Jede Strophe, in rhythmischem Aufstieg und Abstieg, schlägt gleichsam einen Zirkel und kehrt im Bogen der drei gereihten Substantive – »durch Ich und Wir und Du«, »ob Sinn, ob Sucht, ob Sage«, »Ob Rosen, ob Schnee, ob Meere« – an den Ausgangspunkt zurück. Das ganze Gedicht geht und steht im Kreis, vom »Ich« des zweiten Verses zum »gezeichneten Ich« des letzten; es gab und gibt kein Weiterkommen, weder im Gedicht noch im Leben; nur eine wachsende Erkenntnis der Leere, ein spätes Sich-selber-gegenständlich-Werden, eine letzte Desillusionierung, ein Abschreiten des eigenen Kreises, wie der späte Benn sagen würde.
Das lyrische Ich, das hier am Ende seines Lebens wie von einem Archimedischen Punkt her spricht, hat nicht nur seinen eigenen Lebenslauf als sinnlosen Kreislauf erfahren, sondern auch das Ganze: »Ob Rosen, ob Schnee, ob Meere, / was alles erblühte, verblich« – so wird Spenglers Kulturkreislehre naturalisiert und zum poetischen Kurzschluß gebracht. Das einzige aktiv-sinnliche Verb des Gedichts

(»erblühte«) wird sofort annulliert (»verblich«), die Passivität der Verben endet in der Statik der Substantive. Die Bewegung ist endgültig zum Stillstand gekommen. Hinter dem Gedicht kann das Schweigen beginnen.
Durch diese unauffällige Häufung einfacher und verwandter lyrischer Mittel erhält das fast essayistische Aussagegedicht seine lyrische Suggestivität. Die apodiktischen, radikalen und am Ende unerhörten Feststellungen werden im Tonfall des Selbstverständlichen und Fraglosen ausgesprochen und verführen den Leser zum Mitvollzug und Mitgenuß – der müden Trauer, der gefaßten männlichen Haltung, der Schicksalsgläubigkeit, der Entwirklichung der Welt und des hybriden Bei-sich-selber-Ankommens.
Nach Benn ist solche Wirkung durchaus legitim. Er hat die biologisch-kathartische Funktion der Kunst in seiner Spätzeit, mit zunehmender Verdüsterung seiner Altersstimmungen, immer wieder betont und sie als den Drang definiert, »qualvolle innere Spannungen, Unterdrücktheiten, tiefes Leid in monologischen Versuchen einer kathartischen Befreiung zuzuführen« (I,533). In diesem Sinne kann sich der Leser mit dem Gedicht auf den kleinsten gemeinsamen Nenner einigen: daß nämlich alles vergänglich und unbegreiflich und daß jeder Mensch einsam und für sich allein sei. Solchen Pakt haben in der Nachkriegszeit viele deutsche Leser mit dem Gedicht geschlossen.
Schwierig wird es erst, wenn man sich aus seinem Banne löst, wenn man seine Klarheit als eine Klarheit der Abstraktion, der Inhaltslosigkeit, der Unbestimmtheit und der Leere durchschaut, wenn man es an *den* Stellen untersucht und historisiert, an denen es zeitlose Antworten zu geben scheint: am Ende der zweiten und der dritten Strophe. Dann erkennt man, daß dieses Gedicht mehr verschweigt als sagt, daß es vor allem seine schmerzliche Entstehungsgeschichte verschweigt. Denn seine radikale Absage an Gesellschaft und Geschichte hat paradoxerweise eine sehr aufschlußreiche Vorgeschichte, und seine verabsolutierte Schlußkonstellation – »die Leere und das gezeichnete Ich« – ist nicht erst

das melancholische Resultat des Alters – »Wer altert, hat nichts zu glauben, / wer endet, sieht alles leer« (III,267) –, sondern sie läßt sich sehr genau historisch situieren und in die Jahre 1934–37 zurückdatieren.
Was heißt »das gezeichnete Ich«? – Man kann die vieldeutige Aura dieses Ausdrucks – in einem anderen bekannten und benachbarten Gedicht Benns ist von dem »sich umgrenzenden Ich« die Rede (III,327) – zu umschreiben versuchen: das mit einem Zeichen, einem Mal versehene Ich; also das gebrandmarkte und das ausgezeichnete Ich; das verwundete, das leidende, das ausgestoßene, das einsame – und das berufene und auserwählte Ich. Benn selber hat in dem Gedicht *Ach, das Erhabene*, das er am 3. September 1935 an Oelze schickte, eine genaue lyrische Definition gegeben:

Nur der Gezeichnete wird reden
und das Vermischte bleibe stumm,
es ist die Lehre nicht für jeden,
doch keiner sei verworfen drum. (III,181)

Der »Gezeichnete« sei der im Unterschied zur unerfahrenen »Menge« Berufene und Auserwählte, dem das »Erhabene« aus »einer Wolke« tönt, der einer unbekannten »Gottheit«, einem Deus absconditus dient und verpflichtet ist, also einem »fernbestimmten: Du mußt«. Dieses elitär-religiöse Bewußtsein ist Teil einer Christus-Typologie, eines Rückbezugs auf christliche Vorbildfiguren, Lebensformen und Erfahrungen, die in zahlreichen brieflichen und lyrischen Zeugnissen der Jahre 1934–37 anzutreffen sind. Sie bilden ein konsistentes Bewältigungsmodell, in dem und durch das sich Gottfried Benn mit den traumatischen Erfahrungen der Jahre 1933/34, mit seinem Irrglauben an den deutschen Faschismus, an eine Synthese von Geist und Macht und mit seiner baldigen Enttäuschung und Abwendung von ihm auseinandersetzte. Dieser Prozeß kulminiert in mehreren Gedichten des Jahres 1936, in denen es zu einer unverhüllten Usurpation und Überbietung des leidenden, gekreuzigten

Christus und seiner Heils- und Erlösungstat durch die Gestalt des Künstlers und die Kunst kommt (z. B. in *Valse triste*). Seitdem enthält die ambivalente Aura des Gezeichneten, des Künstlers, des »gezeichneten Ich« stets einen geheimen, hybriden Christus-Bezug. In der ersten großen Abrechnungs- und Rechtfertigungsschrift seiner »Inneren Emigration«, dem *Weinhaus Wolf* (1937), erscheinen die »Gezeichneten«, die Träger der »außermenschlichen Wahrheit«, daß sich der Geist nicht mehr im Leben, in der Geschichte verwirklicht, in einer Reihe mit den »Esoterischen, Zersetzten, Klüngel, Destruktiven, Abgespaltenen, Asozialen, Einzelgängern, Intellektualisten« (II,146). Welch erhabenes *Zeichen* diese Ohnmächtigen und Parias jedoch tragen, das wird am Ende des *Weinhaus* kaum noch chiffriert:

> [...] diese Erkenntnis war nicht mehr zu verdrängen: die Geschichte war machtlos geworden gegenüber dem Menschen, sein Kern war noch einmal auferglüht, der hatte ein Wort geschrieben auf sein Kleid und einen Namen auf seine Hüfte. (II,150)

Der Pfarrerssohn Benn bezieht sich hier typologisch auf die Offenbarung des Johannes, 19. Kapitel, 2. Teil (V. 11 ff.), der den Titel *Christus der Sieger* trägt. Johannes schildert visionär, wie Christus auf einem weißen Pferd mit den himmlischen Heerscharen herabsteigt, um die irdischen Könige und ihre Völker zu vernichten und ein »tausendjähriges Reich« zu gründen, währenddessen der Satan im Abgrund gebunden und verschlossen liegt. Vers 16 aber sagt von dem siegreichen Christus: er »trägt einen Namen geschrieben auf seinem Kleid und auf seiner Hüfte: König aller Könige und Herr aller Herren«.

Ein merkwürdiger Vorgang: ein postfigurativer Christus besiegt das Dritte Reich! Inmitten einer schweren inneren und äußeren Lebenskrise gelingt es Benn, seine faktische Ohnmacht in spirituelle Macht, seine moralische Niederlage in einen poetischen Sieg, seine irdische Erniedrigung in eine überirdische Erhöhung umschlagen zu lassen: durch eine vielfältige Christus-Typologie, vor allem durch die Übernahme der Rolle des von der Welt verstoßenen leidenden Gerechten (22. Psalm) und des Christus-Wortes: »Mein Reich ist nicht von dieser Welt.« Sein Bannstrahl fällt nicht auf die eigene moralisch-politische Verfehlung und ihre inneren und äußeren Voraussetzungen, sondern ausschließlich auf die ›böse‹ Welt der Geschichte, der Macht, der Gesellschaft. Sie wird fortan zur »Leere«, zum »Nichts«, zum »Dunkel« derealisiert und entmächtigt, aus denen sich der ferne, unbekannte Gott zurückgezogen hat – übrig bleibt eine »Metaphysik der Leere« (II,211). »Die Leere ist wohl auch von jenen Gaben, / in denen sich der Dunkle offenbart«, lauten Verse eines anderen Spätgedichts (III,252). Der Begriff der »Leere« wird ebenfalls im *Weinhaus Wolf* programmatisch eingeführt und in der für Benn typischen Art geschichtsphilosophisch überspannt:

Alle großen Geister der weißen Völker haben, das ist ganz offenbar, nur die eine innere Aufgabe empfunden, ihren Nihilismus schöpferisch zu überdecken. [...] Keinen Augenblick sind sie sich im unklaren über das Wesen ihrer inneren schöpferischen Substanz. Das Abgründige ist es, die Leere, das Resultatlose, das Kalte, das Unmenschliche. (II,146 f.)

Hier findet man die Begriffe und die Konstellation des späten Gedichtes *Nur zwei Dinge* bereits versammelt: das »gezeichnete Ich« (die »großen Geister«), das »fernbestimmte: Du mußt« (die »innere Aufgabe«) und die »Leere« als die schöpferische Herausforderung eines unbekannten Gottes. Im Unterschied aber zum weitgehend entleerten und verformelten Spätwerk vermag man noch die historischen Spuren und Entstehungsbedingungen eines existentiellen und poetischen Modells zu entdecken, mit dem Benn schon in den dreißiger Jahren und auf seine Weise die faschistische Vergangenheit bewältigte. Auf *seine* Weise, d. h., indem er ein ursprünglich moralisch-religiöses in ein artistisch-religiöses Modell umwendete, genauso, wie er zur gleichen Zeit in einer Invektive Luther ›umgewendet‹ hat:

[...] dreckiger Niedersachse: Gewissensbisse an Stelle von Formproblemen, moralisches statt konstruktives Denken, tiefstehender Freiheitsbegriff (»Selbstverantwortung« – so ein Blech für diese Schuld-Sühne-bastarde!) – [...]. (21. 11. 1935 an Oelze.)

»Selbstverantwortung – so ein Blech für diese Schuld-Sühnebastarde!« – diese Formel mußte nach 1945, als nun wirklich für alle Deutschen die »Bewältigung der Vergangenheit«, die Frage nach Einzel- und Kollektivschuld anstand, höchst verführerisch wirken und mit ihr Benns existentielles und poetisches Bewältigungsmodell, d. h. die ihm immanente Geschichtsfeindschaft, die Derealisierung von Macht, Politik und Gesellschaft, die Schicksalsgläubigkeit und negative Religiosität, der Umschlag von Erniedrigung in Selbsterhöhung und vor allem die Berufung auf die Rolle des leidenden Gerechten. Benns erstaunliches literarisches Comeback nach 1948 ist völlig untrennbar von solchen persönlichen und kollektiven Entlastungsprozessen und Verhaltensweisen. Er selber hat sein Modell nach 1945, als er verständlicherweise ins Kreuzfeuer moralischer und politischer Kritik geriet, immer wieder praktisch angewendet. In seiner autobiographischen Rechtfertigungsschrift *Doppelleben* (1950) heißt es an entscheidender Stelle:

Immer alles gewußt zu haben, immer recht behalten zu haben, das alleine ist nicht groß. Sich irren und dennoch seinem Inneren weiter Glauben schenken müssen: – das ist der Mensch – sagt einer meiner »Drei alten Männer« –, und jenseits von Sieg und Niederlage beginnt sein Ruhm. Der Ruhm nämlich, das auf sich genommen zu haben, was der uns zugemessene Teil, was die Moira, man kann natürlich auch sagen der Zufall und die Gegebenheit, uns bestimmte. (IV, 89 f.)

Hier wird das »fernbestimmte: Du mußt«, die »Moira«, die Benn in seiner Spätzeit mit zahlreichen Namen immer wieder bemüht, als Alibi moralischer und historisch-politischer Schuld mißbraucht und die »Niederlage« und der Irrtum zur Voraussetzung des »Ruhms« gemacht. Dieses paradoxe

Kunststück ist nur möglich, weil gleichzeitig die geschichtliche Welt gründlich entleert und entwirklicht wird.
Dafür ist das Spätgedicht *Nur zwei Dinge* wohl das repräsentativste lyrische Zeugnis. Aus ihm hat der Dichter in kunstvoller Weise alle Inhalte herausgefiltert, herausdestilliert. Das Jahr 1933 ist kaum noch erahnbar in dem Mittelglied einer fast grammatikalisch-abstrakten Reihung: »durch Ich und *Wir* und Du«, die Schuld in dem »Du mußt« aufgehoben und die Selbstrechtfertigung in der sublimen Formel »das gezeichnete Ich« angedeutet. Und da in den letzten Lebensjahren Benns stets latente Versöhnungs- und Auferstehungshoffnungen wachsen – die Schlußverse seiner *Gesammelten Gedichte* sprechen von »jener Sphäre [...], / in der du stirbst und endend auferstehst« (III,345), die bekenntnishafte Rede *Altern als Problem für Künstler* (1954) endet mit der Gewißheit: »auch ich werde nicht in Ewigkeit verworfen werden« (I,582) –, konnten sich nicht nur die Existentialisten, Nihilisten und Atheisten, sondern auch die modernen Christen von ihm verstanden fühlen und auf ihn berufen.
Alexander und Margarete Mitscherlich haben 1967 ein Buch veröffentlicht, in dem sie unter dem diagnostischen Titel *Die Unfähigkeit zu trauern* die »Grundlagen kollektiven Verhaltens« der Nachkriegsdeutschen untersuchen. Ihre Hauptthese lautet, daß die Deutschen, um der fälligen Trauerarbeit, d. h. der Auseinandersetzung mit der Vergangenheit auszuweichen und den Ausbruch einer schweren kollektiven Melancholie zu vermeiden, nach dem Kriege im großen Stil eine passive (verleugnende) »Derealisation«, eine Entwirklichung der Naziperiode betrieben hätten.
Im Unterschied zu den meisten Deutschen bedurfte Gottfried Benn zwar nicht erst des Jahres 1945, um sich vom Hitler-Faschismus zu lösen; er setzte sich schon seit 1934 vom Dritten Reich ab. Er tat es jedoch mit Hilfe eines ästhetisch-religiösen Modells, das in aggressiver Weise die geschichtliche Welt überhaupt derealisierte, das »Formprobleme« an die Stelle von »Gewissensbissen« setzte und

»konstruktives« statt »moralisches« Denken pflegte. Seine Krisenlösung diente weniger der selbstkritischen konkreten Trauerarbeit als vielmehr einer existentiellen Selbstrechtfertigung im Stimmungsraum von Trauer und Melancholie. In diesen Stimmungsraum sind die Westdeutschen nach 1948 begreiflicherweise gerne eingeströmt. Die kleine Dosis an melancholischer Trauerarbeit und Selbstwertzweifeln im Spannungsfeld von Selbsterniedrigung und Selbsterhöhung, die sie darin vorfanden, reinigte ohne Risiko. So fingen sie mit Gottfried Benn an, auf poetische Weise die verleugnete Vergangenheit zu bewältigen: »es gibt nur zwei Dinge: Die Leere / und das gezeichnete Ich«. Paul Celan mochte diese Formel nicht.
Als solch poetische Katharsis in den sechziger Jahren nicht mehr ausreichte, wurde Benn fast vergessen oder seinerseits verleugnet. Erst jetzt, bei der erneuten Wiederentdeckung, wird eine weniger zeitbezogene Lektüre seines Werkes möglich. Ihr mag das Gedicht *Nur zwei Dinge*, auf dem Hintergrund von Nietzsche (IV,308) und Spengler (I,591), als ein negatives christliches Vermächtnis erscheinen, das den Menschen trotz allem noch im Mittelpunkt der Schöpfung sieht und das noch immer an eine metaphysische Botschaft glaubt.

Zitierte Literatur: Gottfried BENN: Gesammelte Werke. [Siehe Textquelle. Zit. mit Band- und Seitenzahl.] – Gottfried BENN: Briefe. Hrsg. von Harald Steinhagen und Jürgen Schröder. Bd. 1: Briefe an F. W. Oelze. 1932–1945. Wiesbaden/München 1977.
Weitere Literatur: Bruno HILLEBRAND (Hrsg.): Gottfried Benn. Darmstadt 1980. – Edgar LOHNER: Passion und Intellekt. Die Lyrik Gottfried Benns. Neuwied/Berlin 1961. – Edith A. RUNGE: Gottfried Benns »Nur zwei Dinge«. In: Monatshefte für deutschen Unterricht, deutsche Sprache und Literatur 49 (1957) S. 161–178. – Jürgen SCHRÖDER: Gottfried Benn. Poesie und Sozialisation. Stuttgart/Berlin/Köln/Mainz 1978. – Dieter WELLERSHOFF: Gottfried Benn, Phänotyp dieser Stunde. Eine Studie über den Problemgehalt seines Werkes. Köln/Berlin 1958.

Bertolt Brecht

Vier Buckower Elegien

Der Radwechsel

Ich sitze am Straßenrand
Der Fahrer wechselt das Rad.
Ich bin nicht gern, wo ich herkomme.
Ich bin nicht gern, wo ich hinfahre.
5 Warum sehe ich den Radwechsel
Mit Ungeduld?

Große Zeit, vertan

Ich habe gewußt, daß Städte gebaut wurden
Ich bin nicht hingefahren.
Das gehört in die Statistik, dachte ich
Nicht in die Geschichte.

5 Was sind schon Städte, gebaut
Ohne die Weisheit des Volkes?

Der Rauch

Das kleine Haus unter Bäumen am See.
Vom Dach steigt Rauch.
Fehlte er
Wie trostlos dann wären
5 Haus, Bäume und See.

Beim Lesen des Horaz

Selbst die Sintflut
Dauerte nicht ewig.

Einmal verrannen
Die schwarzen Gewässer.
5 Freilich, wie wenige
Dauerten länger!

Zitiert nach: Bertolt Brecht: Gesammelte Werke in 20 Bänden. Bd. 10: Gedichte 3. Frankfurt a. M.: Suhrkamp, 1967. S. 1009 f., 1012, 1014. [Die Fassung dieser Gedichte ist, von unbedeutenden Abweichungen in der Orthographie und Interpunktion abgesehen, identisch mit der Fassung der Erstdrucke.]
Erstdrucke: Sinn und Form 5 (1953). (»Der Rauch«.) – Sinn und Form 9 (1957). (»Der Radwechsel«. »Beim Lesen des Horaz«.) – Bertolt Brecht: Buckower Elegien. Frankfurt a. M.: Suhrkamp, 1964. (»Große Zeit, vertan«.)

Harald Weinrich

Bertolt Brecht in Buckow oder: Das Kleinere ist das Größere

Der Radwechsel

Ich sitze am Straßenrand
Der Fahrer wechselt das Rad.
Ich bin nicht gern, wo ich herkomme.
Ich bin nicht gern, wo ich hinfahre.
Warum sehe ich den Radwechsel
Mit Ungeduld?

Wir können uns die Straße, an der dieser Wagen zu Bruch gegangen ist, in Dänemark, Finnland oder am besten in Kalifornien vorstellen, in einem Land jedenfalls, das für Bertolt Brecht in den Jahren der Hitler-Diktatur Exil war. Wir können uns etwa denken, daß Brecht unterwegs war von seinem kleinen Haus in Santa Monica, wo er eine wenig geliebte Bleibe gefunden hatte, in die unweit gelegene Filmstadt Hollywood, die er zutiefst haßte, im Gepäck den Entwurf zum Drehbuch für einen Film, den zu verwirklichen er für überflüssig hielt. Es sind aber auch viele andere Möglichkeiten denkbar, wie ein Leser dieses lakonische Gedicht, das von der Situation des Radwechsels nur das Nötigste sagt, mit Lebens- und Erlebnisstoff anreichern kann, es mag Brechts Leben oder auch sein eigenes sein. Es sollte aber immer, wenn dieses Gedicht nach seinen eigenen Gesetzen weitergedacht werden soll, eine Situation des Exils sein. Das verlangen insbesondere der dritte und der vierte Vers. Man kann diese Verse nämlich, wenn man sie aus dem Gedicht herauslöst, als Rätsel lesen, das etwa lautet: Ich bin nicht gern, wo ich herkomme; ich bin nicht gern, wo ich hinfahre – was ist das? Ich kann mir wenige Lösungen dieses Rätsels denken, die überzeugender wären als die Antwort: das Exil. Denn ein Exil, darauf hat Brecht mehrfach mit Nachdruck bestanden, ist keine Emigration. Man wandert als Exilierter nicht aus in ein Land, dem man den Vorzug gibt gegenüber dem Land, das man verläßt. Man ist vielmehr Verbannter, und alle Orte dieser Verbannung, so reizvoll sie vielleicht dem Bewohner oder dem touristischen Besucher erscheinen mögen, sind für den Verbannten Zeichen der Unfreiheit und des Unglücks.

Es gibt also keinen eigentlichen Grund für den Reisenden, bei diesem Radwechsel ungeduldig zu sein. Die Ungeduld, die er dennoch zeigt und an sich bemerkt, muß einen tieferen Grund in jenem endlosen Warten haben, das die Zeit des Exils zu einer quälenden Geduldsprüfung macht. Wir können annehmen, daß der Reisende, der da am Straßenrand sitzt, mit seinen Gedanken gar nicht bei diesem Radwechsel ist, sondern bei einem ganz anderen Vorgang, der nach den Bewegungsgesetzen der Weltgeschichte, also viel zu langsam für den einzelnen, vor seinem inneren Auge abläuft. So nimmt er auch an dem Geschehen, das sich unmittelbar vor seinen Augen abspielt und seine Reise verzögert, nur spärlichen Anteil. Wir erfahren beispielsweise nicht, daß er etwa mit dem Fahrer ein Wort wechselt, ihn – wenn auch mit ungeschickten Worten – vielleicht berät oder ihm sogar zur Hand geht. Das paßt eigentlich gar nicht zu Brecht, der ja sonst zwischen den Denkenden und den Arbeitenden eine enge Solidarität herzustellen wünscht. Dieser Denkende ist hier mit seinen Gedanken nicht bei der Sache, die der Titel als Thema des Gedichtes nennt. Er ist statt dessen mit allen seinen Sinnen bei einer anderen Sache, die ihm – und uns – mehr bedeutet. Man hat unser Gedicht deshalb ein emblematisches Epigramm genannt (Heselhaus, S. 323). Epigramm deshalb, weil es, ähnlich wie wir es von Lessing her kennen, einen Vorgang mit knappen Strichen so vereinfacht, daß dieser »transitorische Moment des Radwechsels« (Müller, S. 74) archetypischen Charakter annimmt. Emblematisch deshalb, weil die Straße und der Wagen und das Rad und der Radwechsel für diesen Reisenden – und für uns – Zeichencharakter haben. Dem ist sicher zuzustimmen, und diese, sagen wir kalifornische Straße ist gewiß ein Emblem des ›Lebensweges‹ (Curriculum vitae), dieser Reisende ist sicher auch der Mensch als Wandernder (Homo viator), und in diesem gebrochenen Rad dürfen wir zweifellos auch das Rad der Fortuna wiedererkennen. Denn der Straßenrand, der Fahrer, das Rad, der Radwechsel – alle diese Sprachzeichen sind in unserem Gedicht mit dem bestimmten Artikel eingeführt und werden dem Leser auf diese Weise als bekannt vorgestellt. Auch das Verb »sehen« in der zweitletzten Zeile (es heißt dort ja nicht etwa »zusehen«!) paßt recht gut in diesen Zusammenhang. Denn dieses Gedicht vom Radwechsel, das in seinen Bedeutungsstrukturen so deutlich auf die Bedingungen des Exils verweist, ist nicht im Exil selber geschrieben, sondern viele Jahre später, im Rückblick, vielleicht im Tag- oder Nachttraum, aus dem Brecht in jenen Jahren gerne die Bilder seiner Gedichte schöpft und sie dann auch gerne durch eben dieses Verb »sehen« kennzeichnet (vgl. das Gedicht *Eisen*). Wir wollen aber die Emblematik des Allgemein-Menschlichen, die wir eben angedeutet haben, nur als Horizont dieses Gedichtes verstehen. In seiner eigentlichen Substanz ist es ein geschichtliches Gedicht.

Beim Lesen des Horaz

Selbst die Sintflut
Dauerte nicht ewig.
Einmal verrannen
Die schwarzen Gewässer.
Freilich, wie wenige
Dauerten länger!

Das Exil ist vorüber, die Tyrannei ist beendet, die Sintflut hat ›nur‹ zwölf Jahre gedauert. Bertolt Brecht ist nach Deutschland zurückgekehrt und lebt in der Deutschen Demokratischen Republik. In dem Dörfchen Buckow in der Märkischen Schweiz hat er ein kleines Landhaus. Dort schreibt er seine *Buckower Elegien*. Dort liest er nun, zum Beispiel, den Horaz, den er auch schon »in dem kleinen Garten von Santa Monica, [...] unter dem Pfefferbaum« im Exil gelesen hatte.
Die Interpreten haben sich manche Gedanken gemacht, welches Horazsche Gedicht Brecht wohl besonders im Sinn gehabt haben mag, als er sein eigenes Gedicht schrieb. Vielleicht die Ode I,2, die ausdrücklich jene Sintflut thematisiert, die nach der Erzählung des griechischen Mythos nur von einem Menschenpaar, Deukalion und Pyrrha, überlebt wurde? Aber auch an die berühmte Ode III,30 hat man gedacht, in der Horaz mit berechtigtem Dichterstolz von seinen Versen sagt, daß sie dauerhafter sein werden als eherne Monumente: »Exegi monumentum aere perennius« (Mayer, S. 93). Wenn es diese Ode war, die Brecht beim Lesen besonders beschäftigt hat, dann ist das Thema unseres Gedichtes das Nachleben von Dichtung, und man denkt sogleich an die andere Buckower Elegie, die da beginnt: »Ich benötige keinen Grabstein, aber ...« Schließlich ist die Aufmerksamkeit der Interpreten auch noch auf die Epistel

I,2 gefallen, die eindringlich das stoische Lebensideal preist: »Sapere aude!« (Morley, S. 376 ff.).
Brecht hat jedoch sicher nicht nur diese drei Gedichte, sondern den ganzen Horaz gelesen. Wir könnten daher den philologischen Textvergleich ohne weiteres noch fortsetzen und beispielsweise insbesondere an die Ode II,9 erinnern, von der Brecht wohl das »Non-semper«-Motiv seines Gedichtes übernommen hat. Diese Ode des Horaz ist ein Trostgedicht und entfaltet den Topos, daß kein Unheil (z. B. keine Naturkatastrophe) ewig dauert. Auch Brechts Gedicht kann ja als Trostgedicht gelesen werden, wenigstens in seinem ersten Teil, bis es dann »freilich« ins Resignative umschlägt. Bei diesem Umschlag haben manche Leser einen Augenblick gestockt. Der Ausdruck »wie wenige« könnte sich ja, wenn man nur der Grammatik nach urteilen will, auch auf die schwarzen Gewässer der Sintflut beziehen lassen. Dann müßte man annehmen, Brecht habe mehrere Sintfluten unterschiedlicher Dauer im Sinn gehabt. Für diese Auffassung bietet das Gedicht aber keinen weiteren Anhaltspunkt, und so haben alle Interpreten nach einem Augenblick des Stockens diese Lesart wieder verworfen und den zweitletzten Vers des Gedichts so verstanden, daß hier die wenigen Menschen (eine Ausgabe schreibt: »wie Wenige«) gemeint sind, die eine Sintflut überleben: Noah und die Seinen nach der biblischen Sintflut, Deukalion und Pyrrha nach der mythologischen Sintflut, Bertolt Brecht (»Als ich wiederkehrte, war mein Haar noch nicht grau«) nach der faschistischen Sintflut. Diese Katastrophe hat lange gedauert, und wir erinnern uns der Ungeduld Brechts beim Radwechsel. Während dieser Zeit des ungeduldigen Wartens richtet sich die Hoffnung auf ein fast utopisch scheinendes »einmal«, vergleichbar dem Gedichttitel *Einmal, wenn die Zeit sein wird*. Ist aber dann endlich die Zeit gekommen, wird aus dem utopisch-zukünftigen »einmal« das tröstliche »einmal« der erzählten Vergangenheit: »einmal verrannen die schwarzen Gewässer«. Dann schaut man um sich: wer hat die gewaltige Sintflut überlebt? Nur wenige haben die

Gewalt überlebt. Millionen fehlen, die Opfer der Flut geworden sind. Unter ihnen zum Beispiel Rosa Luxemburg und Karl Liebknecht, denen Brecht Grabinschriften geschrieben hat. Oder haben vielleicht gerade diese Revolutionäre länger gedauert? Denn auch das Dauern dessen, der zu seinen Lebzeiten Bedenkenswertes geschrieben und gelehrt hat, ist nur eine Form des Überlebens in der Flut der Zeit, und es geht im letzten wohl nur darum, ob der einzelne vielleicht etwas länger dauert als dies und das um ihn herum. Denn: »Dauerten wir unendlich / So wandelte sich alles / Da wir aber endlich sind / Bleibt vieles beim Alten.«

Große Zeit, vertan

Ich habe gewußt, daß Städte gebaut wurden
Ich bin nicht hingefahren.
Das gehört in die Statistik, dachte ich
Nicht in die Geschichte.

Was sind schon Städte, gebaut
Ohne die Weisheit des Volkes?

Wenn man diese Buckower Elegie so versteht, als ob Bertolt Brecht, Horaz lesend, sich in sein märkisches Tuskulum zurückgezogen und von den großen Städten ferngehalten hätte, in denen nach den Zerstörungen des Krieges die Häuser und Fabriken wieder aufgebaut wurden, so würde man dieses Gedicht als epikureisches mißverstehen. Brecht, obwohl den ›Vergnügungen‹ dieses Daseins sehr zugetan, war kein Epikureer. Er hat, als er aus dem Exil heimkehrte und wieder in Berlin Wohnung nahm, am Wiederaufbau dieser Stadt leidenschaftlich Anteil genommen und in der regen Bautätigkeit, die Anfang der fünfziger Jahre einsetzte, ein verheißungsvolles Zeichen für den Aufbau des Sozialismus gesehen. »Als unsere Städte in Schutt lagen [...], haben wir begonnen, sie wieder aufzubauen«, heißt es in einem Gedicht, und ein anderes Gedicht richtet sich »an einen jungen Bauarbeiter der Stalinallee«. Brecht hat auch In-

schriften für die ersten Hochhäuser entworfen, die damals in Berlin entstanden, und er hat überhaupt darüber nachgedacht, ob man nicht lyrischen Gedichten dadurch eine größere Dauer geben kann, daß man sie mit der Architektur verbindet. Nein, Brecht hat gewiß nicht nur gewußt, daß Städte gebaut wurden, sondern er hat auch leidenschaftlich gewollt, daß sie gebaut wurden, und er hat mit seinen Gedichten selber mitgearbeitet an diesen *großen* Bauten, die von der *großen* Zeit des Sozialismus Zeugnis ablegen sollten, und zwar nicht nur in den Erfolgsstatistiken der Regierung, sondern auch vor der Geschichte.
Aber dieser Bertolt Brecht, der sich in den Jahren um 1950 herum so deutlich für die »große Ordnung« der sozialistischen Gesellschaft und ihrer Renommierbauten ausgesprochen hat, hat damals im Solidaritätsrausch der Aufbaujahre wohl nur für kurze Zeit vergessen, daß er sich eigentlich in den Städten immer unwohl gefühlt hat. Eigentlich fand er sich nämlich als Literat »in die Asphaltstädte verschlagen«, und sein frühes Wort von der »Unbewohnbarkeit der Städte« präludiert schon der späteren Rede Alexander Mitscherlichs von der »Unwirtlichkeit unserer Städte«. Es ist also leicht, der in Brechts Gedichten vielfach belegten These von den großartigen Aufbauleistungen des Sozialismus eine in seinen Gedichten ebenfalls gut belegte Antithese von dem immer erschreckenden Moloch Stadt entgegenzusetzen. Brecht löst diesen Widerspruch selber »dialektisch« auf, indem er fragt: »Was sind schon Städte, gebaut / Ohne die Weisheit des Volkes?« Ein anderes Gedicht, das dem gleichen Problem gewidmet ist, trägt sogar den Titel *Frage*. Es lautet:

Wie soll die große Ordnung aufgebaut werden
Ohne die Weisheit der Massen? Unberatene
Können den Weg für die vielen
Nicht finden.
Ihr großen Lehrer
Wollet hören beim Reden!

Hören mögen die Mächtigen, so wollen wir hoffen, auch auf die Stimme des Buckower Elegikers, die in poetischer Form daran erinnert, daß am Ende doch das Kleinere das Größere ist.
Es versteht sich, daß diese Stimme eine leise Stimme ist und sich unter Verzicht auf jede amplifikatorische Rhetorik in literarischen Kleinformen äußern muß. Klein ist daher auch das folgende Gedicht, das in Form und Inhalt an ein japanisches Haiku erinnert:

Der Rauch

Das kleine Haus unter Bäumen am See.
Vom Dach steigt Rauch.
Fehlte er
Wie trostlos dann wären
Haus, Bäume und See.

Auf den ersten Blick sieht es so aus, als hätten wir eine Idylle vor uns, fast einen Locus amoenus, gelegen in Buckow. Aber wir erinnern uns: schon in Kalifornien lebte Brecht in einem kleinen Haus mit Garten, das dennoch das Exil nicht vergessen machen konnte. Und in einem anderen Gedicht aus dem Jahre 1952 hört der Dichter »die Stimme des Oktobersturms / um das kleine Haus am Schilf«. Brecht denkt sich daher hier nicht grundlos etwas aus, wenn er den Rauch, der vom Dach aufsteigt, wegdenkt. Über den Rauch als Zeichen für mancherlei hat er in seinem lyrischen Werk viel nachgedacht. So in seinem *Lied vom Rauch* über den vergänglichen Rauch, so andererseits über die »Gebirge von Rauch«, die über einer bombenzerstörten Stadt stehen können, und so schließlich über den friedlichen Rauch, den Odysseus bei seiner Rückkehr an den heimatlichen »Herd« wahrnimmt:

Dies ist das Dach.
Die erste Sorge weicht.

Denn aus dem Haus steigt Rauch:
Es ist bewohnt.

Walter Jens hat also mit Recht vor dem Mißverständnis gewarnt, in unserem Gedicht eine Idylle sehen zu wollen. Wir wollen vielmehr mit demselben Walter Jens in den Versen dieses Gedichtes »eine verständige Betrachtung« sehen, die uns in knappen, meisterlich knappen Worten daran erinnert, wie gefährdet der Friede in der Welt ist (Jens, S. 21). Er ist immer an Voraussetzungen und Bedingungen gebunden. Das ist in äußerster Verknappung mit dem nur zwei Wörter umfassenden Vordersatz des Konditionalgefüges gemeint, der im dritten Vers die Achse des Gedichtes bildet. Sind diese Bedingungen, die wir sicher im Sinne Brechts als politische Bedingungen verstehen dürfen, erfüllt, so können wir uns an dem kleinen Haus unter Bäumen am See und an dem Rauch, der aus seinem Dach steigt, erfreuen. Sind sie aber nicht erfüllt, dann ist auch kein Trost mehr bei diesem Haus, diesen Bäumen, diesem See zu finden. Es sind dann zwar noch dieselben Gegenstände, aber die Kargheit des Summativ-Schemas im letzten Vers, verglichen mit der entfalteten Syntax der beiden ersten Gedichtzeilen, gibt die Öde zu erkennen, die sich ausbreitet, wenn keine besorgende Hand mehr die friedliche Ordnung der Menschheitskultur aufrecht erhält.
In einer Betrachtung aus den dreißiger Jahren über das Zerpflücken von Gedichten nennt Brecht ein gutes Gedicht ein »zum Verweilen gebrachtes Flüchtiges«. Das paßt gut auf dieses Gedicht. Brecht führt sodann eine Reihe von Gründen an, warum seine Leser und Interpreten keine Scheu haben sollen, ein solches Gedicht zum besseren Verstehen in seine Teile auseinanderzunehmen. »Zerpflücke eine Rose und jedes Blatt ist schön.« Auch wer unser Gedicht, dieses »zarte blütenhafte Gebilde«, bei der Interpretation auseinandernimmt und zerpflückt, wird finden: jedes Wort ist schön.

Zitierte Literatur: Clemens HESELHAUS: Brechts Verfremdung in der Lyrik. In: Wolfgang Iser (Hrsg.): Immanente Ästhetik, ästhetische Reflexion. Lyrik als Paradigma der Moderne. München 1966. S. 307–326, 518–523. – Walter JENS: Der Lyriker Brecht. In: W. J.: Zueignungen. 11 literarische Porträts. München 1962. S. 18–30. – Hans MAYER: Bertolt Brecht und die Tradition. München 1975. – Michael MORLEY: Brechts »Beim Lesen des Horaz«. An Interpretation. In: Monatshefte für den deutschen Unterricht 63 (1971) S. 372–379. – Joachim MÜLLER: Zu einigen späten Spruchgedichten Brechts. In: Orbis Litterarum 20 (1965) S. 66–81.
Weitere Literatur: Alexander HILDEBRANDT: Bert Brechts Alterslyrik. In: Merkur 20 (1966) S. 952–962. – Claude HILL: Bertolt Brecht. München 1978. – Walter HINCK (Hrsg.): Ausgewählte Gedichte Brechts mit Interpretationen. Frankfurt a. M. 1978. – Jürgen LINK: Die Struktur des literarischen Symbols. Theoretische Beiträge am Beispiel der späten Lyrik Brechts. München 1975. – Joachim MÜLLER: Bertolt Brecht und sein lyrisches Lebenswerk. In: Universitas 19 (1964) S. 479–492. – Klaus SCHUMANN: Der Lyriker Bertolt Brecht 1913–1933. Berlin 1964. München 1971. – Klaus SCHUMANN: Themen und Formenwandel in der späten Lyrik Brechts. In: Weimarer Beiträge. Brecht-Sonderheft 1968. S. 39–60. – Klaus SCHUMANN: Untersuchungen zur Lyrik Brechts. Themen, Formen, Weiterungen. Berlin/Weimar 1977. – Steffen STEFFENSEN: Bertolt Brechts Gedichte. Kopenhagen 1972. – Werner WEBER: Bertolt Brecht. Frankfurt a. M. 1956. – Peter WITZMANN: Antike Tradition im Werk Bertolt Brechts. [Ost] 1964.

Nelly Sachs

DAS IST DER FLÜCHTLINGE Planetenstunde.
Das ist der Flüchtlinge reißende Flucht
in die Fallsucht, den Tod!

Das ist der Sternfall aus magischer Verhaftung
5 der Schwelle, des Herdes, des Brots.

Das ist der schwarze Apfel der Erkenntnis,
die Angst! Erloschene Liebessonne
die raucht! Das ist die Blume der Eile,
schweißbetropft! Das sind die Jäger
10 aus Nichts, nur aus Flucht.

Das sind Gejagte, die ihre tödlichen Verstecke
in die Gräber tragen.

Das ist der Sand, erschrocken
mit Girlanden des Abschieds.
15 Das ist der Erde Vorstoß ins Freie,
ihr stockender Atem
in der Demut der Luft.

Zitiert nach: Fahrt ins Staublose. Die Gedichte der Nelly Sachs. Frankfurt a. M.: Suhrkamp, 1961. S. 160.
Erstdruck: Nelly Sachs: Und niemand weiß weiter. Gedichte. Hamburg/München: Ellermann, 1957.

Christa Vaerst-Pfarr

Nelly Sachs: *Das ist der Flüchtlinge Planetenstunde* (aus dem Zyklus *Und niemand weiß weiter*)

Da in der Forschung zum Werk von Nelly Sachs die Auffassung vertreten wird, die Bedeutung der Gedichte sei – wegen der Tendenz ihrer Chiffren zu absolut gesetzten, semantisch erweiterten Zeichen – weniger durch eine Einzelinterpretation, sondern eher über den Vergleich mit motivverwandten Stellen zu erschließen (Kersten, S. 233 ff., 357; Holzschuh, S. 354), bedarf der hier vorgelegte Versuch der Interpretation eines Gedichts – ohne voreilige Flucht in den Parallelstellenvergleich – einer methodischen Rechtfertigung. Zwischen der stark ausgeprägten Geschlossenheit eines lyrischen Textes als einer formal-ästhetischen Einheit und der Offenheit des Systems semantischer Konnotationen, die durch den Entwurf des einzelnen Motivs auf den Hintergrund der parallelen Stellen erzeugt wird, besteht zwar eine Spannung; aber diese darf nicht vorschnell durch die Festlegung auf eine Methode – Parallelstellenvergleich oder Einzelinterpretation – aufgelöst werden. Vor allem die voreilige Flucht in den Parallelstellenvergleich verbietet sich vor dem Anspruch eines jeden Kunstwerks – und besonders des modernen, absoluten Gedichts –, den Gehalt in der Form zu repräsentieren (Benn, S. 507 f.). Der Erkenntnis folgend, daß die ›Aussage‹ moderner Poesie sich in die Form verlagert hat, daß das Eigentliche der Dichtung nicht mehr die motivische, sondern die formale Erfindung ist (Friedrich, S. 152, 162), soll der Schwerpunkt der Interpretation auf die Analyse der Form des Gedichts und der Metaphern gelegt werden und die Form als Funktion der Aussage des Gedichts begriffen werden.

Das Gedicht folgt der Tendenz der modernen Lyrik, auf ein vorgeprägtes metrisches oder strophisches Muster sowie auch auf eine Reimbindung zu verzichten, unter anderen

Gründen wohl auch deshalb, weil die hier, aber auch in jedem anderen Gedicht von Nelly Sachs, evozierte historische Wirklichkeit des Völkermords an den Juden eine solche Ästhetisierung nicht vertrüge. Dieser Wirklichkeit, der Nelly Sachs als die »Dichterin jüdischen Schicksals« – so der Untertitel der 1974 erschienenen Monographie Berendsohns – ihre Dichtung verschreibt, wird eher gerecht ein stockender, immer wieder neu einsetzender und wieder gestauter Sprachfluß. Die Pausen sind sehr ungleichmäßig verteilt: Ein Kolon kann zwei Silben (3, 5, 7, 8, 10), aber auch vierzehn Silben (2 f.) umfassen. Auch die Abschnitte sind von unterschiedlicher Länge. Die Versgrenzen haben zumeist die Funktion, zusammengehörige grammatische Konstruktionen, besonders die Substantive von ihren Attributen, zu trennen (2, 4, 6, 7, 8, 9, 16). Dieses gewaltsam wirkende Auseinanderreißen von Sinnzusammenhängen wie auch das Phänomen, daß der letzte Vers eines Abschnitts immer kürzer ist als der Anfangsvers, versinnlicht das nach jedem längeren Ausholen einsetzende Nachlassen der sprachlichen Aktivität.

Diese Unregelmäßigkeit eines einmal weit ausholenden, dann aber stockenden Sprachflusses wird jedoch aufgefangen und verdeckt durch die formelhafte und monotone anaphorische Wiederholung des Satzanfangs und durch das simple syntaktische Schema asyndetisch aneinandergereihter Aussagesätze. Der zeigende Gestus des litaneihaft wiederholten »Das ist« suggeriert ein Gegenüber, auf dessen Fragen das Gedicht eine Antwort zu geben scheint. Es ist jedoch kennzeichnend für die monologische Prägung moderner Lyrik (Benn, S. 502 f.; Celan, S. 143 f.), daß das fragende Gegenüber ausgeschlossen bleibt; es ist jedoch gleichermaßen charakteristisch für die Lyrik von Nelly Sachs, daß sie dennoch auf ein Du gerichtet ist, entweder indem – wie in dem vorliegenden Gedicht – die syntaktische Form ein fragendes Du impliziert oder indem – wie an anderen Stellen – zahlreiche Metaphern den Themenkomplex der innigen Verbindung zwischen dem Ich und dem durch den Tod entrückten Du evozieren. Solche Metaphern sind Ausdruck der durch die Dichtung erstrebten Gemeinsamkeit mit den Toten (Vaerst, S. 142 f., 161). Die deiktische Haltung und das litaneihafte Wiederholen bloß protokollhaft feststellender, identifizierender Aussagen deuten aber auch auf den Rückzug des Ich aus seiner Funktion, die andrängenden Bilder in einen logisch-diskursiven und anschaulich nachvollziehbaren Zusammenhang zu ordnen. Dies ist ein formal-stilistisches Äquivalent für die weltverlorene Abkehr des sprechenden Ich von der Wirklichkeit hin zu den hypertrophen, aus dem Bereich der »inneren Augenstraßen« (*Fahrt ins Staublose*, S. 331) stammenden Visionen.

Der Blick auf das Wortfeld erlaubt erste Hypothesen, die als Leitfaden der Interpretation dienen sollen. Auffallend ist die große Zahl von Wörtern aus dem Bereich der Bewegung und des Todes, die sich – wie »Flüchtlinge«, (»reißende«) »Flucht«, »Fallsucht«, »Tod«, »Eile«, »Jäger« und »Gejagte«, »Verstecke«, »Gräber«, »Abschied« und »Vorstoß ins Freie« – um den Gedanken der Flucht, der Verfolgung und des Todes gruppieren. Die Bildelemente »Planetenstunde«, »Sternfall«, »erloschene Liebessonne« und »Erde« blenden in diesen Vorgang der Verfolgung astronomische Begriffe ein. Diese Kombination von Bildelementen aus der Zeitgeschichte mit Motiven aus dem astronomischen Bereich projiziert menschliche und historische Ereignisse auf den Hintergrund kosmischer Vorgänge. Der Vision eines solchen Zusammenhangs widerspricht jedoch die sprachlich bestimmte Form einer stereotypen Einleitung mit einer deiktischen Geste. Diese Spannung zwischen der sprachlichen Determination und der Irrealität des damit Bezeichneten tritt prägnant hervor und erhält die Funktion, auf die Abkehr von der Ebene der Beobachtung und auf den imaginären und visionären Charakter der Bilder zu verweisen, die aber eine eigene Wirklichkeit – höherer Art – beanspruchen. Dies zeigt eine Formulierung an anderer Stelle: »Wirklichkeit / der Visionen« (*Fahrt ins Staublose*,

S. 382; Vaerst, S. 113). Gemäß dieser – für die Dichtung von Nelly Sachs typischen – Verschränkung von menschlicher Leiderfahrung und kosmischen Vorgängen ist die Metaphorik – nicht nur des vorliegenden Gedichts – geprägt von dem Umschlag aus dem »visionären Realismus des Schmerzes [...] in eine religiöse Erlösungsbotschaft« (Rey, S. 278).
Schon im ersten Abschnitt verschränken sich Bildelemente des Geschichtlich-Konkreten mit religiöser Deutung. Einerseits werden mit »Flucht« und »Tod«, die durch die Endstellung im Vers in enge Beziehung zueinander gerückt werden, und mit »Fallsucht« Zeichen der Vergänglichkeit und des Verfalls der physischen Welt gesetzt: So fügt sich das Gedicht in den Kontext des Zyklus *Von Flüchtlingen und Flucht* und den Motivkomplex des Fallens in Tod und Wahnsinn (Bezzel-Dischner, S. 41 ff.). Andererseits wird aber auch durch die Genitivmetapher »der Flüchtlinge Planetenstunde« das Motiv der Flucht – und des Todes – umgewertet zu dem Kairos eines Schicksals, das sich in Übereinstimmung mit den kosmischen Gesetzen erfüllt (vgl. Bahr, S. 140 f.). Der mystisch-kabbalistische Gedanke wird hier angedeutet, daß der Tod zugleich der Ort eines neuen Anfangs, einer neuen Geburt, einer »gesteigert verstandenen Genesis« ist (Allemann, S. 295 ff.), weil durch den Tod und die Vernichtung die Geschöpfe sich ihrem Ziel – der Auflösung ins Immaterielle und der Rückkehr in den Ursprung zu Gott – nähern (Bahr, S. 96).
Der zweite Abschnitt führt die polaren Bereiche astraler und anthropomorpher Metaphorik noch enger zusammen, indem als Subjekte der Absturzbewegung nun nicht mehr die Flüchtlinge, sondern die Sterne fungieren. Der – kosmischen – Fluchtbewegung wird jedoch in dieser Versgruppe entgegengesetzt das Verhaftetsein alles Geschöpflichen in der physisch-materiellen Existenz, für die stellvertretend die Bildelemente »Schwelle«, »Herd« und »Brot« genannt werden. Das Abstraktum »Verhaftung« evoziert den Motivkomplex des Saugens der Erde und erinnert daran, daß in

der Chiffrensprache von Nelly Sachs das Gravitationsgesetz der Erde die erlösende Fluchtbewegung in die »Wohnungen des Todes« – so der Titel des ersten, 1946 veröffentlichten Zyklus – hemmt (Bezzel-Dischner, S. 38).
In der dritten Versgruppe verengt sich die Perspektive auf die irdische Leiderfahrung. Während in den ersten beiden Abschnitten das historische Geschehen in kosmische Bereiche transponiert und so zum Kairos eines Erlösungsgeschehens erhöht wird, dominieren in diesem Abschnitt die Metaphern, die das Grauen des historischen Geschehens suggestiv vergegenwärtigen, ohne es zu nennen. Durch die Kombination von »Apfel«, »Blume« und »Jäger« mit den Abstrakta »Angst«, »Eile«, »Nichts« und »Flucht« wird organisches – und menschliches – Leben mit den Attributen der Nichtigkeit und Vergänglichkeit versehen. »Erloschen« und »schweißbetropft« stehen ebenfalls für die Vergänglichkeit des Materiellen und physisches Leiden, während »schwarz« durch die in den Gedichten von Nelly Sachs häufig anzutreffende Kombination mit Bildelementen wie »Abschied« und »Blut« als ein semantisch erweitertes Zeichen den Akt des Tötens andeutet (Kersten, S. 243 ff.; Vaerst, S. 55 ff.). Dem gleichen Themenkomplex ist auch das Wort »raucht« zuzuordnen, das durch den Vergleich mit parallelen Stellen – etwa mit den frühen Versen über »Israels Leib [. . .] aufgelöst in Rauch« (*Fahrt ins Staublose*, S. 8) – zum semantisch polyvalenten Zeichen für den Völkermord wird. Wo der Akzent sich – wie in diesem Abschnitt – verlagert auf die geschichtliche Leiderfahrung, wird die Form zum Äquivalent für das innere Erleben, das den Sprachfluß noch stärker aufstaut und die Syntax noch deutlicher zerstückt als in den anderen Abschnitten: Die Zäsuren nach der zweiten oder dritten Silbe wie auch die Verkürzung der Sätze auf eine Länge von höchstens eineinhalb Versen erzeugen geradezu stakkatohaft wirkende Unterbrechungen im Fluß von Rhythmus und Syntax.
Während im vierten Abschnitt mit dem dominierenden Wortfeld des Todes und der Verfolgung das historische

Geschehen noch einmal suggestiv vergegenwärtigt wird, überrascht der Umschlag in der fünften und letzten Versgruppe hin zu Bildelementen, die – wie »Girlanden«, »Vorstoß ins Freie« und »Demut« – Hoffnung andeuten. Die Fluchtbewegung, deren leidvolle Erfahrung noch in »erschrocken«, »Abschied« und »stockend« nachklingt, wird umgewertet zu einem »Vorstoß« fort aus den Fesseln irdischer Not und aus der »magischen Verhaftung« hin zu einer jenseitigen Freiheit.

Diese Bewegung des Transzendierens verbindet sich im Werk von Nelly Sachs zumeist mit der Vorstellung des Auffliegens oder Aufsteigens von einem festen Körper in ein unkörperlicheres Element, etwa im Bild des Schmetterlings (Hamburger, S. 57), aber auch mit der Vorstellung einer Verwandlung des Irdisch-Vergänglichen in Licht und Musik (Dischner, S. 110 f.). Der mit dieser Bildlichkeit verbundene Gedanke einer Erlösungsbewegung im Sinne einer durch den Tod ermöglichten Rückkehr ins Immaterielle wie auch der Stilzug in der Lyrik von Nelly Sachs, den paradoxen Umschlag von Tod in Geburt als Verhältnis von Statischem und Dynamischem zu konzipieren, prägt auch die letzten Verse dieses Gedichts. Der Tod wird häufig mit »statischen« Metaphern wie Schlaf, Starre, Versteinerung, Eis, Schweigen und Vergessen verknüpft, die Geburt wird dagegen mit »dynamischen« Bildelementen wie Wachen, Tanz, Sprung, Schweben, Fliegen, Sprache, Erinnern, Musik, Wind, Atem und Hauch assoziiert (Dischner, S. 112). So geben auch die Schlußverse dieses Gedichts der Hoffnung auf eine durch Leiden, Flucht und Tod ermöglichte neue Geburt in den dynamischen Bildern »Vorstoß ins Freie«, »Atem« und »Luft« Ausdruck, die zudem Grenzzustände des Materiellen kennzeichnen. Da diese Bewegung des Transzendierens und der »entmaterialisierenden Verwandlung« (Kersten, S. 38 f.) nur nach der Auflösung der physischen Existenz im Tod möglich ist, sind nunmehr Begriffe getilgt, die – wie »Flüchtlinge«, »Jäger« und »Gejagte« – auf Menschen als Träger des Geschehens verweisen. An ihre Stelle tritt die alle

Grenzen verwischende Verschränkung anthropomorpher Elemente (»Abschied«, »Atem« und »Demut«) mit Elementen, die dem Bereich der unbelebten Materie angehören (»Sand«, »Erde« und »Luft«). Die Erde hat demnach nicht nur am Leid der Erdbewohner teil (Hamburger, S. 55), sondern auch an der erlösenden Verwandlung alles Geschöpflichen ins Immaterielle. Dieser Ausklang nimmt eine an späterer Stelle gestaltete Vision eines befriedeten Zustands der Schöpfung vorweg: »Wie leicht / wird Erde sein / [. . .] / wenn als Musik erlöst / der Stein in Landsflucht zieht« (*Fahrt ins Staublose*, S. 256).
Die Deutung, in der Dichtung von Nelly Sachs seien das menschliche Geschehen und die historische Leiderfahrung kosmisch erweitert, um die Unmittelbarkeit des Erlebens ins Allgemeine zu erheben und das Unsagbare sagbar zu machen (Bezzel-Dischner, S. 45), ist jedoch sicherlich nur ein Aspekt. Er muß ergänzt werden durch den Hinweis auf die jüdisch-kabbalistische Vorstellung einer kosmischen Bewegung aller Kreatur zurück zu ihrem Ursprung in Gott und auf den mit dieser Vorstellung verbundenen Glauben, daß in allem Materiellen eine geistige Kraft enthalten sei, die sich nach Erlösung durch die Rückkehr aus dem Exil der physischen Existenz sehnt (Bahr, S. 88 ff.). Die in diesem Mythos lebendige paradoxe Umwertung der Vernichtung alles Geschaffenen zu einem Akt der Befreiung aus den Fesseln irdischer Not und die – auch an barocke Lebenshaltung erinnernde – Entwertung des Irdischen gegenüber der Sehnsucht nach der Rückkehr zum Ursprung (Rey, S. 285; Dischner, S. 110) sind Gedanken, die nicht nur in der Kabbala, sondern auch in dem alttestamentlichen Bericht vom Auszug aus Ägypten und in der historischen Erfahrung des Exils verwurzelt sind.
Die – am Beispiel dieses Gedichts aufgezeigte – Bindung der Dichtung von Nelly Sachs an die jüdische Tradition und Geschichte fordert noch einige abschließende Bemerkungen zu der Absolutheit ihrer Chiffrensprache. Es dürfte deutlich geworden sein, daß sie nicht als Ausdruck eines ästhetisch-

unverbindlichen Spiels verstanden werden darf. Es muß aber dem Vorwurf begegnet werden, die metaphorische Struktur des lyrischen Werks von Nelly Sachs sei bestimmt durch die »offenkundige Diskrepanz zwischen der extremen Subjektivität des Affekts und seiner im Wort nur annäherungsweise geleisteten Konkretisierung« (Kersten, S. 358). In der *Form* der Metaphern kann und muß ihr Sinn erkannt werden; denn in der Dichtung von Nelly Sachs wird die Sinnhaftigkeit der absoluten Metaphern an vielen Stellen poetisch reflektiert. In den Motiven des Sternbilds und des – oft blutigen – Leuchtens als Metaphern für das sprachlich Erzeugte zeigt sich zum einen der Anspruch auf eine – weltentrückte – Absolutheit, zum anderen aber auch der Anspruch auf die im Medium der Sprache zu verwirklichende Objektivation der Todes- und Leiderfahrung (Vaerst, S. 95). Auch figurale Metaphern – »Umriß«, »Ring«, »Figur« – im Kontext von Sprachmetaphern sind mehrdeutig. Sie verweisen einerseits auf die der Chiffrensprache von Nelly Sachs innewohnende Tendenz zur Abstraktion und Entstofflichung. Sie zeigen andererseits durch den Kontext des Todes, in dem sie häufig begegnen, daß die Absolutheit der Metaphern auch für den Versuch steht, gegen die reale Welt der Unmenschlichkeit eine poetische Gegenwelt aus der Kombination von Bildelementen zu schaffen. Indem der dichterische Schaffensakt und die geschaffene Form zudem unter die Forderung der Identifikation mit dem vergangenen Leiden der Verfolgten gestellt wird, zeigt sich die Bindung der dichterischen Phantasie an die in der Sprache zu verwirklichende Beziehung zum verlorenen Du, weshalb die Dichtung sich dem Gegenständlichen entziehen muß (Vaerst, S. 140 ff.). Auch das am Beispiel des vorliegenden Gedichts beobachtete Verfahren, vieldeutige Metaphern zu summieren und stereotyp mit einer deiktischen Geste einzuleiten, erweist sich als Ausdruck einer Sichtweise, die gegen die Realität der Unmenschlichkeit eine poetische Gegenwelt schafft. Die Autonomie der Kunst als Möglichkeit, um nach Auschwitz noch ein Gedicht schreiben zu können? Da die Opfer ein Recht auf Ausdruck, auf Erinnerung in der Dichtung haben, wie auch Adorno zugestanden hat (vgl. Bahr, S. 79), ist dies wohl nur möglich auf dem Wege, der Sprachform die Stigmata des Leidens einzuprägen. Wie die zahlreichen sprachreflexiven Metaphern im Werk von Nelly Sachs und auch der von ihr überlieferte Ausspruch, ihre Metaphern seien ihre »Wunden« (Dischner, S. 108), beweisen, will ihre verrätselte und vieldeutige Chiffrensprache in diesem Sinn verstanden werden.

Zitierte Literatur: Beda ALLEMANN: Hinweis auf einen Gedicht-Raum. In: Das Buch der Nelly Sachs. Hrsg. von Bengt Holmqvist. Frankfurt a. M. 1968. S. 291–308. – Ehrhard BAHR: Nelly Sachs. München 1980. – Gottfried BENN: Probleme der Lyrik. In: G. B.: Gesammelte Werke. 4 Bde. Hrsg. von Dieter Wellershoff. Bd. 1. Wiesbaden 1958. S. 494–532. – Walter A. BERENDSOHN: Nelly Sachs. Einführung in das Werk der Dichterin jüdischen Schicksals. Darmstadt 1974. – Gisela BEZZEL-DISCHNER: Poetik des modernen Gedichts. Zur Lyrik von Nelly Sachs. Bad Homburg v. d. H. / Berlin / Zürich 1970. – Paul CELAN: Der Meridian. Rede anläßlich der Verleihung des Georg-Büchner-Preises. In: P. C.: Ausgewählte Gedichte. Zwei Reden. Nachw. von Beda Allemann. Frankfurt a. M. [5]1977. S. 133–148. – Gisela DISCHNER: Das verlorene und wieder gerettete Alphabet. Zu den Gedichten von Nelly Sachs. In: Nelly Sachs zu Ehren. Zum 75. Geburtstag am 10. Dezember 1966. Gedichte. Beiträge. Bibliographie. Frankfurt a. M. 1966. S. 107–141. – Hugo FRIEDRICH: Die Struktur der modernen Lyrik. Von der Mitte des 19. bis zur Mitte des 20. Jahrhunderts. Erw. Neuausg. Hamburg 1968. – Käte HAMBURGER: Das transzendierende Ich. In: Nelly Sachs zu Ehren. S. 51–62. – Friedrich HOLZSCHUH: Lyrische Mythologeme. Das Exilwerk von Nelly Sachs. In: Die deutsche Exilliteratur 1933–1945. Hrsg. von Manfred Durzak. Stuttgart 1973. S. 343–357. – Paul KERSTEN: Die Metaphorik in der Lyrik von Nelly Sachs. Mit einer Wort-Konkordanz und einer Nelly Sachs-Bibliographie. Hamburg 1970. – William W. REY: »... welch großer Empfang ...«. Zum Tode der Dichterin Nelly Sachs. In: The Germanic Review 45 (Nov. 1970) S. 273–288. – Nelly SACHS: Fahrt ins Staublose. [Siehe Textquelle.] – Christa VAERST: Dichtungs- und Sprachreflexion im Werk von Nelly Sachs. Frankfurt a. M. / Bern / Las Vegas 1977.

Peter Huchel

Brandenburg

»Ach, wie die Nachtviole lieblich duftet!«
Kleist, *Prinz von Homburg*

Hinter erloschenen Teeröfen
ging ich im Brandgeruch der Kiefernheide,
dort saß ein Knecht am Holzhauerfeuer,
er blickte nicht auf,
5 er schränkte die Säge.

Noch immer tanzt abends
der rote Ulan
mit Bauerntöchtern auf der Tenne des Nebels,
die Ulanka durchweht
10 von Mückenschwärmen über dem Moor.

Im Wasserschierling
versunken
die preußische Kalesche.

Zitiert nach: Peter Huchel: Die neunte Stunde. Gedichte. Frankfurt a. M.: Suhrkamp, 1979. S. 40. [Erstdruck.]

Gerhard Schmidt-Henkel

»Ein Traum, was sonst?« Zu Peter Huchels Gedicht *Brandenburg*

Peter Huchel lebte von 1903 bis 1981. Neben Essays, Aufsätzen, Interviews, Reden und Hörspielen gab er etwa 300 Gedichte zum Druck, »hinterlassungsfähige Gebilde« im

Sinne Gottfried Benns. Die Gedichte füllen sieben schmale Bände. *Die neunte Stunde* ist der letzte. Dieser Band, wie alle Sammlungen Huchels genau komponiert, ist in sechs Gruppen gegliedert. *Brandenburg* findet sich in Gruppe III, als fünftes von sieben Gedichten. Sie sprechen, noch einmal, ein letztes Mal, vom »Märkischen Komplex«, von den Kopfweiden, dem Östlichen Fluß, dem Großvater, vom Wintermorgen, vom Fremden im Vertrauten, von den Zigeunern – und von Brandenburg. Sie sprechen mit den unverwechselbaren Mitteln lyrischer Evokation, die Huchel als letzten großen Lyriker seiner Generation erscheinen lassen.

Das Kleist-Motto meint nicht das Brandenburg von Preußens Gloria, sondern das utopisch-traumhafte von Homburgs letzten beiden Auftritten, in denen die Sekunden des Somnambulismus die Kanonenschüsse überdauern und in denen der Traum mit der politischen Wirklichkeit versöhnt erscheint. »Ach, wie die Nachtviole lieblich duftet!«: auch dies ein Traum – es sind Levkojen und Nelken –, »Es scheint, ein Mädchen hat sie hier gepflanzt«. Und zwischen den Heilrufen für den Sieger in der Schlacht von Fehrbellin und dem Schlußappell »In Staub mit allen Feinden Brandenburgs!« fragt Homburg: »Nein, sagt! Ist es ein Traum?«, und Kottwitz antwortet: »Ein Traum, was sonst?« Dem Schluß der großen Komödie wird hier der eigentliche, in der Schwebe bleibende Schluß vorangestellt.

Dies alles hat noch immer mit Huchel zu tun. Ludwig Tieck schreibt in der Vorrede zu Kleists *Hinterlassenen Schriften*: »In diesem großen Sinne ist aber das Werk selbst durchaus ein echt vaterländisches Gedicht, nicht bloß ein deutsches, so sehr es auch allen Deutschen angehört, sondern vorzüglich noch ein brandenburgisches, ohne sich darum auch nur mit einem Zug in das Kleine, Abgeschlossene, Provinzielle zu verlieren« (zit. bei Kleist, S. 707). Und der Hegel-Schüler Gustav Hotho im Mai 1827, sechzehn Jahre nach Kleists Selbstmord: »[...] ein treuer Bürger des preußischen Staates, ja mit Vorliebe sogar für die heimatliche Provinz ein

Brandenburger zu sein, und andererseits sich dennoch aus allen diesen wesentlichen Verhältnissen in den verborgensten Schacht des innersten Gemütes zurückzuziehen und dort sich eine andere fremde Welt in dem Glauben zu bilden, daß diese eigene Welt die bessere und wahrhafte Wirklichkeit sei« (zit. bei Kleist, S. 713).

Huchels letzte Jahre in der DDR, nachdem er 1963 die Redaktion der bis dahin hochgerühmten Zeitschrift *Sinn und Form* abgeben mußte und bevor er 1971 ein Ausreisevisum bekam, waren zwar nicht bestimmt von einem Rückzug in das innerste Gemüt. Aber sie waren ein zwangsverfügtes inneres Exil, in strenger Isolation, ohne Post, die wenigen Besucher wurden insgeheim registriert. Hans Mayer sagt: »Was man ihm angetan hat, kann nicht verziehen werden« (S. 180).

Die eigene Welt des Gedichtes *Brandenburg* erscheint typographisch ohne regelmäßigen Strophenbau, dreigegliedert in Blöcken von fünf, fünf und drei Zeilen. Es hat damit, wie im Verzicht auf ein festes Metrum und auf Endreime, die typische Spätform der Lyrik Huchels. In einem andauernden und folgerichtigen Verdichtungsprozeß hat der Autor die vorherrschende Form seiner Anfänge, seiner spezifischen ›Naturlyrik‹ und seiner mittleren Schreibperiode aufgegeben und damit einen auf das Einzelwort konzentrierten Stil gewonnen, der jeder Zeile ihre eigene Wort- und Bildintensität gibt, ihren eigenen Rhythmus, ihre eigenen Betonungs-Sequenzen. Die früher häufig auch bei Huchel anzutreffende Genitiv-Metapher vom Typus »Laken des Mondes« oder »der Trauer Hunde« gibt es nur noch einmal in Zeile 8; sonst finden sich Einzelwörter, die zunächst etwas durchaus Konkretes benennen und die erst im Vorgang der lyrischen Erkenntnis ihren Charakter als selbständige Metaphern enthüllen (vgl. Wittmann, S. 187).

Der Teerofen war ein Teil der brandenburgischen Wald- und Moorlandschaft. Er ist als topographischer Begriff bis heute erhalten, z. B. »Albrechts Teerofen« am Wannsee. In ihm wurde durch trockene Destillation und Verschwelung aus organischen Stoffen Teer gewonnen. Der Brandgeruch der Kiefernheide ist jedem märkischen Wanderer vertraut. Er bildet sich, auch ohne das Holzhauerfeuer, wenn die Sommerhitze die ätherischen Öle der Nadelhölzer freisetzt. Huchels genaues Benennen von Tätigkeit und Werkzeug der Bauern oder Fischer zieht sich durch seine gesamte Lyrik. Dies war in der DDR ein willkommenes, wenn auch untaugliches Motiv, Huchels Lyrik dem sozialistischen Realismus anzunähern, solange die herrschende Literaturdoktrin noch Huchels internationales Ansehen für die DDR-Dichtung vereinnahmte.

In unserem Gedicht »schränkt« ein Knecht – Ruhepunkt des ersten Zeilenblocks – die Säge, d. h., er biegt die Zähne der Säge abwechselnd nach links und rechts, damit sie besser arbeitet.

Den Ulanen, einen lanzenbewaffneten Reitersoldaten, gab es, nach polnischem Vorbilde, im preußischen Heer seit 1807. Typisch für seine Uniform waren die Ulanka, ein Rock mit zwei Knopfreihen, von der Taille zur Schulter auseinanderstrebend, und die Tschapka, die Mütze.

Der Wasserschierling, ein giftiger, weißblühender Doldenblütler, wächst in oder an ruhigen Gewässern Nord- und Mitteleuropas.

Die Kalesche (ein tschechisches Lehnwort) ist ein leichter, vierrädriger Ein- oder Zweispänner, mit Lehnsessel und Faltverdeck.

Das sind wenig »preußische« Realien. Schon in früheren Gedichten zitiert Huchel das slawische Element häufig: den polnischen Schnitter und den wendischen Wald in der *Sternenreuse* oder die wendischen Weidenmütter im Gedicht *Ölbaum und Weide* (abgedruckt im *Merkur* 1972). Und dieses slawische Element bietet gerade, von der Frage seiner jeweiligen gesellschaftlichen Integration in Preußen abgesehen, wichtige Anregungen für Huchels naturmagische Vorstellungen, wie sie in den Gedichten in unterschiedlicher

Form immer wieder auftauchen, und sie bilden auch einen Bestandteil dessen, was seine Privatmythologie ausmacht. In diesem Zusammenhang ist, immer noch auf der ersten Ebene der im Gedicht mitgeteilten Fakten und Realien, der mit den Bauerntöchtern tanzende Ulan von Bedeutung. Huchel schrieb in einem autobiographischen Essay, *Europa neunzehnhunderttraurig*, für die *Literarische Welt* vom 2. Januar 1931:

Peter H., Potsdam, ist als Kind einer Bäuerin und eines Soldaten auf die Welt gekommen. Sein Vater, entstammend einer sächsischen Schäferfamilie, die 1546 bei der Kirchenvisitation in Harbke für einen Altar lehnspflichtig genannt wird und die im 19. Jahrhundert auf dunklem Prozeßweg Haus und Mühle an das gräfliche Stammgut verloren hat, hat als Ulanenwachtmeister im Sommermanöver bei Alt-Langerwisch eine wohlhabende Bauerntochter zur Frau genommen. Die Geburt ihres Sohnes fällt in die Zeit der ersten Flugversuche und der Nutzbarmachung der Elektrizität. Aber er soll mehr den Geruch von Aprilgras, Acker und Kühen einatmen, als den Ruß der aufstrebenden Industrie. Da seine Mutter lungenkrank ins Sanatorium muß, wird das Kind mit vier Jahren zu den Großeltern aufs Land gegeben. Es wird mit frischer Milch und Luft verwöhnt. Denn der Großvater hat Heide, Acker, Wiese. Leider ist er kein Bauer darauf. Er überläßt die Bewirtschaftung seiner Frau, dressiert den Hund, legt sich heimlich eine Bibliothek auf dem Heuboden an und schreibt Verse in ein blaues Heft, die Napoleon und Garibaldi verherrlichen und dem Dorfpastor ans Leder gehen. Er glaubt nicht an Gott; eher an die Macht von Kuhbeschwörungen. So hat er den Knaben bald so weit, daß es sich auch in ihm nur innerlich regt. Er fängt früh damit an, lebensuntüchtig zu denken. Einige Jahre später schreibt auch er in ein blaues Heft. (Zit. bei Gajek, S. 122.)

Gewiß braucht man diese biographischen Details nicht zu wissen, um das Gedicht zu verstehen. Aber sie liefern dem Verständnis der Privatmythologie Huchels eine festere Basis als die Suche nach literarischen Einflüssen oder Sagenstoffen. Der Vater und der Großvater werden in zwei Gedichten ausdrücklich genannt, in *Letzte Fahrt* (*Die Sternenreuse*) und in *Mein Großvater* (*Die neunte Stunde*). Die *Letzte Fahrt* beschreibt den Vater in gehämmerten jambischen, vier- und dreihebigen Vierzeilern mit Endreimen. Die erste und letzte Strophe lauten:

Mein Vater kam im Weidengrau
und schritt hinab zum See,
das Haar gebleicht vom kalten Tau,
die Hände rauh vom Schnee.
[...]

Ich lausch dem Hall am Grabgebüsch,
der Tote sitzt am Steg.
In meiner Kanne springt der Fisch.
Ich geh den Binsenweg.

Das Gedicht *Mein Großvater* ist zwar noch strophisch gegliedert, aber es kann, nach dem Fingerzeig des Titels, sich ganz auf die lakonischen Miniaturen konzentrieren, die den Großvater als zeitlose Erinnerung hervorrufen. Hier lauten die erste und die letzte Strophe:

Tellereisen legen,
das Aufspüren des Marders bei frischem Schnee,
das Stellen von Reusen im Mittelgraben,
das war sein Metier.
[...]

Er drehte am Messingring der Lampe.
Die Sonne glomm auf,
der Eichelhäher schrie
und flog in den kalten märkischen Morgen.

›Natur‹ und ›Naturmagie‹ erscheinen hier anders als bei Wilhelm Lehmann und seiner Schule. Es ist kein ›Gräserbewispern‹. Wie ein Kommentar zum *Großvater*-Gedicht mutet an, was Peter Huchel 1974 in einem Gespräch bekannt hat:

Ich habe versucht, von diesen Naturmetaphern loszukommen [...]; aber ich bin dann immer wieder durch das Dickicht der marxistisch erhobenen Zeigefinger gegangen und bin wieder zu einem alten Wort von Augustinus zurückgekehrt: »Haus meines Gedächtnisses, daselbst Himmel und Erde gegenwärtig sind.« Im Grunde genommen [...] war vielleicht das alte Haus meines Großvaters in Langerwisch das Gedächtnis für mich. [...] die Natur war für mich nicht mehr die heile, die absolute Natur, sondern es war für mich die vom Menschen veränderte Natur, in der er leben konnte. Die Natur ist für mich etwas sehr Grausames, die Kindheitsidylle wurde sehr schnell zerstört, weil ich bald die Knechte und Mägde, die Zigeuner und die Ziegelstreicher, die polnischen Schnitter kennenlernte: es gab für mich keine heile Natur mehr. Die Natur war für mich Fressen und Gefressenwerden. (Zit. bei Gajek, S. 135 f.)

Auf einer zweiten Verständnisebene zeigen sich nunmehr Bewegungsvorgang, Blickrichtung und Tempuswechsel unseres Gedichts. Huchel beginnt erzählend, im Berichtston, im epischen Präteritum. Nach der Ortsbestimmung »Hinter erloschenen Teeröfen« suggeriert das Imperfekt »ging ich« einen andauernden Vor-Gang, bis der Blick auf den Knecht fällt. Doch dieser ›kommuniziert‹ nicht mit dem Berichter, er blickt nicht auf, er arbeitet weiter. Seine Erscheinung schließt die erste Strophe, den ersten Zeilenblock ab.

In der zweiten Strophe steht am Anfang eine Zeitbestimmung: »Noch immer«. Sie fordert das Präsens in der Dauer der Zeitlosigkeit – oder doch in einem andauernden Genrebild des Dorftanzes. Der »rote Ulan«, in der Mittelzeile des gesamten Gedichts, im Zentrum stehend und im Singular (als Gattungsnahme, als Kollektivum, als Generalisierung?) tanzt mit »Bauerntöchtern«. Er tut dies auf der »Tenne des Nebels«, und diese einzige Genitiv-Metapher signalisiert das Unwirkliche, Magische des Vorgangs, der dann, mit den Zeilen 9 und 10, vollends gespenstisch wird. Das »Noch immer« und die von Mückenschwärmen durchwehte Ulanka evozieren einen märkischen Totentanz, dessen kreiselnde Bewegung andauert, solange der Blick auf ihn gerichtet ist.

Die drei Zeilen des letzten Blocks kommen schließlich ganz ohne Verb aus; der Blick zur Seite wird nach unten gezogen, ruht im stehenden Wasser; das Gedicht ist vollends statisch geworden; das Bild der Kalesche ist starr; der Autor hat sich aus ihm entfernt; wir sehen etwas Niegesehenes. »Das Gedicht trifft, wenn es gelingt, durch bedeutete Dinge auf einen nichtbedeutbaren Zustand«; und: »Wir sprechen nicht etwas aus, nur weil wir es erlebt haben, sondern wir werden erleben, was wir benannt haben« (Höllerer, S. 87). Die »bedeuteten«, im Vorgang des Gedichts mit einer Deutung versehenen Dinge, die »selbständigen Metaphern«, werden von den Huchel-Interpreten unterschiedlich benannt und definiert. Man hat, im Sinne Ezra Pounds, den Begriff des ›Imagismus‹ vorgeschlagen. Das ist keine Tautologie, weil der Imagismus tatsächlich die Präzisierung und Konzentrierung von poetischem Sinn im Bild fordert, eine von Rhetorik und Emotion freie Zeichensprache, wie sie Huchel in seinem Spätwerk bildet (vgl. Knörrich, S. 200).

Mit unseren Hinweisen auf die zweite Verständnisebene für das Gedicht *Brandenburg* sind zwar die einzelnen Aussage-Elemente in ihrer Herkunft und ihrer »harten Fügung« erläutert worden; aber die Vielschichtigkeit des so montierten Textes erschließt sich noch nicht im Sinne einer Evidenz, sofern hier Einsichten vermittelt werden können, an die kein Zweifel rührt. Als Peter Huchel 1932 den Preis der *Kolonne*, der »Zeitung der jungen Gruppe Dresden«, erhielt, formulierte der Laudator: »Die Worte öffnen sich wie Fächer, und es entfällt ihnen die verlorene Zeit« (zit. bei Schäfer, S. 368). Gewiß sind auch die in *Brandenburg* bedeuteten Dinge nicht mehr nur sie selbst, sie nehmen Chiffrencharakter an, werden Zeichen für etwas anderes; sie vermitteln eine geschlossene Bildwelt, in der lyrisches Sprechen als das Setzen von Zeichen zu verstehen ist.

Axel Vieregg (S. 13) differenziert sehr plausibel zwischen der »Chiffre« als nur systemimmanent erkennbarem »evokativem Äquivalent« und dem »Zeichen«, das gleichnishaft auf die Chiffrenfunktion zurückweist. Die Beispiele: fürs erste »Unter der Wurzel der Distel wohnt nun die Sprache«; fürs zweite »Wo an der Distel das Ziegenhaar weht«. Im zweiten Fall kann man wohl auch von einer Metapher im bekannten

Sinne sprechen. Die erste »Chiffre« erfährt, auch in ihrem poetologischen Sinn, eine Erläuterung durch folgendes Bild: »Das Wort, ausgesät für die Nacht, treibt fort, wurzelt im Wind«. (Auf die politische Verschlüsselungstechnik mancher Chiffren kann hier nur verwiesen werden.)
Das Gedicht *Brandenburg* bewegt sich mit der neunten Zeile, nach der Metapher »Tenne des Nebels«, auf die entscheidende Chiffre, »die preußische Kalesche«, hin, auf eine »Übersetzung ohne Urtext«, wie der Weggenosse Huchels, Günter Eich, es genannt hat. Der Urtext der Geschichte, Brandenburgs, Preußens und seiner Nachfolgestaaten, verweht im Tanz des Ulans; die preußische Kalesche bleibt im magischen Zustand des Gedichts ein Traumbild, das wir erleben, weil Peter Huchel es benannt hat.

Zitierte Literatur: Bernhard GAJEK: Dichter – Natur – Geschichte. Peter Huchels Weg in die deutsche Gegenwart. In: Karl Lamers (Hrsg.): Die deutsche Teilung im Spiegel der Literatur. Stuttgart 1978. S. 121–144. – Walter HÖLLERER: Fortgang. In: Mein Gedicht ist mein Messer. Hrsg. von Hans Bender. Heidelberg 1955. – Heinrich von KLEIST: Werke und Briefe. Bd. 2. Berlin/Weimar 1978. – Otto KNÖRRICH: Die deutsche Lyrik der Gegenwart. 1945–1970. Stuttgart 1971. – Hans MAYER (Hrsg.): Über Peter Huchel. Frankfurt a. M. 1973. – Hans Dieter SCHÄFER: Naturdichtung und Neue Sachlichkeit. In: Die deutsche Literatur in der Weimarer Republik. Hrsg. von Wolfgang Rothe. Stuttgart 1974. S. 359–381. – Axel VIEREGG: Die Lyrik Peter Huchels. Zeichensprache und Privatmythologie. Berlin [West] 1976. – Livia Z. WITTMANN: Die Funktion der Metapher in der Lyrik Peter Huchels. In: Seminar. A Journal of Germanic Studies 12/13 (1976/77) S. 174–188.
Weitere Literatur: Axel VIEREGG: Nachruf auf Peter Huchel. In: Neue deutsche Hefte 28 (1981) S. 475–497.

Marie Luise Kaschnitz

Interview

Wenn er kommt, der Besucher,
Der Neugierige und dich fragt,
Dann bekenne ihm, daß du keine Briefmarken sammelst,
Keine farbigen Aufnahmen machst,
Keine Kakteen züchtest.
Daß du kein Haus hast,
Keinen Fernsehapparat,
Keine Zimmerlinde.
Daß du nicht weißt,
Warum du dich hinsetzt und schreibst,
Unwillig, weil es dir kein Vergnügen macht.
Daß du den Sinn deines Lebens immer noch nicht
Herausgefunden hast, obwohl du schon alt bist.
Daß du geliebt hast, aber unzureichend,
Daß du gekämpft hast, aber mit zaghaften Armen.
Daß du an vielen Orten zuhause warst,
Aber ein Heimatrecht hast an keinem.
Daß du dich nach dem Tode sehnst und ihn fürchtest.
Daß du kein Beispiel geben kannst als dieses:
Immer noch offen.

Zitiert nach: Marie Luise Kaschnitz: Dein Schweigen – meine Stimme. Gedichte 1958–1961. Düsseldorf: Claassen, 1962. S. 53. [Erstdruck.]

Fritz Martini

Auf der Suche nach sich selbst. Zu Marie Luise Kaschnitz' Gedicht *Interview*

Das Gedicht *Interview* spricht, auf den ersten und zweiten Blick, sich einfach-klar aus, es bewegt sich, mit knapp und genau gegliederter Syntax und in überschaubarer Komposition, einem Resultat zu, das in drei schlichten Worten formuliert wird. Dem Bewegungsablauf entspricht, im freien Vers, die gelockerte Bewegung der Verssprache. Es scheint, trotz seiner Kurzform, nichts zu verbergen und bedarf, so mutet es an, keiner Interpretationshilfe. Es nimmt in dem vielschichtigen und vielformigen Gesamtwerk von Marie Luise Kaschnitz – zwei Romane, mehrere Erzähl- und Gedichtbände, Hörspiele, autobiographische und tagebuchartige Aufzeichnungen, Essays mannigfaltiger Art – keinen auffallenden Platz ein. Es zählt nicht zu ihren vielteiligen zyklischen Gedichten, wie z. B. *Rückkehr nach Frankfurt*, *Die Gefangenen*, *Tutzinger Gedichtkreis*, *Ewige Stadt*, *Zoon Politikon*, *Requiem* u. a.; es überrascht nicht durch Ungewöhnliches in Thema und Stil, wie z. B. *Genazzano* (vgl. dazu Maier, S. 68 ff.; Jens, S. 96 f.), *Hiroshima* (vgl. dazu Grimm, S. 238 ff.). Dennoch: man spürt, das lyrische Sprechen dieser Autorin erreicht in ihm einen Kunstrang, in dem Aussage und Gestalt zu überzeugender Einheit gelangen, sich ein Gleichgewicht von Außen- und Innenwendung ergibt, das gerade durch seine Aussparungen, durch seine Verbindung von Distanzierung und Intensität zu dem Substantiellen hinführt, dessen Marie Luise Kaschnitz fähig ist. »Leicht und doch nicht töricht zu schreiben hatte ich von jeher im Sinn gehabt [...] aber da versagte die Hand, versagte auch die Sprache, so als seien ihre Worte schon mit menschlicher Schwermut und mit einem langen Schicksal (Unruhe, Heimatlosigkeit, Gemartertwerden) durchtränkt«

(*Wohin denn ich*, S. 174). Schwermut und Leichtigkeit haben sich in ihm verbündet.

Ein Interview ist per se kein lyrischer Anlaß oder Gegenstand. Marie Luise Kaschnitz hat sich mehrfach über das Unbehagen geäußert, in das Interviews sie versetzten.* Aber der Hörer/Leser des Gedichts, das ihn zunächst im dialogisch-monologischen Doppelsinn als Situationspartner einzubeziehen scheint, wird rasch bemerken, daß im Schema eines Interviews sich eine Umkehr vollzieht: der Befragte ist der sich selbst Befragende. Es handelt sich, wenn nicht um ein lyrisches Selbstporträt, so doch um eine lyrische Selbstskizzierung, in Bruchstücken, die sich zu einem ganzen Umriß ordnen. Ein Ich erkundet und überprüft sich selbst, kritisch, seiner unsicher und doch gewiß. Es entsteht ein eigener lyrischer Schwebezustand. Das sprechende Ich ist zugleich Subjekt und Objekt, Spiegel und das Gespiegelte. Das schreibende Ich und der beschriebene Gegenstand fließen ineinander. Das Ich ist in sich selbst sich gegenüber. Es kann, indem es über sich selbst aussagt, die höchste Authentizität beanspruchen. Es legt sich in seinen Tiefen frei. Es stilisiert sich zugleich, indem es einer kreativen Subjektivität und dem Telos folgt, das mit dem Artefakt verbunden wird.

Kaschnitz schließt sich in *Interview* einer Traditionskette an, die weit zurückreicht: der Spezies des lyrischen Selbstporträts. Seine historischen und individuellen Wandlungen können hier, bei kärglich bemessenem Raum, nicht beschrieben werden. Dieser Anschluß bedeutet zugleich moderne Umformung: das Ich wählt den Umweg der Verneinungen, des Nicht-Wissens, es stellt sich unsicher und ungesichert in Frage. Erst in den letzten drei simplen Wör-

* Zur Problematik des Ausgefragtwerdens WOHIN DENN ICH, S. 46 f.: »Die Tatsache, daß gar keine Bekenntnisse, sondern eben nur eine Antwort verlangte wurde, änderte nichts an dem Gefühl, vor einem Tribunal zu stehen, dem man Unerlaubtes preisgeben und vor dem man zum mindesten an sich selbst, an seiner Vergangenheit oder Zukunft, Verrat begehen wird.« (Vgl. ebd. S. 121 f.)

tern taucht auf, was das eigene Wesen bestimmt, das bisher sich verbarg. Von den letzten Worten erhalten alle vorausgegangenen Verneinungen ihre Begründung. Tradition wird in *Interview* transformiert und erneuert, zur Gegenwart und zur Selbsterfahrung des Menschen vermittelt.

Das Gedicht ist weiterhin eingebettet in das Gesamtwerk seiner Autorin, zu deren vorherrschenden Schreibimpulsen das Autobiographische gehört. Es geht bei ihr immer wieder um ›Standortbestimmungen‹, um ein Suchen und Fragen nach sich selbst, um Selbstbesinnungen, an denen sich Gefühl und Reflexion beteiligen, wie z. B. in *Menschen und Dinge*, 1946; *Engelsbrücke*, 1955; *Haus der Kindheit*, 1955; *Beschreibung eines Dorfes*, 1966; *Tage, Tage, Jahre*, 1968 u. a. (vgl. dazu Baus, S. 186 f.). *Interview* rückt nahe mit den Aufzeichnungen in *Wohin denn ich* zusammen, das Marie Luise Kaschnitz als ein typisches Altersbuch bezeichnet hat (*Die Schwierigkeit unerbittlich zu sein*, Sp. 3). Man findet darin ein Parallelgedicht (*Wohin denn ich*, S. 183). Es blieb ein fragmentarischer Entwurf, die Selbstbetrachtung im Spiegel blieb »im Äußerlichsten« stecken, die Bildbeschreibung, ans Sichtbare gefesselt, gelangte nicht zu jener Art von »Abrechnung mit mir selbst«, die intendiert war (*Wohin denn ich*, S. 185). Die Situation war wohl auch zu eng ins Monologische beschränkt; es fehlte der Partner für den Dialog, den *Interview* fingiert; so wie sie auch unter dem Titel *Die Schwierigkeiten unerbittlich zu sein* im gleichen Jahr 1965 ein fingiertes Interview mit sich selbst publizierte. Das vorgetäuschte Frage-und-Antwort-Spiel gab ihr die bessere Möglichkeit zur Selbstaussage.

Noch eine andere Einbettung darf nicht übergangen werden: die Position von *Interview* in der Gedichtsammlung *Dein Schweigen – meine Stimme*. Es steht in diesem Band der Trauer um den Tod ihres Mannes Guido Kaschnitz nicht an vorrangiger, aber vom kompositorischen Formwillen der Autorin genau bestimmter Stelle. Es kann hier auf die Wandlungen der lyrischen Sprechweise von Marie Luise Kaschnitz nicht eingegangen werden. Als sie in *Gedichte*

1947 zuerst vernehmbar wurde, suchte sie in seit der Antike vererbten Formen einen festen Halt, in den Sicherungen durch regelhafte Metren, Strophen und Reime die Suggestion des Schönen gegenüber dem Elend der Welt. Sie folgte einer vorgeprägten Sprach-, Bilder- und Klangwelt und deren pathetisch-metaphorischen Überhöhungen. *Dein Schweigen – meine Stimme* zeigt den Entwicklungsweg, den sie sich seit *Neue Gedichte* (1957) erarbeitet hatte. Er hat – keineswegs ausschließlich – zu der Form verdichteter Abbreviatur, zur Einfachheit der Sprache und zum ›vers libre‹ am Rande der Prosa geführt. Die in sich und in der Wiederkehr streng geschlossene Versform, Manifestation einer als starr empfundenen objektiven Ordnung, konnte dem intensivierten Bewußtsein der persönlich-individuellen Ausdrucksnotwendigkeit, der Existenz im Augenblick, in dessen Fragmentarik und Ungesichertheit nicht genügen. Die eigene Erfahrung forderte die eigene, frei gewordene Sprache und Stimme. Sie konnten sich nicht mehr einer von außen bestimmten Gesetzlichkeit der lyrischen Redeweise einordnen. Der ›vers libre‹ erlaubte ihr eine eigene Übereinstimmung von Erfahrung und Ausdruck. Mit der überlieferten Selbstgewißheit des Ich mußte die feste Form fallen, in der es sich darstellte. »Je älter ich werde, desto weniger sicher bin ich, das Richtige zu sagen. Ich kann keine Behauptungen mehr aufstellen. Ich muß tasten, eine Annäherung versuchen [...] In der strengen Form kann man wohl nur Dinge sagen, von denen man sich einbildet, sie genau zu wissen, nicht aber solche, die einem, je länger man lebt, desto rätselhafter erscheinen« (Bienek, S. 39). Aber es handelt sich hier nicht um eine biologisch ableitbare Altersstimmung und Alterssprache. In einem Essay *Liebeslyrik heute* heißt es ähnlich: »Strenge Versmaße werden in dem heutigen Gedicht selten verwendet, es ist, als seien sie zu starr für den Vorgang des Suchens, Abtastens und Ableuchtens der Dinge und ihrer geheimnisvollen Beziehungen und in ihrer Wirkung zu apodiktisch« (*Zwischen Immer und Nie*, S. 243). Eingegangen in die neue Versgestaltung ist die

Erfahrungsfülle aus Kriegs- und Nachkriegszeit, die weit vom Schönen, Geordneten und Geborgenen der früheren Jahre, an das sie aber von Kindheit an nicht recht geglaubt hatte, entfernte. Damit verband sich in *Dein Schweigen – meine Stimme* das eigene Leid. Die Vereinsamung in der Zeit steigerte sich durch die persönliche Vereinsamung. Das Ich war außen und in sich selbst ins Ungewisse, Ungeborgene ausgesetzt, es war, fragend, suchend, im Fremden, in Schmerz und Trauer, ruhelos, heimatlos, und das Gedicht mußte dies in sich aufnehmen. »Was vom Gedicht der Jetztzeit tatsächlich vermittelt werden kann, ist die vielfach gebrochene und stückhafte Innenwelt des heutigen Menschen, eines in die Welt und an die Welt Verlorenen, der die Gefahr seiner Verlorenheit kennt« (*Zwischen Immer und Nie*, S. 225).
Diese Situation zeichnet sich im *Interview* ab: die Situation der zeitgenössischen Lyrik, die Situation der geschichtlichen Zeit und die existentielle Situation des sprechenden Ich. In die lyrische Abbreviatur sind weite Ausdrucksdimensionen eingegangen. Sie hat ihnen die Festigkeit eines geschlossenen Formgebildes abgewonnen.
Interview ist in eine Gruppe von Gedichten unter dem Obertitel *Chronik* eingefügt. *Chronik* scheint auf die Tendenz zum Erzählerischen, zum Beobachten und Berichten zu verweisen. Mischungen von Epischem und Lyrischem hat Kaschnitz als ihr eigentümlich bestätigt; sie sind generell als Zerfließen fester Gattungsgrenzen in der zeitgenössischen Literatur festzustellen. Sie hat wiederholt bemerkt, »daß sich in meinen Gedichten Prosaelemente befinden und daß meine Prosa oft gebaut ist, wie ein Gedicht« (*Die Schwierigkeit unerbittlich zu sein*, Sp. 1). Zwei erzählende Gedichte, man mag sie auch reduzierte Legenden-Balladen nennen, flankieren *Interview*. Sie erzählen, in gegenseitiger Spiegelung, Vorfälle aus der anscheinend gegenwärtigen Wirklichkeit, sachlich, ohne Pathos oder Gefühligkeit. In *Der Leuchtturm* geht es um die Tragödie eines Knaben, der, gewaltsam von seiner Heimatinsel ins Fremde entfernt, zu ihr zurückflüchtet. Den Sohn eines Trinkers und einer

Schlampe erwartet keine schöne Heimatidylle. Er strengt alle Kräfte an, zu einem Traumbild, einer Traumheimat zurückzukehren. Er bricht, seinem Ziel nahe, zusammen, der Finger des Leuchtturms streift, ein unerreichbares Licht in der Finsternis, über den Verwesenden hinweg. Nur eine unscheinbare und dennoch alles durchdringende Andeutung macht diese Geschichte zum Zeichen, das jedermann betrifft. »Da liegt es, unser Heimweh / Von Vögeln ausgeweidet« (*Dein Schweigen – meine Stimme*, S. 55).

Marie Luise Kaschnitz hat solcher Hoffnungslosigkeit in *Dezembernacht* eine Gegenperspektive gegenübergestellt. Auch hier geht es um ein Kind. Ein Feldhüter und ein Schafhirt entdecken das Neugeborene, ein ausgesetztes Flüchtlingskind, in einem Geräteschuppen. Drei luxuriöse Autos werden aufgehalten, »Drei Herren stiegen aus, drei Frauen, schöner als Engel«, sie schenken zufällige Requisiten ihres Wohllebens und fahren davon. Ein Stern hat besonderen Glanz. Das Gedicht mündet in Frage und Antwort: »Ist das Kind gestorben? Das Kind stirbt nie« (*Dein Schweigen – meine Stimme*, S. 57). Kaschnitz transponiert die Geburtsgeschichte des Heilands in eine gegenwärtige Wirklichkeit, die zum »Überall« und »Immer« offen ist. Der Finsternis des Tragischen antwortet eine Heilshoffnung, und beides ist gültig. Zwischen *Leuchtturm* und *Dezembernacht* findet sich *Interview*. Auch der innere Aufbau ist ähnlich, nur daß *Der Leuchtturm* durch die Gliederung zu zwei ungleich langen Strophen sich unterscheidet. Doch ein Strophenschnitt verbirgt sich auch zwischen den Versen 8 und 9 des *Interview*.

Die Verse 1–8 wirken wie eine Exposition. Das Uneigentliche muß rasch beiseite geschafft werden. Die Negationen, die sie aussprechen, jagen einander mit zunehmender Zeilenverkürzung. Das letzte Glied in der Reihe erhält so eine Nachdrücklichkeit, die dem Gegenstand komisch ungemäß ist. »Keine Zimmerlinde.« Eine ironische Unangemessenheit verbindet auch die ›Neugierde‹ des Interviewers mit dem ›Bekennen‹ der Befragten. Zugleich ironisiert die Fragenliste den banalen Erwartungshorizont des Interviewers und des Publikums, für das er fragt. Briefmarken oder Farbfotos sammeln, Kakteen züchten, Eigenhaus, Fernsehapparat, Zimmerlinde – es sind die trivialen Attribute einer im Nichtigen zufriedenen Idylle, der »Wohlaufgeräumtheit des heutigen Lebens« (*Wohin denn ich*, S. 84). Aus ihnen spricht die dumpfe Fixierung auf ein enges Bürgerglück, das Glück der Gleichmütigen und Stumpfsinnigen, die ihre Vereinsamung im noch so kleinen Besitz verstecken, gefühllos-blind gegenüber ihren leidenden Mitmenschen, gegenüber den Gefahren der Zeit, den Verfolgungen von gestern und den Kriegen von morgen. Die falschen Fragen des Interviewers laufen zeitkonform ins Leere, denn sie zielen auf Menschen, die ihr Wesen nur in den Dingen, in den Hobbys finden, die sie besitzen und von denen sie besessen sind.

Der mit Vers 9 einsetzende zweite Gedichtteil löst das ironisch-feierliche ›Bekennen‹ durch ein schlichtes »Daß du nicht weißt« ab, das in sieben Abwandlungen das Folgende dicht zur Einheit verklammert. Die Wiederholungen behüten das Gedicht vor dem Zerfließen, verdichten es in Sinn und Rhythmus zur festen Einheit. An die Stelle der Addition der Verneinungen tritt ein dialektisches Verfahren mittels Frage und Antwort; die Perspektive wechselt von den Routinefragen des anonymen Interviewers zu einer schonungslosen Confessio des Ich sich selbst gegenüber. Auch dieser abrupte Perspektivenwechsel kennzeichnet das zeitgenössische Gedicht. Ein Tonwechsel ist deutlich. Ihm entspricht die Längung der Sätze und Verszeilen, ihre klare Bestimmtheit, bis dann in der Schlußzeile zu drei einfachsten Wörtern verknappt wird, worin sich dies Ich erkennt. In dieser Schlußzeile, die gleichsam spiralartig durch die Abwege der falschen Fragen und die Verneinungen des Wissens hindurch erreicht wird, erhellt sich das ganze Sinngefüge.

Und auch dies zeigt das zeitgenössische Bewußtsein an: das Nein gegenüber der zeitgenössischen Bürgermentalität wird nicht durch ein Überlegenheitsgefühl der künstlerischen,

geistigen Existenz kompensiert, nicht durch einen Unabhängigkeitstrotz des Außenseiters, wie die Konvention des Gegensatzes zwischen Bürger und Künstler erwarten ließe. Er würde das ›Nein‹ nur gesellschaftlich begründen. Es ist anders: ein Ich sitzt über sich selbst zu Gericht, es verlangt von sich unerbittliche Wahrhaftigkeit. In ihr sah Marie Luise Kaschnitz die verbliebene Legitimation der Dichtung: als Wahrhaftigkeit des Autors gegenüber sich selbst und gegenüber der Zeit. Sie wollte sich in keine Tröstungen oder Versöhnungen einlassen.
Es kann auf ihren Essay *Schwierigkeiten heute die Wahrheit zu schreiben* nur verwiesen werden. »Künstlerische Wahrheit«, heißt es dort (S. 70 f.), »ist Treue zu sich selbst und zu seiner Zeit, in diesem Sinne gibt es eine künstlerische Wahrheit auch in der Lyrik – auch noch dem irrationalsten Gedicht muß man die historischen und soziologischen Erfahrungen abhören können, durch die sein Verfasser hindurchgegangen ist.« Und weiter: Nur die Aufrichtigkeit, die per se Gesellschaftskritik, wenn auch vielleicht nur im akzentuierten persönlichen Lebensaugenblick ist, trifft ins Schwarze. Sie kann heute nur von der Unsicherheit des Menschen gegenüber der Fragwürdigkeit der Zeit und sich selbst gegenüber sprechen. Solche Unsicherheit läßt sich in den folgenden Verszeilen ablesen. Das Ich weiß keine Antwort auf die Frage nach dem »Warum« seines Schreibens, keine Antwort auf die nach einem Sinn des Lebens. Es hat Herz und Gefühl eingesetzt, »aber unzureichend« (14). Es hat gekämpft, aber nur zaghaft, es hat kein Recht auf eine Heimat, keinen festen Standort gefunden, es lebt, »ein verlorenes Ich« (*Dein Schweigen – meine Stimme*, S. 17) im Ungewissen zwischen Todessehnsucht und Lebensverlangen, zwischen dem Nichts und ein wenig Hoffnung, dem Nirgendwo und Irgendwo. Es kann kein »Beispiel« geben (19). Nur des einen ist es gewiß: »Immer noch offen« (20) zu sein. Diese Offenheit bedeutet den Widerstand gegen alle Verbrämungen, Versöhnungen und Tröstungen, die dem Gedicht eine schöne Abrundung geben könnten, bedeutet,

sich allen Widersprüchen zwischen dem Vergeblichen und den Hoffnungen oder Träumen auszusetzen. Sie meint den Widerstand gegen die Fixierungen an das zeitgemäß Nichtige, nach dem der Interviewer fragte. Sie stellt nicht nur die Zeit, auch das Ich in Frage. Sie weicht nicht dem Schrecklichen, nicht dem Schönen mittels Beruhigungen und Beschwichtigungen aus, nicht dem Labyrinth, dem Guten und Bösen auf allen Seiten und in jeder Brust (*Wohin denn ich*, S. 146). Sie meint, für die härteste innere Wahrheit, um ein Wort von Kaschnitz aufzunehmen, bereit zu sein und sich keinem Mitleben und Mitleiden zu verschließen. Denn erst, wer sich allen Unsicherheiten aussetzt, gelangt zur Person. »Wichtiger als alles einmal Zustandegebrachte schien mir das, was nicht geht, *noch* nicht geht, vielleicht einmal geht. Aber unsere Tage sind gezählt« (*Wohin denn ich*, S. 48).

Dein Schweigen – meine Stimme ist ein Buch der Trauer, Ausdruck einer eingreifenden Lebenskrise. So könnte *Interview*, auch im kritischen Sinn, als ein ›privates‹ Gedicht gelten. Marie Luise Kaschnitz hat von einer unvermeidlichen Ichbefangenheit ihrer Lyrik gesprochen, »weil ich wirklich nur von mir aus, oder von einer einzigen Person aus, mit der ich mich identifiziere, berichten kann« (*Insel Almanach*, S. 56). Lyrik bedeutete ihr eine unmittelbare, auf Erleben und Erfahren des Ich bezogene Aussage, eine Gegenwart, die sich weder dem Vergangenen noch dem Zukünftigen verschließt.

Aber handelt es sich in *Interview* wirklich nur um eine Confessio des noch nicht und doch schon Erreichten, nur um ein autobiographisches Gedicht? Die Aufzeichnungen *Wohin denn ich* scheinen es zu bestätigen. Gleichwohl stellen sie schon zu Beginn eine Warntafel auf. »Wenn Sie wissen wollen, wer hier spricht, welches Ich, so ist es das meine und auch wieder nicht, aus wem spräche immer nur das eigene Ich« (*Wohin denn ich*, S. 5). Marie Luise Kaschnitz spricht aus einem Ich in dieser Zeit, in dieser historischen Phase, und sie spricht von sich als einem Menschen unter allen anderen, die in ihr leben müssen. Sie spricht vom Menschen jetzt und immer, hier und überall. »Ich wußte ja, was meine Not war, diese schmerzhafte Spannung zwischen Todessehnsucht und Lebenswillen, die übrigens gewiß ein allgemeines Übel ist und die so leicht niemand aufheben kann« (*Wohin denn ich*, S. 126). Sie stellt den Vielen, den Gleichgültigen und Stumpfen, die von den Schrecken und Gefahren der gegenwärtigen Zeit, ihrer Vergangenheit und Zukunft nichts ahnen oder wissen wollen und unter die der Interviewer sie selbst einrangiert, ihr Ich entgegen. Dies Ich ist Widerstand durch sein Dasein. Es ist zugleich in die Ratlosigkeit und Brüchigkeit der Zeit einbezogen. Daß sie um beides weiß, sich keine Täuschungen reserviert, in keine Schlupfwinkel flüchtet, macht aus ihrer Ohnmacht eine Kraft. Sie liefert kein »Beispiel«, das beansprucht, anderen aufzuhelfen. Sie ist wie alle Gefangene der Zeit und des Mensch-Seins. Aber indem sie dies genauer, intensiver und härter weiß und sagt, hilft sie vielleicht zum heilenden Widerstand gegen die große Erkrankung der Zeit (*Wohin denn ich*, S. 176). Ihre Wahrhaftigkeit sollte die Leser provozieren und wecken; ihr Dichten wollte »den trostsüchtigen Leser in seine Schranken zurückweisen, ihm seinen alten Wunsch nach Erhebung und Erlösung austreiben, ihn im düsteren Gegenbild der Poesie diese selbst erkennen lassen« (*Wohin denn ich*, S. 17), die in einer kargeren, häßlicheren Gegenwart, gemessen an vergangenen Jahrhunderten noch immer Poesie war, die nicht lediglich von einem privaten Ich, sondern zu allen sprach. Der Dichter galt ihr in dieser Gegenwart als ein Wächter, dem im Gegensatz zu den glücklichen Augen des Goetheschen Türmers das Unerfreuliche und Häßliche nicht aus dem Sinn kommt, der aber mit seinem beständigen Aufmerken und Festhalten der Schrecknisse diesen selbst schon etwas von ihren Schrekken nimmt.

Zitierte Literatur: Anita BAUS: Standortbestimmung als Prozeß. Eine Untersuchung zur Prosa von Marie Luise Kaschnitz. Bonn 1974. – Horst BIENEK: Werkstattgespräche mit Schriftstellern. München 1962. – Reinhold GRIMM: Marie Luise Kaschnitz: Hiroshima. In: Geschichte im Gedicht. Texte und Interpretationen. Protestlied, Bänkelsang, Ballade, Chronik. Hrsg. von Walter Hinck. Frankfurt a. M. 1979. – Insel Almanach auf das Jahr 1971. Hrsg. von Hans Bender für Marie Luise Kaschnitz. Frankfurt a. M. 1970. [Mit einem Forschungsbericht von Elsbet Linpinsel, S. 97–115.] – Walter JENS: Deutsche Literatur der Gegenwart. Themen, Stile, Tendenzen. München 1961. – Marie Luise KASCHNITZ: Dein Schweigen – meine Stimme. [Siehe Textquelle.] – Marie Luise KASCHNITZ: Die Schwierigkeit unerbittlich zu sein. In: Die Welt der Literatur. Beilage zu »Die Welt«. 11. 11. 1965. – Marie Luise KASCHNITZ: Schwierigkeiten heute die Wahrheit zu schreiben. In: M. L. K.: Ein Lesebuch. 1964–1974. Hrsg. von Heinrich Vormweg. Frankfurt a. M. 1975. – Marie Luise KASCHNITZ: Wohin denn ich. Aufzeichnungen. Hamburg 1963. – Marie Luise KASCHNITZ: Zwischen Immer und Nie. Gestalten und Themen der Weltliteratur. Betrachtungen. Frankfurt a. M. 1971. – Rudolf Nikolaus MAIER: Das moderne Gedicht. Düsseldorf 1959.
Weitere Literatur: Elsbet LINPINSEL: Kaschnitz-Bibliographie. Hamburg/Düsseldorf 1971.

Günter Eich

Inventur

Dies ist meine Mütze,
dies ist mein Mantel,
hier mein Rasierzeug
im Beutel aus Leinen.

5 Konservenbüchse:
Mein Teller, mein Becher,
ich hab in das Weißblech
den Namen geritzt.

Geritzt hier mit diesem
10 kostbaren Nagel,
den vor begehrlichen
Augen ich berge.

Im Brotbeutel sind
ein Paar wollene Socken
15 und einiges, was ich
niemand verrate,

so dient es als Kissen
nachts meinem Kopf.
Die Pappe hier liegt
20 zwischen mir und der Erde.

Die Bleistiftmine
lieb ich am meisten:
Tags schreibt sie mir Verse,
die nachts ich erdacht.

25 Dies ist mein Notizbuch,
dies meine Zeltbahn,
dies ist mein Handtuch,
dies ist mein Zwirn.

Zitiert nach: Günter Eich: Gesammelte Werke in vier Bänden. Hrsg. von Susanne Müller-Hanpft, Horst Ohde, Heinz Schafroth und Heinz Schwitzke. Frankfurt a. M.: Suhrkamp, 1973. Bd. 1: Die Gedichte. Die Maulwürfe. S. 35.
Entstanden: 1945/46.
Erstdruck: Deine Söhne, Europa. Gedichte deutscher Kriegsgefangener. Hrsg. von Hans Werner Richter. München: Nymphenburger, 1947.
Weiterer wichtiger Druck: Günter Eich: Abgelegene Gehöfte. Frankfurt a. M.: Schauer, 1948. 2. Aufl. Frankfurt a. M.: Suhrkamp, 1968 [mit von Eich teilweise veränderter Reihenfolge der Texte].

Jürgen Zenke

Poetische Ordnung als Ortung des Poeten. Günter Eichs *Inventur*

»Das Nichts zwingt zur Schöpfung.«
Eich, *Notizen*

Ein Kriegsgefangener benennt seine kostbaren Habseligkeiten: Wer ein Beispiel dafür suchte, daß selbst ›naive‹ Gedichte, die ungekünstelt bis zum Verdacht der Kunstlosigkeit wirken, nicht notwendig unmittelbar zum Leser sprechen, der könnte aus heutiger Sicht auch diese Strophen anführen, obwohl sie zu den berühmtesten der deutschen Nachkriegslyrik zählen und sich eine ganze Generation aus ähnlicher Erfahrung damit identifizieren konnte. Die erneute Begegnung mit dem offenbar jedermann vertrauten Gedicht steht im Zeichen einer unerwarteten Befangenheit, die sich schon durch die (literar-)historische Etikettierung einstellt. Gilt doch *Inventur* noch vor anderen Lagergedichten Günter Eichs geradezu als Inbegriff von »Kahlschlag-Literatur« aus dem »Jahre Null«, wenngleich diese Begriffe im Hinblick auf ungebrochene Traditionen nach dem Krieg längst als revisionsbedürftig erkannt worden sind. Seine Wirkungsmöglichkeit wäre dann auf sehr wenige Nachkriegsjahre begrenzt – ein Schicksal vieler Zeitgedichte. Schon für die Jahre des »Wirtschaftswunders« läßt sich nur noch angenehmes Gruseln und das erleichterte Kontrastgefühl ›Wir sind wieder wer‹ vorstellen. Heute scheint eine ausschließlich historisierende Deutung des Gedichts als Dokument einer längst vergangenen und verdrängten Zeit der Bedürftigkeit und selbstverschuldeten nationalen Demütigung nach der bedingungslosen Kapitulation unvermeidlich. Oder was könnte den Leser einer Überflußgesellschaft mehr befremden als die liebevolle Verwaltung des Mangels bei Eich?

Sollten wir das Gedicht deshalb kurz entschlossen aus seinem Kontext lösen und als Variation über das heutige Problem der ›wahren Bedürfnisse‹, als Appell zur Rückbesinnung auf das Notwendige angesichts der »Grenzen des Wachstums« verstehen? Immerhin hat man es als Kontrafaktur auf das behagliche Lob spießbürgerlicher Saturiertheit in dem formal eng verwandten Rollengedicht *Jean Baptiste Chardin* von Richard Weiner gedeutet (Neumann, S. 63), in dem es etwa heißt: »Hier ist mein Wedgewood, / Dort ist mein Sèvres. / Das lustige Bildchen, / Fragos Geschenk.« Doch hat Eich die Kenntnis dieses ›Vorläufers‹ ausdrücklich bestritten. Solange ein bewußt parodistischer Rückbezug darauf nicht zu beweisen ist, sollte man den Sinn von *Inventur* nicht durch modische Spekulationen verstellen, etwa mit der Behauptung: »Der Prozeß der Verdinglichung [im Spätkapitalismus] ist total in der Situation des Gefangenen« (Müller-Hanpft, S. 38). Konsum- und Ideologiekritik haben andere Voraussetzungen als die von Eich 1945/46 in amerikanischer Gefangenschaft am eigenen Leibe erfahrenen Entbehrungen. Zurückhaltung mit solchen Interpretationen gebietet schon der Respekt vor dem Autor, der sich zeitlebens jeder vordergründigen Vereinnahmung für ›Zwecke‹ entzogen hat.

Ratlosigkeit mag den Leser auch bei der Gattungszuordnung befallen. Die Berühmtheit dieser Verse ist keine Antwort auf die schlichte Frage: Ist das denn überhaupt ein Gedicht?

Mehr als Strophenform und Metrum scheinen auf den ersten Blick nicht dafür zu sprechen. Zwar ist Reimlosigkeit, zumal im 20. Jahrhundert, kein ausschließendes Kriterium, doch was könnte prosaischer sein als ein Text, dessen Sprache so konsequent jeder Bildlichkeit enträt, der schon im Titel Kaufmannsroutine ankündigt und dann mit der Auflistung beziehungs- und eigenschaftsloser Dinge auch zu praktizieren scheint? Nicht einmal die Substantive »brauchen nur die Schwingen zu öffnen und Jahrtausende entfallen ihrem Flug«, wie Gottfried Benn sie in den *Problemen der Lyrik* feiert (S. 513); statt dessen »Kargwort neben Kargwort«, wie es in Marie Luise Kaschnitz' Gedicht *Müllabfuhr* programmatisch heißt.
Die durch solche Zweifel provozierte genauere Betrachtung enthüllt jedoch eine bisher übersehene konstitutive Spannung zwischen prosaischer Inventarisierung und lyrischem Rhythmus, zwischen scheinbar beliebiger Addition und kunstvollem Bau.
Metrisch haben die Strophen mit ihren jeweils vier zweihebigen Versen einen deutlich liedartigen Charakter, wie er uns etwa aus dem Volkslied *Die Gedanken sind frei*, dem geistlichen Lied *Es ist ein Schnitter, heißt der Tod* oder Goethes *Mailied* vertraut ist. Das gilt besonders für die Zeilen mit Auftakt und weiblicher Kadenz, obwohl Schillers *Punschlied* auch auftaktlose zweihebige Verse mit männlicher Kadenz als kantabel vorführt. Frei von strophischer Begrenzung begegnet uns dieser Verstyp häufiger in Dithyramben (etwa bei Schiller und Nietzsche), in Oden und Hymnen (z. B. Goethes großen Hymnen der ersten Weimarer Jahre). Die rhythmische Gestaltung variiert in diesen Gattungen stärker, doch stellt sich bei doppelter Senkung in der Versmitte häufig ein tanzender Rhythmus ein, der den Dithyrambus seit seinen Ursprüngen auszeichnet. Da nun in Günter Eichs *Inventur* solche Verse mit doppelter Senkung in der Mitte dominieren, gleichzeitig aber der Endreim des Liedes ausgespart ist, wird man das Gedicht zwischen beiden Formtraditionen beheimatet sehen müssen. Acht wei-

tere Gedichte der Sammlung *Abgelegene Gehöfte*, die wohl ebenfalls 1945/46 entstanden sind, folgen dem gleichen metrischen und strophischen Prinzip, sind allerdings durchweg gereimt; *Die Orgel der Sümpfe* besteht aus zweihebigen Versen ohne strophische Gliederung. Auch vier chinesische Gedichte hat Eich 1949 bis 1951 in vierzeilige Strophen mit vorwiegend zwei Hebungen übertragen: *Klage*, *Ein Sommertag*, *Frühlingsnacht* und *Kurze Rast am Ufer* – das erste davon als Exilgedicht einer Königin auch thematisch und sprachlich mit *Inventur* verwandt: »Ein Zeltdach ist meine Wohnung, / Aus Filz sind die Wände. / Rohes Fleisch muß ich essen, / Stutenmilch ist mein Getränk.« Das läßt für die ersten Nachkriegsjahre auf seine erhebliche Wertschätzung dieser Form schließen, die er in den folgenden Sammlungen aufgibt, wie seit den fünfziger Jahren auch andere einfache gereimte Strophenformen, vor allem die Volksliedstrophe, weil ihm die traditionellen lyrischen Sageweisen von Reim, Strophe und Metapher zunehmend verdächtig werden und ihn alles zur zeichenhaften Abbreviatur drängt.

Die rhythmische Ausgestaltung dieses Versmaßes in *Inventur* zeigt eine – naturgemäß subtile – Doppelfunktion. Daß genau die Hälfte der 28 Verse auftaktlos einsetzt, mag noch als bloßer Zufall abgetan werden, obwohl Eichs Formsinn nicht unterschätzt werden sollte. Daß davon wiederum die Hälfte – was der Strophenzahl entspricht – den dreiteiligen Aufbau des Gedichts mitakzentuiert, könnte immer noch belanglos erscheinen. Denn die rahmende Funktion der beiden Eckstrophen wird auch ohne den kräftig-bestimmten Einsatz der drei ersten und vier letzten Verse syntaktisch augenfällig durch die anaphorische Reihung syntaktisch parallel gebauter, deiktischer Hauptsätze, die den vom Titel geweckten Erwartungen in ihrer schmucklosen Statik vollauf gerecht werden – Eigenschaften der Dinge ›zählen‹ schließlich nicht bei einer Inventur, und der Zusammenfall von Ding-, Satz- und Zeilenende fördert gewiß die solchem Vorhaben nützliche Übersicht.

Wenn indessen die eine Hälfte der auftaktlosen Verse so

offenkundig eine Sonderstellung einnimmt, richtet sich die Aufmerksamkeit verstärkt auf die andere Hälfte. Diese sieben Verse verteilen sich unregelmäßig über die fünf ›Binnenstrophen‹, akzentuieren also nicht den Bau des Gedichts, sind dafür aber Zeilen von so zentraler Bedeutung wie »Tags schreibt sie mir Verse« (23) und »lieb ich am meisten« (22), vorenthaltener Bedeutung wie »niemand verrate« (16) oder unerwartet und rätselhaft emphatischer Wertung wie »kostbaren Nagel« (10) mit den zwei folgenden Zeilen. Die zunächst unauffällige Zeile »nachts meinem Kopf« (18) wird offenbar rhythmisch vorausdeutend auf die ebenfalls nachts »erdachten« (24) Verse herausgehoben. Die Versuchung liegt nahe, als geheimen Fluchtpunkt für diese sieben Verse das ›Schreiben‹ des Ich anzunehmen, ohne deswegen im Umkehrschluß alle Verse mit Auftakt als mutmaßlich zweitrangig aus den Augen zu verlieren. (Das verbietet sich für die Eckverse der vorletzten Strophe ohnehin.) Stützen könnte sich diese Vermutung auch auf eine parallele rhythmische Besonderheit. Insgesamt dreimal realisieren wir bei sinnakzentuierter Lesung eine dreisilbige Senkung statt einer ein- oder zweisilbigen in der Versmitte. Dadurch wird noch einmal die Bedeutung der Zeile »Tags schreibt sie mir Verse« hervorgehoben, zum andern in den Anfangszeilen der Eckstrophen die Rahmung zusätzlich betont. Auch hier also eine – parallele – Doppelfunktion rhythmischer Elemente.
Die quantitative Verteilungssymmetrie rhythmischer Besonderheiten auf Rahmen- und Binnenstrophen lenkt den Blick auf eine analoge Symmetrie des Kontrasts zwischen expliziter Inventur in den Rahmenstrophen und verdeckter Bestandsaufnahme in der mittleren Strophe, gleichsam der Symmetrieachse, die übrigens auch als einzige einen zweisilbigen Auftakt enthält. Hier liegen neben wollenen Socken andere, geheime Kostbarkeiten. Sieht man die Parallelität der verbergenden Geste als vorausdeutenden Hinweis an, so kann »einiges« (15) sich nur auf etwas beziehen, das wie der »kostbare« Nagel mit dem Schreiben zu tun hat; und als das »es« (also nicht der Brotbeutel), das nachts dem Verse

erdenkenden Kopf zum Kissen dient (17f.), müßte im Zentrum des Gedichts das auch vor dem Leser sorgsam gehütete Geheimnis des Dichtens stehen, eines Dichtens, das im Bann so prosaischer Dinge wie der wollenen Socken geschieht, die in schlechten Zeiten ebenso materiell wichtig sind wie als Gegenstand für Lyrik in schlechten Zeiten, um ein bekanntes Gedicht Bertolt Brechts abgewandelt zu zitieren.
Die kompositorische Spannung zwischen Rahmen- und Binnenstruktur tritt auch auf der Ebene von Lautung und Klang der Verse in Erscheinung. Deutet schon die bis zur mittleren Strophe gleichmäßig zunehmende, dort kulminierende und wiederum allmählich abnehmende Tendenz zur Verschleifung der strengen Zeilenzäsur durch Enjambements auf ein, wenn auch verhaltenes, rhythmisch-musikalisches Crescendo und Decrescendo des Sprechens, so findet dies eine – nicht so streng symmetrische – Entsprechung in der Verwendung der Vokale und Konsonanten. Die gruppierende Funktion des Endreims ist weitgehend dem Stabreim übertragen. (Dies gilt, wenn man jede Strophe als Äquivalent zweier germanischer Langzeilen auffaßt.) Durch konsonantische Alliteration vor allem am Ende der jeweils ersten beiden ›Kurzzeilen‹ werden die Einsätze der Strophen 1, 2, 4, 5 und 6 markiert: »Mütze«/»Mantel«, »-büchse«/»Becher« usf. Vokalische Harmonien bestimmen das Klangbild sämtlicher Strophen. Im Kontrast zur Dominanz der hellen Vokale, vor allem auf i bzw. ie, in den Eckstrophen fällt das Auf- und Wieder-Abklingen der dunklen auf a und o in den Binnenstrophen 2, 4 und 6 auf: »hab«/»Namen«; »Brot-«/ »wollene Socken«; »was«/»verrate«; »Tags«/»nachts«/ »erdacht«. Auch unabhängig von der Gleichlautung werden die betonten Vokale zur Mittelstrophe hin immer dunkler, gleichsam ›wärmer‹, und danach wieder heller. So erscheint die Mittelstrophe abermals als Höhepunkt des lyrischen Sprechens.
Diese Beobachtungen zur lyrischen Struktur weisen demnach auf eine dreigliedrige Komposition, die das Thema »Inventur« in der ersten Strophe mit bauendem Rhythmus

anschlägt, in den folgenden fünf Strophen rhythmisch fließend ›durchführt‹ und mit einer Reprise der thematischen und formalen Elemente in der letzten Strophe ausklingen läßt. Die Durchführung kulminiert rhythmisch und klanglich in der mittleren Strophe und verarbeitet dabei ein zweites Thema: das Schreiben des Ich, das in der zweiten Strophe auf scheppernder Grundlage (lautmalend: »Konservenbüchse«/»Teller«/»Becher«/»-blech«) mit einer schrill quietschenden Signatur beginnt (ebenso lautmalend: »geritzt hier mit diesem«), die noch ganz an den prägenden Klang des Themas gemahnt, dann aber zu gelösteren Klängen und Formen findet, so daß die inhaltliche Steigerung zu den in der vorletzten Strophe genannten Versen auch in der Sprache der Verse selbst glaubhaft wird. »Die Macht der Gedichte«, »Der Zauber der Verse« sind nicht mehr »im Hunger vergessen«, wie es in einem anderen Gedicht aus dem Komplex *Gefangenschaft* heißt (I,32), sondern erscheinen unter den ›Aktiva‹ der »Stunde Null«. Vielleicht enthält der für diese Jahre ungewöhnliche Gebrauch des Stabreims bereits einen metaphorischen Hinweis auf fast verschüttete Anfänge des Dichtens. Aus der Inventur erwächst die Kraft zur Invention.

Eine Formuntersuchung, die allen Feinheiten dieses Gedichts gerecht werden wollte, hätte auch z. B. auf reihende oder chiastische Klangstrukturen zu achten, etwa: »mein Teller«/»mein Becher«; »begehrlichen«/»berge«; »Notizbuch«/»Zeltbahn«; »was ich niemand«; »Bleistiftmine«/»lieb [. . .] meisten«. Auch solche verborgenen, über die Nützlichkeit hinausreichenden Beziehungen tragen zur poetischen Ordnung der Dinge in den Binnenstrophen bei, wo die schrumpfende Zahl der wahrgenommenen Gegenstände dafür Raum eröffnet.

Wer solche Beobachtungen für formalistische Pedanterie hält, mag sich durch jenen Brief Günter Eichs eines anderen belehrt sehen, aus dem ein Jahr nach Veröffentlichung der *Abgelegenen Gehöfte* Alfred Andersch zitiert: »Die Korrespondenz eines Doppelkonsonanten in der ersten Zeile mit einem in der zweiten kann entscheidender sein als der Gefühls- oder Gedankeninhalt« (S. 150). Noch zehn Jahre später rühmt er in einer Gedichtrezension den »Rhythmus«, »den Kunstverstand in der Reimanordnung und im Spiel der Vokale und Konsonanten« (IV,431). In einem Diskussionsbeitrag aus dem Jahre 1949 faßt er zusammen:

> Literatur, wenn sie nicht Reportage und Unterhaltungsroman bleiben will, wird erst wesentlich und wirksam, wenn sie Form gewinnt, d. h. über das Dargestellte hinaus gültig ist. [...] Entscheidend scheint mir die Genauigkeit [...] Stil ist kein Schlafpulver, sondern ein Explosivstoff. (IV,395)

Daß *Inventur* dank seiner Form einen Anspruch auf Bedeutung und Wirksamkeit als deutsches Nachkriegsgedicht erheben kann, nicht etwa kraft einer rein inhaltlich trivialen Inventarisierung, die allererst einen ›explosiven‹, d. h. spannungsreich und unerwartet poetischen Ausdruck finden mußte, hoffe ich gezeigt zu haben.

Eich ist mit derselben Elle zu messen, die er 1949 an den damals in Deutschland gerade entdeckten Hemingway anlegt: »sein kunstvoller, ja raffinierter Stil ist nicht aus dem Journalismus ableitbar« (IV,395 f.), das heißt: stilistisches Raffinement zeigt sich auch darin, daß es sich hinter der Oberfläche des Faktischen zu verbergen weiß und sich nicht aufdrängt wie das ›lyrische‹ Raunen eines ›falschen Tiefsinns‹.

Daß Eich damit keiner apolitischen Ästhetisierung der Nachkriegswirklichkeit das Wort redet, geht bereits aus seiner Situationsbeschreibung des Schriftstellers Anno 1947 unmißverständlich hervor: die Aufgabe habe sich »vom Ästhetischen zum Politischen gewandelt«, fern »jeder unverbindlichen Dekoration, fern aller Verschönerung des Daseins« (IV,393).

Damit plädiert er nicht für unmittelbar politisch eingreifende Literatur, sondern für die Trennschärfe ihrer Wirklichkeitswahrnehmung als Ausdruck ihrer inneren »Wahrheit« und letztlich als Grundstein einer »Ethik«. Für einen

Nachfahren der romantischen Dichtungstradition, der Eich in seinen Anfängen zu Beginn der dreißiger Jahre war, heißt das auch: die Natur hat aufgehört, poetisches Reservat zu sein; statt des Posthorns tönt Eimerklappern durch den Wald:

> [...] dort werden Reisig und Zapfen gesammelt, nicht weil es poetisch ist, sondern weil es keine Kohlen gibt; Aufforstung und Abholzung, statistische Zahlen und eine Ziffer im Haushaltsplan, – so trockene Dinge können bedeutender sein als die subtilen Gefühle, die der Spaziergänger beim Einatmen des Tannenduftes hat. Ich will nicht sagen, daß es keine Schönheit gibt, aber sie setzt Wahrheit voraus. (IV,393 f.)

Statistik als zeitgemäße Voraussetzung der Schönheit – dieses literarische Programm hat in *Inventur* Gestalt gewonnen. Exemplarisch steht das Gedicht damit *auch* für die kurze »Epoche« des »Kahlschlags«, die Wolfgang Weyrauch 1949 so beschreibt:

> [...] die Kahlschlägler fangen in Sprache, Substanz und Konzeption, von vorn an [...] bei der Addition der Teile und Teilchen der Handlung, beim A-B-C der Sätze und Wörter [...] Die Methode der Bestandsaufnahme. Die Intention der Wahrheit. Beides um den Preis der Poesie. (S. 214 ff.)

Für *Inventur* wäre zu modifizieren: um den Preis lediglich der poetischen Worte. 1951 fordert Benn in dem Vortrag *Probleme der Lyrik*: »Lassen wir das Höhere, [...] bleiben wir empirisch. [...] dies ist deine Stunde, schreite ihre Grenzen ab, prüfe ihre Bestände, wabere nicht ins Allgemeine« (S. 520). Noch 1956 gesteht Eich: »Ich bin über das Dingwort noch nicht hinaus. Ich befinde mich in der Lage eines Kindes, das Baum, Mond, Berg sagt und sich so orientiert.« Zu dieser Orientierung in der Wirklichkeit seien ihm Gedichte »trigonometrische Punkte«, durch die sich die Wirklichkeit überhaupt erst für ihn herstelle (IV,441 f.). Hier hat die umfassendere Erkenntnisskepsis des späteren Eich das Erbe des zeitbedingten Kargheitspostulats angetreten.

Kein ›Dinggedicht‹ im Sinne Rilkes also, für den es galt, den »Gegenständen gegenüber dazusein, still, aufmerksam, als ein Seiendes, Schauendes, Um-sich-nicht-Besorgtes«, wie er aus Toledo schreibt; alles andere auch als ein Fall von ›Verdinglichung‹, denn die Dinge haben hier sämtlich einen praktischen Wert, eine Funktion. Und schon der Funktionswandel des »kostbaren« Nagels vom besitzanzeigenden Instrument zum Werkzeug, das die Identitätssuche einüben hilft, zeigt: Das ›Haben‹ hat das ›Sein‹ noch nicht verdrängt, sondern ermöglicht es allererst, bildet den Rahmen, innerhalb dessen das Ich seine ersten tastenden Erkundungsschritte macht, um sich selbst im rückwärtigen Schnittpunkt der deiktischen Verweisungslinien zu orten, und zwar als einen Dichter eben jener Dinge, die mehr als nur funktionalen Wert haben. Zwischen ihnen stiftet das Ich bereits jene musikalisch-tektonischen Beziehungen, die ihm die Gewißheit verschaffen: Ich dichte, also bin ich. (Man vergleiche hierzu Krolows Gedicht *Sich vergewissern.*) Das ist nicht triumphal zu verstehen, sondern vielleicht als extreme Form von Notwehr. Eich hat für seinen Fronteinsatz als eiserne Reserve vorher Gedichte auswendig gelernt, und ohne Einschränkung gilt auch für ihn die Feststellung Ilse Aichingers, seiner späteren Frau: »Form ist nie aus dem Gefühl der Sicherheit entstanden, sondern immer im Angesicht des Endes« (S. 1). Auch wenn ihm in seinen frühen Gedichten die verschweigende, verbergende Sprache nicht immer glückt, die er sich 1962 wünscht (IV,307), so gelingt ihm vielleicht, um es mit einem Vers von Karl Krolow zu sagen, der »Sieg der Ellipse / über den Tod«, zumindest den Tod der Poesie.

Zitierte Literatur: Ilse Aichinger: Über das Erzählen in dieser Zeit. In: Die Literatur 1 (1952) Nr. 6. S. 1. – Alfred Andersch: Freundschaftlicher Streit mit einem Dichter. In: Frankfurter Hefte 4 (1949) S. 150–154. – Gottfried Benn: Probleme der Lyrik. In: G. B.: Gesammelte Werke. 4 Bde. Hrsg. von Dieter Wellershoff. Bd. 1. Wiesbaden 1959. S. 494–532. – Günter Eich: Gesammelte Werke. [Siehe Textquelle. Zit. mit Band- und Seitenzahl.] – Susanne Müller-Hanpft: Lyrik und Rezeption. Das Beispiel Günter Eich.

München 1972. – Peter Horst NEUMANN: Die Rettung der Poesie im Unsinn. Der Anarchist Günter Eich. Stuttgart 1981. – Wolfgang WEYRAUCH (Hrsg.): Tausend Gramm. Hamburg 1949.
Weitere Literatur: Über Günter Eich. Hrsg. von Susanne Müller-Hanpft. Frankfurt a. M. 1970. – Günter Eich zum Gedächtnis. Hrsg. von Siegfried Unseld. Frankfurt a. M. 1973. – Egbert KRISPYN: Günter Eich. New York 1971. – Horst OHDE: Günter Eich. In: Deutsche Literatur seit 1945 in Einzeldarstellungen. Hrsg. von Dietrich Weber. 2., überarb. und erw. Aufl. Stuttgart 1970. S. 41–65. – Heinz F. SCHAFROTH: Günter Eich. München 1976. – Frank TROMMLER: Der zögernde Nachwuchs. Entwicklungsprobleme der Nachkriegsliteratur in Ost und West. In: Tendenzen der deutschen Literatur seit 1945. Hrsg. von Thomas Koebner. Stuttgart 1971. S. 1–116. – Albrecht ZIMMERMANN: Das lyrische Werk Günter Eichs. Versuch einer Gestaltanalyse. Diss. Erlangen-Nürnberg 1965.

Ingeborg Bachmann

Böhmen liegt am Meer

Sind hierorts Häuser grün, tret ich noch in ein Haus.
Sind hier die Brücken heil, geh ich auf gutem Grund.
Ist Liebesmüh in alle Zeit verloren, verlier ich sie hier gern.

Bin ich's nicht, ist es einer, der ist so gut wie ich.

Grenzt hier ein Wort an mich, so laß ich's grenzen.
Liegt Böhmen noch am Meer, glaub ich den Meeren wieder.
Und glaub ich noch ans Meer, so hoffe ich auf Land.

Bin ich's, so ists ein jeder, der ist soviel wie ich.
Ich will nichts mehr für mich. Ich will zugrunde gehn.

Zugrund – das heißt zum Meer, dort find ich Böhmen wieder.
Zugrund gerichtet, wach ich ruhig auf.
Von Grund auf weiß ich jetzt, und ich bin unverloren.

Kommt her, ihr Böhmen alle, Seefahrer, Hafenhuren und Schiffe
unverankert. Wollt ihr nicht böhmisch sein, Illyrer, Veroneser,
und Venezianer alle. Spielt die Komödien, die lachen machen

Und die zum Weinen sind. Und irrt euch hundertmal,
wie ich mich irrte und Proben nie bestand,
doch hab ich sie bestanden, ein um das andre Mal.

Wie Böhmen sie bestand und eines schönen Tags
ans Meer begnadigt wurde und jetzt am Wasser liegt.

Ich grenz noch an ein Wort und an ein andres Land,
ich grenz, wie wenig auch, an alles immer mehr,

ein Böhme, ein Vagant, der nichts hat, den nichts hält,
begabt nur noch, vom Meer, das strittig ist, Land meiner
Wahl zu sehen.

Zitiert nach: Ingeborg Bachmann: Werke. 4 Bde. Hrsg. von Christine Koschel, Inge von Weidenbaum, Clemens Münster. Bd. 1: Gedichte. München/Zürich: Piper, 1978. S. 167 f.
Erstdruck: Festival di Spoleto. Programmheft 1966.

Peter Horst Neumann

Ingeborg Bachmanns Böhmisches Manifest

Ingeborg Bachmann war dreißig Jahre alt, als 1956 ihr zweiter und letzter Gedichtband erschien – nach *Die gestundete Zeit* (1953) die *Anrufung des Großen Bären.* Mehr war nicht nötig, um ihren Ruhm zu begründen und vielleicht für die kleine Ewigkeit der Literaturgeschichte zu sichern. Ihr »dreißigstes Jahr« empfand sie als eine entscheidende Lebenszäsur. Sie hat dieser Erfahrung eine Erzählung gewidmet, und auch ihre erste Prosasammlung trägt diesen Titel. In den siebzehn Jahren bis zu ihrem Tod nach einem Verbrennungsunfall (1973) schrieb sie fast ausschließlich Prosa. Nur noch zwanzig Gedichte, die freilich zu ihren eindringlichsten gehören. Sie widerlegen den ignoranten Verdacht, Ingeborg Bachmanns poetische Kraft habe sich etwa im gleichen Alter erschöpft, in dem der frühvollendete Hofmannsthal seinen Abschied von den Gedichten nahm. Es war kein Ablassen vom Gedicht. Aber sie hatte sich selbst einen Maßstab gesetzt und sich diesem Maßstab bedingungslos unterworfen; demselben, den Gottfried Benn in seiner Marburger Rede (*Probleme der Lyrik*) als Imperativ formulierte: »Lyrik muß entweder exorbitant sein oder gar nicht. Das gehört zu ihrem Wesen.« Daß Ingeborg Bachmann diesen Anspruch auch in ihrer Prosa – einer glühenden Prosa, die sich immer wieder der Poesie in die Arme wirft – einzulösen versuchte, ließ ihr Buch *Malina*, das den Romanzyklus *Todesarten* einleiten sollte, zu einem Dokument grandiosen Scheiterns werden. In einem späten Gedicht, das sie der russischen Dichterin Anna Achmatova widmete – sie schrieb es im selben Jahr, 1964, wie das Gedicht *Böhmen liegt am Meer* –, wird dieser Maßstab bekräftigt (*Wahrlich*):

Einen einzigen Satz haltbar zu machen,
auszuhalten in dem Bimbam von Worten.
Es schreibt diesen Satz keiner,
der nicht unterschrieb.

Nach einem Opernabend in der Mailänder Scala – 1956, also in ihrem dreißigsten Jahr – hat Ingeborg Bachmann über die Primadonna assoluta jener Jahre, über Maria Callas, Sätze notiert, die man zitieren darf, um sie selbst zu charakterisieren: »[...] sie [ist] groß im Haß, in der Liebe, in der Zartheit, in der Brutalität, sie ist groß in jedem Ausdruck, und wenn sie ihn verfehlt, was zweifellos nachprüfbar ist in manchen Fällen, ist sie noch immer gescheitert, aber nie klein gewesen ... [Sie hat] auf der Rasierklinge gelebt [...]. Ecco un artista [...]. Sie war immer die Kunst, ach die Kunst, und sie war immer ein Mensch, immer die Ärmste, die Heimgesuchteste, die Traviata. [...] unvertraut in einer Welt der Mediokrität und der Perfektion.« Wer diese Sätze als Zeugnis einer emphatischen Identifizierung und Selbst-Verständigung zu lesen vermag, ist auf eine bedingungslose Selbst-Preisgabe vorbereitet, von der mir scheint, daß sie am eindrücklichsten aus Ingeborg Bachmanns Gedicht *Böhmen liegt am Meer* spricht.
Es ist ein Gedicht im ›hohen Stil‹, glühend und zugleich

kühl, enthusiastisch und zugleich von nüchterner Einsicht; die letzte Standort-Bestimmung eines zur Auslöschung entschlossenen Ich. Aber es wendet sich zugleich mit einer brüderlichen Apostrophe (13: »Kommt her«) an alle, die an »einer Welt der Mediokrität und der Perfektion« gescheitert sind, an die, welche keine Prüfung bestehen, an die Irrenden und Unverankerten; ihnen wird Heimat verheißen. Der Bogen der Affekte ist aufs äußerste gespannt; er verbindet Untergang und Rettung. – Wenn ›hoher Stil‹ in moderner Lyrik fast immer mißlingt, so ist es diese Gespanntheit, die ihn hier nicht nur ermöglicht, sondern notwendig macht: er erscheint als die Conditio sine qua non für die Gleichzeitigkeit von einsamer Introversion und hymnischem Aufschwung. Um diese Spannung abzusichern, erinnert sich das Gedicht eines Kunstmittels aus der klassischen Metrik, des Alexandriners.

Der sechshebig-jambische Vers mit einer Zäsur in der Mitte zwingt zu lapidarer Diktion; er begünstigt Antithesen auf engem Raum; er gibt Sätzen, die am Zeilenschluß enden, einen harten definitiven Charakter. Von den 24 Versen des Gedichts sind 17 als Alexandriner zu lesen. In 14 Versen endet der Satz mit der Zeile. Dagegen stößt in der hymnischen Apostrophe (13–20) und in der Engführung der Schlußstrophe die Syntax über die Versgrenzen hinaus. Dadurch gliedert sich der Text in drei Stufen: 1.: V. 1–12; 2.: V. 13–20, mit 19 f. als ›Überleitung‹ zu 3.: V. 21–24, wo sich das Prinzip ›Satz gleich Vers‹ mit der ausgreifenden hymnischen Syntax verbindet. Der Alexandriner ist dem Gedicht als ein Prinzip der Ordnung eingeschrieben, doch im Durchbrechen dieser Norm schwingt die Sprache ins Freie. Diese Gleichzeitigkeit von Bändigung und Befreiung auf der metrischen Ebene wird beim Lesen zu einem wesentlichen Element der sinnlichen Erfahrung. Auf der Ebene der Botschaft entspricht ihr die Gleichzeitigkeit von Zugrundegehn und Unverlorensein.

Botschaft – der Titel bereits spricht sie aus. Daß sie zweifelhaft scheint, liegt paradoxerweise gerade am Indikativ der

Gewißheit, mit dem sie vorgetragen wird. Eine alte Erinnerung klingt hier nach. Der Leser sollte es wissen; noch besser wäre es, wenn er das Erinnerte früher schon einmal gewußt und vergessen hätte und es jetzt, in einer Art von poetischem Schock, wieder und als ein Neues erkennen dürfte. Jeder weiß, daß Böhmen westlich von Mähren liegt; Böhmen liegt nicht am Meer. Aber die Gegen-Wahrheit zu dieser Gewißheit ist dennoch keine Lüge. Sie ist die Wahrheit einer großen Hoffnung, eines Märchens und der Kunst. Sie läßt sich sogar verläßlich datieren: 1611 schrieb Shakespeare *The Winter's Tale*. Seitdem liegt Böhmen am selben Meer wie Sizilien, und wer in Sizilien zugrunde gehen soll, dem wird an Böhmens Küste das Leben gerettet. Diesen bei Shakespeare gefundenen Märchen-Gedanken hat Ingeborg Bachmann unter den Bedingungen ihrer aufs Absolute zielenden geistigen Existenz, aber auch unter dem Eindruck böhmischer Geschichte im 20. Jahrhundert zu Ende gedacht.
Im Namen des »ans Meer begnadigten« Landes ist die politische Landschaft mitbenannt. Das Gedicht entstand 1964, nach einer Reise in die Tschechoslowakische Volksrepublik. Es war die Zeit der beginnenden Entstalinisierung, und an die innenpolitische Entwicklung der ČSSR knüpften sich damals Hoffnungen, für die man später Namen wie »humaner Sozialismus« und »Prager Frühling« fand. Zusammen mit drei anderen Gedichten erschien *Böhmen liegt am Meer* vier Jahre später, im November 1968, in Enzensbergers *Kursbuch* (Nr. 15) – Ingeborg Bachmanns letzte Gedicht-Veröffentlichung. Am 15. August dieses Jahres hatten »sozialistische« Panzer die böhmischen Hoffnungen überrollt. Unter dem Eindruck dieses historischen Schocks mußte ein Gedicht, in welchem Böhmen »ans Meer begnadigt« wird, einen starken politischen Akzent annehmen. Diese Wirkung war zwar im Entstehungsjahr nicht vorauszusehen, doch die Nachbarschaft zu dem Gedicht *Prag Jänner 64* beweist, daß der politische Effekt von 1968 eine bereits entstehungsgeschichtliche Begründung besaß.

Die Reihenfolge der beiden Gedichte bei ihrer Veröffentlichung im *Kursbuch* ist uns eine Art Lese-Anleitung: erst *Prag Jänner 64*, dann *Böhmen liegt am Meer*.
In *Prag Jänner 64* erscheint die Hauptstadt Böhmens zunächst als der Ort einer individuellen Wiedergeburt:

Seit jener Nacht
gehe und spreche ich wieder,
böhmisch klingt es,
als wär ich wieder zuhause,

wo zwischen der Moldau, der Donau
und meinem Kindheitsfluß
alles einen Begriff von mir hat.

Gehen, schrittweis ist es wieder gekommen,
Sehen, angeblickt, habe ich wieder erlernt.

Ein verkümmerter Mensch hat sich wiedergefunden. Er hat in der Fremde das Gehen und Sehen »wieder erlernt«; er erlebt dies, als wäre es die Wieder-holung seiner Kindheit. Er kam nach Prag als ein Stummgewordener und kann »Seit jener Nacht« wieder sprechen. In seinem Sprechen klingen Heimat und Fremde in eins: weil es »böhmisch« klingt, klingt es, »als wär ich wieder zuhause«. – Nach Hegels Sprachgebrauch bedeutet ›etwas aufheben‹ zugleich Vernichten, Bewahren und Emporheben, Steigern. *Prag Jänner 64* reflektiert eine Erfahrung, die einer solchen Aufhebung gleichkommt: Aufhebung von Heimat, Erlösung eines in jedem Sinne heimgesuchten Ich. Damit deutet sich bereits jene Aufhebung und Begnadigung an, durch die (im andern Gedicht) Böhmen zur Heimat aller Heimatlosen wird. Zugleich aber ist in *Prag Jänner 64* die böhmische Hauptstadt sehr deutlich auch ein Ort politischer Erfahrung, und diese politische Erfahrung bleibt untrennbar mit der privaten verbunden. Sie sind eins, wenn die Schlußverse von berstendem Eis und vom Rauschen befreiten Wassers sprechen:

Unter den berstenden Blöcken
meines, auch meines Flusses
kam das befreite Wasser hervor.

Zu hören bis zum Ural.

Das letzte Wort ist eine polit-geographische Vokabel. Sie deutete 1964 nur auf eine Furcht, die eine große Hoffnung begleitete. 1968 war aus dieser Furcht eine Erfahrung geworden, die fortan mit Böhmens Namen verbunden bleibt.

In dem Gedicht *Böhmen liegt am Meer* ist Böhmen von seiner Geschichte erlöst – »ein andres Land« (21), ein Gnadenort mit ungewisser Geographie. Das Meer, an dem es nun liegt, hat zwar keinen Namen; es wird für immer »strittig« bleiben (vgl. die letzte Zeile), aber die Autorität, der es seine Begnadigung verdankt, steht jenseits aller Zweifel. Sie muß den Rang und die Macht einer Gottheit haben; ihr Name bleibt verschwiegen: es ist Shakespeare, es ist – »ach die Kunst«. In ihr und durch sie hat ein heimgesuchter Mensch, der sich an keinen anderen Verheißungen aufzurichten vermochte, den Ort seiner Rettung gefunden. Eine Erlösungs-Sehnsucht, die älter ist als jeder, den sie verzehrt, weiß ihr Ziel. Aus ihrer Kraft sind einst Atlantis, Orplid und Utopia entstanden. Neben die Namen dieser niebetretenen Länder der Hoffnung tritt nun der Name »Böhmen«: ein Land der Freiheit, des Friedens und der Schönheit.

Wer »Böhmen« betreten könnte, ginge »auf gutem Grund« (2), er fände grüne Häuser und heile Brücken; ruhig und ohne Angst dürfte er erwachen. Und weil er aufgehört hätte, in den Kategorien von Besitz und Verlust zu denken, wäre er endlich auch fähig geworden, das, was »in alle Zeit« verloren sein muß, »gern« zu verlieren (3: »Liebesmüh«). Er ist nun immun gegen die Zumutung einer Sprache, von der ein böhmischer Jude, Franz Kafka, befand, sie rede »nur vom Besitz und seinen Beziehungen«. Welche Gelassenheit, sagen zu können: »Grenzt hier ein Wort an mich, so laß ich's grenzen« (5). Freilich gilt für den Eintritt nach »Böh-

men«, wie für jeden Ort einer wahren Erlösung, die Dialektik von Rettung und Untergang. Nur wer den letzten Einsatz, sich selbst, wagt, gewinnt das böhmische Heimatrecht. Er muß auch den letzten Besitzanspruch fahrenlassen, den Anspruch, unverwechselbar zu sein. Die Erkenntnis der Verwechselbarkeit, die uns leiden macht, schmeckt ihm nicht länger bitter: »Bin ich's nicht, ist es einer, der ist so gut wie ich. / [. . .] Bin ich's, so ists ein jeder, der ist soviel wie ich« (4, 8). Erst in dem Augenblick, da er »nichts mehr« für sich selber will, kommt Böhmens Küste in Sicht, und es landet dort keiner, der zuvor nicht »zugrunde« ging: »Zugrund – das heißt zum Meer, dort find ich Böhmen wieder. / [. . .] / Von Grund auf weiß ich jetzt, und ich bin unverloren« (10, 12).
In diesem Moment der gewußten Rettung (12) tritt das Ich des Gedichts aus sich heraus, mit weit geöffneten Armen. Es hat die Geschichte seiner Heimsuchung als seine eigenste Heilsgeschichte begriffen, und weil sie die seine ist, kann sie Verheißung für alle sein, die seinesgleichen sind: »Bin ich's, so ists ein jeder . . .« Darum darf, ja darum muß das Gedicht nun in eine hymnische Heimrufung ausbrechen. Brüderlich wird den Gescheiterten, den »Unverankerten« aller Zeiten die Botschaft ihrer gemeinsamen Heimat verkündet: Böhmer aller Länder, vereinigt euch! Das böhmische Manifest der Ingeborg Bachmann. Vielen wird es suspekt und unverständlich bleiben; und das darf es getrost, denn »böhmisch« heißt ja auch unbegreifbar, unverständlich. Ein »Böhme« aber ist im Unverstehbaren zu Hause. Das alte abschätzige Wort »un bohémien« gilt ihm als Ehrentitel – »ein Böhme, ein Vagant, der nichts hat, den nichts hält« (23). Er weiß, daß »Böhmen« am Meer liegt und daß für ihn nur in »böhmischen« Dörfern heile Brücken und grüne Häuser stehen, Häuser, in denen sich seine letzte Hoffnung erfüllt – im Land seiner Wahl.

Literatur: Otto BAREISS / Frauke OHLOFF: Ingeborg Bachmann. Eine Bibliographie. Mit einem Geleitw. von Heinrich Böll. München/Zürich 1978. – Uwe JOHNSON: Eine Reise nach Klagenfurt. Frankfurt a. M. [2]1975. – Peter Horst NEUMANN: Vier Gründe einer Befangenheit. Über Ingeborg Bachmann. In: Merkur 366 (1978) S. 1130 ff. – Text und Kritik. H. 6: Ingeborg Bachmann. München [2]1971.

Ernst Meister

Ich sage Ankunft

I

Ja, das Licht
aufrecht
über dem Abgrund.

Wer spielt
5 seine Weisheit,
wer weiß
die Fülle seiner Torheit?

Ich sage
Ankunft
10 hier bei des Lichtes
wirklichem Schilf.

II

Von der Spitze
des Dorns
die Formel geerntet.

15 Die leicht war,
wird schwer auf der Hand,
entfällt ihr.

Und sie schlägt Wurzel,
wird Rose
20 an dieser Stelle.

Zitiert nach: Ernst Meister: Die Formel und die Stätte. Gedichte. Wiesbaden: Limes, 1960. S. 85 f. [Erstdruck.]
Weitere wichtige Drucke: Ernst Meister: Gedichte 1932–64. Neuwied/Berlin:

Hermann Luchterhand, 1964. – Ernst Meister: Ausgewählte Gedichte 1932–1979. Nachw. von Beda Allemann. Erw. Neuausg. Darmstadt/Neuwied: Hermann Luchterhand, 1979. (Sammlung Luchterhand. 244.)

Christoph Perels

Der dornige Weg des Gedichts. Zur Poesie und Poetik Ernst Meisters an der Schwelle zum Spätwerk

Ernst Meisters Gedicht mutet vertraut und dennoch fremd an. Sein Wortschatz ist alles andere als gesucht, einzelne Wendungen lassen überlieferte Redeweisen der Theologie, der Philosophie, der Poesie anklingen: die bibelnahe Formulierung vom Licht über dem Abgrund; die paulinische Paradoxie von Weisheit, die gespielt ist, von Torheit, in der alle Fülle beschlossen liegt; die in Legende und Poesie unendlich oft ausgedeutete und ausgebeutete einige Zweiheit von Rose und Dorn. Dennoch bleibt das Ganze, zu dem die vertrauten Elemente hier zusammentreten, fremd, eine Fremdheit, die sich schon der einen oder anderen Bestimmung auch des einzelnen sonst Bekannten anheftet: das Licht wird »aufrecht« (2) genannt und damit die allzu geläufige Vorstellung beunruhigt; das Schilf ist anderes als es selbst, wenn es »des Lichtes wirkliches Schilf« heißt (10 f.); was schließlich zeigt der Dorn an, von dessen Spitze etwas zu ernten ist, und gar »die Formel« (13 f.) – mehr oder wohl auch weniger als allein den Dorn des Rosenstrauchs. So wenig das Gedicht auf die alten Redeweisen und Bilder verzichtet, so wenig ist ihm doch daran gelegen, sie einzig im Kontext ihrer tradierten Verweisungsfelder zu belassen. Allerdings auch nicht daran, Konkreta wie Licht, Schilf, Dorn und Rose auf ihre Dinghaftigkeit zu reduzieren. Eine klare, weite Räume des Bedeutens öffnende Geistigkeit kennzeichnet den Text; sie bezeichnet seinen Ort in jener zuerst beim späten Hölderlin manifest werdenden Geschichte einer Lyrik, die eine Trennung von Poesie und Reflexion nicht mehr zuläßt. Im Titel ist von »Ankunft« die Rede, einem Wort, das sich vom ersten und zweiten Abschnitt des Gedichts her sehr wohl als ›Advent‹ lesen läßt, aber der weitere Fortgang des Textes entfernt sich entschieden aus der Vorstellungswelt christlicher Glaubensinhalte. So ruft Ernst Meister Traditionen in der doppelten Weise der Aufnahme und der Absage zugleich herauf, um im Dialog mit ihnen den Kontur des zu sagenden Eigenen herauszuarbeiten.

Aber nicht nur das Verhältnis des Textes zu überlieferten und erschütterten Glaubensinhalten ist zu bestimmen. Das Gedicht beschließt einen Lyrikband mit dem Titel *Die Formel und die Stätte*. Ein vorangestelltes Motto weist diesen Titel als variiertes Zitat aus den *Illuminations* Arthur Rimbauds aus: »ich, gedrängt von dem Verlangen, die Stätte und die Formel zu finden« (*Sämtliche Dichtungen*, S. 177). *Ich sage Ankunft* erfüllt die Funktion eines Epilogs, wir haben es mit einem Text zu tun, der ein poetologischer und poetischer zugleich ist, in einem prägnanteren Sinn als dem jenes – richtigen – Satzes, daß in moderner Poesie mit der Reflexion auch die Poetik in jedes Gedicht eingeht. Und Rimbaud ist zwar der kenntlichste, aber nicht der einzige vorausgegangene Lyriker, mit dem Meister durch seinen Text hindurch in einem »menschlichen Gespräch über die gemeinsame Angefochtenheit« steht (*Annette von Droste-Hülshoff*, S. 246).

Rückblickend auf seine Anfänge, hat der Dichter einmal von einem »spannungsvollen negativen Advent« gesprochen, in dem er sich gefühlt habe (Nachwort Beda Allemanns, *Ausgewählte Gedichte*, S. 130). In der Tat gehört Erwartung, die sich in Hoffnung oder Befürchtung, Geduld oder Ungeduld ausdifferenziert, gehört die Dimension des Zukünftigen ganz wesentlich zu Meisters Poesie. Schon in seinem ersten Band *Ausstellung* (1932) richtet sich die Bewegung der Imagination vor allem darauf, den Ort zu gewinnen oder offenzuhalten für den »kommenden Traum«: Traum selbst und Märchen sind andere Namen für diesen Ort des Künftigen; der Dichter, die Harlekine oder ein Tier mit dem eschatologischen Namen »Ultiman« treten auf als die Träger der Ahnung von einer nicht näher zu bestimmenden Ankunft. Die Gedichte der *Ausstellung* sind immer neue Anläufe zu einer lyrischen Sezession aus der für die Kunst und ihr Wort verlorenen Wirklichkeit, so sehr dieser Aspekt ihres Transzendierens und Antizipierens auch überformt scheint von einer dann 1933 jäh abgebrochenen, sehr eigenwillig aus Gollschem Spätexpressionismus und Morgensternschem Spielwitz entwickelten Variante des Surrealismus. Auch in den nach dem Krieg erschienenen Lyrik-Publikationen bleibt Advent, bleibt Ankunft als Motiv gegenwärtig, nun oft in direkter Auseinandersetzung mit der Theologie der vierziger und fünfziger Jahre, deren Ausstrahlung in andere Bereiche geistiger Tätigkeit oft unterschätzt wird. So etwa in der *Johanneischen Rhapsodie* von 1954, die sich als eine Parodie auf die Apokalypse erweist, oder in der *Depesche einer Union von Toten an ein Konzil im Jahre viertausend* von 1956, einem Stück gedichteter negativer Theologie, das ein Ende des Glaubens an die Heilsversprechen der Offenbarung ansagt. Und noch 1960, im selben Jahr wie *Ich sage Ankunft*, veröffentlicht Meister ein Gedicht, das eine klare Advents-Anspielung enthält: »Es wird / ein Kind herbeigesehnt / von allem Staub, / das die unnüchternen / Gehirne / ändert« (*Ausgewählte Gedichte*, S. 46) – Sehnsucht nicht nach einer alles übersteigenden Erfüllung, sondern, fern allem metaphysischen Taumel, nach Ernüchterung.

Ein Durchgang durch Meisters vorausgehendes Werk lehrt, daß nicht nur das Motiv der Ankunft als solches, sondern auch der Zusammenhang von Ankunft und Formel in der Werkgenese eine theologische Dimension aufweist. Am deutlichsten sichtbar wird das in der letzten Strophe von *Ein Leben der Torheit*, einem Text aus dem Jahr 1957: »Leben der Torheit! / Was zetere ich / und erziehe nicht meinen Nacken / für die Stunde, da ER, / berstend, ein Blitz, / mich

hinwirft und / ins Gültige zwingt« (*Gedichte*, S. 81). Die Stunde SEINES Erscheinens ist zugleich die Stunde des Gültigen – und eine »Formel« ist ja eben das, was ›gilt‹. Die Radikalisierung, die sich in *Ich sage Ankunft* vollzogen hat, drückt sich nicht zuletzt in der Eliminierung jenes ER aus. Ehe sie näher ins Auge gefaßt werden soll, ist auf einen weiteren dichtungsgeschichtlichen Zusammenhang hinzuweisen. Meisters Gedicht knüpft nicht nur an bestimmte, eigentlich poesieferne Gedanken und Vorstellungen der Theologie an, er steht auch im Dialog mit jenem poetischen Werk, das sie schon in sich aufgehoben hat: auch in Hölderlins großem geschichtsphilosophisch-poetischem Entwurf steht im Zentrum die visionäre Berufung einer Ankunft, eines kommenden Tags der Götterwiederkehr. Zumal die Elegie *Brod und Wein* in ihren spätesten Lesarten weist so viele Berührungen mit den sparsam gesetzten Abbreviaturen Meisters auf, daß an Zufall kaum zu denken ist. Als wichtigste dieser Berührungen seien hier wenigstens die folgenden Verse nach Hölderlins letztem Überarbeitungsansatz zitiert: »Lang und schwer ist das Wort von dieser Ankunft aber / Weiß ist der Augenblik. Diener der Himmlischen sind / Aber, kundig der Erd, ihr Schritt ist gegen den Abgrund« (Hölderlin, Bd. 2,2, S. 603).
Fragte schon Hölderlins Elegie im Bewußtsein der Götterabwesenheit: »wozu Dichter in dürftiger Zeit?« (Hölderlin, Bd. 2,1, S. 94), so war dem Autor doch noch die übersubjektive Form dichterischer Rede zuhanden. Sie ist dahin, und Meister unternimmt es nicht, sie zu erneuern. Sein Text realisiert eine eigene, in sich höchst konsequente. Am sinnfälligsten wird sie, abgesehen vom Druckbild, in der Komposition des Vokalismus: die zentralen Wörter des ersten Teils – »Licht«, »Ich«, »wirklich«, »Schilf« – respondieren einander durch die i-Assonanz, die des zweiten Teils – »Dorn«, »Formel« und »Rose« – durch die o-Assonanz. Mehr Aufschluß noch gibt der Sprachgestus des Gedichts, oder genauer, die Folge der Sprachgesten, die es konstituiert: im Verzicht auf die Beglaubigung der Rede durch

sanktionierte Vers- oder Strophenformen und ihrer Ersetzung durch Sprachgesten steht das Ich des Gedichts unmittelbarer und direkter für sein Reden ein. Dieses Einstehen des Ich für sein Reden aber bezeichnet zugleich das thematische Zentrum. Die beiden Teile des Textes unterscheiden sich nun sehr wesentlich dadurch, daß sich der erste aus wechselnden, nuancierten Sprachgesten, der zweite aber aus einem einzigen Sprachgestus aufbaut. Das Gedicht beginnt nach dem Titel mit einem Traditionszitat. Es wird in leiser Ungeduld gegenüber einer zwar in Anspruch genommenen, aber nicht mehr wirkungsmächtigen Autorität präsentiert: das »Ja« hat den Charakter einer (von einer Geste begleitet zu denkenden) Interjektion, keineswegs den der entschiedenen Affirmation. Die rhetorischen Fragen des zweiten Abschnitts lassen die Tragweite der überlieferten Rede gleichsam dahingestellt sein. Um so nachdrücklicher die indikativische Entschiedenheit, mit der im dritten Abschnitt das Ich explizit hervortritt, eine Entschiedenheit, die sich sowohl in der Entsprechung zum Titel als auch im Insistieren auf der Ortsbestimmung »hier bei des Lichtes / wirklichem Schilf« (10f.) ausdrückt. Das Gedicht hat hier seinen kritischen Punkt erreicht. Was im zweiten Teil folgt, ist die beruhigte Mitteilung eines Vorgangs, dessen gleichbleibendes Subjekt die »Formel« ist. In diesem dritten Abschnitt des ersten Teils bezeugt sich das Ich als Redendes, oder, anders und in Erinnerung an den Titel des Bandes und an das Rimbaud-Motto gesagt: die Rede hat eine Stätte gefunden, sie treibt nicht aus Überlieferungszusammenhängen heran, sondern hat einen Grund gefunden im Ich selbst. Hier, und nur hier, im Gedicht tritt jene jedes Gedicht bedingende Konfiguration auf, die Meister in der Droste-Rede benennt: »Gewiß, wenn das Gedicht als im existentiellen Versuch geübtes nicht gelingt, so bedeutet das in etwa Gefahr, weil die Existenz damit auf sich zurückverwiesen wird als eine schwer versöhnbare. Das Verhältnis Ich – Wort – Welt erweist sich in neuem Erschrecken als ein problematisches, gespaltenes« (S. 244). Die durch den Argumentationszu-

sammenhang der Rede bedingte hypothetische Negation beschreibt zugleich das mit dem im poetologischen Gedicht indikativisch Gesetzten und Vollzogenen eingegangene Wagnis.
Wir finden das Ich und sein Wort »Ankunft«. Aber finden wir auch das dritte, die Welt? Auskunft über diese in der kritischen Meister-Rezeption gelegentlich mit Nein beantwortete Frage müßte im Verständnis der Wendung »hier bei des Lichtes / wirklichem Schilf« zu finden sein. Gegenüber der Spannung von »Licht« und »Abgrund« sind die räumlichen Dimensionen geschrumpft, und wenn man die alte Bedeutung von »Licht« und »Abgrund« in Betracht zieht, so nimmt das Gedicht mit dem Wechsel von der Vertikalen zur Horizontalen zugleich eine Wendung vom metaphysischen Weltbild zum Hier und Jetzt als den Koordinaten eines rein immanent bestimmten Ich, eine Wendung, die mit der schon berührten Abkehr von heilsgeschichtlichen Erwartungen übereinkommt. Damit ist aber auch das Wort »Ankunft« seines heilsgeschichtlichen Sinns entkleidet, nachdem der Text anfangs ihn noch wachgerufen hatte. Die Formulierung »hier bei des Lichtes / wirklichem Schilf« enthält vor der Folie des »Lichts über dem Abgrund« einen deutlichen Verweis auf die greifbare Gegebenheit des Irdischen.
Dieses Irdische ist jedoch seinerseits keine unabhängige Größe, sondern nur in bezug auf das Ich und sein Wort interpretierbar. Die Deutung kann sich auf Meisters Selbstkommentar zum Gedicht *Wirkliche Tafel* stützen. Wie dort, nach Meister, die Tafel »dem ›schreibenden‹ Ich unmittelbar seine Stelle anzeigt« (S. 99), so hier das »wirkliche Schilf des Lichtes« dem redenden Ich; und wie dort ein Stück äußerer Realität, die Schieferwand, bricht und dadurch das Ich die »wirkliche Tafel« gewinnt, so gewinnt hier das Ich seine Wirklichkeit, indem es »Licht« aus den Abstraktionen befreit und im Konkreten auslegt. »Schilf des Lichtes« ist zwar eine Genitiv-Metapher, aber mehr noch eine Weiterentwicklung des sogenannten explikativen Genitiv, mit dessen Hilfe die alte Figurenlehre eigentlich Unanschauliches

sinnlich faßbar zu machen suchte. Und ein Drittes ist zu bedenken. Wie der Schreibende in *Wirkliche Tafel* seines Geräts innewird, so mag der Dichter und Zeichner Ernst Meister bei »Schilf« auch Schreibrohr und Rohrfeder mitassoziieren. Die jeweils dritten Abschnitte beider Teile korrespondieren einander. Sie kommen überein in der Verwendung des Pflanzenmotivs, aber auch im fast demonstrativen Betonen der Ortsbestimmungen. Als lakonische Ars poetica gelesen, erweist sich das Gedicht im ersten Teil als expositorisch bis hin zur vollständigen Versammlung aller Voraussetzungen für das Entstehen eines Gedichts, während der zweite Teil eine sich vollziehende Ankunft beschreibt bis hin zur abgelösten Selbständigkeit des Ankommenden: der Formel, der Rose, des Gedichts.

Die wechselnden Sprachgesten des ersten Teils sind im zweiten einem beruhigten Mitteilen gewichen, einem Sprechen einzig von der »Formel« und dem, was sich mit ihr vollzieht. Der Übergang zwischen beiden Teilen scheint nur als Sprung beschreibbar. Indessen gibt es eine mehr oder weniger kryptische Verbindung zwischen dem letzten Abschnitt des ersten und dem ersten Abschnitt des zweiten Teils. Sie verbirgt sich in der Metapher des Dorns, in der unausgesprochen die Auseinandersetzungen um das Ich und seine Wirklichkeit nachwirken. Die »Spitze des Dorns« bezeichnet den Punkt der äußersten Individuation, den Punkt also, der am Ende des ersten Teils erreicht war, da das Ich ausdrücklich allein in seinem Hier und Jetzt und allein in seinem Namen das Reden übernommen hatte. Ernst Meister hat ein Nachrufgedicht auf Gottfried Benn geschrieben, und Benn hat wohl in der deutschen Literatur zuerst vom »Dorn des Ich« gesprochen, in dem Gedicht *Strand* (Benn, S. 44), und er zielte damit auf den Schmerz des Bewußtseins von dieser äußersten Individuation; weiter war aber vielleicht schon Rimbaud gegangen, wenn er die Transposition des Ich in ein Medium poetischer Rede mit den Sätzen erläuterte »Desto schlimmer für das Holz, das sich als Geige entdeckt« und »Wenn das Kupfer als Clairon erwacht, ist es nicht seine

Schuld« (nach: *Œuvres*, S. 249 f.) – in beiden Erläuterungen klingen über den Schmerz hinaus auch Gefahr und sogar eine mögliche Schuld beim Einbiegen in diesen scheinbar einzig noch begehbaren Weg zur Kunst mit an.
Und zwar paradoxerweise zu einer objektiven Kunst. Im zweiten Teil ist explizit vom Ich nicht mehr die Rede, die »Formel« löst sich von der Hand und wird zu unabhängiger, lebendiger, ja schöner Wirklichkeit. Der Begriff »Formel« gewinnt in Meisters Text eine auffallende Vielstelligkeit. Er gehört der Sprache der Mathematik und Physik, also der exakten Wissenschaften an. Er findet aber auch Verwendung in der Theologie; die Worte, die die Wandlung der Elemente in der Eucharistiefeier bewirken, heißen die »Abendmahlsformel«. Und diese Elemente benennt der Titel von Hölderlins Elegie. Schließlich lenkt der Begriff zurück auf Titel und Motto des Bandes, der *Ich sage Ankunft* enthält, und damit auch auf Rimbaud. Die ersehnte Formel in dem entsprechenden Stück der *Illuminations* erweist sich ebenfalls als eine Verwandlungs- und Erlösungsformel; die Gedanken des einen Landstreichers richten sich auf seinen Mitbruder: »Ich hatte in der Tat, in voller Aufrichtigkeit des Geistes, die Verpflichtung übernommen, ihn seinem ursprünglichen Zustand eines Sohnes der Sonne zurückzugeben, – und wir irrten dahin, uns nährend vom Wein der Spelunken und vom Zwieback der Straße, ich, genährt von dem Verlangen, die Stätte und die Formel zu finden« (*Sämtliche Dichtungen*, S. 177).
Der Nachhall einer Theologie des Advents, ein poetisch-utopischer Geschichtsentwurf hin auf eine Wiederkehr der Götter, das Drängen nach der erlösenden Formel in der Desolation – das alles geht ein in die ebenso knappe wie luzide, gedichtete Poetik Ernst Meisters. Und diese Poetik zielt auf das Gedicht als den zeichenhaften Ort für eine erlöste, eine versöhnte Existenz (vgl. *Annette von Droste-Hülshoff*, S. 244). Das Gedicht *Ich sage Ankunft* ist nicht dieser Ort, aber es zeichnet einen Weg nach, auf dem allein er zu suchen ist. Daß dieser Weg, an dessen Ende hier noch

das Ziel im Bild der Rose erscheint, durch das Ich und seine Wirklichkeit verläuft und daß diese Wirklichkeit vor allem auch die Sterblichkeit des Ich impliziert – das wird in den folgenden Gedichtsammlungen immer deutlicher in den Mittelpunkt von Ernst Meisters Poesie treten.

Zitierte Literatur: Gottfried BENN: Gedichte. In: G. B.: Gesammelte Werke. 4 Bde. Hrsg. von Dieter Wellershoff. Bd. 3. Wiesbaden [4]1963. – Friedrich HÖLDERLIN: Sämtliche Werke. Große Stuttgarter Ausgabe. Hrsg. von Friedrich Beißner. Bd. 2. Stuttgart 1951. – Ernst MEISTER: Annette von Droste-Hülshoff oder Von der Verantwortung der Dichter. In: Akzente 11 (1964) S. 238–246. – Ernst MEISTER: Ausgewählte Gedichte. [Siehe Textquelle.] – Ernst MEISTER: Gedichte. [Siehe Textquelle.] – Ernst MEISTER: Wirkliche Tafel. In: Hilde Domin (Hrsg.): Doppelinterpretationen. Das zeitgenössische deutsche Gedicht zwischen Autor und Leser. Frankfurt a. M. / Hamburg 1969. S. 99–101. – Arthur RIMBAUD: Œuvres Complètes. Edition établie, présentée et annotée par Antoine Adam. Paris 1972. – Arthur RIMBAUD: Sämtliche Dichtungen. Französisch und deutsch. Übers. von Walther Küchler erg. durch Carl Andreas. Reinbek bei Hamburg 1963.
Weitere Literatur: Bernard GORCEIX: Un des représentants de la ›poésie pure‹ dans l'Allemagne d'aujourd'hui: le westphalien Ernst Meister. In: Revue d'Allemagne 8 (1976) S. 601–627. – Hans-Jürgen HEISE: »Das Dunkel fragt man nicht.« Hinweis auf Ernst Meister anläßlich seines 60. Geburtstags. In: Zeitwende 42 (1971) S. 325–329. – Helmut LAMPRECHT: Ernst Meister. In: Klaus Nonnenmann (Hrsg.): Schriftsteller der Gegenwart. Olten / Freiburg i. Br. 1963. S. 227–232. – Wolfdietrich RASCH: Ernst Meister: Wirkliche Tafel. In: Hilde Domin (Hrsg.): Doppelinterpretationen. S. 102–105. – Eva ZELLER: Laudatio auf Ernst Meister. In: Jahrbuch der Deutschen Akademie für Sprache und Dichtung 1979. H. 2. S. 83–91.

Hilde Domin

Herbstzeitlosen

Für uns, denen der Pfosten der Tür verbrannt ist,
an dem die Jahre der Kindheit
Zentimeter für Zentimeter
eingetragen waren.

5 Die wir keinen Baum
in unseren Garten pflanzten,
um den Stuhl
in seinen wachsenden Schatten zu stellen.

Die wir am Hügel niedersitzen,
10 als seien wir zu Hirten bestellt
der Wolkenschafe, die auf der blauen
Weide über den Ulmen dahinziehn.

Für uns, die stets unterwegs sind
– lebenslängliche Reise,
15 wie zwischen Planeten –
nach einem neuen Beginn.

Für uns
stehen die Herbstzeitlosen auf
in den braunen Wiesen des Sommers,
20 und der Wald füllt sich
mit Brombeeren und Hagebutten –

Damit wir in den Spiegel sehen
und es lernen
unser Gesicht zu lesen,
25 in dem die Ankunft
sich langsam entblößt.

Zitiert nach: Hilde Domin: Nur eine Rose als Stütze. Frankfurt a. M.: S. Fischer, 1959. S. 13. © S. Fischer Verlag GmbH, Frankfurt a. M.
Erstdrucke: Caracola. Revista Malagueña de Poésia 1956 (Juli). Nr. 45. [In spanischer Übersetzung unter dem Titel »Cólquicos«. Als Übersetzer ist Domin selbst angegeben; die Übertragung dürfte jedoch von einem spanischen Autor in Malaga revidiert worden sein.] – Die Neue Rundschau 68 (1957) H. 3.

Winfried Woesler

Lyrik vor dem Ende des Exils. Zu Hilde Domins *Herbstzeitlosen*

Hilde Domin hat in ihrem verbreiteten Band *Doppelinterpretationen* (1966) den aufschlußreichen Versuch gemacht, Gedichte von Gegenwartsautoren aus zwei sich ergänzenden Perspektiven zu betrachten: der der Selbstdeutung und der der Fremdanalyse. Zumindest eines kann der Germanist daraus lernen; während es bei der Interpretation von historischen Texten einer nachträglich oft mühsamen Rekonstruktion von Background, Erwartungshorizont usw. bedarf, sollte er auf die Chance, den lebenden Autor selbst über den Schaffensprozeß zu befragen, dort, wo sie gegeben ist, nicht verzichten. Dabei mögen diejenigen, die die Autonomie des Kunstwerkes betonen, eine unzulässige Methodenmischung befürchten, entscheidend sollte hier allein das Ergebnis sein: die Zunahme an Verstehen. Bei der folgenden Textdeutung sind insbesondere biographische Informationen der Autorin eingearbeitet worden. Das Gedicht wird demnach zunächst vor dem Hintergrund des sich zwischen den Ländern bewegenden Lebens der Autorin gelesen. Dichtung, meint Domin im bewußten Gegensatz etwa zu Ilse Aichinger, dürfe nie das Biographische ganz ins Exemplarische verwandeln und könne, auch wenn nichts Privates privat bleiben dürfe, nur auf der Grundlage des individuellen Erlebnisses

unverwechselbar sein. Aufgabe des Autors sei vielmehr die genaue Deckung von Wort und Erfahrung, dann werde sich auch der Leser in der exemplarisch ausgedrückten Erfahrung wiedererkennen.
Die Autorin wurde 1912 in Köln geboren. Als Tochter eines jüdischen Juristen verließ sie 1932, schon in Ahnung der politischen Entwicklung, mit ihrem künftigen Mann Deutschland. Den größten Teil des Exils verbrachte sie nach den z. T. langen Zwischenstationen in Italien und Südengland in der Hauptstadt der Dominikanischen Republik Santo Domingo, nach der sie sich, als sie relativ spät 1951 infolge einer persönlichen Erschütterung zu schreiben begann, benannte. 1954 kehrten sie und ihr wissenschaftlich tätiger Mann ein erstes Mal nach Deutschland zurück, ohne sich jedoch für das Bleiben entscheiden zu können. In den folgenden zwei Jahren haben sich beide lange in Spanien aufgehalten; Domin half ihrem Mann beim Abschluß und bei der Drucklegung seines Buches. Erst 1961 ließen sie sich endgültig in Heidelberg nieder.
Abgesehen von einigen frühen Versuchen in Prosa waren Domins erste Produktionen Anfang der fünfziger Jahre Gedichte, von denen sie freilich keineswegs wissen konnte, ob sie jemals publiziert würden. Sie kreisen um das eigene Ich, ein biographisch aufzufassendes Wir und die Situation des Exils, das in dichterischer Übertragung als Extremsituation menschlicher Existenz beschrieben wird. Der erste Gedichtband *Nur eine Rose als Stütze* erschien 1959 als strenge Auswahl mit 46 Texten, darunter *Herbstzeitlosen*.
Was war diesem Bändchen vorausgegangen? Infolge einer eher zufällig zu nennenden Begegnung mit Franz Josef Schöningh waren einzelne Gedichte Domins in der christlich-humanistischen Zeitschrift *Hochland* (Jahrgang 47–49, 1954–57) veröffentlicht worden. Dann wandte sich die Redaktion der *Neuen Rundschau* an die Autorin und wählte aus einer Auswahl Domins aus dem damals vorliegenden Fundus von etwa 200 Gedichten wiederum folgende drei:

Herbstzeitlosen, Wo steht unser Mandelbaum und *Wen es trifft*. Sie erschienen im 3. Heft des Jahrgangs 68, das verspätet im Dezember 1957 ausgeliefert wurde.
Domin hatte für dieses ihr eigentliches literarisches Debüt nicht frühe Produktionen gewählt, sondern das, was für sie lebendiger war, ihr im Augenblick typisch erschien. In dem autobiographischen Prosaband *Von der Natur nicht vorgesehen* ([2]1974) bezeichnet sie *Wen es trifft* als das letzte vor ihrer Rückkehr verfaßte Gedicht. *Herbstzeitlosen* war 1955 entstanden.
Wie viele Gedichte in *Nur eine Rose als Stütze* spielt es vor einer südlichen Kulisse, weniger deutlich freilich als sonst, denn nur die »braunen Wiesen des Sommers« weisen eindeutig aus Mitteleuropa in eine sonnenverbrannte Landschaft fort, allenfalls noch der »Schatten«, in den man seinen Stuhl stellt. Domin hatte damals Deutschland wieder verlassen und hielt sich lange Zeit in Spanien auf. Sie besuchte in Madrid mit ihrem Mann den hochgeehrten Autor Vicente Aleixandre, der damals in der Straße Wellintonia 3 wohnte, die heute seinen Namen trägt. Das Haus liegt unweit der ehemaligen Grenzlinie der Parteien des spanischen Bürgerkriegs, und Domin war beeindruckt, wie dieser Autor auch in der Franco-Zeit als Haupt einer liberalen Gruppe, die sich nur literarisch äußerte, an ein und demselben Platz bleiben konnte und nicht wie sie selbst ein von äußerster Lebensbedrohung und Unruhe bestimmtes Leben geführt hatte. Als sie nämlich das Zuhause ihres Gastgebers, seinen Garten und den während des Bürgerkrieges dort gepflanzten Baum mit dem Stuhl darunter sah, ist ihr – wie sie sagt – bewußt geworden, wie sie sich demgegenüber noch immer auf einer anscheinend »lebenslänglichen Reise« befand und z. B. auch im bürgerlichen Sinne »ein neuer Beginn« noch nicht in Sicht war. Das vorliegende Gedicht wurde wenig später in dem kleinen Gebirgsort San Rafael auf der Sierra de Guadarrama, den die Madrider sehr lieben, konzipiert. Sie fängt mit ihm zunächst das eigene Erlebnis ein und schildert es, wie

oft in ihren frühen Gedichten, in einem Kontrast, hier also, biographisch gesehen, zu der erwähnten Existenzweise Vicente Aleixandres.
Das Gedicht ist rational durchgeformt, Sprache und Bilder wirken klar. Ein romanischer Einfluß ist unverkennbar. Die sechs Strophen werden formal deutlich durch eine Zäsur nach der vierten getrennt, die ersten sind vierzeilig, die beiden letzten fünfzeilig. Während die ersten Strophen jeweils durch einen Punkt abgeschlossen werden, rücken die beiden letzten näher zusammen. Erst am Schluß wird deutlich, daß auch die ersten Strophen keine selbständigen Sinneinheiten bilden, sondern vielmehr das ganze Gedicht syntaktisch als ein Satz verstanden werden kann: Für jemanden ereignet sich etwas, damit er etwas tut. Diese ›Regelwidrigkeit‹ der Punktsetzung stimmt allerdings heute nicht mehr zu den korrekt gesetzten Kommata, die vermutlich vom Lektorat erst im Buchdruck hinzugefügt wurden, da sie ursprünglich fehlten. Die Pronomina »wir« und »uns«, denen in diesem Text entscheidendes Gewicht zukommt, zumal sie jeweils das zweite Wort aller Strophen bilden und somit die gliedernde Verbindung herstellen, bezeichnen zunächst, ebenso wie in anderen Gedichten Domins dieser Zeit, zwei Liebende, auch wenn sie dann vom heutigen Leser zu Recht auf die Gruppe der Exilierten übertragen werden mögen. Die Natur ist in diesem Text für die Menschen, genau besehen für diese beiden da: »Für uns / stehen die Herbstzeitlosen auf / [. . .] / und der Wald füllt sich / [. . .] / Damit wir [. . .] sehen / und es lernen« (17–23). In dem Roman *Das zweite Paradies. Roman in Segmenten* findet sich folgender entsprechende Dialog: »›Das letzte Mal schneite es, während wir hier waren‹, sagte sie. Er schwieg. ›Sie drückten sich sehr merkwürdig aus: Es hat für uns geschneit. Ehe Sie kamen, war alles trocken, sagten Sie zu mir. Ich habe damals tagelang daran gedacht [. . .].‹« (S. 31).
Phänomene der Natur und Landschaft sind in dem Text so arrangiert, daß sie dem gegenwärtigen Bewußtsein des

»Wir« entsprechen. Die tiefere Deutung der Motive ist nur zum Teil aus sich allein bzw. aus dem Kontext ganz verständlich; denn als wiederkehrende Motive in der Lyrik Domins haben sie zugleich den Chiffrencharakter einer eigenen poetischen Welt angenommen, die sich sowohl losgelöst von als auch verbunden mit der autobiographischen Erfahrung allmählich entfaltet hat. Hier sind nur einige Hinweise möglich.

Von dem in der ersten Strophe erwähnten Türpfosten liest man z. B. auch in *Das zweite Paradies*: »Denn Kinder, die neben einem größer werden, sind wie die Jahresstriche am Türrahmen, als man selber noch größer wurde« (S. 145). Wenn das Fehlen eines Zuhause am Nicht-Pflanzen eines Baumes, dessen Aufwachsen man ja doch nicht miterleben könnte, dargestellt wird, dann steht diese Chiffre auch für die Erinnerung an den Mandelbaum vor ihrem Kölner Elternhaus, den Domin bei ihrer Rückkehr wiederfand – oben ist bereits erwähnt, daß mit den *Herbstzeitlosen* der Text *Wo steht unser Mandelbaum* erstpubliziert wurde –, und an die kleine Zypresse Iwanows im Garten vor dem Haus des römischen Aufenthaltes, die sie bei der Abreise zurücklassen mußte. In *Das zweite Paradies* heißt es: »Du brauchst niemandem zu erzählen von dem Weidenbaum, unter dem du geweint hast, ehe du gingst. Ein kleiner Weidenbaum, er wäre jetzt groß. Wir haben ihn gesucht, aber der Fluß ist eingedämmt, wo er stand« (S. 87). Als Domin hoffen durfte, in Heidelberg ihr Zuhause gefunden zu haben, drückte sich ihre Freude bezeichnenderweise u. a. dadurch aus, daß sie die zugehörigen Bäume schilderte. Man vergleiche in diesem Zusammenhang auch die dritte Strophe, die eine persönliche Beziehung zwischen den Betrachtenden und den dahinziehenden Wolken herstellt, mit einem Zitat aus dem gleichen Gedichtband: »Ich bin wie im Traum / und kann den Windgeschenken / kaum glauben. / Wolken von Zärtlichkeit / fangen mich ein« (S. 45 f.). Sicher wäre es schließlich interessant, einmal im Werk Domins das literarisch traditionsreiche Motiv des Spiegels, der immer nur für den Menschen da ist, zu verfolgen, um seinen Chiffrencharakter zu bestimmen.

Exakt die Mitte des Gedichts bilden zwei Zeilen, die als zentrales Thema das alte poetische und theologische Bild des Homo viator zeichnen: »Für uns, die stets unterwegs sind / – lebenslängliche Reise« (13 f.). Über *Herbstzeitlosen* hinaus ist es *das* Thema vieler ihrer frühen Gedichte, wenn es z. B. in *Gleichgewicht* heißt: »Wir gehen / jeder für sich / den schmalen Weg / über den Köpfen der Toten«, oder in *Ziehende Landschaft*: »Man muß weggehen können / und doch sein wie ein Baum«. Solche Stellen und der Schluß des vorliegenden Textes verbieten allerdings eine vorschnelle religiöse Deutung des Homo viator. Gesucht wird zwar zunächst das Zuhause, aus dem der Mensch vertrieben wurde, aber dem Unterwegssein fehlt es weitgehend an überindividueller Sicherheit, die lebenslange Reise zu unbekanntem Ort und Ziel – zur »Utopie«, wie Kunert am Ende der siebziger Jahre sagen wird – erweist sich im günstigen Fall als der Weg zu sich selbst.

Die eigene leidvolle Lebenserfahrung findet im vorliegenden Gedicht trotz traditioneller Metaphorik glaubhaften Ausdruck. Das »Niedersitzen« der beiden Erwachsenen »am Hügel« ist nicht mehr als eine Ruhepause, die ein »Hirte« sich gestatten darf. Den Unbehausten, denen die Rückkehr zur eigenen Kindheit endgültig verwehrt und längst der »Pfosten der Tür verbrannt ist«, die auch nach langer Wanderung unter keinem eigenen Baum sitzen dürfen, bleibt nur die elementare Natur: Himmel, ziehende Wolken, Erde, Ulmen, braune Wiesen des Sommers.

Die Jahreszeit ist vorgeschritten, offenbar neigt sich ein Sommer dem Ende: Herbstzeitlosen blühen, und die wilden Früchte von Hagebutte und Brombeere reifen. Auch wenn von der Fülle eines Gartens, einer Ernte nicht die Rede sein kann, diese Kargheit der unkultivierten Natur, die vielleicht wider Erwarten schließlich doch noch solche Blüten und Früchte hervorgebracht hat, ist für das »Wir« nicht ganz

ohne Trost. Domin war, wie sie gern versichert, nie ein Nihilist, ein Vorwurf, dem sich manche europäischen Autoren noch Anfang der fünfziger Jahre stellen mußten. Sie bewahrte sich trotz aller zeitgeschichtlichen Erfahrung ein Urvertrauen, das es ihr ermöglichte, auch nach Auschwitz Gedichte zu schreiben – gerade nach Auschwitz, wie sie betont.
Als hörbares Zeichen dafür wirkt in ihren Gedichten eine traditionsreiche, oft nur wenig säkularisierte Sprechweise; hier ist z. B. von »Hirte«, »Hügel« und »Reise« die Rede. Die ungestörte Natur ist ihr zwar kein Spiegel Gottes mehr, aber sie ist doch noch Anlaß für den Menschen, in den Spiegel zu sehen. Im Ablauf der Jahreszeiten soll er den Ablauf seines Lebens wiedererkennen und gleichzeitig in seinem alternden Gesicht Selbsterkenntnis lernen. In *Von der Natur nicht vorgesehen* heißt es: »Als mein Vater gestorben war, sah ich mich an und sah meinen Vater. Als Mutter gestorben war, sah ich, im Spiegel, meine Mutter« (S. 11). Hatte die erste Strophe die »Kindheit« in Erinnerung gerufen, die letzte spricht heute in fast sakral klingender Weise von der »Ankunft«, womit das Ende des Lebens gemeint ist. Die letzten beiden Gedichtzeilen sind über die traditionelle Sprechweise hinaus ganz unverkennbar von Domins eigener Diktion geprägt: Der Blick in die spätsommerliche Natur lehrt den alternden Menschen gleichsam wie vor einem Spiegel sehen, daß bereits das Fleisch aus seinem Gesicht verschwindet, oder – nach einer Selbstinterpretation der Autorin – noch genauer, daß aus seinen Gesichtszügen der Knochenbau allmählich hervorscheint, der Totenschädel des Skeletts sich bereits abzeichnet, ein Gesicht, »in dem die Ankunft / sich langsam entblößt« (25 f.). Diese beiden letzten Zeilen fehlten übrigens in der Zeitschriftenfassung. Die Aussage des Textes war zunächst nur für einen sehr kleinen Kreis gedacht, nur »Für uns« verständlich, bei der Buchpublikation mußte sie einem breiteren Publikum zwar nicht ganz entschlüsselt, aber doch mehr vermittelt werden.

Das Leben Domins stand bei Abfassung des Textes noch unter dem Eindruck des Todes ihrer Mutter. Den Tod empfand sie als eine nahe Realität. Was die äußere Lebenssituation anging, waren es damals nur noch sehr wenige Jahre von Exil und Fahrt bis zur dauernden Rückkehr nach Deutschland. Auch innerlich folgte auf die seinerzeit politisch mitausgelöste lebenslange Suche nach der eigenen Identität, die m. E. das Thema des Gedichtes bildet, schließlich doch eine zumindest vorläufige »Ankunft«.
Der Versuch, dieses Gedicht Domins in den Kontext der zeitgenössischen deutschen Lyrik einzuordnen, dürfte nicht leicht gelingen. In der Situation des Exils fehlte Domin der notwendige Kontakt zur Heimat. Auch wenn sie über eine eigene Bibliothek verfügte, war es in dieser Zeit nicht immer leicht, z. B. deutschsprachige Belletristik zu erhalten. Nur wenigen Deutschen konnte sie vorlesen. Um überhaupt zu erfahren, ob ihre ersten Gedichte etwas taugten, mußte sie sie ins Spanische übersetzen. So konnten sie zu Gehör gebracht werden, vor Hörern, für die sie eigentlich nicht gemacht waren. Sucht man trotzdem im Bereich der deutschen Literatur sinnvolle Vergleichsmaßstäbe, so sind vielleicht die Texte anderer exilierter jüdischer Frauen heranzuziehen, die von Else Lasker-Schüler, Rose Ausländer und insbesondere Nelly Sachs. Auch bei diesen tauchen manche Charakteristika der frühen Lyrik Domins auf: Melancholie, Traumhaftigkeit, Symbole aus dem Bereich der Natur, ein gehobenes, an Religiöses gemahnendes Sprechen, ein Kreisen um sich selbst und das Fragen nach dem Sinn des Lebens. Domin bekennt in verschiedenen reflektierenden Äußerungen, daß ihre Emigration gerade eine linguistische Odyssee gewesen sei, erst langjährige Übersetzungstätigkeit habe ihr das Ohr für die Feinheiten der deutschen Sprache voll geöffnet. Auch Nelly Sachs erwuchs die dichterische Sprache nicht nur aus dem entscheidenden Erlebnis der Vernichtung ihres Freundes im Konzentrationslager, hinzu kam – freilich in viel geringerem Maße als bei Domin – ihre

Tätigkeit als schwedische Übersetzerin. In der Sprache erreichte Domin schließlich die Souveränität eines Heine oder Celan. Einsamkeit und Bitterkeit des Exils wurden so für die zurückgebliebenen Adressaten in Deutschland fruchtbar. Selbst wenn Stil und Metaphorik oft mit der des naturmagischen Gedichts in den fünfziger Jahren übereinstimmen (vgl. den Titel *Herbstzeitlosen*) und man die Autorin geistesgeschichtlich am ehesten dem Existentialismus der frühen Nachkriegszeit zuordnen könnte, bleibt für den heutigen Leser angesichts der verbreiteten »unartifiziellen Formulierungen« (Nicolas Born) in der Lyrik der siebziger Jahre eine gewisse Fremdheit – oder besser: Widerständigkeit – ihrer frühen Texte.

In den letzten Jahrzehnten, mit ihrer erneuten Verwurzelung, hat sich das Spektrum der Lyrik Domins über das Private hinaus, das *Herbstzeitlosen* noch weitgehend bestimmt, wesentlich erweitert. Die gesellschaftlichen Implikationen von Kunst, die Notwendigkeit des Engagements sind ihr in den sechziger Jahren deutlicher geworden, erkennbar in der Praxis an ihrer Solidarität mit Minderheiten und in der Theorie in dem Band *Wozu Lyrik heute. Dichtung und Leser in der gesteuerten Gesellschaft*. Ihre Grundanschauung hat sich nur wenig verändert, auch wenn sie jetzt energischer ausgesprochen wird: »Der Mut, den der Lyriker braucht, ist dreierlei Mut, mindestens: der Mut zum *Sagen* (der der Mut ist, er selbst zu sein), der Mut zum *Benennen* (der der Mut ist, nichts falsch zu benennen und nichts umzulügen), der Mut zum *Rufen* (der der Mut ist, an die Anrufbarkeit des andern zu glauben). Durch das Nadelöhr seines Ich muß er hindurch ins Allgemeine: in die punktuelle, die paradoxe Wahrheit der unwiederholbar einmaligen und zugleich doch beispielhaften Erfahrung, in die ›wirklichere Wirklichkeit‹« (S. 17).

Zitierte Literatur: Hilde DOMIN: Nur eine Rose als Stütze. [Siehe Textquelle.] – Hilde DOMIN: Von der Natur nicht vorgesehen. Autobiographisches. München [3]1981. – Hilde DOMIN: Wozu Lyrik heute. Dichtung und Leser in der

gesteuerten Gesellschaft. München 1968. [3]1975. – Hilde DOMIN: Das zweite Paradies. Roman in Segmenten. München 1968.
Weitere Literatur: Hans Georg GADAMER: Hilde Domin, Dichterin der Rückkehr. In: H. G. G.: Poetica. Ausgewählte Essays. Frankfurt a. M. 1977. S. 135–144. – Hans Georg GADAMER: Hilde Domin, Lied zur Ermutigung II. In: Poetica. S. 135–144. – Horst MELLER: Hilde Domin. In: Deutsche Dichter der Gegenwart. Ihr Leben und Werk. Hrsg. von Benno von Wiese. Berlin [West] 1973. S. 354–368.

Johannes Bobrowski

Wiederkehr

Holzbank, ein hartes meuble.
Dort, zwischen Kiefernbäumen,
die Schaukel – ein Brett, zwei geschälte
Stangen. Vorbei kommt der Kuckuck,
Blaurake und Wiedehopf,
Nachtigall, die ein Sprosser ist,
kürzer singt, lakonischer,
rauher, gebs Gott.

Aber ich kam zu schlafen
unter der Balkenwand,
Schlaf aus Spinnweb und Krötengold,
fliegenbeinigen Schlaf. Zurück
geht das Licht. Um ihre Schatten herum
tappen die Kühe. Der Fisch
reißt ein schäumendes Zeichen
über das Wasser.

Aber ich schlaf nur.
Ich bin nicht hier.
Ich such eine Stelle,
nur ein Grab breit, den kleinen Berg
über den Wiesen. Von dort
kann ich sehen
den Fluß.

Zitiert nach: Johannes Bobrowski: Sarmatische Zeit. Stuttgart: Deutsche Verlags-Anstalt, 1961. S. 73. [Erstdruck.] Mit freundlicher Genehmigung der Deutschen Verlags-Anstalt GmbH, Stuttgart.
Entstanden: 22. Februar 1960.
Weiterer wichtiger Druck: Johannes Bobrowski: Sarmatische Zeit. Berlin [Ost]: Union Verlag, 1961.

Alfred Kelletat

Johannes Bobrowskis Wiederkehr

Es ist überliefert, daß der Autor dieses Gedicht sein »persönlichstes« genannt hat (Gajek/Haufe, S. 27). Als Hilde Domin für ihre Sammlung *Doppelinterpretationen* (1966) ihn um einen Vorschlag anging, fiel seine Wahl auf ebendieses Gedicht. Der frühe Tod hat seine Absicht verhindert. Wir wollen diese auszeichnende Wertschätzung zu verstehen suchen und hoffen dabei zum Primum movens, zum innersten Anstoß seiner Dichtung vorzudringen. Außerdem wollen wir das sarmatische Gedicht sarmatisch zu erklären versuchen, in einem lyrischen Lokaltermin sozusagen, ein Verfahren, dessen Vorteil sich zeigen müßte. Der Text wird dem Leser keine unüberwindlichen Schwierigkeiten bereiten, ihn nicht hermetisch schrecken – liest er ihn nur direkt und genau und wollte er der Versicherung so vieler Dichter Glauben schenken, daß das wahre Geheimnis im Sichtbaren liege und die Tiefe an der Oberfläche versteckt sei – da muß man sie suchen (Hofmannsthal). Beobachten wir in diesem Sinne das Gedicht im Dreischritt des lyrischen Vorgangs.
I. Einer, der abwesend war, ist zurückgekehrt. Ein menschliches Anwesen tief in der Natur, in der Weite der östlichen Ebene. Da steht eine Holzbank, dort eine Schaukel, diverse Vögel kommen vorbei. So wenige einfache Dinge, und doch sind sie ganz unverwechselbar. Wie z. B. die Schaukel. Der Bobrowski-Leser erkennt in ihr »Ambrassats Schaukel« aus der (übrigens sehr familiär-nahen) Prosaskizze *Lobellerwäldchen*, das an der Szeszuppe liegt, wo sie fast wortgleich erscheint als »die große, mit Stangen an zwei Kiefern aufgehängte Kiste«. Diese statt mit Schnüren oder Ketten an zwei dünnen Stangen zwischen Bäumen aufgehängte Schaukel ist eine preußisch-litauische Spezialität, die »Alwieteschockel« (von litauisch »alvytos/elvytos«; »alvyte« heißt die Weidengerte), weil Gestänge und Sitzbrett mit Schlaufen aus Wei-

denruten verbunden wurden – ein besonders zu Ostern, auch sonst zu Festen für die Kinder auf dem Dorf üblicher Brauch. Wald- und Wiesenvögel beleben die dörfliche Flußlandschaft. Wird der Leser schon die auffällige zoologische Präzision dieser lokalen Ornis von Kuckucksvögeln (auch die bunte Blaurake und der drollige Wiedehopf auf den Viehweiden gehören dazu) bemerken – es sind eben nicht »alle Vögel schon da« –, so dürften ihn vollends die Bemerkungen der Verse 6–8 erstaunen. Sie gelten der »Nachtigall, die ein Sprosser ist, / kürzer singt, lakonischer, / rauher, gebs Gott«. Es ist bekannt, daß in unsern östlichen Provinzen weit nach Sarmatien hinein nicht die Nachtigall, sondern eine größere Abart, der Sprosser (so nach der muschelfleckigen Zeichnung der Brust, die ihn unterscheidet), vorkommt. Ob er wirklich kürzer und rauher singt, wie das Gedicht sagt und worüber die Meinungen divergieren (»singt noch lauter, aber weniger angenehm«, Brockhaus [14]1895), ist hier nicht entscheidend, vielmehr, daß man in Ostpreußen diese Minderung als Auszeichnung empfand und auf diese Kürze und Rauheit stolz war. Das ist der Stolz der entlegenen Provinz gegenüber den berühmteren, reichbegabteren Zentren, ganz im Sinne des dort verbreiteten Gedichts von Johanna Ambrosius *Sie sagen all: du bist nicht schön, / Mein trautes Heimatland*, das August Ambrassat 1912 seinem Ostpreußen-Buch als Motto voranstellte. Der Abschnitt schließt mit einem »gebs Gott«. Die Ausdrucksvielfalt dieser reich entwickelten Optativformel ist kaum zu fassen. Sie reicht von Wunsch, Erstaunen, Verdutztheit, Befürchtung, Zurückweisung bis zu einem ›ich weiß nicht‹, vielleicht, meinetwegen. Wie weit das Ostpreußische darin geht, zeigen Beispiele wie »Dei breckt, Gott gêw, noch den Hals!« oder »Gott gêw, dei Krät versöpt noch!« oder »Gott gêw, hei starwt wol noch!« (Hermann Frischbier, *Preußisches Wörterbuch*; einiges auch bei Grimm). Keinesfalls läßt sich eine religiöse Note daraus lesen, wie man gemeint hat; es ist eher ein redensartliches Augenzwinkern und hat die Leichtigkeit eines ›je ne sais quoi‹, eines ›mag sein‹ – gebs Gott!

So summiert die erste Stufe des Gedichts in wenigen Zeichen das Bild einer aufgerauhten regionalen Wirklichkeit. Es scheint, es hätte der Autor diesem Bild ironische Lichter aufsetzen wollen (wovon seine Prosatexte voll sind, im Gedicht geschieht das selten), vielleicht um Schwere zu vermeiden. Denn wie sonst soll man es verstehen, daß er die einfache Holzbank beim Bauernhaus »ein hartes meuble« nennt, mit einem altertümlichen Wort, das man eher in seinen Interieurs des 18. Jahrhunderts gewärtigte; dahin gehört die ganze Sprosser-Erörterung, wie das reduplizierende »lakonischer« (über das sich spekulieren ließe) und das schillernde »gebs Gott« zuletzt.

II. »Aber« – wie in vielen Gedichten bewirkt Bobrowski den Progreß auch hier durch eine adversative Stufung, die nicht unbedingt den logischen Widerruf des Vorangehenden bedeutet, sondern vor allem auf die rhythmische Aktion, auch im Leser/Hörer, zielt – »ich kam zu schlafen / unter der Balkenwand« (9 f.). Es sind die Holzhäuser Sarmatiens, wie jenes »über der Wilia«, wo das Lied vom alten Haus, mit verschränkten Händen gesungen, zugleich das Lied von der alten Zeit ist. In der späten *Betrachtung eines Bildes* (1965) heißt es: »Holzhäuser. Wer in solchen Häusern gelebt hat, vergißt es nicht. Du erwachst, und dehnst dich, läßt den Atem ein und aus gehn, langsam, noch mit geschlossenen Augen, und spürst: das Haus atmet ebenfalls, und dehnt sich [...]. Und im Winter scheint es sich dichter um dich zu schließen, die Wände kommen näher, das Dach sinkt ein bißchen, dichter um die Wärme, näher um deinen Schlaf herum. Und die schönen, aus runden Stämmen gefügten Wände [...].« Hier zu schlafen, kehrte er wieder, doch wohl weil wir im Schlaf am tiefsten versinken, am nächsten zu Hause und eins mit dem Dasein sind. Darum auch erscheint der Schlaf in vierfacher Annominatio im Gedicht. Den beiden folgenden Versen gelingt wieder jene unerklärliche Melange aus der spröden Wirklichkeit des Schlafens in einem Bauernhaus (bei Spinnen, Kröten, Fliegen) und ihrer Versetzung in den Kunstausdruck, auf die alles ankommt.

Hier reichen die Realia unversehens in die goldene Tiefe des Märchenbrunnens und des Volksglaubens und -wissens. – Es wird Abend, das Licht sinkt, die Schatten des weidenden Viehs werden irritierend stark, und abends springen die Fische im Fluß, das Wirkliche reißt ein schäumendes Zeichen ins Irreale.

III. Die abermalige Opposition der dritten Stufe ist nicht so leicht zu verstehen. Man wird der paradoxen Feststellung »ich schlaf nur. / Ich bin nicht hier« (17 f.) folgen müssen. Das fällt nicht schwer, rechnet man mit der Diskontinuität des modernen Gedichts, mit seiner mühelosen Spaltung von Ort, Zeit und Person. Eine solche Translation des lyrischen Ichs, das sich in vierfacher Nennung wiederholt, geschieht hier. Man dürfte darin einen neuen Sinn, eine neue Qualität, ein letztes Ziel der Wiederkehr erwarten. Auch könnte man zusätzlich bedenken, daß Bobrowski seine Schlüsse gern in eine wirbelnde Bewegung versetzt, als enggeführte mehrstimmige und mehrsinnige Kadenzen. Und obgleich hier die Versbewegung in schöner daktylischer Bändigung verläuft (es lassen sich V. 17–19 korrekt als Hexameter, V. 21–23 mit einer geringen Abweichung als Pentameter lesen, dazwischen Ditrochäus + Dijambus), so wirbelt hier doch unser Verständnis. Denn es heißt: Ich bin nicht hier, sondern anderswo; von dort aus such ich eine bestimmte Stelle, nur ein Grab breit, sie liegt auf dem kleinen Berg über den Wiesen. Von da aus kann man den Fluß sehn. Das ist eine Zickzackbewegung. Jüngst hat Minde in seiner gewichtigen Untersuchung (S. 112–116) den Endpunkt des Gedichts in diesem Grab gesucht und es unter konsequenter Einbeziehung aller andern Aussagen (Holz als Sarg, Schlaf als Tod, alle genannten Tiere hätten einen Bezug zum Tode) als Todesgedicht gedeutet. Das dürfte in so direktem Sinne nicht nötig sein, zumal vom Tod bisher noch keine Rede war. Wir versuchen es anders.

Außer Zweifel handelt es sich um den auf einem kleinen Berg über den Wiesen gelegenen Friedhof. Nun benutzte Bobrowski häufig und gern eine bekannte Wendung, mit der

man die auserwählte Schönheit eines Ortes und die eigne Anhänglichkeit an ihn bezeichnet. Er schrieb mir z. B. einmal, als ich ihm eine Ansichtskarte aus Ahrensburg geschickt hatte: »In die Ahrensburger Gottesbuden hab ich mich eingelebt, kann das Bild auswendig. Lieber dort begraben sein, als anderswo leben. Soll Barlach gesagt haben, an anderer Stelle« (27. August 1963). Barlachs Ausspruch aus dem Jahre 1919 gilt »dem Kirchhofe von Babendiek bei Güstrow« (zit. nach Schult, S. 28). Er meint also mehr die Wohllebigkeit eines Ortes als einen Todeswunsch. Ebendas dürfte auch auf diese »Stelle, / nur ein Grab breit« (19 f.) zutreffen. Der Ort und der Friedhof dieser Wiederkehr sind bekannt; es ist die eigentliche Stelle seines größten Glücks im Sinne des obigen Satzes, es ist sein sarmatisches Urhaus und der Quellpunkt der sarmatischen Dichtung.
Als ich dieses Gedicht in *Sarmatische Zeit* zum erstenmal gelesen hatte und seine unmittelbare Nähe zur Person des Autors, von dessen näheren Lebensumständen ich wenig wußte, fühlte, sagte ich ihm, »ich möchte genau die Stelle wissen, wo sie war, und die Stunde«. Das verleitete ihn zur prompten Antwort, er schrieb am 22. Januar 1963: »[. . . ich] bin ganz erschüttert, daß Sie nach Ort und Zeit fragen, das tut niemand sonst. Also WIEDERKEHR, das ist an der Jura, welche ein Fluß, nicht an der Memel, die heißt immer Strom. Ort: Dorf Motzischken, Blick: vom linken Ufer, Nähe Friedhof, aufs rechte Ufer, das Wiesenufer, von dort dann vice versa.« Und abermals vom linken Ufer auf den Fluß – hätte er hinzusetzen können. Meine Frage nach der Stunde hat er nicht beantwortet, wohl weil sie zu weit in die private Sphäre reichte. Niemand weiß sie. Trotzdem läßt sie sich annähernd bestimmen. Gewiß ist es einer der wenigen Besuche, die er vom Krieg beurlaubt in Motzischken machen konnte. Außerdem ist in zeitlicher Nachbarschaft zu *Wiederkehr* das Gedicht *Einmal haben / wir beide Hände voll Licht* entstanden – abermals kein Todes-, sondern ein Lebens- und *Liebesgedicht* –; unter diesem Titel übrigens der Erstdruck am 12. November 1960 in der *Neuen Zeit* in

Berlin. Dieses wiederum arbeitet mit Materialien eines früheren, aus dem Nachlaß veröffentlichten Gedichts, das als Titel lediglich die Jahreszahl *1943* trägt (*Im Windgesträuch*, S. 29), das sogar das Versprechen an die geliebte Frau enthält: »Später / kehr ich zurück.« In diesem Umkreis ist der biographische Ort unsers Gedichts zu suchen.

Damit soll nicht dem Irrtum Vorschub geleistet werden, die Summe solcher Details ergäbe das Gedicht, denn die ließe sich auf vielerlei Art wiedergeben. Doch gehört die verläßliche Historizität ihres Ursprungs zu Bobrowskis Dichtung. Nur aus ihr vermochte er das, was er sein »Thema« nannte, nämlich »die Deutschen und der europäische Osten«, die lange Geschichte voll Unglück und Schuld, und seine Wirkungsabsicht auf eine bessere Zeit ohne Angst durchzuführen. Darum gehört die Gebundenheit an Selbstgesehenes und Selbsterfahrenes unverzichtbar in seine Poetologie; die immerwache Sorge um die richtige, gerechte Benennung der Dinge treibt ihn, durch Sprache das Wirkliche zu wollen (*An Klopstock*), und nur so, nicht durch Kopfgeburten oder Phantasiespiele, vermag er ihr den moralischen Anspruch, die persönlich verbürgte redliche Absicht anzuschließen. Sein ganz erstaunliches Gedächtnis für einmal Wahrgenommenes, eine blitzartige bewahrende Aufzeichnung diente ihm dabei. Wenn er an Peter Jokostra schrieb (11. Juni 1959): »*Ilmensee* ist eine 25. Fassung. [...] Ich hab mit ihm einen Eindruck von 1941, der örtlich und zeitlich auf Zentimeter und Minute festliegt, eingeholt«, so bezeugt das diese Technik, der auch unser Gedicht folgt: Gewesenes in der Kunstgestalt genau zu manifestieren.

Natürlich versetzt das Gedicht das einmalig Gewesene in den Zustand einer höhern und weitern Gültigkeit, die Chiffren des Momentanen fügt es zu einem dauerhaften Zeichen. So hat Bobrowski aus den Wäldern und Strömen, Dörfern und Klöstern, den Häusern und Menschen Sarmatiens »Gedenkzeichen, Warnzeichen, beides« einer osteuropäischen Schicksalsgemeinschaft gemacht. So auch die poetische Stufenfolge dieser erinnerten Wiederkehr – mit der

Unverwechselbarkeit des Ortes, dem tiefen Glück des Dortseins und dem Wunsch nach Bleiben, nach der Dauer des Verlorenen, das er »mit allem Recht verloren« genannt hat. Der Topos der Wiederkehr, d. h. der unlösliche Widerspruch zwischen ihrer realen Unmöglichkeit und der Aufhebung der Trennung im Gedicht, begegnet bei ihm in vielerlei Verwandlungen immer wieder. Dafür müssen wenige Andeutungen genügen.

Dem Beobachter seiner Texte fallen die zahlreichen Ortsbestimmungen in Frageform auf, die etwa lauten: »Wo befinde ich mich?« – »Wo denn / wollen wir bleiben?« – »Wie leb ich hier?« – »Wie lang noch bleibe ich hier?« – »Hier sind wir. Wo ist das?« In der kleinen Friedrichshagener Erzählung *Das Käuzchen* durchbricht der abendliche Ruf des Vogels die äußere Gegenwart und erweckt das ferne unnennbare Land, wo die Traumhäuser aus Holz sind und wo »der Ort [ist], wo wir leben«. Und in der nah dazugehörigen Szene *Ich will fortgehn* heißt es: »Ich kenne einen Friedhof. [. . .] Dort [. . .] im Wiesenland, geht ein Fluß. [. . .] Und der kleine Hügel erhebt sich mit Holzkreuzen [. . .], der Sandhügel, nahe am Ufersturz. [. . .] Wer hier steht, sieht den Fluß [. . .].« »Das ist wohl nicht so weit?« fragt eine Stimme. Solche Zitate machen uns den immergleichen Ort immer bekannter. (Vgl. meinen Aufsatz *Wo bin ich?*)

In der mit den Initialen *D. B. H.* betitelten Buxtehude-Erzählung drängt sich gegen Ende eine unabweisliche Identifikation des Verfassers mit dem Lübecker Komponisten auf (vgl. Haufe, Behrmann), den eine visionäre Sehnsucht nach Helsingör am dänischen Sund erfaßt, der mythischen Stadt seiner Jugend. Er wird sie nicht mehr sehn. Andere, Jüngere, seine Schüler, werden hingehn »für mich« – »sieh es für mich«. Ähnlich verklingen die *Litauischen Claviere*, Bobrowskis letzter Text, der doch so scheinbar genau als ein politischer Roman um den Johannistag des Jahres 1936 im Memelland beginnt, zwar auf dem exakt fixierbaren trigonometrischen Punkt auf dem Rombinus, dennoch ins Imaginäre außer Raum und Zeit gehend. Und abermals herrscht leitmotivisch der eindringliche Fragegestus: Wo bin ich? – was ist das? – wo ist man da? – wann war das? Als Antwort tönt: »Das von früher, das geht nicht mehr. [. . .] Hingehen, das geht nicht mehr. Hingehen nicht.« Und »Herrufen, hierher. Wo wir sind«, das ist Potschkas letztes Wort. Und der unentrinnbare Zirkel; denn »wo wir sind?«, hatte *Das Käuzchen* beantwortet: dort – wo die Traumhäuser aus Holz sind.

Der bereits zitierte Brief Bobrowskis vom 22. Januar 1963 über *Wiederkehr* und Motzischken schloß mit folgendem Diktum: »Also, ich bin ein Heimatdichter, sagen Sie. Dabei mache ich bloß so ein Schlußpanorama für die zuendegehende Epoche der Seßhaftigkeit, welche im Neolithikum bekanntlich anfing, damit die Leute wissen, wie das war.« Man wird die oft depravierte Vokabel ›Heimat‹ nicht entbehren können, man muß sie reinigen; auch Bobrowski hat sie zwar sparsam gebraucht, aber keineswegs vermieden – und die unentbehrlichste zur Beschreibung unseres Weltzustandes heißt ›Heimatlosigkeit‹ (vgl. Nigg). Heimat und die Trennung von ihr oder ihr Verlust waren immer starke Antriebe der Dichter. Homers *Odyssee* ist der lange Gesang von der Wiederkehr nach Ithaka, und Vergils Epos erzählt, wie Äneas den greisen Vater und die Penaten aus dem brennenden Troja hinausträgt und eine neue Heimat findet, Ovids *Tristien* beklagen die Verbannung in den fernen Pontus – so ließe sich fortfahren in der Reihe der großen Heimatdichter, bis zu Joyce' *Ulysses* oder den Danziger Romanen von Günter Grass. Das ist eine Catena Homeri, eine goldene Kette der Exulanten und Fremdlinge, der unsre Gegenwart nicht wenige Glieder hinzugefügt hat. Bobrowski hat sich ihr zugehörig gewußt. *Anruf*, das Eröffnungsgedicht der *Sarmatischen Zeit*, schließt: »Heiß willkommen die Fremden. / Du wirst ein Fremdling sein. Bald.« Das blieb sein Status. In den Tagen der *Wiederkehr* hat Bobrowski Nelly Sachs' *Flucht und Verwandlung* gelesen (Gajek-Haufe, S. 27), die Gedichte der Berliner Jüdin in Stockholm, der er später Verse gewidmet hat, denen er das

Jesus-Wort »Die Tiere haben Höhlen und die Vögel unter dem Himmel haben Nester« (Matth. 8,20) vorangestellt hat. Vielleicht las er in *Flucht und Verwandlung* auch diese Verse:

Ein Fremder hat immer
seine Heimat im Arm
wie eine Waise
für die er vielleicht nichts
als ein Grab sucht.

Im Gedicht hat der Fremdling »eine Stelle, nur ein Grab breit« gefunden; und wo das Grab ist, da ist man für immer zu Hause. Und vielleicht kannte der Vielkennende auch seines Landsmanns Herder palingenetisches Wort: »So sind wir Menschen, wir dichten uns Hoffnungen der Wiederkehr.«

Zitierte Literatur: Alfred BEHRMANN: Facetten. Untersuchungen zum Werk Johannes Bobrowskis. Stuttgart 1977. – Johannes BOBROWSKI: Betrachtung eines Bildes. In: Der Mahner. Erzählungen. Berlin [Ost] 1967. – Johannes BOBROWSKI: Im Windgesträuch. Gedichte aus dem Nachlaß. Ausgew. und hrsg. von Eberhard Haufe. Stuttgart 1970. – Johannes BOBROWSKI: Litauische Claviere. Roman. Berlin [Ost] 1966. – Bernhard GAJEK / Eberhard HAUFE: Johannes Bobrowski. Chronik, Einführung, Bibliographie. Frankfurt a. M. 1977. – Eberhard HAUFE: Johannes Bobrowski und Dietrich Buxtehude. In: Johannes Bobrowski. Selbstzeugnisse und neue Beiträge über sein Werk. Red. Gerhard Rostin. Berlin [Ost] 1975. S. 189–236. – Alfred KELLETAT: ›Wo bin ich?‹ Erwägungen zur poetischen Topographie Johannes Bobrowskis. In: Actio formans. Festschrift für Walter Heistermann. Hrsg. von Gerh. Heinrich [u. a.]. Berlin [West] 1978. S. 33–48. – Fritz MINDE: Johannes Bobrowskis Lyrik und die Tradition. Frankfurt a. M. 1981. – Walter NIGG: Des Pilgers Wiederkehr. Zürich 1954. – Friedrich SCHULT: Barlach im Gespräch. Leipzig 1948.

Paul Celan

FADENSONNEN
über der grauschwarzen Ödnis.
Ein baum-
hoher Gedanke
greift sich den Lichtton: es sind
noch Lieder zu singen jenseits
der Menschen.

Zitiert nach: Paul Celan: Gedichte in zwei Bänden. Frankfurt a. M.: Suhrkamp 1975. Bd. 2. S. 26. © Suhrkamp Verlag, Frankfurt a. M.
Erstdruck: Paul Celan: Atemkristall. Mit acht Radierungen von Gisèle Celan-Lestrange. Paris: Brunidor, 1965. (Bibliophile Ausgabe.)
Weiterer wichtiger Druck: Paul Celan: Atemwende. Frankfurt a. M.: Suhrkamp, 1967.

Peter Michelsen

Liedlos. Paul Celans *Fadensonnen*

»machs Wort aus«
(II,123)

Ich schreibe als Leser. Welche Hintergrundsdaten – biographischer, entstehungsgeschichtlicher oder anderer Art – im Nachlaß des Dichters verborgen, welche »Transformationsprozesse« der Endfassung des Gedichts vorausgegangen sein mögen (vgl. Beda Allemann / Rolf Bücher, in: *Text + Kritik*, S. 86), weiß ich nicht. Paul Celan mutete seinen Lesern die Gestalt seines Gedichts ohne solches Wissen zu. Aus ihr selber muß herausgelesen werden können, was es meint. Ob dabei die Meinung des Gedichts sich mit der seines Verfassers deckt, ist eine zweite, hier nicht zu erörternde Frage: in der Sprache, die der Mensch spricht, ist mehr – und u. U. auch anderes – enthalten, als der Sprechende hineinzulegen beabsichtigte. Wie das Insekt den befruchtenden Staub unbewußt der Pflanze zuträgt, transportiert der Dichter auch, was er nicht weiß, in seinem Sprechen weiter: dem Leser zu.

Welchen Sinn kann es haben, sich als Leser zum ›Zwischenträger‹ zu machen und über ein paar Gedichtzeilen viele Worte zu verlieren? Des Gedichts wenige Worte, wenige Wörter, tragen, jedes, ein schweres Gewicht. Wir legen, um dessen Last zu ermessen, auf unsere Schale viele leichte Gewichte.

Nichts ist falscher, als Dichtung – großer Dichtung – Unbestimmtheit nachzusagen. Die Sprache der Dichtung unterscheidet sich von der unseres Alltags dadurch, daß sie genauer ist als diese, daß sie dem Ungefähren und Vagen, das von allen Seiten die Textur menschlicher Äußerungen ausfranst, zu entgehen sucht. Der Anschein des Gegenteils entspringt der Flüchtigkeit der Lesenden. Auch Mehrdeutigkeiten dichterischer Rede dienen der Bestimmtheit: der Bestimmung der Gestalt. Auf sie kann man von verschiedenen Seiten deuten; von verschiedenen Seiten ergeben sich verschiedene Bilder. Die Pluralität der Bilder, der Hin-Deutungen, verhilft der Gestalt zu ihrer Plastizität, die sich in der Bewegung erschließt: indem man um sie herumgeht. In diesem Sinne ist das folgende ein peripatetischer Versuch: während des Umhergehens zu sehen.

Wenn in dem Text von zu singenden Liedern die Rede ist: dieses Gedicht ist kein Lied. Es ist keines der Sprachgebilde, zu deren Eigenschaften Sangbarkeit gehörte. Sicherlich ist das mitbedingt durch den Verzicht auf strophische und metrische Form-Konventionen. Aber die Frage ist, worin dieser Verzicht begründet ist. Er ist in unserer Epoche ja üblich geworden, Konvention; und man hat oft den Eindruck, daß die ›Ungereimtheit‹ vieler Gedichte in der Moderne nicht nur für die Reime Gültigkeit hat. Es genügt also nicht festzustellen, daß den Druckzeilen des Gedichtes

ein Vers-Charakter in traditionellem Sinne nicht zuzusprechen ist; es muß vielmehr gesagt werden können, welche Funktion der vom Dichter vorgenommenen Teilung, Trennung, des Sprachflusses zukommt. Diese ist derart, daß im Grunde ein Sprach›fluß‹ überhaupt nicht mehr vorliegt. Das Idiom des Gedichts wird nicht ›fließend‹ gesprochen; ›gebrochen‹ spricht der Dichter seine Sprache.
Nehmen wir das ernst und nicht als einen nun einmal Mode gewordenen Usus der neueren Lyrik, dann werden wir gut daran tun, die Voraussetzungen solch gebrochenen Sprechens zu bedenken. Man muß sich darüber klar sein, daß auch derjenige, der gebrochen spricht, sich bemüht, das, was er sagen will, verständlich zu machen. Wenn er dennoch von den Hörern nicht oder nur schwer verstanden wird, so liegt das entweder an seiner mangelnden Sprachbeherrschung oder aber an der Unzulänglichkeit der zur Verfügung stehenden Sprachmittel in bezug auf seine Mitteilungsintention. Sollte das letztere – wie man bei Celan annehmen darf – der Grund sein, dann wird der Interpret sich nach dem möglichen Ziel seiner Überlegungen fragen müssen. Kann er legitimerweise erwarten, daß das Ergebnis seiner Analyse verständlicher sein wird als das analysierte Gebilde? Doch wohl nicht, oder nur in einem sehr relativen Sinne. Denn wäre das im Gedicht Mitgeteilte von dessen dunkler Formung zu trennen und in klarer diskursiver Prosa formulierbar, dann müßte sich diese an die Stelle jener setzen lassen, ja ihr wäre der Vorzug zu geben, da sie das Intendierte deutlicher zu vermitteln vermöchte als das Gedicht. Dichtung aber – wie immer man sie versteht – postuliert die Untrennbarkeit von Inhalt und Ausdruck. Sonst könnte man sie als einen Rebus behandeln, dessen Gestalt sich durch seine Auflösung erledigt. Die bloße Erschließung des Gehalts und die dadurch vielleicht zu bewirkende ›Klärung‹ des Dunklen darf der Interpret also nur insoweit wagen, als er des damit verknüpften Verlustes eingedenk bleibt. ›Gemeint‹ ist eben nicht nur das Gemeinte, sondern gleichfalls die Gestalt, in die es ge- oder verhüllt ist. In welchem

Ausmaß und auf welche Weise vom Interpreten auch die Formintentionen der Dichtung über das Deskriptive hinaus ausgesprochen werden können, ist nur von Fall zu Fall zu entscheiden: in jedem Fall aber ist das Auszusprechende lediglich als Umschreibung möglich, dienlich zu nichts anderem als der Erfahrung des Geformten.
Die ›Gebrochenheit‹ der Sprache in diesem Gedicht ist keine des Satzbaus: wir haben zwei grammatisch vollständige ›Sätze‹ vor uns, und auch die am Anfang stehende Ellipse in Form eines prädikatlosen Nennens ist – etwa in Beschreibungen – gar nichts Ungewöhnliches. Die Gebrochenheit ergibt sich also allein aus dem aktiven ›Brechen‹ der Sätze in der Zeilengliederung. Das heißt aber: das Gebrochen-Sprechen resultiert hier nicht daraus, daß isolierte Einzelwörter in erratischer Schwere ohne syntaktische oder logische Verbindung nebeneinander stehen. Vielmehr staut sich an den sich an den Zeilenenden einstellenden Pausen der Sprachstrom, und zwar so, daß die an der Abbruchstelle in die Pausen hineinragenden Wörter oder Silben ein besonderes Gewicht erhalten. Welchen Sinn haben diese Pausen?
Wir schieben diese Frage zunächst, als unruhestiftend, beiseite und verfolgen – als gäbe es sie nicht – den gedanklichen Aufbau. Er ist sehr einfach. Zuerst wird ein Sachverhalt in Form einer Kurzbeschreibung statuiert; darauf folgt die Mitteilung über das – wohl durch den wahrgenommenen Sachverhalt veranlaßte – Sich-Einstellen eines Gedankens; schließlich wird, nach dem Doppelpunkt, das Resultat dieser Gedankenbewegung in einer Sentenz fixiert. Der Dreischritt könnte zu der Annahme führen, daß es sich bei dieser Sentenz um die Konklusion eines Syllogismus handelte. Das aber wäre – trotz der stringenten Abfolge der Sätze – ein Irrtum. Gewiß: der Mittelbegriff zwischen erstem und zweitem, Ober- und Mittelsatz ist leicht erkennbar: das ›Licht‹, das »Fadensonnen« und »Lichtton« gemeinsam haben. Aber mit dem zweiten Satz findet keine ›Setzung‹ statt, sondern eine Handlung. ›Handeln‹ aber ist ein innerhalb einer bestimmten Situation erfolgendes Eingreifen des Subjekts in

die Außenwelt. Es wurde veranlaßt, nicht durch eine Proposition, die im ersten Satz gesetzt würde, sondern durch ein Geschehen. Kein Urteil liegt im Eingang des Gedichtes vor, sondern die Darstellung eines Ereignisses.

Es ereignet sich aber das Neue, etwas, das sich kundtut als ein über der »Ödnis« in der Zeit Sich-Begebendes. Über eine Person, die das Ereignis wahrnimmt und den Gedanken faßt, gibt das Gedicht keinen Aufschluß; das Fehlen eines Personal- oder Possesivpronomens besagt jedoch nicht, daß eine den Vorgang erlebende Individualität nicht vorhanden sei, wohl aber, daß sie ohne Bedeutung ist: für das Geschehen spielen kein Ich und kein Du eine Rolle. Dabei zeigen die grammatischen Subjekte der drei Sätze eine Verschiebung der Akzente an: von einem – wie auch immer des näheren zu verstehenden – Konkretum (»Fadensonnen«) ins Gedankliche (»Gedanke«) und schließlich zum Kunstbereich (»Lied«). Diese Sukzession wird als Steigerung empfunden, vor allem infolge der graduellen Veränderung der Satzstrukturen: auf die bloße Feststellung folgt eine Aussage, die ein aktives Handeln zum Inhalt hat; und nur als dessen Ergebnis (der Doppelpunkt deutet das an) wird eine Art auf Futurisches gerichteter Möglichkeits-, Wunsch- oder Aufforderungssatz formuliert.

Dieser (Schluß-)Satz gibt sich verständlicher, als er ist. Sein Subjekt wird durch das sogenannte expletive »es« vorweggenommen – gleichsam verdoppelt – und damit als ein Gegenstand, über den Wichtiges ausgesagt wird, kenntlich gemacht. Der ›Infinitiv mit zu‹ ließe sich, je nach Sinnzusammenhang, durch eine Passivkonstruktion mit den Hilfsverben ›können‹ oder ›müssen‹ ersetzen: im ersteren Falle würde er die Möglichkeit, im zweiten die Wünschbarkeit oder – moralische – Notwendigkeit betonen. Beides schwingt mit; doch ist, daß noch Lieder zu singen sind, zweifellos als eine nicht nur neutral festzustellende, zumindest als eine auch wünschbare Möglichkeit aufzufassen. Bezeichnend ist nun aber, daß kein bestimmter Adressat genannt wird, ja, der Satz behält seine Gültigkeit auch dann, wenn niemand auszumachen ist, der die anvisierte Tätigkeit auszuführen in der Lage wäre. Die Möglichkeit, Wünschbarkeit oder Notwendigkeit des Tuns wird vom Objekt aus festgestellt. So ist das Lieder-Singen als ein mögliches und wünschbares Tun zu konstatieren, unbeschadet der Frage, ob es Subjekte für das Tun gibt. Sicher ist nur, daß es sich bei den Personen, die es verwirklichen könnten, auf keinen Fall um Menschen handelt. Freilich: ob Menschen in ihrem Bereich – im Bereich der Menschen selbst – Lieder zu singen vermöchten, wird nicht ausdrücklich verneint; man könnte sich vorstellen, daß man ein ›auch‹ zu supplieren hätte (›es sind noch Lieder zu singen auch jenseits der Menschen‹). Doch solch vom bloßen Wortlaut her möglicher Sinn wird durch den Gesamtvorgang ausgeschlossen. Denn dieser entfaltet sich – es ist wichtig, das zu sehen – über einem dem Leser bekannten oder als bekannt angenommenen Ort. Nicht anders nämlich ist die Verwendung des bestimmten Artikels in Vers 2 (»über der grauschwarzen Ödnis«) zu verstehen. Die Ödnis ist dem Leser nicht fremd, wie man es vermuten müßte bei Setzung des unbestimmten Artikels oder auch bei Weglassung eines Artikels überhaupt. Daher ist sie keineswegs mit der Sphäre »jenseits der Menschen« gleichzusetzen, wie man es getan hat (Janz, S. 204). Nein, der Leser kennt die Ödnis; es ist auch die seine. Und in der Wortbildung »Ödnis« – fast ein Neologismus (Klaus Manger macht mich darauf aufmerksam, daß sie sich als ein ἅπαξ λεγόμενον schon in Ernst Jüngers *Marmorklippen* [S. 306] findet) – verdichtet und verstärkt sich das mit der ›Öde‹ angesprochene Moment der Verlassenheit. Die noch mit »Bahndämmen, Wegrändern« und »Schutt« in eine Reihe gesetzten »Ödplätze« aus *Sprachgitter* (I, 194) sind gewissermaßen generalisiert, zur Ödnis des Universums geworden. Lieder gibt es in ihr – zweifellos – nicht zu singen. Denn das »Lied« als ein melodisches Gebilde, in welches sprachliche Formen sich einfügen, ist Zeichen der Harmonie zwischen der Welt und ihrem Ausdruck. Das – keineswegs multivalente – Ergebnis des Gedichts ist, daß nur jenseits der

Menschen eine solche Harmonie statthaben könnte: wobei es offen bleibt, ob sie dort wirklich statthat. Und auch wer es sein mag, der dort die Übereinstimmung zwischen Welt und Ausdruck im Gesang zu vollziehen habe, wird nicht gesagt (in der christlichen Tradition waren es die Engel). Negativ gewendet heißt das: im Bereich der Menschen sind keine Lieder zu singen, gibt es diese Harmonie nicht oder nicht mehr.

Das Bekannte erscheint als dunkel, nicht völlig schwarz zwar, doch düstrer als grau: als »grauschwarz«, als eine also von Augen kaum zu durchdringende Landschaft; paradoxerweise ist das Bekannte nicht erkennbar, genau genommen: unbekannt. Was das über ihm Sich-Ereignende auch immer sein mag, das mit dem Kompositum »Fadensonnen« benannt wird: es ist auf jeden Fall ein Lichthaltiges, dasjenige also, das allein den »Lichtton« zu enthalten vermag, den dann ein Gedanke sich greift. Wurde den »Ödplätzen« noch ein zwar geringer, aber doch »meßbarer« »Lichtgewinn« zuteil (I,194), so dringt das Lichthaltige des »Lichttons« in die Ödnis nicht ein, es bleibt »über« ihr; das »Grauschwarze« wird durch die über ihm sich befindliche Erscheinung nicht erhellt.

Das Lichthaltige ist neu, ein dem Menschen Fremdes. Ein solches ist auch das Wort »Fadensonnen«: es ist, so scheint es, im Deutschen sonst nicht gebräuchlich. So bezeichnet es ein auch als Phänomen – bislang – Unbekanntes, über dessen Beschaffenheit lediglich die Art der Wortzusammensetzung Auskunft geben kann. Zu beachten ist die Pluralform »Sonnen«, der Celan fast immer vor dem Singular den Vorzug gibt. (Das geht so weit, daß er sogar bei der Verdeutschung eines Gedichtes von Mandelstamm den Singular des Originals in den Plural übersetzt und damit ins Irreale verfremdet: »Sonnen, schwarz«; »Sonnen, gelb« [Mandelstamm, S. 32].) Von einer Mehrzahl von Sonnen läßt sich indes normalerweise nur auf dem Gebiet der Astronomie, in unwirklichen – märchenhaften oder utopischen – Zusammenhängen oder in metaphorischen Wendungen sprechen. Aber obgleich es

naheläge, die letztere Verwendung bei einem Dichter zu vermuten – und sie sich in anderen Gedichten Celans auch findet (etwa: »Sonnen des Halbschlafs«, I,34) –, verbietet der Satz- und Gedicht-Kontext hier doch eine solche Annahme. Die betonte Nüchternheit des ersten Satzes statuiert ein tatsächlich Erfahrenes. Allerdings ist der Raum dieser Erfahrung nicht die dem Menschen als Sinnenwesen zugängliche Empirie; und auch mit dem Medium der Mitteilung ist er nicht identisch, obgleich jenes – der Sprachraum des Gedichts als die einzige Passage, die Zugang zu ihm bietet – Anteil an ihm hat. An dessen Realitäts- – oder besser vielleicht: Seins- – Ernst ist jedenfalls kein Zweifel. Was sich über der Ödnis begibt, ist kein bloß Vorgestelltes oder in der Hermetik des dichterischen Sagens Beschlossenes: es ist Wirkliches, Wirklichkeit, auf die sich das Sprechen des Gedichts bezieht, die es »sucht« (vgl. Celans *Ansprache in Bremen*, S. 118). Eben darauf werden, unübersehbar, die Augen gelenkt mit dem emphatisch gesetzten Anfangswort, das in seiner »kahlen Thetik handstreichartig den Raum des Gedichts« aufreißt (Menninghaus, S. 242): es eröffnet den Durchblick auf Ungekanntes.
Welcher Art ist dieses – ungekannt – Wirkliche? Eine Pluralität von ›Sonnen‹ in dichterischen Texten gibt von jeher den Eindruck einer unvorstellbar großen, überirdischen Lichtfülle wieder: einen Eindruck, der auch hier erweckt, zugleich aber mit der Bildung des Kompositums widerrufen wird. Denn das Bestimmungswort »Faden« bewirkt eine Diminution des Phänomens, eine Schrumpfung ins Dünne und Unscheinbare. Dem üblichen Sprachgebrauch gemäß wird bei Celan der »Faden« auch sonst mit Vorstellungen der ›Heimlichkeit‹ (*Zähle die Mandeln*, I,78), ›Dünnheit‹, ›Feinheit‹, ja ›Unkenntlichkeit‹ (*Sprich auch du*, I,135) in Verbindung gebracht; man denke auch an die »Schaufäden, Sinnfäden«, von denen es heißt: »wer / ist unsichtbar genug, / euch zu sehn?« (II,88). Zudem konnte Celan (ich verdanke diesen Hinweis Klaus Manger) eine den »Fadensonnen« ganz ähnliche Wortbildung bei Henri Michaux

vorgebildet finden, von dem er ja auch Texte herausgegeben und übersetzt hat: in den *Exorcismes* (1943) ist ein Abschnitt den »hommes en fil« gewidmet, die ausdrücklich auch als »petits« und »tout minuscules [...] et aux contours mous« bezeichnet werden (Michaux, Bd. 2, S. 12, 16), und die in der Übersetzung von Kurt Leonhard als »Fadenmenschen« erscheinen.

In dem Kompositum »Fadensonnen« wird also eine Intensität an Helligkeit ausgesprochen und im gleichen Atemzug zurückgenommen. (Andere Erklärungsversuche – etwa, die Fadensonnen als »Saiten« zu denken [Janz, S. 204], analog zu den »fila lyrae« des Ovid [*Metamorphosen* 5,117] – sind spekulativ.) Die »Fadensonnen« sind eine sich in der Höhe ereignende, strahlend helle Lichterscheinung, die in ihrer Subtilität den Sinnen des Menschen nicht zugänglich ist. Das bestätigt sich sofort im folgenden. Denn kein Auge sieht das Licht dieser »Sonnen«, kein Ohr hört ihren Ton, den keine Stimme – sprechend oder singend – wiederzugeben vermag. Nur ein »Gedanke« – kein die Seele verratender »Lichtsinn« (vgl. *Sprachgitter*, I,167), auch nicht das menschliche Denken überhaupt, nein, nur einer von vielen Gedanken – versucht, sich seiner zu bemächtigen. Und dieser Akt ist nicht ohne Gewaltsamkeit. Wer ›sich etwas greift‹, vollzieht eine Inbesitznahme, reißt etwas an sich, was nicht von Natur ihm zukommt. Auszuschließen ist also, aufgrund der Reflexivform des Verbs, die Assoziation, als ob wie in die Saiten eines Instrumentes ›gegriffen‹ würde (Janz, S. 204). Das ›Sich-Greifen‹ durch einen Gedanken realisiert eher die Metaphorik des ›Begriffs‹, deckt dessen geheime Forciertheit auf. Nicht ohne Bedeutung auch erscheint daher die Personifikation des »Gedankens«. Er ist der einzige Akteur in dem Gedicht; seine Aktion ist Raub. Seine Qualifikation als »baum-hoch« – keine Satire, wie man gemeint hat – verrät den Surrogatcharakter der Anstrengung, mit der er die Stelle eines organisch Gewachsenen einzunehmen trachtet. Von der strauch- und baumlosen Ödnis, in deren düsteren Bezirken die in dem Gedicht gestaltlos bleibende Körperwelt –

eine Welt vor der erst mit der Lichtwerdung einsetzenden Schöpfung – zu verharren verurteilt ist, erhebt sich allein ein den Heliotropismus der Pflanzen nacheifernder Gedanke lichtwärts oder jedenfalls in die Höhenrichtung, in der Licht vermutet werden kann.

Daß mit dem Geraubten – dem »Lichtton« – ein den »Fadensonnen« Innewohnendes angesprochen ist, ergibt sich aus der Verwendung des bestimmten Artikels, dessen Verweisungsfunktion nur als Rückbezug auf das am Anfang als neu Genannte zu verstehen ist. Wenn aber der gedanklichen Anstrengung nicht das Licht überhaupt, Lichtschein, Lichtstrahlen oder ähnliches, sondern nur der »Lichtton« gehorcht, dann indiziert das eine Reduktion. Ein ›Sehrest‹ bloß, eine Partikel des Lichts ist es, an der es der gedanklichen Bemühung teilzuhaben gelingt: eine Partikel allerdings, der das Versprechen der Synästhesie innewohnt. Doch teilt sich dieses nicht in der dem Leser übermittelten Fähigkeit mit, den auf einen Sinn ausgeübten Reiz in der Empfindung des affizierten sowohl als gleichzeitig eines anderen Sinnes zu spüren: davon kann hier keine Rede sein; die sensuellen Organe des Menschen werden durch das spröde Kompositum »Lichtton« kaum erregt. Das Zusammensein wird hier nicht in die optischen und akustischen Wirkungen, sondern das ihnen zugrunde liegende Substrat gelegt. Das, was durch die einzelnen Sinne gesondert, als Wahrnehmungen des Gehörs oder des Gesichts, in Erscheinung tritt, ist im Bereich des Seins ein Ungeschiedenes, das von der Sprache als einem die Differenzen des Seienden verzeichnenden Instrument unmittelbar nicht erfaßt werden kann. Genannt wird – nicht gestaltet – in der Zusammensetzung ein Nichtzusammengesetztes, ein Eines. Nicht in die Sinne dringt das den Sinnen Zugeordnete: nur der Gedanke – »ein« Gedanke – will das συναισθάνεσθαι wenigstens in den Begriff zwingen. Bezogen bleibt es auf ein von Menschen nicht Erreichbares.

In dem Begriff »Lichtton« sind das Moment ›Licht‹ aus den »Fadensonnen« und das Moment ›Ton‹ aus den »Liedern«

verbunden, aber so, daß die Isoliertheit des »Tons« das, von dem er kündet – das Tönen des Lichts – negiert. Das aus der Sphärenharmonie heraus›gegriffene‹ – -gerissene, -gebrochene – Stück des einen Tones bezeugt, in der Kraßheit zumal seiner herausstarrenden Ikten (»Líchttòn«), die Zerstörung oder doch Störung der Harmonie. Ein Ton – »Lied-Ton« (Gadamer, S. 87) gewiß – ist gleichwohl keine Melodie, nicht einmal ein Melodienfragment. So verschafft das Sich-Stemmen aus der zugewiesenen Öde in die Lufthöhe dem Gedanken nichts als das Wissen einer Richtung. Die Wendung zu ihr markiert der Doppelpunkt, ein wahrer Dreh-, ein Wendepunkt: die Balance des Gedichts um ihn herum ist prekärer denn je! Denn aus dem Geschehen der Vordersätze entfaltet sich als Resultat oder Konzentrat, über die zusammenfassende und das Folgende als Folge entwerfende Interpunktion hinweg, ein verrätselnder Schlußsatz. Der Raub, den das Denken am Licht verübt, bringt eine Schein-Beute heim. Die im Kolon signalisierte Verheißung verkündet kein Jenseits, in das man einziehen könnte; sie lautet wie eine Palinodie auf die Zukunftsaussage aus der *Niemandsrose*: »Wir werden das Kinderlied singen, das, / hörst du, das / mit den Men, mit den Schen, mit den Menschen« (I,237). Wie zerbrechend auch immer sich die Teilnehmer des Singens dort dem Gedicht darboten: ungebrochen erschien noch die indikativische Zuversicht der Vorhersage. Sie wird jetzt widerrufen. Die Aufforderung zum Singen schließt nunmehr den Menschen aus: nur unrechtmäßig hat ein menschlicher Gedanke sie sich zugeeignet, sie gedeiht ihm nicht. So bietet die Sentenz den ironischen Trost der Orakel: sie treffen, eintreffend, ins Herz.

Das Aufgezeigte wird für immer entzogen. Und dennoch wird es – unaufhebbar – als Aufgabe, als unlösbare, als unerhörte, gesetzt. Diese steht – das Wörtchen »noch« zeigt es unscheinbar, doch deutlich an – in der Zeitlichkeit. Sie verweist auf etwas, das war, das verlorenging: einst – wann war dieses ›einst‹? – wurden Lieder gesungen. Dem geschichtlichen Bewußtsein eignen wenn nicht Erinnerungen, doch Erinnerungsspuren, Ahnungen eines Anderen im Vergangenen. »Licht war« (II,107). Nur so – aus dem Wissen einer Qualitätsveränderung der Zeit – konnte sich der Ödnis die Vorstellung von in ihr nicht mehr zu erfahrenen Bäumen entgegenstellen. In äußerster Spannung zur »baumlosen« (II,385) Auschwitz-Welt ist das Bild des Baumes als Symbol der Lebenseinheit dem Dichter nicht fremd (vgl. etwa I,73,86,91); es stellt sich nicht zufällig in die Mitte des Gedichts, auch wenn es nur ein vom Gedanken imaginiertes ist. Dieser Imagination entspringt der den prometheischen Himmelsraub nachahmende – oder eher wohl: nachäffende – Griff in die Höhe, dem der verheißend-versagende Spruch zuteil wird. Wohin das Kolon den Weg weist, ist eine Zukunft, der kein Futurum exactum folgt, eine Zukunft, die dem Menschen nicht bereitet ist, die nicht kommt. Alles ›Kommende‹ ist eine falsche Lesart: wie die des vorletzten Wortes in *Leonce und Lena* durch Celans Landsmann Karl Emil Franzos (vgl. *Meridian*, S. 101). Das Lied bleibt jenseits. Die trotzdem in das Bruchstück der vorletzten Verszeile zwischen dem »noch« und dem »jenseits« sich einnistende Hoffnung ist nichts als ein »nicht ganz furchtlos über sich und die Worte Hinauslauschendes« (*Meridian*, S. 101).

Der Anstrengung des Gedanklichen entspricht die Kargheit der Form. Der Lakonismus der Statuierungen erteilt den Einzelworten, ja den Silben eine Bedeutsamkeitsdichte von nüchtern-trockener Pathetik. In seiner Lautgestalt wird das Gedicht durch ein rhythmisches Leitmotiv bestimmt, das man in der deutschen Metrik als ›falschen Spondeus‹ bezeichnet: die Hebungsfolgen x́x̀ (»gráuschwàrzen«, »báum-hòher«, »gréift sìch«, »Líchttòn«, »jénsèits«), in deren Steiltendenz ein krasses Sich-Emporreißen zum Ausdruck drängt, ein unter ausholender Bemühung mächtiges Sich-Aufraffen. Diese formale Eigenart wird – entscheidend – verstärkt durch die Gebrochenheit des Sprechens, jene Unterbrechungen des Sprachstroms, die den Abbruchstellen

am Ende der Zeilen durch den jeweiligen harten Absturz ein klippenartig ragendes Ansehen verleihen (das trifft vor allem für Zeile 1, 3, 5 und 6 zu).
Es stellt sich erneut die schon anfangs aufgeworfene Frage nach der Funktion dieses Stilzugs. Wenn der Dichter als sein eigener Rezitator diesen Verhältnissen nur wenig Rechnung trug und »verhältnismäßig geringe Rücksicht« nahm »auf die dem Vers im Bild beigegebenen Atemeinheiten«, so daß beim Anhören »eine Celan sonst kaum so leicht zugestandene Durchsichtigkeit und ›Heilheit‹ der sprachlich-syntaktischen Formen« aufkam (Joachim Günther, in: *Über Paul Celan*, S. 205 f.), dann mag ihn dabei vielleicht die Absicht geleitet haben, dem Verständnisvermögen des Publikums beim Zuhören entgegenzukommen: auf keinen Fall darf man daraus auf die Irrelevanz der Zeilenanordnungen schließen. Wie wichtig sie sind, läßt sich am letzten Satz des Gedichts unschwer zeigen. Als Prosasatz wäre dieser mit einer merklichen Pause nach »singen« zu lesen, evtl. noch mit einer kleineren, weniger markanten nach »noch«: »es sind noch ¦ Lieder zu singen | jenseits der Menschen«. Bei dieser Lesart könnte man noch versucht sein, dem Satz eingängigen Trost abzunehmen. Durch die Zeilenbrechung verliert er jedoch sein freundliches Antlitz: mit den gegen den Strich einfallenden Zäsuren – der Isolierung der beiden ersten und der beiden letzten Wörter – gewinnt er eine kantige Schärfe. Das herausgehobene »sind« gibt dem Gesagten eine fast grelle Bekräftigung seines Realitätscharakters, der dann, mit der Betonung des »jenseits«, ins Unerreichbare verlagert wird.
So bewirken die Brechungen die Härte der ›gegriffenen‹ Verheißung und verbannen die Hoffnung auf Teilnahme am Verheißenen. Das Unliedhafte der Rede von den zu singenden Liedern besiegelt deren Ferne. In den infolge der unerwarteten Einhalte, des Stehenbleibens, zustande gekommenen Pausen klingen keine Echo- und Resonanztöne der Verse nach; in keine ›poetische‹ Schwingung gerät die Luft. Vielmehr frißt sich, von den Rändern der Zeilenabbrüche –

-abhänge, möchte man fast sagen – her, schwelendes Schweigen heran, das die zu Wortbrocken vereinzelten Satzsegmente gefährlich umlagert. Auf seine Klimax steigt dieser Drohgestus der Wortumgebung in der Zerschneidung des Wortes; der Bindestrich – Trennungsstrich eher (vgl. dazu Neumann, S. 19 ff.) –, der zwischen dem ›Baum‹ und dessen ›Höhe‹ klafft, zerschlägt, was zusammenfinden soll. Das stumme Zeichen legt Widerspruch ein gegen den Hochmut des Zugriffs. Und dieser selbst staut sich an seinem Ende, mitten in der Zeile, zu der Pause, der ›Sprachwahrheit‹ (vgl. *Kolon*, I,265) des Kolons, die sich zwischen den Kraftakt des sich nach oben reckenden Gedankens und die scheinklar hinhaltende Auskunft des Lichttons einschiebt. Zwischen den Sprechakten also – in den Zwischenräumen des Sprechens – liegt eine ›Wahrheit‹ der Sprache.

Die Wahrheit aber dieser doppelt gesetzten, sozusagen mit einem Akut versehenen Punktpause, dieses Innehaltens zwischen Rück- und Vorwärts, ist die Richtungslosigkeit, das Schweben. Schwebend – in welcher Gefahr! – zwischen den Atemzügen des Sprechens, des »verzweifelten« (*Meridian*, S. 98) Gesprächs, das sich in den Sätzen des Gedichts vollzieht: in der Atempause, der Pause des Atmens, begibt sich, wie mit dem »Gegenwort« Büchners, ein »Akt der Freiheit« (*Meridian*, S. 90). Aber freilich: er »zerreißt« etwas, den »Draht« der Geschichte (ebd.) nicht nur, auch den Rhythmus der Frage und der Antwort. Einstmals wurden die Systole und die Diastole, das ›Pressen‹ und das ›Entladen‹, die Bewegungen des Atmens als »Gnaden« empfunden, aus deren Anhauch sich im Munde des Dichters die Lieder formten. Nunmehr sind, liedfremd, die beiden Bewegungen des Drückens und Loslassens keine Gnaden mehr; es ist, als solle der Atem kristallisiert, die Wende angehalten werden: durch sie hindurch will der Dichter hinter die Sprache fassen. »Um einer solchen Atemwende willen« legt das Gedicht seinen Weg zurück (vgl. *Meridian*, S. 96), einen Weg »durch die Zeit hindurch« (*Ansprache in Bremen*, S. 118), »diesen unmöglichen Weg, diesen Weg des Unmög-

lichen« (*Meridian*, S. 102), dessen Markierungen alle in die Irre führen.
Doch, ungläubig, bleibt, der den Weg geht, dem Ziel verhaftet. Denn Wahrheit verbirgt sich. Damit sie – und sei es nur im Widerschein, im Un-Schein fast – bemerkbar, der Unverborgenheit näher gebracht werde, ist es nötig, die Worte wegzurücken, zu ›entworten‹ (vgl. II,123). Celans Sprachbehandlung dient der Beiseiteräumung des Aufgeschütteten, des Wortschutts; das Stehenbleibende deutet weniger auf das, was es meint oder meinen könnte, als an sich vorbei. Die fremdgewordenen, richtiger: in ihrer Fremdheit enthüllten Worte werden zu ›Gittern‹, die nicht mehr ›zeigen‹, sondern durchlassen.
Die Form des Gedichts warnt davor, sich mit möglichen Entschlüsselungen des Wortlauts als vollgültiger Interpretation zu beruhigen. Die Schockwirkung der »Dunkelheit«, der Celan seine Dichtung zugeordnet fühlte (*Meridian*, S. 95), ist dem Gedicht angemessener als – diese oder jene – plane Erklärung. Allerdings: daß die Sprache Celans, wie man, mit einem Wort Jean Pauls aus der *Vorschule*, meinte, »den Blick von der Sache gegen ihr Zeichen hin« wende (Adelheid Rexheuser, in: *Über Paul Celan*, S. 193), ist nur eine Teilerkenntnis. Denn in dieser Wendung ist nicht das Zeichen das Ziel. Der Ernst, den die Sachen verloren haben, wird in der Eindringlichkeit der Setzung der Zeichen wiedergewonnen, die, wie eh und je, über sich hinaus weisen. Die Fremdheit, in die sie gekleidet werden, verrät sie als im Unterwegssein Begriffene, auf ein Offenes zu. So sind die »Fadensonnen« Träger einer Bürgschaft, die unverstanden bleiben muß und sich denjenigen, die sich ihrer versichern wollen, entzieht. Mit ihren Brechungen, den Einschnitten, dem schneidenden Bruch der Liedlosigkeit, ist die Sprache des Gedichts ein Sich-Entfernendes; wenn wir ihr folgen, nähern wir uns ihr noch nicht. Bestenfalls bleiben wir ihr auf den Fersen, verlieren sie nicht – in Bewegung Geratene – aus dem Auge.
Von Ossip Mandelstamms Gedicht sagte Celan, daß es der

»Ort« sei, »wo das über die Sprache Wahrnehmbare und Erreichbare um jene Mitte versammelt wird, von der her es Gestalt und Wahrheit gewinnt: um das die Stunde, die eigene und die der Welt, den Herzschlag und den Äon befragende Dasein dieses Einzelnen« (Mandelstamm, S. 65). Das Dasein auch Celans – eines Einzelnen auch – befragt die Stunde: den Herzschlag und den Äon. Aber seine Sprache ist ortlos geworden: um keine Mitte mehr versammelt. »Am Ausgang der Zeit« (II,69) schwimmt sie: Trümmer auf dem Meer, unter denen das Schiff versank. An den Treibhölzern lassen sich noch, mehr oder weniger undeutlich, die Bezüge erkennen, die ihnen, da sie noch an ihrem Ort waren, anhafteten: aber sie sind nicht dasjenige, wovon sie nunmehr zeugen. Alles Kommunizierbare ließen sie hinter sich. Was ausgesagt wird, ist nur die Negation dessen, was aussagbar ist; das Gedicht ist die »Stätte der Verweigerung all dessen, was es nennt« (Böschenstein, S. 297). Da wird das, was Celan einmal »furchtbar« nannte (*Meridian*, S. 96), das »Verstummen«, die Chance des Gedichts; mitten in der Verwirrung der Sprache setzt es, in der Herstellung des transitorischen Augenblicks der Atem-, der atemlosen Pause, ein Zeichen, das uns nicht verrät.

Zitierte Literatur: Bernhard BÖSCHENSTEIN: Leuchttürme. Von Hölderlin zu Celan. Wirkung und Vergleich. Studien. Frankfurt a. M. 1977. – Paul CELAN: Gedichte in zwei Bänden. [Siehe Textquelle. Zit. mit Band- und Seitenzahl.] – Paul CELAN: Ansprache anläßlich der Entgegennahme des Literaturpreises der Freien Hansestadt Bremen. In: Die Neue Rundschau 69 (1958) S. 117f. – Paul CELAN: Der Meridian. Frankfurt a. M. 1961. Zit. nach: Büchner-Preis-Reden 1951–1971. Mit einem Vorw. von Ernst Johann. Stuttgart 1972. – Hans Georg GADAMER: Wer bin ich und wer bist Du? Ein Kommentar zu Paul Celans Gedichtfolge »Atemkristall«. Frankfurt a. M. 1973. – Marlies JANZ: Vom Engagement absoluter Poesie. Zur Lyrik und Ästhetik Paul Celans. Frankfurt a. M. 1976. – Ernst JÜNGER: Sämtliche Werke. Bd. 15. Stuttgart 1978. – Ossip MANDELSTAMM: Gedichte. Aus dem Russ. übertr. von Paul Celan. Frankfurt a. M. 1959. – Winfried MENNINGHAUS: Paul Celan. Magie der Form. Frankfurt a. M. 1980. – Henri MICHAUX: Dichtungen. Schriften. 2 Bde. Frankfurt a. M. 1966–71. – Peter Horst NEUMANN: Zur Lyrik Paul Celans. Göttingen 1968. – Text + Kritik. H. 53/54: Paul Celan. München 1977. – Über Paul Celan. Hrsg. von Dietlind Meinecke. Frankfurt a. M. 1970.

Weitere Literatur: Beda ALLEMANN: Paul Celan. In: Deutsche Dichter der Gegenwart. Ihr Leben und Werk. Hrsg. von Benno von Wiese. Berlin [West] 1973. S. 436–451. – Gerhart BUHR: Celans Poetik. Göttingen 1976. – Israel CHALFEN: Paul Celan: Eine Biographie seiner Jugend. Frankfurt a. M. 1979. – Peter SZONDI: Celan-Studien. In: P. S.: Schriften. Hrsg. von Jean Bollack [mit anderen]. Bd. 2. Frankfurt a. M. 1978. S. 321–398, 423–442. – Klaus VOSWINCKEL: Paul Celan: Verweigerte Poetisierung der Welt. Versuch einer Deutung. Heidelberg 1974.

Erich Fried

Beim Wiederlesen eines Gedichtes von Paul Celan

»es sind
noch Lieder zu singen jenseits
der Menschen«

Lesend
von deinem Tod her
die trächtigen Zeilen
wieder verknüpft
5 in deine deutlichen Knoten
trinkend die bitteren Bilder
anstoßend
schmerzhaft wie damals
an den furchtbaren Irrtum
10 in deinem Gedicht das sie lobten
den weithin ausladenden
einladenden
ins Nichts

Lieder
15 gewiß
auch jenseits
unseres Sterbens
Lieder der Zukunft
jenseits der Unzeit in die wir
20 alle verstrickt sind
Ein Singen jenseits
des für uns Denkbaren
Weit

Doch nicht ein einziges Lied
25 jenseits der Menschen

Zitiert nach: Erich Fried: Die Freiheit den Mund aufzumachen. 48 Gedichte. Berlin: Klaus Wagenbach, 1972. (Quarthefte. 58.) S. 33. [Erstdruck.]

Michael Zeller

Die Aufklärung einer Dunkelheit

I

Paul Celan und Erich Fried – der Gegensatz im poetischen Programm und im Werk dieser beiden deutschsprachigen Lyriker kann tiefgreifender kaum gedacht werden. Das »und« zwischen ihren Namen scheint einem von ihnen Unrecht tun zu wollen oder beiden. Bestürzend beinahe zu sehen, wie dieser Kontrast aus einer biographischen Nähe herausgewachsen ist, die brüderlich genannt werden darf. Gerade aus der intimsten Kenntnis des Widerparts ziehen Rivalitäten ihre Sprengkraft.

Celan und Fried sind beide jüdischer Herkunft. Unmittelbar nach dem Ersten Weltkrieg geboren (Celan 1920, Fried 1921), wachsen sie in den Trümmern Habsburgs auf: Celan an der Peripherie, in der rumänisch gewordenen Bukowina, Fried im alten verblaßten Zentrum Wien. Beide besuchen die Höhere Schule; beide verlassen 1938 ihre Heimat: Fried auf der Flucht vor Hitler in Richtung England, Celan zum Studium der Medizin nach Frankreich. Für beide wird es – von kurzen Phasen abgesehen – kein Zurück mehr in den deutschen Sprachraum geben. Denn beide sind Opfer des faschistischen Rassenwahns: von Celan kommen die Eltern, von Fried der Vater und die nächsten Verwandten in Lagern um. Damit ist die traumatische Erfahrung ihrer beider Leben genannt, damit ist auch ihr Weg zur Literatur, die Entscheidung zum Schreiben ursächlich vorgezeichnet. Beide bleiben dabei auch im Ausland der deutschen Sprache treu, und beide finden im Gedicht die alleinige Form für ihre Inhalte.

Auch in diesen Inhalten sind Celan und Fried aufs engste verwandt, denn sie haben sich ihr Thema nicht in freier Wahl angeeignet, sondern sie sind von ihm – mit dem Pathos

der Bibel gesprochen – auserwählt worden. Beide Lyriker stehen im Bann und in der Haftung des Ewigen Juden. Das Erlebnis ihrer Jugend, die Grunderfahrung, daß Menschen mit organisatorischer Perfektion und technischer Raffinesse umgebracht werden, weil sie Juden sind, wirft beide Schriftsteller, obwohl sie Agnostiker sind, auf ihre Abstammung zurück, auch wenn sie diese zum Teil erst neu konstruieren müssen: »Zionist war ich nie, religiös nur kurze Zeit als Kind, mein Wirkungsbereich ist durch meine deutsche Muttersprache bestimmt«, erklärt Erich Fried 1974. Auf der anderen Seite: »›Juden, Personen, die im Sinne des Reichsbürgergesetzes zum Schutze des deutschen Blutes als Juden gelten‹, sind fixiert und bestimmt durch den Blick der anderen, auch dort, wo es sich nicht um deutsches Blut handelt, unlösbar in ihren Geschicken aneinander gekettet.« So urteilte 1977 Jean Améry, der österreichische Jude aus Brüssel, bevor er – wie Celan – Hand an sich legte.
Nichts vielleicht hat vom Nationalsozialismus so zäh überlebt wie die Zwangs-Internierung der Juden, auch wenn die Lagergrenzen nach innen verlegt wurden. Von diesem gemeinsamen Trauma aus, das in höchstem Maße individuell ist und überpersönlich zugleich, werden die schroffen Gegensätze zwischen Erich Fried und Paul Celan erst wahr. Die radikale, innig brüderliche Unversöhnbarkeit hat sich nach außen in zwei oppositionellen Literaturprogrammen versachlicht.

II

Die literarischen Karrieren von Celan und Fried verlaufen in zwei Kurven, die sich um die Mitte der sechziger Jahre kreuzen. Obwohl Fried seit 1944 sechs Gedichtbände veröffentlicht hat, ist sein Name bis 1966 nur einem kleinen Kreis von Lyrik-Lesern ein Begriff. In diesem Jahr erscheint – zum ersten Mal bei Klaus Wagenbach, dem Fried bis heute treu geblieben ist – die Sammlung *und Vietnam und*, die

Erich Fried mit einem Schlag in das helle Licht öffentlicher Auseinandersetzung stellt. Von den einen als »platte Agitproplyrik« heftig abgelehnt, werden diese Gedichte von einer politisch sensibilisierten Jugend leidenschaftlich begrüßt und gefeiert: so als habe es zuvor in Deutschland keine Gedichte gegeben. Frieds neuartige Verse lassen alle Wort-Erlesenheit hinter sich. Die Sorge um Reim, Rhythmus und Wohlklang wird von der Sorge um das vietnamesische Volk abgelöst, das Fried unter den amerikanischen Bomberflotten von seiner »Endlösung« bedroht sieht. Die Identifizierung mit den Opfern durchbricht die Indirektheit der metaphorischen Rede, sie spricht im Klartext: »In Vietnam schlägt das Herz von Deutschland.« Es ist, als habe Fried mit diesen Versen das Zauberwort des neuen Gedichts getroffen. In dieser Lyrik, urteilte Harald Weinrich 1977 aus dem Abstand eines Jahrzehnts, »entstand das politische Gedicht wieder und zugleich mit ihm der Widerstand der Schreibenden gegen die Staatsgewalt jenseits der Ozeane und im eigenen Land«.
Das unverdeckte Aussprechen zeitgeschichtlicher Ereignisse, das sich in der deutschen Lyrik-Tradition beinahe nur auf Bertolt Brecht berufen kann, zerstört das Tabu der Anspielung, der Verschlüsselung, der hermetischen Verdunkelung, die zur Doktrin des westdeutschen Nachkriegs-Gedichts geworden war (unter verhängnisvoll einseitiger Auslegung von Gottfried Benns Transzendental-Poesie). Unter diesem Einbruch der Direktheit in den Vers geriet die westdeutsche Lyrik in ihre bis dahin tiefste Krise.
Über den formalen Experimenten der konkreten Poesie schlossen sich die Akten. Eugen Gomringer, ihr produktivster Vertreter, bekannte mit polemischen Rückzugs-Gestus, er könne kein Gedicht über Vietnam schreiben, da ihn das t in diesem Wort störe. Hans Magnus Enzensberger, der zusammen mit Günter Grass und Peter Rühmkorf am entschiedensten gegen die »saccharine Feierlichkeit« (Rühmkorf) und die »erzwungene Preziosität« (Höllerer) des Nachkriegs-Gedichts in Westdeutschland angeschrieben

hatte, hielt es an der Zeit, nun mit dem Schreiben von Gedichten erst einmal Schluß zu machen. Was er und viele seiner Kollegen auch beherzigten. Und Paul Celan?
Paul Celan, dem Sänger des Nichts, Büchner-Preis-geehrt, dem Hohenpriester des ›absoluten Gedichts‹, dicht am Rande des Verstummens angesiedelt – und wie die weihevollen Umschreibungen seiner gelehrten Exegeten auch immer hießen –, ihm blies mit einemmal hart der Wind ins Gesicht. Diesen Umbruch nahm Celan im Titel seines Gedichtbandes von 1967, *Atemwende*, metaphorisch andeutungsweise auf, auch wenn die Interpreten darin immer noch nichts anderes erkennen wollten als die »paradoxe Zone des Medusenblicks und des Absurden« (so Beda Allemann).
In diesem Band *Atemwende* findet sich auch das Gedicht *Fadensonnen*, dem Erich Fried 1972 sein paraphrasierendes Gegen-Gedicht widmete. Die letzten Verse dieses Gedichts, »es sind / noch Lieder zu singen jenseits / der Menschen«, wendete der streitbare Kritiker Helmut Mader zu der heftigsten Attacke, die bis dahin auf Paul Celan in der literarischen Öffentlichkeit geritten worden war. In der *Frankfurter Allgemeinen Zeitung* überschrieb Mader seine Besprechung mit der polemischen Frage *Lieder zu singen jenseits der Menschen?* und klassifizierte dann Celans artistischen Nihilismus als hohle, privatmythologische Unerheblichkeit. »Ist Celans Poesie am Ende? [. . .] Bleibt Celan nur noch die kommunikationslose Isolierung, die seine Verse andeuten: ›. . . es sind / noch Lieder zu singen jenseits / der Menschen‹?«
Auf Maders Forderung: »Einmal muß die dauernde Infragestellung des Gedichts an der Grenze zur Sprachlosigkeit zu Konsequenzen führen«, gab Celan mit seinem Freitod 1970 in Paris seine letzte Antwort. Mit dieser Entscheidung hat Celan die Haftung für sein lyrisches Werk übernommen, so radikal und ehrlich wie einst Arthur Rimbaud. Deshalb gehört Celans Tod in der Seine ebenso untrennbar zu der Geschichte seiner Wirkung wie der tödliche Verkehrsunfall von Rolf Dieter Brinkmann 1975 in London. In der hekti-

schen Konjunktur der Literatur-Moden gerät es manchmal aus dem Blick, daß Schreiben etwas mehr bedeutet als der virtuose Umgang mit schönen Worten.

III

Vor der Erfahrung dieses Todes schreibt Erich Fried das Gegen-Gedicht zu Celans *Fadensonnen*: als ehrenden Nachruf auf den feindlichen Bruder ebenso wie als Bekräftigung der Gegnerschaft auch über den Tod hinaus. (Ein vergleichbar radikaler Versuch, *Auf den Tod des Generalbundesanwalts Siegfried Buback*, wird Frieds anti-hermetischen Lyrik-Begriff 1977 in die Randzone der Kriminalität manövrieren. Fried wird damit – sicher ungewollt – den Beweis erbringen, daß nicht nur die extreme Verschlüsselung der Rede, sondern auch ihre schrankenlose, tabu-verletzende Offenheit gleichermaßen aus der Gesellschaft herausführen kann. Die Radikalität beider Positionen illustriert noch einmal jene Getto-Situation, in die die beiden jüdischen Autoren mit dem Auschwitz-Trauma immer wieder zwanghaft hineingeraten.)
Die Methode des »Gegen-Gedichts« hat Fried zuerst auf seine eigenen lyrischen Arbeiten angewendet. 1968 bereitet er die Herausgabe der vergriffenen Sammlung seiner *Gedichte* von 1958 vor. Diese alten Arbeiten, die ihm selbst fremd und fragwürdig geworden waren, mochte der Autor jedoch nicht ohne weiteres aus der Hand geben. »Beim Wiederlesen wurde mir klar, wie sehr ich mich seither geändert habe, aber auch, daß ich nicht nur deshalb und nicht nur aus ästhetischen Gründen anders schreibe, sondern mehr noch weil die Zeit, die sich auch in Gedichten spiegelt, nicht mehr dieselbe ist.« (Mit einer entsprechenden Begründung hatte Fried im Februar des gleichen Jahres 1968 seine Mitarbeit bei der BBC als Kommentator des »German Soviet Zone Program« – seit 1952 – aufgegeben.) »Die Zeit

seither zwang zu neuen Gedanken, zu neuem Formulieren.« Gleichwohl wollte Fried sich nicht aus der Verantwortung für seine frühen »versponnenen« Gedichte entlassen, sondern er fiel ihnen mit neuverfaßten Gegen-Gedichten ins Wort. In ihnen schlug sich für den Lyriker das »Zeichen einer Befreiung von jener Flucht und Hoffnungslosigkeit« nieder, »die in vielen der alten Verse den Ton angab, so daß sogar Auflehnung und Protest oft bis zur Unkenntlichkeit verschlüsselt waren«. *Befreiung von der Flucht* heißt dann programmatisch auch der Titel der Sammlung von 1968, die die alten Gedichte mit ihren neuen Entgegnungen an den Tag brachte.

Schon der Begriff des »Gegen-Gedichts« macht deutlich, daß Fried Gedichte nicht mehr als überzeitliche Fixierungen verstanden wissen will, sondern sie in einem historischen Argumentationszusammenhang begreift und damit als überholbar, ja als »falsch«. Die Illusion einer end-gültigen Aussage von Lyrik wird damit von Fried willentlich aufgekündigt; Dichtung bekennt sich offen als Zeitdokument politischer und gesellschaftlicher Entwicklungen, dem Irrtum unterworfen bis zur Ungültigkeit, im genauen Widerspruch zu Gottfried Benns statischer Auffassung von Lyrik, wie er sie 1951 in der Marburger Rede *Probleme der Lyrik* formuliert hatte: »Das absolute Gedicht braucht keine Zeitwende, es ist in der Lage, ohne Zeit zu operieren, wie es die Formeln der modernen Physik seit langem tun.«

Sichtbar wird an dem Begriff »Gegen-Gedicht« ein zweites Moment anti-hermetischer Poesie. Im Gegensatz zu Paul Celan und den meisten Lyrikern seiner Zeit ist Erich Fried kein Poeta doctus. Seit er als siebzehnjähriger Gymnasiast den deutschen Sprachraum verlassen mußte, hat er sich in London als Arbeiter, Chemiker, als Bibliothekar und – die längste Zeit – als Journalist durchgeschlagen. Auch heute, da Fried sich als ein auflagenstarker Lyriker mit einer eigenen Sprache längst durchgesetzt hat – bis 1981 sind beinahe zwanzig Gedichtbände von ihm erschienen –, fehlt von ihm immer noch eine theoretische Grundlegung seines Schreibens. Wenn man daher versuchen will, Frieds Selbstverständnis als Lyriker zu rekonstruieren, ist man allein auf seine Gedichte angewiesen. Hier gibt es nicht nur Verse, die sich mit der Tradition auseinandersetzen (zustimmend zu Brecht, absprechend gegen Benn), hier finden sich auch Bezugnahmen auf zeitgenössische Kollegen und Richtungen (neben Celan Enzensberger, Grass, Heißenbüttel, Karsunke; Naturlyrik, konkrete Poesie) in anerkennendem oder polemisch abweisendem Ton, wie auch Gedichte, in denen Fried diese Kollegen in parodierender Absicht imitiert oder Collagen mit Zitaten aus ihren Arbeiten herstellt. Als 1973 in Graz über Literatur theoretisiert wurde, zog sich Fried wiederum auf das Gedicht als sein ureigenes Medium zurück: »Jeder sollte einen 20 Minuten langen Diskussionsbeitrag bringen. Ich schrieb stattdessen einen Gedichtzyklus, als solidarische Kritik und Erörterung größerer Möglichkeiten.« Dieser Zyklus *Zweifel an der Sprache*, 1974 in dem Band *Gegengift* abgedruckt, ist bis heute als Frieds eigentliche ›Ars poetica‹ anzusehen.

Zweifel an der Sprache denkt das Lord-Chandos-Syndrom, das zum Kennzeichen jeden modernen Dichtens geworden ist, in politischen Begriffen weiter. Fried charakterisiert Sprache darin als fragwürdigen »Doppelagenten«, und das ist Grund genug für ihn, an Sprache als an ein unersetzbares Verständigungsmittel zu glauben und damit den Zweifel an ihr ruhen zu lassen. Der »Zweifel an der Sprache« wird von Fried nicht an den Punkt theoretischer Folgerichtigkeit vorangetrieben, wo nur noch die Alternative des Geschwätzes oder des Schweigens harrt – möglicherweise jene »Lieder jenseits der Menschen« im Sinne Celans –, sondern er wird unter Berufung auf das Allereinfachste, den Common sense der Vernunft, den Fried sicher dem pragmatischen Genius der Angelsachsen entlehnt hat, zum Stillstand gebracht, im Sinn des Hegel-Satzes: »Wer die Welt vernünftig ansieht, den sieht sie auch vernünftig an; beides ist in Wechselbestimmung«:

Aber *wer* zweifelt
an dem Hilferuf
an einem Schrei
an Worten wie »DU« und »DU FEHLST MIR«?

Wer zweifelt an einer Sprache
die sagen kann
»Ich habe Hunger«
oder »Ich habe Angst
vor dem Altwerden«
oder »Ich will noch nicht sterben«?
Oder *wer* zweifelt an den Worten
»Militärputsch in Chile«
und an den Worten »Verhaftete werden gefoltert«
und an den Worten »Erschossene werden verladen
auf Hubschrauber und in den Stillen Ozean geworfen«?

Deutlich wird hier, wie Frieds Berufung auf das unbestreitbare Allereinfachste – einen Hilferuf, das Wort »Du« – nahtlos übergeht auf gar nicht allereinfachste, höchst komplexe politische Tatbestände (wie den Sturz der Regierung Allende in Chile). Deutlich wird, daß für Fried die Situation des politischen Opfers zu seinen menschlichen Grunderfahrungen gehört, die er nicht bereit ist an intellektuelle Zweifelsucht zu veräußern. Hier schneidet die Authentizität selbsterlebten Leids dem »Zweifel an der Sprache« barsch das Wort ab. Hier ist für Fried der Grenzpunkt erreicht, an dem er sich und seinem Leser den Zweifel verbietet, weil er hinter der sprachlichen Skepsis politisches Obskurantentum am Werk wittert. Hier ist für ihn der Ort, wo das einfache Wort sich aufklärend zu behaupten hat. In ebendieser »Zweifelsfreiheit« sieht Peter Rühmkorf die aufklärende Wirkung gesichert, die Frieds Gedichte beim Leser auslösen:

»Die Reaktionen des Lesers sind dabei vergleichsweise einfach. Die schritt- und zeilenweise vorangetriebene Aufklärung bis hin zum erlösenden Aha-Erlebnis ist von jedem halbwegs funktionierenden Verstand leicht nachzuvollziehen. [...] Die im Gedicht beschlossene Zweifelsfreiheit läßt sich jederzeit weitervermitteln, die Erleuchtung sich in Zeitkritik umsetzen, die Betroffenheit objektivieren und auf Distanz bringen. Kurz, der vom Gedicht beabsichtigte Aufklärungsvorgang läßt wohltuend entqualmte Köpfe zurück, beinah schon abgeklärte, die einen schwelenden Konflikt für ›ausdiskutiert‹ erachten.« (*Die Zeit*, 10. März 1978.)

Energisch weist Fried deshalb auch das Sokratische Pathos des Nichts-Wissen-Könnens als intellektuellen Eigendünkel zurück – in dem Gedicht *Beschwerde des Meletos und Lykon* (*Unter Nebenfeinden*, 1970). Denn wer behaupte, nichts wissen zu können, müsse immerhin einen Begriff von »Nichts« und von »Wissen« haben. Fried sieht darin entweder Blindheit oder ein freiwilliges Kapitulieren vor der politischen Mißbrauchbarkeit intellektueller Skrupel durch die »Großen Vereinfacher« der Tat. Ein Mann wie Sokrates »vergiftet die Jugend / Der Schierling heilt sie von ihm«.

IV

Mit diesem unerbittlichen und kampfbereiten Votum Frieds gegen das poetische Schweigen als politisches Ver-Schweigen endet der notwendige Umweg der Interpretation, der uns jetzt vor den einfachen Zeilen von Erich Frieds lyrischer Celan-Paraphrase entläßt.
Die schwere Bezichtigung eines »furchtbaren Irrtums« setzt ein mit dem lockeren Spiel von Metaphern, die aus Celan in leicht parodierender Absicht herausgelesen sind, gleichsam aus dem Ärmel geschüttelt (»trinkend« aus der berühmten *Todesfuge*, »bitter« aus *Zähle die Mandeln*, beide von 1952). Angesichts dieses noch in seinen Andeutungen sperrigen »Sprachgitters« aus Celanschen Dunkelheiten entfaltet Fried jetzt seine Gegenposition. Vor der Klarheit dieser Rede kommt die Arbeit des Interpreten zur Ruhe, und so fordert es auch das anti-hermetische Programm Erich Frieds. Das Gedicht *Beim Wiederlesen eines Gedichtes von Paul Celan* versteht sich von selbst. Es braucht seinerseits keine Para-

phrase, die die pointierten, aber von jedem »halbwegs funktionierenden Verstand leicht« nachzuvollziehenden Formulierungen im Erklären nur abflachen und breittreten könnte.

Literatur: Beiträge zum 60. Geburtstag von Erich Fried. In: Freibeuter. H. 7 (1981) S. 1–32. [Mit einer Auswahlbibliographie von Volker Kaukoreit, S. 27–32.] – Michael ZELLER: Im Zeichen des ewigen Juden. Zur Konkretion des politischen Engagements in der Lyrik Erich Frieds. In: Gedichte haben Zeit. Aufriß einer zeitgenössischen Poetik. Stuttgart 1982. S. 153–196.

Eugen Gomringer

vielleicht

vielleicht baum
baum vielleicht

vielleicht vogel
vogel vielleicht

vielleicht frühling
frühling vielleicht

vielleicht worte
worte vielleicht

Zitiert nach: Eugen Gomringer: worte sind schatten. die konstellationen 1951–1968. Reinbek bei Hamburg: Rowohlt, 1969. S. 90. [Erstdruck.]

Harald Hartung

vielleicht – Eine Konstellation Eugen Gomringers

»knappheit im positiven sinne – konzentration und einfachheit – sind das wesen der dichtung«, so lautet ein Satz in Eugen Gomringers erstem Manifest *vom vers zur konstellation* aus dem Jahr 1954 (*worte sind schatten*, S. 277 f.). Einfachheit zumindest kennzeichnet den vorstehenden Text auf den ersten Blick; eine Einfachheit in Vokabular und Struktur, die sich dem Leser, um nicht zu sagen dem Betrachter (denn Gomringers Konstellationen wollen ebenso *betrachtet* und *meditiert* wie *gelesen* werden) sogleich mitteilt.

Einfachheit im Vokabular: Es gibt nur fünf Wörter, welche, die Überschrift eingeschlossen, insgesamt siebzehnmal vorkommen. Deutlicher noch wird die Einfachheit und Symmetrie des Textes, wenn man nach Wortarten teilt. Die vier Substantive (man könnte durchaus ›Dingwörter‹ sagen) erscheinen je zweimal, also insgesamt achtmal; und zwar die ersten drei im Singular und nur das vierte im Plural. Das Modaladverb »vielleicht« erscheint ebenfalls achtmal, hält also den Substantiven die Waage oder, rechnet man sein Vorkommen als Überschrift hinzu, gibt ganz knapp den Ausschlag zu seinen Gunsten. Der Begriff ›Adverb‹ lenkt den Blick auf die Tatsache, daß es in Gomringers Konstellation kein einziges Verbum gibt.

Einfachheit der Struktur: Der Text folgt dem Prinzip der Reihung und dem der Umkehrung. Das Modaladverb »vielleicht« wird jeweils einem Substantiv zugeordnet, und anschließend in der Folgezeile werden beide Worte in umgekehrter Folge wiederholt. So entsteht eine rudimentäre Syntax; man könnte von Zwei-Wort-Sätzen reden. Jeder Verbund zweier Worte kann als Satz gelesen werden. Seine Wiederholung in Form eines Chiasmus kann als Antwort im Sinne des Aufgreifens, der Erweiterung oder der Einschränkung begriffen werden. Und schließlich ergibt die Folge der diversen Reihungen und Verkehrungen (graphisch wie ›Strophen‹ abgesetzt) eine Abfolge strukturell fast gleicher Elemente. Lediglich der Plural »worte« im vierten Abschnitt markiert eine Differenz. Die Deutung muß deshalb – und nicht hier allein – die semantischen Gehalte in die strukturelle Abfolge einbeziehen.

Jede Deskription, wie sie hier ansatzweise auf der Ebene von Vokabular und Struktur versucht wurde, muß gegenüber der augenfälligen Simplizität des Textes (bei gleichzeitiger Komplexheit) pedantisch und komplizierend wirken. Und jeder Leser, der einigermaßen unvoreingenommen an diese Konstellation herangegangen ist, wird keine sonderliche

Mühe gehabt haben, den Text als Gedicht zu lesen; als ein ungemein reduziertes, aber in seinen Bezügen durchaus vollständiges oder im Lesen komplettierbares Gedicht. Lesegewohnheit und graphische ›gedichthafte‹ Präsentation treten zusammen. Die Frage ist, wie weit eine Interpretation reicht, die sich nicht ausdrücklich auf die Theorie der konkreten Poesie bezieht, der die Konstellationen Gomringers zugerechnet werden. Eine solche ›theorielose‹, wenngleich nicht naive Lektüre könnte etwa folgendermaßen verlaufen:

Das Gedicht gibt sich als zögernder, vorsichtiger Entwurf. Das »vielleicht« des Titels setzt einen imaginären Rahmen, innerhalb dessen vieles, wenn nicht alles möglich wird. Eine sehr behutsame Stimme scheint zu sprechen. Sie wählt nicht den Modus des Indikativs als Weise der neutralen Setzung, als Modus der Realität, sondern den aufs Modaladverb »vielleicht« verkürzten der Möglichkeit. Das Sprechen, d. h. Setzen der Worte (oder Dinge!) geschieht wie unter Vorbehalt: »vielleicht baum«. Das Gesetzte wiederum, das nun einmal hypothetisch vorhanden ist, wird anschließend wieder abgeschwächt, in Zweifel gezogen: »baum vielleicht«. Aber schon die erste hypothetische Setzung hat Konsequenzen. So vage und allgemein sie ist (denn nicht ein bestimmter, konkreter »Baum« wird gesetzt, sondern die Spezies »baum«, sozusagen dem Diktionär, nicht der Realität entnommen), sie ist nicht mehr rückgängig zu machen: im Modus der Sprache ist sie real oder, wenn man lieber will, ›konkret‹. Wo »baum« gesagt wurde oder geschrieben, ist »baum« da.

Auf diesem hypothetischen sprachlichen ›Boden‹ (die Metapher stellt sich zum Verständnis ein) wird nun weiteres möglich. Wo »baum« ist, da ist auch »vogel« und »frühling« – alles freilich unter dem gleichen Vorbehalt des »vielleicht«. Lauter naheliegende, älteste, einfachste Assoziationen, wie wir bemerken. In der Form des Indikativs, in der Weise tradierter ausgeführter Syntax wäre die Banalität nicht fern. Aber das diskrete und skeptische »vielleicht« und die isolierenden Reihungen verfremden den allzu vertrauten Zusammenhang von Baum, Vogel und Frühling. Man beginnt sich zu fragen, ob das Zusammenlesen der drei Elemente überhaupt legitim war. Der vierte Abschnitt, spätestens, kann einen daran zweifeln lassen. Die Zäsur (oder der Sprung) ist grammatikalisch und semantisch markiert. Nicht der Singular »wort«, sondern der Plural »worte« tritt an die vorgesehene Stelle. Die Reihung erhält eine neue Qualität. Sie wird bekräftigt durch den Charakter des vierten Abschnitts als Schluß. Nach unserer Lesegewohnheit erwarten wir so etwas wie Zusammenfassung, Deutung und Überhöhung. Das mag zu Mißverständnissen führen, muß aber nicht in jedem Fall falsch sein. Was besagt, was ›bedeutet‹ der vierte Abschnitt?

Er gibt nicht die vielleicht erwartete Eindeutigkeit, sondern bleibt mehrdeutig, offen. Und das nicht bloß wegen Wegfalls der üblichen syntaktischen Verbindungen. Die Ambivalenz liegt in der Pluralform »worte«. »vielleicht worte«, das ließe sich in Hinsicht auf Sprachskepsis lesen. Extrem formuliert: »baum«, »vogel«, »frühling« sind »vielleicht« *nur* Worte. Ihr möglicher Realitätscharakter geriete so in den Sog des Sprachzweifels. Der hypothetisch gewonnene sprachliche ›Boden‹ bräche ein; die langsam steigende Kurve des Gedichts hätte einen Knick. Anders die, wie mir scheint, naheliegendere und befriedigendere positive Lesart. Die aufsteigende Linie »baum«, »vogel«, »frühling« fände ihre Aufgipfelung in »worte«. Das »vielleicht« erhielte einen Ton von Hoffnung, der Hoffnung auf »worte«. »worte«, verstanden als Setzung, als menschliche, poetische Leistung.

Nur schwer, glaube ich, kann man sich an dieser Stelle einer möglicherweise implizierten, aber unausgesprochenen Analogie entziehen, der topologischen Verbindung von ›Vogel‹ und ›Sänger‹, zumal das übrige verbale Ambiente diese Verbindung nahelegt. Freilich ist das ungebrochene »Ich singe, wie der Vogel singt« dem Gedicht Gomringers nicht mehr möglich. Das allzu naheliegende »vielleicht lieder / lieder vielleicht« wird eben *nicht* realisiert. Wenn also diese

Konstellation überhaupt ein poetologischer Text ist, ein Text über das Machen, dann mit der nüchternen Einschränkung auf die »worte« – auf sprachliche Elemente, die gesprochen und geschrieben werden, nicht aber gesungen.
Alle Deutungen, seien sie negativ oder positiv akzentuiert, konvergieren im Rekurs des Gedichts auf seine Sprachlichkeit. *vielleicht* ist ein Gedicht über Sprache, über die Möglichkeit, Worte zu setzen, über die Möglichkeit sprachlicher Resultate. Sprachskepsis und Sprachhoffnung kommen in der Ambivalenz des Wortes »vielleicht« zum Ausdruck. Das Modaladverb, das auf die nähere Fixierung durch das Verb und auf die mögliche Negation des mit dem Verb verbundenen Vorgangs verzichtet, verharrt in der reinen Möglichkeit; in einer sprachlichen Welt, in der es keine Vorgänge und keine Dinge gibt, sondern nur »worte«. »worte« – aber nicht »wörter«. Nicht »wörter« in beliebiger, allenfalls alphabetischer Folge des Diktionärs, sondern »worte« in einer nachvollziehbaren Struktur, die Gomringer eine »Konstellation« nennt.
Was bis hier versucht wurde, ließe sich als ›immanente‹ Interpretation bezeichnen. Ihr kann zum Vorwurf gemacht werden, daß sie Gomringers Text als traditionelles Gebilde, als reduziertes Gedicht betrachtet; vor allem aber daß sie den von manchen Verfechtern der konkreten Poesie für unabdingbar gehaltenen Zusammenhang von Theorie und Praxis vernachlässigt. Immerhin, so meine ich gezeigt zu haben, läßt sich der Text so ›verstehen‹ und ›aufschließen‹, und zum andern begreift sich Gomringer selbst (sehr im Unterschied von manchen seiner Kollegen und Nachahmer) als Verfasser von Dichtung; und 1967, in einem Rückblick auf *die ersten jahre der konkreten poesie*, wünscht er der konkreten Poesie, daß sie sich nicht zu einer Form der Dichtung entwikkelt, »die jenseits der haupttradition angesiedelt ist« (*worte sind schatten*, S. 298). Wenn die konkrete Poesie in die »haupttradition« der Lyrik gehört, dann kommt es weniger auf die Betrachtung einer entscheidenden *Differenz* als auf die wesentlichen *Modifikationen* dieser Sonderform der

Lyrik an. Gomringer selbst hat die wesentlichen Hinweise in knapper Form gegeben. Zum Grundsätzlichen seiner Dichtung bemerkt er:

»das wort: es ist eine größe. es ist – wo immer es fällt und geschrieben wird. es ist weder gut noch böse, weder wahr noch falsch. es besteht aus lauten, aus buchstaben, von denen einzelne einen individuellen, markanten ausdruck besitzen. es eignet dem wort die schönheit des materials und die abenteuerlichkeit des zeichens. es verliert in gewissen verbindungen mit anderen worten seinen absoluten charakter. das wollen wir in der dichtung vermeiden. wir wollen ihm aber auch nicht die pseudoselbständigkeit verleihen, die ihm die revolutionären stile gaben. wir wollen es keinem stil unterordnen, auch dem staccato-stil nicht. wir wollen es suchen, finden und hinnehmen. wir wollen ihm aber auch in der verbindung mit anderen worten seine individualität lassen und fügen es deshalb in der art der konstellation zu anderen worten.«
(*worte sind schatten*, S. 280.)

Die Form der Konstellation hat Gomringer mehrmals definiert, am knappsten und deutlichsten so:

»Unter Konstellation verstehe ich die Gruppierung von wenigen, verschiedenen Worten, so daß ihre gegenseitige Beziehung nicht vorwiegend durch syntaktische Mittel entsteht, sondern durch ihre materielle, konkrete Anwesenheit im selben Raum. Dadurch entstehen statt der einen Beziehung meist deren mehrere in verschiedenen Richtungen, was dem Leser erlaubt, in der vom Dichter (durch die Wahl der Worte) bestimmten Struktur verschiedene Sinndeutungen anzunehmen und auszuprobieren. Die Haltung des Lesers der Konstellation ist die des Mitspielenden, die des Dichters die des Spielgebenden.« (Hartung, S. 40 f.)

Und ein letztes, entscheidendes. Gomringer entlehnte den Begriff der Konstellation Mallarmés *Un coup de dés*, wo es heißt: »rien / [. . .] / n'aura eu lieu / [. . .] / excepté / [. . .] peut-être / [. . .] / une constellation«. Lenkt man von der Theorie zurück aufs Gedicht, so ergeben sich Bestätigungen wie Ergänzungen der versuchten Interpretation. Bestätigt wird die im Text geleistete Behauptung einer sprachlichen Autonomie gegen syntaktische und semantische Verbindungen, die relative Offenheit möglicher Deutungen und der Spielcharakter des Textes. »worte sind schatten [...] worte sind spiele«, heißt es in einer anderen Konstellation oder – in des Autors kommentierender Prosa –:

»worte sind druckerschwärze, worte sind wellen, worte sind projektionen, worte sind taten, worte sind gestalten, worte haben formen. man sagt auch: worte haben gewicht. was aber sind worte noch? darüber wollen wir schweigen. ich sage aber auch: worte sind spiele. spiele sind keine spielereien. spiele setzen lust, heiterkeit und bejahung voraus. wer worte als spiele erkennt, erkennt sie auch als schatten.« (*worte sind schatten*, S. 293.)

Bemerkenswert, wie sehr der Autor in Metaphern redet, um den »konkreten«, d. h. materialhaften, wie auch den spielerischen Charakter seiner Poesie zu verdeutlichen. Bemerkenswert auch, wo er in seiner Selbstdeutung einhält und aufs Schweigen verweist. Was der Autor verschweigt, darf der Leser enträtseln.
Dem Leser wird überhaupt eine aktivere und weiter reichende Rolle als üblich zugesprochen. Das semantisch näher bestimmte Gedicht konstituiert sich sozusagen erst im Akt des Lesens. Dabei darf ausdrücklich die herkömmliche Leserichtung umgekehrt oder verändert werden. Die Umkehrung betrachtet Gomringer als seinen »vermutlich wichtigsten beitrag zur konkreten poesie« (*worte sind schatten*, S. 297). Solche Umkehrung der Strukturen oder der Leserichtung geht über die semantische und syntaktische Mehrdeutigkeit traditioneller Observanz auf »konkrete« Weise hinaus. Im vorliegenden Gedicht ist sie als Umkehrung der Zeilen praktiziert und ließe sich auch durch rückläufige Lektüre realisieren. Auch das gehört zum Sinnpotential dieser ›audio-visuellen‹ Konstellation. Aber was für ein Potential ist das?
Es begrenzt sich durch den Charakter der Konstellation als konkretes Sprachspiel. Rechnet der Autor mit Lesern, die spielend ergänzen, was der Spielgeber offengelassen hat, so verweist die Struktur des Textes den Leser immerfort auf

sich selbst. Der Autor hat als Spielgeber nur eine begrenzte Verantwortung. Der *Sinn* ist immer Zutat, für die der Leser (und Interpret), nicht der Autor das Risiko trägt. Die Konstellation »nennt die ›allzumenschlichen‹, sozialen und erotischen probleme nicht«. Gomringer verweist sie ins Leben zurück, oder in die »fachliteratur«. Das ist eine rigorose Einschränkung, welche die konkrete Poesie auf das sprachliche und formale Interesse des Lesers, auf seinen Sinn für die Schönheit von Strukturen gerichtet sehen müßte – aber ist es auch die durch Lektüre erprobte Wahrheit? Gomringer öffnet seine Einschränkung mit dem Satz: »die konstellation ist eine aufforderung« (*worte sind schatten*, S. 282). Die Konstellation *vielleicht* ist es in besonderem Maße. Bescheidener als Mallarmés *Würfelwurf* versucht sie mit einem tastenden »vielleicht« eine Utopie der Worte. Aber wo die Worte ertastet und gesetzt werden, sind die Dinge – einfachste, uranfänglichste – mitgesetzt.

Zitierte Literatur: Eugen GOMRINGER: worte sind schatten. [Siehe Textquelle.] – Harald HARTUNG: Experimentelle Literatur und konkrete Poesie. Göttingen 1975.

Weitere Literatur: Lothar BORNSCHEUER: Eugen Gomringers Konstellationen. In: konkrete dichtung. texte und theorien. Hrsg.: Siegfried J. Schmidt. München 1972. S. 125–140. – Dieter KESSLER: Untersuchungen zur Konkreten Dichtung. Vorformen, Theorien, Texte. Meisenheim 1976. – Thomas KOPFERMANN: Konkrete Poesie. Fundamentalpoetik und Textpraxis einer Neo-Avantgarde. Frankfurt a. M. / Bern 1981.

Helmut Heißenbüttel

Lehrgedicht über Geschichte 1954
die Ereignisse und das nicht Ereignete
Epochen Zeiteinteilungen Dynastien
ausgestorbene Städte ausgestorbene Völker Völker auf dem
  Marsch Marschkolonnen und Napoleon an der Beresina
Kanzelreliefs von Giovanni Pisano Nietzsches Ecce Homo
  und Kazets
l'empire de la majorité se fonde sur cette idée qu'il y a plus
  de sagesse dans beaucoup d'hommes que dans un seul
  (Tocqueville)
die Erinnerung an die Stimme Adolf Hitlers im Radio
  Symphonie für 9 Instrumente opus 21 1928 von Anton
  Webern und ich habe niemals so lange Zeilen gemacht
Piero della Francesca und der Rauch des Dezemberhimmels
Rekapitulierbares

Rekapitulierbares dies ist mein Thema
Rekapitulierbares dies ist mein Thema
Rekapitulierbares dies ist mein Thema

nicht Rekapitulierbares

Zitiert nach: Helmut Heißenbüttel: Textbücher 1–6. Stuttgart: Klett-Cotta, 1980. S. 8.
Erstdruck (1. Fassung): Topographien. Gedichte 1954/55. Esslingen: Bechtle, 1956.

Rudolf Drux

Historisches als Sprachmaterial. Helmut Heißenbüttels *Lehrgedicht über Geschichte 1954*

Lehrgedichte spielten im Geistesleben der Antike eine hervorragende Rolle, gaben sie doch Auskunft über Mensch und Welt, und das heißt Antworten auf zentrale Fragen nach der individuellen und sozialen Wirklichkeit und den sie bestimmenden Faktoren. Theologischer Entwurf (Hesiod) und philosophische Betrachtung (Lukrez) konnten so in gleicher Weise wie Anleitungen zum Fischen und Jagen (Oppian), zum Leben auf dem Lande (Vergil) und zur erotischen Kommunikation (Ovid) oder wie Probleme des Dichtens (Horaz) Gegenstände des Lehrgedichts sein. Den Wissenstransport im literarischen Vehikel haben in Deutschland insbesondere die Aufklärer geschätzt. Daß Helmut Heißenbüttel dieser literaturgeschichtliche Kontext bewußt war, ist dem prononciert gesetzten Gattungsbegriff im Titel seines Gedichtes zu entnehmen, und es wird zu prüfen sein, inwieweit sein Text noch der Gattungsart entspricht, die seit Goethes Kritik an der »didaktischen oder schulmeisterlichen Poesie« den Geruch des Unpoetischen nie mehr ganz verloren hat, ja oft sogar als ein Medium der Indoktrination angesehen wurde.
Auf jeden Fall gibt Heißenbüttel dem traditionellen Lehrgedicht gemäß im Titel das Thema seines Gedichtes an: *Geschichte 1954.* Die Jahreszahl bedeutet dabei mehr als nur den Zeitraum der Abfassung; ansonsten wäre sie wie bei den anderen Gedichten, die Heißenbüttel in sein erstes *Textbuch* von 1960 übernahm, in eckige Klammern gesetzt. Zweifellos wird aber mit der Angabe »1954« auch nicht auf geschichtliche Ereignisse dieses Jahres verwiesen, vielmehr angedeutet, wie sich dem Autor Geschichte 1954 darstellt. Darüber hat er ein Lehrgedicht verfaßt.

In diesem wird man Hexameter, mit denen die Griechen und Römer ihre didaktischen Epen darboten, oder Alexandriner, die z. B. Albrecht von Haller für sein Lehrgedicht *Die Alpen* (1732) verwandte, vergeblich suchen; überhaupt tragen Metrum, Reim, Strophenschema usw. zur Struktur des Textes nichts bei. Trotzdem ist die Zeilenführung nicht völlig willkürlich; ein Vergleich der beiden Fassungen (aus: *Topographien*, 1956, und *Textbuch 1*, 1960) läßt deutliche Konstanten in der Textanordnung erkennen. Während nämlich der Text von »ausgestorbene Städte« (3) bis »Rauch des Dezemberhimmels« (7) in unterschiedlichen Schriftbildern präsentiert wird, sind die Verse 1 und 2 und das die Aufzählung beschließende, isoliert gesetzte Wort »Rekapitulierbares« (8) in beiden Fassungen identisch; fernerhin stimmen sie auch in der Bauform des Schlusses mit dem abgesetzten, dreimaligen Satz »Rekapitulierbares dies ist mein Thema« und dem davon wieder abgesetzten Ausdruck »nicht Rekapitulierbares« (12) überein. Geht man von den Absätzen aus, so wird eine klare Dreiteilung ersichtlich: der erste und von der Wort- und Zeilenzahl her umfangreichste Teil reicht von »die Ereignisse« (1) bis »Rekapitulierbares« (8), den zweiten bildet die drei Zeilen umfassende Satzwiederholung, und den dritten macht die einzeilige Verneinung aus, die, derart exponiert am Ende des Gedichtes, einen gewichtigen Akzent erhält.

Die Annäherung an das, was als rekapitulierbar bezeichnet wird, geht gleichsam vom historischen Urelement, dem Ereignis, aus und führt in einer Antiklimax der Bedeutungsweite von historischen Kategorien bis hin zu einer persönlichen Äußerung, mit der der Autor seine Schreibweise kommentiert (6). Mit der Nennung des Eigennamens »Napoleon« gewinnt die Aufzählung, verglichen mit den zuvor aufgeführten abstrakten Begriffen (»Epochen«, »Dynastien«) und komplexen Einheiten (»Städte«, »Völker«), zwar an Gegenständlichkeit, aber da dem bloßen Namen nur eine präpositionale Ergänzung des Ortes (»an der Beresina«) hinzugefügt wird, verbleibt jede durch die Setzung der

Appellative ausgelöste Vorstellung im unbestimmten. Wie die geschichtsmächtige Person und der geschichtsträchtige Ort werden im folgenden auch Künstler und Kunstprodukte, Stätten menschlicher Perversion und ein politisches Theorem, persönliche Erinnerungen und Eindrücke abgerufen und ohne weitere Präzisierung ihrer subjektiven oder objektiven Bedeutsamkeit unter dem Begriff »Geschichte« subsumiert, die so als eine im einzelnen nicht gewichtete Anhäufung von Personen, Werken und Vorkommnissen erscheint. Diese in einen Sinnzusammenhang einzubeziehen fällt vor allem deshalb schwer, weil der Autor weitgehend auf die grammatischen Elemente verzichtet, die normalsprachlicher Kommunikation als sinngebend zugrunde liegen: Prädikate, die über Handeln und Erleiden, über Zeit und Modalität von Aktionen und Geschehnissen informieren, weshalb sie gerade in einem mit Geschichte befaßten Text zu erwarten wären, fehlen zumeist; und da die wenigen vollständigen Sätze und einzelnen Nominalgruppen außer »und« keine Konjunktion verknüpft, sind logische Beziehungen nicht auszumachen. Zudem ist durch den Mangel an Verweisformen (z. B. Demonstrativpronomina) die Textkohärenz äußerst brüchig.
Offensichtlich hat sich Heißenbüttel bei der Erstellung dieses Gedichtes nicht an die Gesetze der Standardgrammatik gehalten, dessen Verständnis sich deshalb auch aus einer im täglichen Umgang erworbenen Kompetenz kaum erschließen läßt. Die vertrauten Regeln für die Textbildung löst Heißenbüttel durch andere Verfahrensweisen ab, z. B. durch die schon erwähnte allmähliche Abschwächung des Allgemeinheitsgrades, was mit der Zeilenanordnung zu Anfang des Gedichtes angedeutet und etwa aus folgender Reihe ersichtlich wird: »Ereignisse« (1) – »Epochen« (2) – »Völker« – »Napoleon an der Beresina« (3) – »Nietzsches Ecce homo« (4) – eine im originalen Wortlaut zitierte Äußerung des französischen Staatstheoretikers Alexis de Tocqueville (1805–59) (5) – die Erinnerung an Rundfunkübertragungen – Mitteilung über private Tätigkeit in der Ich-

Form (6). Weitere Möglichkeiten der Textkomposition ergeben sich aus verschiedenen Arten der Reihung. Indem ein Bestandteil eines zweigliedrigen Ausdrucks mit einem neuen Wort verbunden wird, das dann seinerseits wiederholt wird (»ausgestorbene Städte ausgestorbene Völker Völker auf dem Marsch Marschkolonnen«), entsteht ein Wortverband nach morphologischem Gleichklang. Oder es kommt eine Wortreihe zustande, wenn syntaktische Markierungen aufgehoben werden, so daß sich zwei Wendungen über ein und dasselbe Syntagma ineinanderschieben (»die Stimme Adolf Hitlers *im Radio* Symphonie für 9 Instrumente«). Und schließlich verdanken sich manche Wortfolgen einer aus Assoziationen resultierenden Montage: Was haben die »Kanzelreliefs von Giovanni Pisano«, um einmal eine Zeile (4) exemplarisch herauszugreifen, mit »Nietzsches Ecce homo« zu tun? Der italienische Bildhauer gestaltete in Pistoia (1297–1301) und Pisa (1302–12) Kanzeln, wozu er biblische Motive des Leidens wie den Bethlehemitischen Kindermord und die Kreuzigung verwandte. Den Aufruf zur Betrachtung des leidenden Christus »ecce homo!« wählte Friedrich Nietzsche für seine 1888 verfaßte autobiographische Schrift, deren nicht selten hyperbolische Selbstdarstellung so schon im Titel anklingt. Nietzsches Konzeption des »Übermenschen« und seine Aufhebung christlicher Moralbegriffe spricht Heißenbüttel in *1882. Eine historische Novelle* aus dem *Projekt 3/2* an, wenn er, die Entwicklung des Dreiecksverhältnisses zwischen Nietzsche, Lou von Salomé und Paul Rée verfolgend, als eine Erkenntnis festhält:

> Der Ausnahmemensch bleibt dennoch der Repräsentant des zu zerstörenden Wertesystems, und ein halbes Jahrhundert später werden ihn die Übermenschen des SS-Systems als Begründer der neuen Wertordnung der Vernichtung beim Wort nehmen. (S. 159)

Was in der Novelle explizit dargelegt wird, erscheint im *Lehrgedicht über Geschichte 1954* nur als Anspielung: Nietzsches Wirkung auf den Hitler-Faschismus, dessen grauenvollste und inhumanste Einrichtungen – zusätzliche

Irritation schafft die phonetische Schreibung »Kazets« – mit dem Werk Nietzsches durch die Konjunktion »und« verbunden werden. Damit schließt sich die Assoziationskette: das Leid, das Giovanni Pisano darstellte, und die theologische Evokation »ecce homo!« sind in den Konzentrationslagern aufs schrecklichste realisiert worden.
Diese ›Lesart‹ ist gewiß nicht zwingend; überhaupt kann der Nachvollzug einer assoziativen Wortfolge aufgrund der Vielfalt möglicher Assoziationen sehr unterschiedlich ausfallen und sperrt sich gegen eindeutige Sinnzuweisung. Die Vagheit aber hat Methode. In seinen *Frankfurter Vorlesungen über Poetik 1963* hat Heißenbüttel mit Blick auf die literarische Tradition und sprachgeschichtliche Situation, die eigenen Erfahrungen beim Schreiben einbringend, die Feststellung getroffen, daß die »neuen Prinzipien der Literatur des 20. Jahrhunderts antigrammatischer Natur« seien, wobei er »zwei Tendenzen« erkennt, »eine reproduzierende und eine anti- oder freisyntaktische« (*Über Literatur*, S. 140). Wenn diese auch in späteren Texten mit mehr ›Rigorosität‹ verfolgt werden, so sind sie doch schon konstitutiv für das vorliegende Gedicht von 1954. Sprachliches Vorzeigen von Namen und Begriffen, Wortadditionen und Zitat-Collagen gehen Hand in Hand mit der Destruktion einer »überkommenen Sprechweise«, der Ablehnung eines fortlaufenden Textes, der auf dem »alten Grundmodell der Sprache von Subjekt-Objekt-Prädikat« beruht (S. 210). Die aus dem syntaktischen Korsett befreiten sprachlichen »Grundelemente« und die Vieldeutigkeit der aus jedem vereindeutigenden Kontext gelösten »Sprachpartikel« zielen auf die »sprachliche Halluzinatorik multipler Welten« (S. 193), der sich der Leser im »nachübenden Memorieren« überlassen kann. Wie gesehen, gibt allerdings der Verzicht auf die Organisation der Wörter im grammatisch gebauten Text den Rezipienten der Unbestimmtheit des Referenzpotentials preis, d. h. der möglichen Zugänge zur Wirklichkeit, die die Lexeme eröffnen. Über autonome »Bedeutungshöfe« zu halluzinieren, das führt zu einer an Beliebigkeit grenzenden Freiheit (oder

Unsicherheit) des Textverständnisses und, was das Thema Geschichte im Gedicht angeht, zu der Unmöglichkeit, den memorierten Namen, Daten und Taten einen überprüfbaren Sinnzusammenhang zu unterlegen. Sie fungieren als reines Sprachmaterial, und als solches sind sie rekapitulierbar.
»Rekapitulierbares« wird dann auch in drei Zeilen als das Thema beschworen, dem sich der Autor widmet – auf diesen weist das über die schriftstellerische Tätigkeit informierende Ich, hier in Form des Possessivpronomens »mein«, hin. Aufgrund des suggestiven, fast magischen Charakters, der durch die dreimalige Wiederholung der Aussage und das deiktische »dies« hervorgerufen wird, muten diese drei Zeilen wie ein Bollwerk der Selbstvergewisserung gegen das an, was mit der letzten Zeile gesagt wird. Nur logisch ist nämlich, daß etwas »nicht Rekapitulierbares« aus dem Tätigkeitsbereich eines Schriftstellers fällt, dessen Arbeit sich auf »Rekapitulierbares« konzentriert. Von daher erklärt sich die elliptische Form des abschließenden verneinten Ausdrucks – daß etwas nicht thematisiert werden kann, drückt sich ja deutlich im Fehlen des Prädikats (»ist mein Thema«) aus, das der vorangehende Satz aufzuweisen hat.
Unverkennbar ist aber auch, daß der Ausdruck der letzten Zeile bewußt als Antithese zum substantivierten Adjektiv »Rekapitulierbares« (8) gebildet ist, zumal er, wie dieses die Aufzählung, das Gedicht beschließt. Wie das vollzogene Ereignis alles »nicht Ereignete« (1) ausschließt, so steht dem, was ›ins Gedächtnis zurückgeholt‹ werden kann, die Unwiederholbarkeit des Geschehens selbst gegenüber. Das einmalige geschichtliche Ereignis unterscheidet sich von seiner sprachlichen Fassung durch die Unmöglichkeit zur Rekapitulation.
Diese Deutung wird durch das dreizehnstrophige *Lehrgedicht über Geschichte 1974* (in: *Das Durchhauen des Kohlhaupts*, S. 219–233) bestätigt, dessen Titel unübersehbar auf das zwanzig Jahre zuvor geschriebene zurückverweist. Über das Objekt der Erinnerung finden sich dort u. a. folgende Sätze:

[...] ich erinnere wenn ich überhaupt etwas erinnere dies als das was nur ein Mal so und in dieser Zusammensetzung sein konnte
[...]
die Konkretisierung aus der Wahl der möglichen Voraussetzungen ist das absolut Einmalige (S. 222)

Und in einer Dialogsequenz der sechsten Strophe heißt es:

du meinst Erinnerung ist in Wahrheit sprachlich
ich weiß nicht ob sie das in Wahrheit ist aber ich frage ob dieses Sprachliche nicht das einzige ist mit dem soetwas wie Erinnerung festzuhalten ist oder auch nur zu vermitteln berichtet und daher vergleichbar und austauschbar unter uns beiden und weiter
das Erinnerbare als unser Erinnerbares nur daher vorhanden daß wir du und ich und andere darüber reden können rekapitulieren was unrekapitulierbar ist (S. 225 f.)

Das *Lehrgedicht über Geschichte 1954*, dessen Thematik diese mit Selbstzitaten garnierten Ausführungen von 1974 explizieren, beschreibt also nicht nur die für Heißenbüttel notwendigen Voraussetzungen für den Umgang mit Geschichte, sondern darüber hinaus eine Methode, die seine Arbeit insgesamt kennzeichnet; diese

rekapituliert Fakten, die mit Namen und Sätzen angesprochen und festgehalten werden, sie rekapituliert Zusammenhänge und Interpretationen, die bereits formuliert sind, und sie rekapituliert das, was sie selbst meint, das sind Namen und Apparatur der Namensverknüpfungen. (*Über Literatur*, S. 200.)

Unter diesem Aspekt leuchtet es ein, daß Heißenbüttel geschichtliche Ereignisse und poetologische und metasprachliche Äußerungen problemlos aneinanderreihen kann. Daß die unerwartete Kombination aus »Sprachstücken« Ideologeme zu entlarven, Persönlichkeitskulte bloß- und Systeme in Frage zu stellen vermag, soll nicht bestritten werden; dennoch: die memorierende Aufzählung beliebig montierter Fakten verneint jede historische Entwicklung und versagt sich jede Beurteilung geschichtlicher Ereignisse. Die Rekapitulation der sprachlich fixierten Geschichtsfrag-

mente geht einher mit der Kapitulation vor der Unwägbarkeit des geschichtlichen Ablaufs, in dem das Schöne neben dem Schrecklichen, das Kunstwerk neben der Untat auftaucht. Ein derartiger Geschichtspessimismus verhindert letztlich, das Vergangene wertend zu durchdringen und dadurch die Gegenwart zu begreifen.
Damit wird aber auch die herkömmliche Gattungsart des Lehrgedichtes verkehrt, in dem ja immerhin allgemein Verbindliches über einen Gegenstand vermittelt wurde. Ist der Geschichte, die sich nur mehr als zufälliges Konglomerat aus Namen und Fakten oder – mit Heißenbüttels Worten – als »Vorrat von Beispielen, die wir erinnern« (*Das Durchhauen des Kohlhaupts*, S. 232), erweist, kein verbindlicher Sinn zu entnehmen, so muß sich die Didaxe verschieben: nicht mehr das Wesen des Gegenstandes steht im Zentrum der Vermittlung, sondern die Strategien, sich seiner sprachlich zu vergewissern.

Zitierte Literatur: Helmut HEISSENBÜTTEL: Das Durchhauen des Kohlhaupts. Dreizehn Lehrgedichte. Projekt Nr. 2. Darmstadt/Neuwied 1974. – Helmut HEISSENBÜTTEL: Wenn Adolf Hitler den Krieg nicht gewonnen hätte. Historische Novellen und wahre Begebenheiten. Projekt Nr. 3/2. Stuttgart 1979. – Helmut HEISSENBÜTTEL: Über Literatur. Aufsätze und Frankfurter Vorlesungen. München 1970.
Weitere Literatur: Reinhard DÖHL: Helmut Heißenbüttel. In: Deutsche Literatur der Gegenwart in Einzeldarstellungen. Bd. 1. Hrsg. von Dietrich Weber. Stuttgart ^{3}1976. S. 627–656. – Hartmut PÄTZOLD: Theorie und Praxis moderner Schreibweisen. Am Beispiel von Siegfried Lenz und Helmut Heißenbüttel. Bonn 1976. – Rainer RUMOLD: Sprachliches Experiment und literarische Tradition. Zu den Texten Helmut Heißenbüttels. Bern / Frankfurt a. M. 1975. – Text + Kritik. H. 69/70: Helmut Heißenbüttel. München 1981.

H. C. Artmann

BEI ROTWEIN und legenden
sitzt minstrel hadubrand,
blickt in die laue donau,
der weibchen vaterland.

5 und er hebt an zu singen
von wasserfeyn ein lied,
von veilchendunklen augen
in sommerschwülem ried.

von einem glatten leibe,
10 der sich im röhricht zeigt,
wenn hadubrand, er selber,
den nixenwalzer geigt.

wenn sich in abendauen
der glühwurm heftig regt,
15 hat hadubrand der minstrel
sein lied zurecht gelegt.

da steht er am gestade
mit seiner violin,
der bogen fiedelt magisch
20 über die saiten hin.

zu wien auf der piazza
erhebt sich stolz ein haus,
es hält ein echter kaiser
das ohr zum fenster raus.

25 juchheissa, ihr zigeuner,
hier wallt gar wildes blut,
die fiedel läßt zur ader,
bringt haut und herz in glut!

des stephansdoms geläute
vergeht vor diesem klang,
was ohren hat, das lauschet
dem zauberischen klang.

den taktstock unterm arme
steigt auf der donaugreis,
er suchet nach der tochter,
sein haupthaar sträubt sich weiß.

er stolpert über frösche,
kommt unken in die quer,
tritt einen salamander,
mäandert hin und her.

sein kind ruft er vergebens,
die eule merkts beim bier,
das macht ihn arg verdrossen
wie weiland könig lear.

es träumt ein leeres bette
im kühlen donaugrund,
die schläfrin weilt woanders
um mitternächtge stund.

wo wird sie denn grad weilen?
fragt minstrel hadubrand!
der wirds am besten wissen,
weil er dies lied erfand . .

Zitiert nach: H. C. Artmann: Aus meiner Botanisiertrommel. Balladen und Naturgedichte. Salzburg: Residenz, 1975. S. 7–9. [Erstdruck.]

Ute Druvins

Sänger verführt Nixe.
Zu H. C. Artmanns Ballade *Bei Rotwein*

H. C. Artmanns Sammlung von Balladen und Naturgedichten *Aus meiner Botanisiertrommel*, aus der das vorliegende Gedicht stammt, erschien zur Buchmesse im Herbst 1975. Zur selben Zeit kamen neben einer ganzen Reihe von Lyrikbänden mit Enzensbergers *Mausoleum*, Novaks *Balladen vom kurzen Prozeß* und Delius' *Bankier auf der Flucht* weitere Balladenbücher auf den Markt. Die Literaturkritiker waren für das Anwachsen der lyrischen Produktion, zumal im schon zum soundsovielten Male totgesagten Genre des Erzählgedichts, so dankbar, daß einer von ihnen – Rolf Michaelis in der *Zeit* – dieses Jahr in Anlehnung an klassische Vorbilder sogleich zum ›Balladenjahr‹ ausrief. Artmann, mitschwimmend im literarischen Trend? Liest man Michaelis' Rezension genau, so hat man schnell eine Antwort: Die These, daß die vier Autoren denselben Zugang zur Realität hätten, daß sie allesamt nach »Dokumenten, Materialien, Protokollen der Wirklichkeit« suchten, paßt auf Artmann nicht, und auch die Betrachtung der Artmannschen Gedichte bleibt als einzige merkwürdig ungenau, klischeehaft – der Rezensent weiß mit den Texten wenig anzufangen. Auf solche Hilflosigkeit gegenüber dem Autor wie dem Werk trifft man häufig; den Grund dafür nennen heißt, einen Topos der literaturkritischen und literaturwissenschaftlichen Artmann-Rezeption aufgreifen: Da ist ein Werk (Gedichte, Erzählungen, Tagebücher, Theaterstücke und vieles mehr), das sich in seiner Vielfältigkeit nicht auf eine handliche Formel reduzieren läßt, da ist ein Autor, der ob seiner ständig wechselnden Posen als ›Chamäleon‹ oder ›Proteus‹ apostrophiert wird. Und der Topos hat seine Berechtigung! »Husar oder Surrealist, Volksdichter oder sich barockisch unterwerfende Kreatur, Agitator oder chinesischer Hofdichter, Weltreisender oder Wiener Vorstadtpoet, ruheloser Wanderer oder stadtbekannter Bürger, Rauf- und Trinkbold oder empfindsamer Lauscher an Nachtigallenschnäbeln, Donaumonarchist mit antisemitischen Neigungen oder anarchistischer Freigeist, galanter Liebhaber oder Carrasco der Schänder.« Dieser Versuch einer Annäherung von Peter O. Chotjewitz spiegelt in seiner Buntheit Verwirrung wie Vergnügen, und das sind die beiden wichtigsten Elemente der ›H. C. Artmann-Atmosphäre‹. Literaturwissenschaftliche Beschäftigung tut sich da schwer, zumal wenn sie auf umfassende Überblicke aus ist. Zwar gibt es schon anregende Thesen zu einer Gesamtdeutung (etwa von Jörg Drews), aber gerade bei einem Autor wie H. C. Artmann scheint es mir wichtig, sich auf viele einzelne der so unterschiedlichen Texte einzulassen – natürlich in dem Bewußtsein, jeweils nur eine ganz kleine Probe gekostet zu haben.

In der Ballade *Bei Rotwein* gibt Artmann sich volkstümlich. Die Staffage baut er aus traditionellen Motiven der Volksliteratur auf: einem fahrenden Sänger und einem König, Nixen, Zigeunern und Wassermann, historischen Schauplätzen und naturmagischen Elementen. Mit einfacher Syntax, regelmäßigem Strophen- und Zeilenbau, simplen Reimen, verschiedenen Archaismen sowie überraschenden Handlungsbrüchen und Schauplatzwechseln trifft er genau den schlichten Ton der Volksballade. Jedoch haben wir es nicht mit einem naiven Wiedererweckungsversuch zu tun, der ungebrochen die Sagen- und Märchenwelt neu erstehen läßt. Die fiktive Wirklichkeit, die der Autor hier erschafft, ist nämlich nicht nur durchsetzt mit Partikeln, die den schlichten Rahmen sprengen – etwa die Erotika oder die Bildungsreminiszenzen –, sie ist auch mit großer Kunstfertigkeit *inszeniert*, d. h. so zusammengesetzt und präsentiert, daß ein naiv-ungebrochener Genuß nicht zustande kommen kann, zu viele kleine Fußangeln, winzige Widerhaken stellen sich einem glatten Rezeptionsvorgang in den Weg, lenken ihn in unerwartete Richtungen, irritieren.

So ist hier zwar – wie in der lyrischen Sonderform ›Ballade‹ üblich – Handlung dargestellt, die Handlungsträger lassen sich leicht ausmachen, und auch die Schauplätze sind relativ einfach bestimmbar. Jedoch: es gibt keinen im engeren Sinne erzählbaren Inhalt. Macht man die Probe aufs Exempel, findet man sich bald im verwirrenden Spiel mit den Erzählebenen und Erzählhaltungen nicht mehr zurecht. Die ersten fünf Strophen scheinen zunächst keine Probleme aufzugeben: Erzählt wird von einem Sänger und seinem Gesang, welcher mit der an klassische oder romantische Balladen erinnernden Technik des ›Lieds im Lied‹ dargeboten wird. Wir haben es also mit zwei Erzählebenen zu tun, derjenigen der Balladen-Handlung (1–5 und 13–20) und derjenigen des Liedes (6–12). Schwieriger ist die Einordnung der drei Mittelstrophen. Berichtet wird von der Reaktion auf das Lied, gewiß, aber auf derselben Erzählebene wie in der ersten Strophe, oder haben wir hier wieder das Lied vor uns? Und wem ist der Ausruf (25–28) in den Mund gelegt, dem Sänger, dem Kaiser? Ähnliche Rätsel gibt die Einordnung des zusammenhängenden Geschehens in den letzten Strophen auf. Das Verschwinden der Nixe könnte, ordnet man es der Balladenhandlung zu, ebenfalls als Reaktion auf das Lied gedeutet werden, ebensogut kann die Handlung um die Wassergeister aber auch Inhalt des Liedes sein, zur zusätzlichen Verwirrung trägt die geheimnisvolle Andeutung in Strophe 3 bei. Die letzten, desillusionierenden Verse der Ballade verweisen eindeutig auf die zweite Variante, aber von hier aus erheben sich sowieso neue Zweifel: ist nicht das gesamte Geschehen, mit Ausnahme der Rahmenstrophen 1 und 13, als ›Lied im Lied‹ zu verstehen?
Nicht weniger verwirrend ist das Spiel mit den Erzählhaltungen, durch das zusätzliche Irritationen subtil inszeniert, raffinierte Zwischentöne fast unmerklich erzeugt werden. Beispielsweise in den drei mittleren Strophen, die ja schon dadurch, daß man sie verschiedenen Erzählebenen zuordnen kann, unterschiedliche Färbung annehmen. Dieser Effekt wird durch Artmanns ›Sprach-Alchymie‹ noch verstärkt. So

scheint die sechste Strophe mit der genauen Ortsangabe und dem Auftritt eines »echten« Kaisers die Szenerie einer österreichischen Volkssage zu entwerfen, in entsprechend naivem Ton. Komisch-verfremdende Wirkung wird jedoch durch die witzige Montage in Zeile 21 erzeugt, und vollends läßt die Wahl des Adjektivs in Zeile 23 die gesamte Szene in ironischer Beleuchtung erscheinen. Auf diese Weise sensibilisiert, entdeckt man den eigentlichen Bildgehalt der abgesunkenen Metaphern in den beiden anderen Versen neu – die auf den ersten Blick harmlos wirkenden Zeilen können so gelesen den komischen Effekt noch verstärken. In der siebten Strophe, die zunächst ganz unverdächtig als Ausdruck überbordender Lebensfreude dasteht, wirkt bei näherem Hinsehen die gleich zweifache Verwendung einer Alliteration zu raffiniert, die Metapher in Zeile 27 zu gesucht – der temperamentvolle Ausbruch soll offensichtlich als geschickt inszenierte Pose erkennbar bleiben. Ähnliches gilt für die in ganz anderem, nämlich betont schlichtem Ton gehaltene folgende Strophe, die unübersehbar an das romantische Loreley-Motiv anknüpft. Der Widerhaken steckt hier in der überzogenen Schlichtheit des identischen Reims. Diese Unbeholfenheit ist gewollt, das naheliegende passende Reimwort kann man in -zig Balladen nachlesen. Auf solche Weise wird signalisiert, daß die artifizielle Einfachheit romantischer Kunstballaden neu in Szene gesetzt und gleichzeitig ironisch gebrochen wird. Und trotzdem – auch wenn man Artmanns Verfahren durchschaut hat, ist man als Leser nicht festgelegt, kann man den Text ›naiv‹ oder ›wissend‹ lesen, wie bei einem Vexierbild einmal diese und einmal jene Gestalt erscheinen lassen. Es sind nicht zuletzt diese Effekte, die das Lesevergnügen ausmachen.
So wie Artmann vergangene Balladentöne und -formen virtuos handhabt, vertraut und distanziert zugleich, so präsentiert er auch längst tot geglaubte Stoffe und Motive neu, kombiniert das Sänger-Motiv mit dem Melusinen-Stoff, vermischt beide mit Anklängen an den Loreley-Mythos. Die Gestalt des Sängers, komisch bestückt mit einer Berufsbe-

zeichnung, die ans mittelalterliche England erinnert, und mit einem Namen, der auf Althochdeutsches verweist, gehört keinem bestimmten, sicher aber einem längst vergangenen Zeitalter an. Sie repräsentiert etwas, was in den Liedern Oswalds von Wolkenstein oder François Villons greifbar war, in den Sänger-Balladen der Klassik und Romantik aber nur eine untergeordnete Rolle spielt: Sinnlichkeit. In dem Lied wird die erotisierende Wirkung von Natur und Naturwesen beschworen, aber hier ist nicht mehr ein Mensch den naturmagischen Kräften hilflos ausgeliefert, sondern der Leser erfährt schmunzelnd, daß der Sänger es ist, der diese Atmosphäre erschafft. Benutzt werden dabei verschiedene Elemente naturmagischer Balladen, jedoch in schwül-sinnlicher Variation bis hin zur sexuellen Anspielung an der Stelle, wo Umstände und Inhalt der Lied-Produktion ununterscheidbar ineinander übergehen, Ried, Röhricht und Abendauen in eine Vorstellung zusammenfließen. Der Sänger erscheint jetzt als Magier der Töne, der in der von ihm erzeugten Stimmung selbst gefangen und erotisch stimuliert wird, wie das Naturbild zu Beginn der vierten Strophe andeutet, dessen sexueller Gehalt offenkundig ist. Der eigentliche Clou der Ballade aber liegt darin, daß ein Sänger durch den Zauber seines Gesangs eine Nixe betört! Dies ist nicht nur komische Umkehrung des Loreley-Motivs, sondern auch zugleich seine Entschärfung und umdeutende Neubelebung.
Entschärft wird dieses Motiv, indem ihm die bedrohliche Dimension genommen wird. Die Nixe stand von jeher für die verstrickende und verderbenbringende weibliche Erotik, tiefenpsychologische Erklärung deutet sie als männliche Angstprojektion (verschlingend, dabei kalt). Hier nun ist die Wasserfrau diejenige, die sich erotisch faszinieren läßt, und der Sänger ist es, der als Verkörperung, vor allem aber als Schöpfer von Sinnlichkeit in den Mittelpunkt rückt! Durch diese Umdeutung des Loreley-Mythos entsteht ein neuer Dichter-Mythos, in dem sinnfällig ins Bild gefaßt wird, was für Artmanns Werk allgemein ganz zentral ist: »die Restitu-

tion der Sinnlichkeit der alten Literatur« (Drews). Und es scheint durchaus legitim, noch einen Schritt weiter zu gehen und in diesem poetischen Spiel mit der Rolle des Sängers eine Selbstinszenierung des Dichters H. C. Artmann zu vermuten: der Dichter als erotischer Verführer. Solches Rollenspiel wird im übrigen in anderen Gedichten der Sammlung *Aus meiner Botanisiertrommel* wiederholt und phantasievoll variiert, unter den wechselnden Masken findet man gleich anfangs den tändelnden Minne-Sänger oder den galanten Rokoko-Dichter. Jedoch wird in unserem Gedicht auch diese Pose nicht ungebrochen präsentiert, die Distanzierung wird gleich mitgeliefert, und zwar auf vielfältige Weise.

Da sind die geheimnisvollen Eingangsverse, schwer entschlüsselbar, aber so viel verratend: Nicht die als fad beschriebene Natur vermag den Sänger zu stimulieren, doch auch die sagenhafte Überlieferung aus alten Zeiten reicht nicht aus, es bedarf zusätzlich des alkoholischen Rauschmittels. Und da ist die Darstellung der zunehmenden erotischen Erhitzung, die der Erzähler auf merkwürdige Art komisch bricht, wenn in jeder der vier Strophen das Aphrodisiakum, also der Vorgang der Liedproduktion, in immer neuen Wendungen bewußt gemacht wird: Die ganze Szene erhält dadurch einen Beigeschmack angestrengter Bemühtheit. Und zu alldem setzt der Autor dann in der letzten Strophe mit der Anleihe bei studentischen Ulkliedern in Eichrodtscher oder Scheffelscher Manier noch das unübersehbare Signal, alles nicht zu ernst zu nehmen. Insgesamt und zumal mit – abschließendem – Blick auf die leicht melancholische Wassermann-Handlung gilt: Die Leser sollen das Spiel mit der Sprache genießen, etwa die Plastizität, mit der das kaltklitschige Interieur des Wasser-Reiches versinnlicht wird (Strophe 10). Sie sollen die vielfältigen literarischen Anspielungen auskosten, ohne bedeutungsschwangere Assoziationen überzustrapazieren. Dies demonstriert der Erzähler etwa in der elften Strophe, in der die mögliche Tragik der Vater-Gestalt mit der Nennung des Namens Lear angedeutet, im selben Augenblick aber zurückgenommen wird durch den Nonsense-Einschub in Zeile 42 und den komischen Reim »bier/lear«, so daß die naheliegenden Assoziationen an die Heide-Szene des Shakespeare-Dramas zwar vage geweckt, aber dann doch wieder überlagert werden. Spätestens mit der Pointe der letzten Strophe wird klar: Das Spielerische überwiegt.

In Artmanns Tagebuchaufzeichnungen vom Herbst und Winter 1963, veröffentlicht unter dem Titel *Das suchen nach dem gestrigen tag oder schnee auf einem heißen brotwecken*, findet man unter dem 26. Oktober die Eintragung über Buttericks Zauberladen: In der Beschreibung so skurriler Gegenstände wie Teufelsseife, Katzenschwanz oder Schlangenhut tut sich eine phantastische Welt auf, ein Fundus, der für Artmann überaus kostbar sein muß, denn er wünscht sich ihn am Schluß als Grundlage für die neue Kunst. Diese Tagebucheintragung weist über das einprägsame Erlebnis hinaus auf H. C. Artmanns Verhältnis zur Wirklichkeit und gleichzeitig auf die Eigenart der dargestellten Wirklichkeit im Werk. Nicht die uns unmittelbar umgebende, in pragmatischer Sprache beschreibbare Realität interessiert den Autor. Er sucht die – in welcher Weise auch immer – artistischen und artifiziellen Erscheinungsformen von Welt, etwa die des Films, des Schlagers, der Trivialmythen, vor allem aber der Literatur, deren vergangene Formen vom Minnesang bis zum Surrealismus er aufgreift. In besonderem Maße gilt dies für die Zusammenstellung der Sammlung *Aus meiner Botanisiertrommel.* Hier scheint ein Butterickscher Fundus geplündert worden zu sein, die Töne, Formen und Themen sind so bunt und vielfältig wie die magischen Dinge im Zauberladen. »Ein Triton, ein Pinguin, eine Fee und ein Anachoret, Jules Verne und Fantômas, Diebe, Imker und Intelligenzler, ein Gnom, ein Senn, ein Czar, ein Anarchist, ein Sänger, der Lothar heißt, ein Haziendero (h.c.iendero) – das sind nur einige der Personnagen, welche die ebenso elysische wie handfeste Landschaft dieser Gedichte bevölkern« (Zitat aus dem Verlagsprospekt).

Artmann schafft eine Gegenwelt, deren Impulse Urs Widmer als »Reaktion auf die naßforsche Welt der Technokraten« deutet. Diese These hat zugleich Erklärungskraft für die Wirkungspotenzen Artmannscher Texte, heute vielleicht noch mehr als bei ihrer Formulierung vor zehn Jahren. Das gilt ebenso für die im selben Band publizierte These von Jörg Drews, der die politischen Implikationen von Artmanns unpolitischer Dichtung betont: »sie ist der literarisch-utopische Hinweis darauf, daß jeder potentiell mehr Rollen, mehr Charaktere, mehr Lebensmöglichkeiten in sich hat, als der Alltag durchzuspielen erlaubt, den der Leistungsdruck rigoros unter Kontrolle hält.« Die Flucht in eine poetische Gegenwelt wird also verstanden als politische Oppositionsgeste, und auch der Nonkonformismus des Autors wird häufig als bewußte gesellschaftliche Verweigerung gewertet. Mögen solche politischen Deutungen auch die Intentionen H. C. Artmanns quasi ›gegen den Strich bürsten‹, so zeigen sie doch, welche Wirkungen die phantasiereichen Dichtungen und die faszinierenden Dichterposen entfalten können. Kleinster gemeinsamer Nenner ist dies: Projektion für Sehnsüchte und Wünsche des datenverarbeiteten, medienverdummten Gegenwartsmenschen zu sein.
Steckt aber in den Gegenentwürfen von Welt, die ausschließlich von traditionellen Mustern leben, nicht die Gefahr, sich in rückwärtsgewandte Utopien zu verlieren? Das ist bei ungebrochenem Wiederaufgreifen nicht auszuschließen. Zumindest aber erschöpft sich das Lesevergnügen, z. B. bei Artmanns Barock-Epigrammen *Vergänglichkeit und Auferstehung der Schäfferei*, recht rasch. Lebendig, phantasieanregend *und* gegenwärtig können nur solche Texte sein, die wie die Ballade *Bei Rotwein* die Neu-Inszenierung virtuos vorführen, aber gleichzeitig brechen. Die bloße Sehnsucht nach *dem* »Reichtum von Welt [. . .], der vielleicht bald unwiederbringlich dahin ist« (Drews), macht unproduktiv. Nur wenn die Vergeblichkeit dieser Sehnsucht mitgedacht wird, wird sich die Phantasie auch auf Gegenwart und Zukunft richten. Eine Menge solch lustvoll anre-

gender Texte ist im umfangreichen Werk des Dichters zu entdecken: dies ist eine Aufforderung, H. C. Artmann-Leser(in) zu werden.

Zitierte Literatur: Peter O. CHOTJEWITZ: Der neue selbstkolorierte Dichter. In: Der Landgraf zu Camprodon. Festschrift für den Husar am Münster Hieronymus Caspar Laertes Artmann. Hrsg. von seinen Freunden Gerald Bisinger und Peter O. Chotjewitz. Hamburg 1966. S. 88–105. – Jörg DREWS: Über H. C. Artmann. In: Protokolle 14 (1979) Bd. 1. S. 49–57. – Rolf MICHAELIS: Ein Balladen-Jahr. Neue Gedichte von Hans Magnus Enzensberger, F. C. Delius, Helga M. Novak, H. C. Artmann. In: Die Zeit. 10. 10. 1975. – Urs WIDMER: Über H. C. Artmann. In: Über H. C. Artmann. Hrsg. von Gerald Bisinger. Frankfurt a. M. 1972. S. 134–141.

Gerhard Rühm

montag, 21. 7. 1969
die ersten menschen sind auf dem mond

am sónntag, dém dem zwánzigsténsten júli
neunnéunzehnhúndertnéunundséchzig, úm
um éinundzwánzig úhr uhr áchtzehn úm
sind sínd die béidendén améri- júli

kanníschen ástronáuten néil neil júli
neil ármstrong únd und édwin áldrin úm
an bórd bord íhres ráumraumschíffes úm
um »ádler« áuf dem mónd gelándet júli.

in dér gebórgenhéitheit ihrer lánde-
dekápsel lágen étwa nóch fuenf stúnden
vor íhnen bís bis síe als érste lánde

bewóhner dés planéten érde stúnden-
den ihren fúss auf éinen frémden lánde-
de hímmelskóerper sétzen sóllten stúnden.

Zitiert nach: Gerhard Rühm: Gesammelte Gedichte und visuelle Texte. Reinbek bei Hamburg: Rowohlt, 1970. S. 297.

Karl Riha

Apollo 11: zeit-sonette als zeitungs-sonette

Der hier abgedruckte Text eröffnet einen Zyklus von vierzehn *dokumentarischen sonetten*, die zwischen dem 21. Juli und 3. August 1969 entstanden sind und exakt auf Zeitungsmeldungen zurückgehen, die eben während dieser vierzehn Tage in diversen Presseorganen erschienen sind. Der Strophik der Gedichtform ›Sonett‹ folgend (zwei Quartette kombiniert mit zwei Terzetten), gliedert sich dieser Zyklus in vier Themenbereiche: Die ersten vier Sonette gelten der amerikanischen Mondlandung als herausragendem Hauptereignis (*die ersten menschen sind auf dem mond*, *das raumschiff auf dem rueckflug zur erde*, *erschuetterungen auf dem mond*, *heute landet apollo*), vier weitere folgen zu unterschiedlichen politischen Nachrichten (*verluste in vietnam*, *kein ende der kaempfe* [im ägyptisch-israelischen Krieg], *»parasiten« festgenommen* [in der Tschechoslowakei], *krawall bis mitternacht* [in West-Berlin]); daran schließen sich – entsprechend den nachgeordneten Ressorts der Zeitung – je drei Sonette zu Kulturnachrichten (*publikumsjubel um die »meistersinger«*, *rilke-gefaehrtin gestorben*, *neues brotmuseum*) und Lokales (*ein »nicht«fehlte* [in einem Bericht über eine Ärzte-Tagung auf Sylt], *arbeiter fand den tod*, *das jahr zweitausend im visier ...* [Vorausschau auf ein internationales Symposium]) an. Ein Inhaltsverzeichnis, das sich aus den jeweiligen Überschriften der vierzehn Sonette zusammensetzt, bildet das *resuemee*, das fünfzehnte, das sogenannte *Meistersonett*.

Die Zeitungsnachricht, die dem ersten Sonett zugrunde liegt, entnahm Rühm der Berliner *Nacht-Depesche* vom Montag, dem 21. Juli 1969. Es handelt sich dabei um eine dpa-Meldung aus Houston; sie hat – überschrieben mit dem Zeithinweis »Gestern, 21.18 Uhr!« und der groß aufgemachten Schlagzeile »Die ersten Menschen sind auf dem Mond« – folgenden Wortlaut:

Die Menschheit hat den ersten Griff nach den Sternen getan. Am Sonntag, dem 20. Juli 1969, um 21.18 Uhr (MEZ) sind die beiden amerikanischen Astronauten Neil Armstrong (38) und Edwin Aldrin (39) an Bord ihres Raumschiffes »Adler« auf dem Mond gelandet.

In der Geborgenheit ihrer Landekapsel lagen noch etwa fünf Stunden vor ihnen, bis sie als erste Bewohner des Planeten Erde ihren

Fuß auf einen fremden Himmelskörper setzen sollten. Mit einer mehrstündigen Schlaf- und Essenspause und einer letzten Überprüfung der technischen Aggregate bereiten sie sich auf den historischen Moment vor.
»Thanks a lot« – »Danke schön« –, das waren die ersten Worte, die ein Mensch vom Mond an die Erde richtete. Aus der tödlichen Einöde eines fremden und unbekannten Gestirns funkte sie Apollo-Kommandant Neil Armstrong gestern abend wenige Sekunden nach der Landung auf dem Mond zu seinem 380 000 Kilometer entfernten Heimatplaneten. Der knappe Gruß galt den Menschen im Bodenkontrollzentrum Houston. (Lesen Sie bitte weiter auf Seite 3.)

Wie ein erster mißglückter Formulierungsanlauf zeigt, der verworfen wurde, versuchte der Autor bei seiner Versifizierung zunächst vom wirklichen Einsatz der Zeitungsmeldung, ihrem ersten formulierten Satz, auszugehen:

die menschheit hat den ersten griff
nach nach den sternenen getan. am sonntag,
dem zwanzigstensten juli neunzehn- sonntag
hunhundertneunundsechzig, um um griff

Der zweite Anlauf verschob den lyrischen Einsatz auf den zweiten Satz der dpa-Meldung, kam aber – während das erste Quartett auf Anhieb glückte und sich schon fast mit dem der dritten, der Endfassung deckte – im zweiten Quartett mit den Altersangaben der Astronauten ins Stolpern, erreichte in den Terzetten keinen günstigen Reim und fand zum Ende hin keinen akzeptablen Abschluß:

am sonntag, dem dem zwanzigstensten juli
neunneunzehnhundertneunundsechzig, um
um einundzwanzig uhr uhr achtzehn um
sind sind die beiden amameri- juli

kanischen astronauten neil neil juli
neil armstrong, achtunddreissig, um
und edwin aldrin, neununddreissig, um
an bord bord ihres raumraumschiffes juli

»adadler« auf dem mond gelandet.
in der geborgenheitheit ihrer landekapsel lagen etwa noch fünf landet

det stunden vor vor ihnen ihnen lande
bis sie als erste bebewohner landet
des des planeten erde ihren ...

Die ausführlicher referierte Genese des Sonetts zeigt, daß sich Rühm einerseits seiner Vorlage nahezu total ausliefert, andererseits aber sehr wohl die Auswahl lenkt und Aussparungen vornimmt, wo dies aus formalen Gründen notwendig erscheint. Denn: verblüffend für einen Anhänger der experimentellen Poesie, die ursprünglich allen fixen Formen traditioneller Lyrik den Kampf angesagt hatte, wird ja in Strophenbau, Reim und Metrik die klassische Form des Sonetts nicht nur in keiner Weise angetastet, sondern peinlichst gewahrt, wie speziell auch der mündliche Vortrag durch den Autor mit Hilfe eines »unnachgiebig taktierenden metronoms [...] zu strikt metrischer artikulation« unterstreicht.

»natürlich stimmen die zeitungsmeldungen«, merkt Rühm in poetologischer Hinsicht an, »nicht mit dem versmass und der anzahl der versfüsse eines klassischen sonetts überein. sie müssen also mit gewalt in diese strenge form gepresst werden, da ich an dem wortlaut nichts verändern wollte, mußte ich die gegebene form durch entsprechende wiederholungen von vor-, beziehungsweise endsilben ausfüllen – dadurch ergeben sich, nebenbei, auch wortwitze wie zum beispiel baybay(byebye)-reuth. statt der reimwörter, die ja sonst hätten dazuerfunden werden müssen, wird an den nötigen stellen das zu reimende wort einfach wiederholt, was im semantischen verlauf des textes einen weiteren irritationsfaktor schafft. der reiz des unternehmens liegt ja vor allem darin, dass die sachliche zeitungsnachricht durch die klassische sonettform (an die man eine bestimmte inhaltserwartung knüpft), und die klassische sonettform wiederum durch

den nüchtern aktuellen inhalt verfremdet wird« (zit. aus einem Brief des Autors).
Es handelt sich also um einen doppelten und wechselseitigen Akt der sprachlichen und poetologischen Verfremdung: ins Prokrustesbett der ›strengen Form‹ gespannt, verliert der Zeitungsartikel seine naiv-nachrichtliche Unschuld; die hochartifizielle Form profaniert sich, indem sie sich dem Allergewöhnlichsten – der Zeitung – hingibt. Daran ändert das eigentliche Thema – ein wirklich hervorstechendes Jahrhundertereignis, wie es die Mondlandung nun einmal ist – wenig. Nun hat man aber dem Sonett, speziell in seiner Ableitung aus Petrarca, immer schon ein antagonistisches Verhältnis von Stoff und Form nachgesagt, zentriert etwa auf die Bändigung wilder, abgründiger Leidenschaften durch artistische Zucht. Gerade einer solchen Steigerung der Form in eine eigene ›innere Dimension‹ widerspricht jedoch deren Veräußerlichung bzw. äußerlich bleibende Handhabung durch Rühm. Strophisches Prinzip, alternierendes Metrum und Reim treten ja als Instrumente einer ganz und gar rücksichtslosen Zuchtmeisterin auf, die sich den Zeitungstext unterwirft und rigoros gefügig macht. Bei diesem Geschäft verliert sie jene Eleganz, die ihr aus ihren Ursprüngen heraus eigen ist und innerhalb der Geschichte der Lyrik einen ganz besonderen Glanz verlieh. In der deutschen Literatur seit der Jahrhundertwende sind Stefan George und Rainer Maria Rilke, aber auch expressionistische Dichter wie Georg Heym zu nennen. Ihnen gegenüber handelt es sich eindeutig um eine Zurücknahme der hochgezogenen Stilisierungstendenz, einen Akt der Trivialisierung beziehungsweise Banalisierung der Form: daß er nicht auf das Ausspielen ungewohnter Sujets beschränkt bleibt – wie es in stärkerem Maße für Ludwig Rubiners *Kriminalsonette* oder, neuerdings, für die Fußball-Sonette Ror Wolfs gilt –, sondern sich in der Form selber ereignet, zeichnet Rühms *dokumentarische sonette* in besonderer Weise aus.
Die Irritation der Erwartungshaltung, die man der Gattung ›als solcher‹ entgegenbringt, entspricht ihrerseits dem irritie-

renden Abweichen von der gewohnten Sprache, die durch das Zeitungszitat vorgegeben ist – eben mit Hilfe des veräußerlichten Zwangs der Gattung. Will man, wie es in der deutschen Lyrik seit dem *Buch von der Deutschen Poeterey* das Martin Opitz geltendes Gesetz ist, an den natürlichen Betonungen der Worte festhalten, läßt sich das Gleichmaß der Hebungen und Senkungen nur durch Silben- und Wortwiederholungen in den vorgegebenen – metrisch ganz ungehobelten – Text hineinzwingen. Dasselbe gilt für die Erfüllung des Reims und der durch ihn gewährleisteten Strophik. Statt das angesprochene Ereignis aufzunehmen und einer eigenschöpferischen, eigensprachlichen, am lyrischen Wohlklang orientierten Gestaltung zu unterziehen, werden die Reimworte reichlich zufällig dem fortlaufenden Prosatext extrapoliert und dann – wie sie das mechanische Verfahren auswirft – dem nachfolgenden Text als willkürliche Einschübe und automatische Wiederholungen einmontiert. Die einzelnen Reimworte stellen deshalb, gemessen am korrekten grammatikalischen Ablauf der Sätze, anti-grammatikalische Störfaktoren dar; ihr Herausfallen aus der grammatikalischen Ordnung und ihre Isolation gegen den jeweiligen Kontext, in den sie – versetzt – zu stehen kommen, parodieren die intendierte Reimfunktion und den aus ihr abgeleiteten Reimzwang.

Grammatikalische Dekomposition des ausschnitthaft zitierten Zeitungstextes mit Hilfe der bewußt gewählten Gattungsform und Rekomposition dieser Gattungsform mit Hilfe des dekomponierten Textmaterials sind also reziproke, in sich verschränkte und sich gegenseitig bedingende Vorgänge. Die Orientierung an der Gattungsnorm ›Sonett‹ gibt der Irritation der Sprachstruktur die Richtung vor und verhindert, daß es zu einer blinden Destruktion, einer wirklichen Sprachanarchie kommt; umgekehrt raubt die spezifische Erfüllung der Norm auf Kosten der gewohnten sprachlichen Ordnung dem vorliegenden dichterischen Versuch den Charakter einer ernsthaften Gattungsrestauration und siedelt ihn im Bezirk des Kreativ-Spielerischen an. Die Vor-

und Endsilbenwiederholungen (auch zu finden in Kinder-Verwirrsprachen etc.) stützen dieses spielerische Moment im unmittelbar artikulatorischen Bereich, die durch den Reimzwang begründeten Wortwiederholungen, der Nachricht ihre vorwärtsdrängende Dynamik raubend und eine Art rückwärtsdrehende Kreiselbewegung verursachend, im semantischen Bereich und die ›innere Leere‹ der Form – ein hohles Gebilde, das sich nicht füllt – im Bereich der Gattungsbestimmung.

Wie aber steht es mit der »dokumentarischen« Intention des Textes, auf die wir doch durch den Zyklus-Titel besonders aufmerksam gemacht werden? Will »dokumentarisch« in diesem Zusammenhang lediglich so viel heißen, daß die poetische Produktion des Sonetten-Rings entschieden auf Tagesereignisse abgestellt ist: Rühms dichterische Tätigkeit reduziert sich ja, wie wir sahen, auf eine Auswahl von Nachrichten, Meldungen etc., wie sie über vierzehn Tage von den Zeitungen (neben der Berliner *Nacht-Depesche* sind es *Die Welt*, *Die Welt am Sonntag*, das *Sylter Tageblatt* und die ebenfalls in Berlin erscheinenden Zeitungen *Der Abend*, *Der Tagesspiegel* und *Telegraf*) angeliefert wurden. Wie steht aber das einzelne Sonett zum jeweiligen Ereignis, das es »dokumentiert«? Bezieht sich der Autor überhaupt aufs ›Ereignis‹ selber – oder nicht doch nur auf seine Verarbeitung zum Presseartikel, seine Brechung in die Sprache der Zeitung? Fehlt aber dann nicht gerade das satirische Moment, wie es seit Karl Kraus mit der sprachkritischen »Dokumentation« der »Journaille«, dem enthüllenden Zitieren und Bloßstellen der Zeitungssprache, so tief verbunden ist? Kennen nicht gerade auch die konkrete Poesie und die ihr verwandten avantgardistischen Literaturrichtungen, aus denen Rühm herkommt, das Prinzip der satirischen Montage von Zeitungsphrasen und ihr collagierendes Auseinandernehmen und Wiederzusammenfügen?

Rühm selbst verweist im oben zitierten Autor-Statement lediglich auf »wortwitze«, die er am Beispiel von »baybay-(byebye)-reuth«, also am Prinzip der Silbenverdopplung mit dem Trend zur überraschenden Klangassoziation belegt. Zur Armierung einer durchgehenden satirischen Stoßrichtung und zum organisierten Aufbau einer satirischen Grobstruktur reichen freilich solche Mikroelemente nicht aus. Die einzelnen *dokumentarischen sonette* kommen denn auch gar nicht mit sensationellen Entlarvungen daher, markieren keine besonders kruden Formulierungsdefekte etc., sondern genügen sich damit, die reproduzierte Textvorlage der Zeitung durch ihre ›Sonettierung‹ in Distanz zu sich selbst zu bringen, Abstand zu schaffen durch irritierende Reproduktion und damit einen höheren Grad von Aufmerksamkeit zu erzeugen, als er normalerweise für die ›flüchtige Zeitungslektüre‹ angesetzt werden kann. Die satirische Energie, die sich im Einzel-Sonett zwar andeutet, aber nicht verbraucht, hat Rühm jedoch für das fünfzehnte Sonett, das sogenannte *Meistersonett*, aufgespart. Der Erklärung des Autors nach handelt es sich lediglich um ein aus den Titelzeilen der einzelnen Sonett-Nummern gebildetes Inhaltsverzeichnis, seiner tieferen poetischen Anlage nach aber um den Aufbau eines satirischen Rasters, auf das – wirklich abschließend – alle Einzeltexte bezogen werden können:

die érsten ménschen sínd sind áuf dem mónd.
das ráumschiff áuf dem rúeckflug zúr zur érde.
erschúetterúngen áuf dem mónd mond érde.
heuhéute lándetdét apóllo mónd.

verlúste ín vietnám vietnámnam mónd.
kein énde dér der káempfe káempfe érde.
»papárasíten« féstgenómmen érde.
krawáll krawáll bis mítternáchtnacht mónd.

publíkumsjúbel úm die »méistersínger«.
rilrílkeké-gefáehrtintín gestórben.
neunéues brótmuséum »méistersínger«.

ein »nícht« nicht féhlte féhlte féhlt gestórben.
arbéiter fánd den tód tod »méistersínger«.
das jáhr zweitáusend ím visíer gestórben.

Der Vorgang des Querlesens durch die Gedichte des Sonett-Zyklus ähnelt dem des Querlesens über die Spalten und Schlagzeilen der Titelseite einer Zeitung hinweg bzw. diagonal durch die Ressorts einer ganzen Zeitung. Es kommt aber im angeschlagenen satirischen Verfahren zu keiner bloß additiven Auflistung, sondern – wieder mit Hilfe der instrumentell eingesetzten Sonettform – zu Verschränkungen der Themata untereinander und entsprechenden Interpolationen: so wechseln z. B. die der spektakulären Mondlandung abgewonnenen Reimworte »mond« und »erde« in den Vietnamkrieg, den Sinaikrieg, die Dissidentenverfolgung im Ostblock und die Berliner Studentenrevolte hinüber. Solche Verschiebungen fordern zu Vergleichen und Folgerungen heraus. Generell entsteht als satirisches Muster jene Einheit des Heterogensten und Widersprüchlichsten, wie sie das Medium ›Zeitung‹ als exaktes Abbild unserer zeitgenössischen zivilisatorischen Realität kennzeichnet.

Literatur: Kurt KLINGER: Struktureller Purismus: Gerhard Rühm. In: Die zeitgenössische Literatur Österreichs. Hrsg. von Hilde Spiel. Zürich/München 1976. – Gerhard MELZER: Gerhard Rühm. In: Kritisches Lexikon zur deutschsprachigen Gegenwartsliteratur. Hrsg. von Heinz Ludwig Arnold. München 1978.

Ernst Jandl

bibliothek

die vielen buchstaben
die nicht aus ihren wörtern können

die vielen wörter
die nicht aus ihren sätzen können

5 die vielen Sätze
die nicht aus ihren texten können

die vielen texte
die nicht aus ihren büchern können

die vielen bücher
10 mit dem vielen staub darauf

die gute putzfrau
mit dem staubwedel

Zitiert nach: ernst jandl: die bearbeitung der mütze. gedichte. Darmstadt/Neuwied: Hermann Luchterhand, 1978. S. 137. [Erstdruck.]
Entstanden: 20. September 1977.

Klaus Jeziorkowski

Zu Ernst Jandls Gedicht *bibliothek*

Der Name Jandl und der Begriff ›konkrete Poesie‹ sind zuweilen wie Synonyme gebraucht worden. In der Tat rechtfertigen viele seiner Gedichte diese Gleichsetzung,

sofern man unter konkreter Poesie das Arbeiten und Spielen mit der Sprache als Material versteht, mit Lauten, Buchstaben, Silben, Wörtern, Wortverbindungen und grammatischen Strukturen, jedenfalls nicht das sonst übliche Operieren mit Bedeutungen, die hier beim Spiel mit der Sprachmaterie erst als sekundärer, neuer Effekt sich freilich unerwartet wieder einstellen können.
Jandls Gedicht *bibliothek* – nach den bei ihm später beliebt werdenden exakten Datumsangaben am »20. 9. 77« entstanden und dann in *die bearbeitung der mütze* eingefügt – führt eine neue drastische Variante von Konkretheit vor, in relativ konventionellen Formen des Redens.
Die Bibliothek als Gefängnis des in ihr Gespeicherten – das ist das leise klagende Lamento dieser zwölf Zeilen. Die Buchstaben sind in den Wörtern gefangen, die Wörter in den Sätzen, die Sätze in den Texten, die Texte in den Büchern. Wir können nach der achten Zeile das Gedicht in der Linie seiner eigenen Konsequenz selber weiterdichten, was viele Jandlsche Texte zulassen und wohl auch provozieren, damit eine sonst seltene neue Qualität eröffnend:

die vielen bücher
die nicht aus ihren bibliotheken können

die vielen bibliotheken
die nicht aus ihren häusern können

die vielen häuser
die nicht aus ihren städten können

und so weiter ad infinitum bis zu einem kosmologischen Modell der Schöpfung als Gefängnis. Wir lassen uns genügen an Jandls ersten acht Zeilen, die dieses Gedankenmobile in Gang setzen und zugleich exemplarisch auf einen Bereich begrenzen, in dem Gefängnis, Gefangen-, Befangen- und Verhaftetsein besonders schwerwiegend und lähmend sind: den der Literatur, der Künste, den Bereich des ›Geistes‹, um es pathetisch zu formulieren.

Jandl setzt sein leises Lamento nach der achten Zeile fort in einer Art traurig-komischer Grabmalsvision: »die vielen bücher / mit dem vielen staub darauf« – der Staub als ein weiterer Gefängnisring, so leicht wie allgegenwärtig. Und dann gibt es noch die brave Hüterin des Grabmals, »die gute putzfrau / mit dem staubwedel«, wie die Todesgöttin mit der Fackel, die zwar den Staub aufstört an der Oberfläche, aber sonst der Grabes- und Gefängnisruhe der Bücher, Texte, Sätze, Wörter und Buchstaben nicht wehren kann, es auch nicht will. Sie ist dazu nicht da. Sie ist die äußere Gefängnispatrouille, auch dazu da, daß das Gefängnis oder Mausoleum von außen nicht schäbig aussehe, wohl aber eines bleibe. Sie hat mit dem, »wie's da drinnen aussieht«, auf ihre harmlose Weise nichts zu tun. Deshalb heißt sie »gut«, in leichter Ironie, so wie man wohl sagt: Die gute Anna hat's noch immer nicht begriffen; wird's aber schon richten.
Konkret wird das Gedicht darin, daß es die Bibliothek als zwiebelschalenkonzentrisches Gefängnis sieht, in dem ganz innen die Buchstaben eingesperrt sind, darum herum die Wörter, dann die Sätze, Texte und Bücher. Ein wahrhaft verrückter Blick auf eine Bibliothek, die wir gewohnt sind als eine Chance zur Information, Erfahrung, Kenntnis- und Erlebniserweiterung zu begreifen und zu nutzen, sozusagen durch Benutzung zu öffnen, indem wir einen Band herausnehmen und so eine Lücke, einen Einstieg, ein Tor in die Bücherreihe auftun. Dann wären wir drin in der Bibliothek, die dann vielleicht auch kein Gefängnis mehr zu sein brauchte, weil wir durch das Tor das Eingesperrte herausließen, zu Sinn und Kontext und Zusammenhang befreiten, das Tote zum Leben erweckten.
Jandl sieht nach Art der Konkreten hier eingesperrte Sprachmaterie aus Texten, Sätzen, Wörtern, Buchstaben, Dinge, die das, was in dieser Bibliothek eingesperrt ist, zunächst als Zeichenhaufen, nicht als strukturiertes Bedeutungssystem erscheinen lassen. Semiotik statt Semantik. Hier wird die Nähe der konkreten Poesie zur Perspektive der Linguistik

ahnbar, die eine Zeichen- und Wörterwelt relativ separat der Welt der Sachen und Bedeutungen gegenübersieht.
Das physische Eingesperrtsein von Sprach- und Literatureinheiten und von Zeichen in Gehäusen ist eh schon ein komisch konkret registriertes Faktum. Die Bibliothek als Gefängnis und Friedhof – wer von uns hätte dieses Gefühl, vor einer riesigen Gräberanlage zu stehen, noch nicht gehabt angesichts endloser Büchermagazine – wird ganz konkret materialisiert, mit der leicht komischen Haltung der sanften Wehklage des Sprechenden und vor diesem Gefängnis Stehenden, der eigentlich doch nur zuzugreifen brauchte, um an einem Band dieses Gefängnis aufzubrechen, der nur ein Grab zu öffnen brauchte, auf daß aus diesem Friedhof die Toten zum Leben erstünden. Es ist die Lähmung vor dem schlichten Faktum einer scheinbar sinnvollen Insassen- oder Totenordnung, die ihn, den Klagenden, noch weniger daran rühren läßt als die Putzfrau mit ihrem Wedel, die von dem Drinnen keine Ahnung hat und sich deshalb am Draußen wenigstens unbelasteter vergreifen kann.
Der Rekurs auf Jandls gesamtes Werk liegt nahe: wer wüßte nicht, daß er einer unserer weitreichendsten Buchstaben- und Wortbefreier war und ist, ein ungeheuer weit wirkender Loslasser von Sätzen und Texten, der uns bewußt gemacht hat, wie sehr aller bisherige konventionelle Sprachgebrauch Gefängnis war für die ungeheuren Möglichkeiten, die im eigentlich offenen Arsenal und Magazin Sprache liegen.
Eine Bibliothek, für uns konventionellerweise der Inbegriff des sinnvoll und systematisch Geordneten, ein Phänomen, das die Welt als geordnetes System anschaubar werden läßt, ist für einen so Operierenden wie Jandl Gefängnis, Friedhof all der anderen in der Sprache liegenden Möglichkeiten, die er quer durch sein Gesamtwerk vor uns ausbreitet.
Wäre jenes Wort nicht durch Verfestigung so korrumpiert und sozusagen schon wieder in ›Netzwerken‹ als System etabliert, so wäre von den *alternativen* Möglichkeiten zum üblichen Sprachgebrauch zu reden, von *Alternativen*, die

der Sprechende im Gedicht in der Bibliothek gefangen und begraben sieht. Jandls Werk ist Beleg dafür, daß – die Aussagen seines Gedichts ins Positive gewendet – bei ihm die Buchstaben aus ihren Wörtern heraus können, die Wörter aus ihren Sätzen, die Sätze aus ihren Texten und die Texte aus ihren Büchern. Der übliche Sprachgebrauch, dokumentiert in der Bibliothek und der *bibliothek*, ist Gefängniszelle und Sarg der ungezählten anderen Möglichkeiten außerhalb des etablierten Sprachsystems, das nur die eine Möglichkeit als die einzige suggeriert: die des Gefängnisses und des Friedhofs.

Das Gedicht ist, gegen seinen Strich und doch in der Linie seiner eigenen Konsequenz gelesen, eine Jandlsche Poetik, *die* Poetik Jandls: die Buchstaben, Wörter, Sätze und Texte sind zu befreien und loszulassen aus der Diktatur der angeblich einzigen Möglichkeit, die das System Sprache uns suggeriert. *bibliothek* ist die Poetik der konkreten Poesie, formuliert ex negativo in konventioneller Rede: Gegenüber dem Gefängnis, dem Terror des nur scheinbar alternativlosen Systems ist Poesie Befreiung, Eröffnung einer fast unbegrenzten Vielzahl von Alternativen innerhalb der »Wörterwelt«, wie Lichtenberg das Reich der vom Bedeutungssystem freien Sprache genannt hat. Schon Lichtenberg meinte, es gelte innerhalb dieser Wörterwelt neue, bislang ungeahnte Verbindungen, Schneisen und Kanäle zwischen Sprachphänomenen zu schaffen, die im herkömmlichen System nie zueinanderkämen, als unvereinbar und antipodisch gälten. Die phonetische Assonanz zweier Wörter und die von ihr mobilisierte Assoziation schüfen ganz neue Gedankenverbindungen, die auch im Reich der Bedeutungen und Sachen neue, bislang ungeahnte Zusammenhänge eröffneten. Joyce, der Surrealismus, Arno Schmidt haben mit solchen Möglichkeiten operiert, die in der Bibliothek zwar enthalten, durch ihre Ordnung aber gefangengehalten werden. Bibliotheken und das in ihnen dokumentierte System der Sprachen und Bedeutungen sind dazu da, geöffnet zu werden, um die

Myriaden von unterdrückten anderen Möglichkeiten herauszulassen und freizusetzen. Dies zu tun ist Jandls poetische Praxis – und Theorie.
Wichtige theoretische Überlegungen dazu hat Jandl in seinem Buch *Die schöne Kunst des Schreibens* 1976 publiziert. Dort spricht er unter anderem davon, daß es konventionellerweise zwei Arten von Grammatiken und Wörterbüchern gebe, normative und deskriptive – wobei zumindest die normativen dem gefängnisartigen System der *bibliothek* entsprächen. »Um aber endlich zur gemeinten Art von Autonomie zu gelangen [...] bedarf es der Vorstellung noch von einer dritten Art von Grammatik, einer ›projektiven‹ Grammatik, und einer dritten Art von Wörterbuch, eines ›projektiven‹ Wörterbuchs, die alles an Sprache enthalten, was es daran und darin noch nicht gibt« (S. 37 f.). Das wären die aus der »bibliothek« losgelassenen Buchstaben, Wörter, Sätze und Texte. Wir alle, meint Jandl, »arbeiten, durch unser Reden und Schreiben, an diesen beiden vorauseilenden Büchern unentwegt mit« (S. 38)! »Es grenzt ans Wunderbare, etwas, das es jetzt noch nicht gibt, im Druck vor sich zu haben, es ist kaum zu begreifen« (S. 39), jene andere, vom alten System befreite Sprache vor sich zu haben.
Poesie richtet sich nach Jandl gegen Gewöhnung. »In der Poesie brauchen wir alles, woran wir uns nicht gewöhnt haben, in der Kunst überhaupt, aber zu allermeist in der Poesie, die auf ein Material angewiesen ist, das von allen unausgesetzt, und mit vollständiger Gewöhnung daran, dazu verwendet wird, alles außer Poesie daraus zu machen. Das Material ist dasselbe, aber die Gewöhnung daran muß aufhören, alle Gewöhnung daran muß aufhören, wo Poesie beginnen soll« (S. 67), das heißt, es müssen Bereitschaft und Fähigkeit dasein, das Material der Sprache auch anders einzusetzen, als das geltende normative System es zuzulassen scheint. Jandls Summa der Befreiung von Sprache aus dem Gefängnis des Gewohnten: »In der Poesie, um es noch einmal zu sagen, brauchen wir alles, woran wir uns nicht

gewöhnt haben [...]. Alles, woran wir uns vollständig gewöhnt haben, läßt kein Beginnen mehr zu, läßt nicht zu, daß wir irgend etwas damit anfangen« (S. 82).
Wir alle wissen, daß die Freisetzung des anderen und Neuen schon innerhalb des herrschenden Sprachsystems nötig ist, weil ein sich betonierendes System, das keine Veränderung, keine Umgruppierung des sprachlichen Bestandes mehr zuläßt, tot ist. Ein Beispiel dafür war in den letzten Jahren der terrorartig eindimensionale Gebrauch der Formel »freiheitlich demokratische Grundordnung« bis hin zu ihrer perversen formelhaften Verkürzung FDGO. Der Versuch, keine Wort- und keine Denkalternativen hier zuzulassen, hat nicht nur diese Wortverbindung kaputtgemacht, sondern beinahe auch die mit ihr bezeichnete Sache. Es müssen, zum Besten einer guten Sache, wohl immer neue Möglichkeiten des Anders-darüber-Redens, des anderen Sprach- und Wortgebrauchs eröffnet und offengehalten werden, weil sonst in der Tat Sprachgefängnisse und -friedhöfe entstehen wie in totalitär reglementierten Gemeinschaften. Wäre dieses Gedicht so vielleicht auch lesbar als Modell und Metapher auf den Sprachterror totalitärer Gesellschaften? Noch deren perverser Sauberkeitsfanatismus wäre dann anschaubar in der »guten putzfrau mit dem staubwedel«.
So wie dieses Gedicht konzentrische Ringe des Gefangenseins vorführt, ist es auch in konzentrischen Ringen erweiterter Bedeutungen interpretierbar. Ich hatte darauf verwiesen, wie dieses Poem nach der achten Zeile ausbaufähig und erweiterbar wird zu einem kosmologischen Modell. Das gilt auch für den Befund des Jandlschen Textes *bibliothek*, so wie er im Buche steht. Die Bibliothek wird in ihm zum Paradigma für das System, für Systeme überhaupt und ihren gefangenhaltenden und ertötenden Terror. Systeme lassen Denk- und Lebensalternativen nicht zu.
Es gibt in der europäischen Denktradition demgegenüber eine renommierte Gegenbewegung des offenen, nicht- und antisystematischen Denkens, das sich sehr oft in Aphorismen artikuliert. Bacon, Pascal, Lichtenberg, die romanti-

schen Fragmentisten, Nietzsche sind die renommierten Kronzeugen für Glanz und Möglichkeiten solchen Denkens, das im Sinne des Jandl-Gedichts immer wieder an den einsargenden Ordnungen rüttelt und daran zweifelt, ob die gängigen Kontextordnungen wirklich alternativlos sind. Ein solches offenes Denken ist offen dafür, daß gewisse unbezweifelbare Verbindungen zwischen Einzelelementen sich wieder lösen und diese Elemente andere Relationen und Konstellationen eingehen können, daß also Buchstaben, Wörter, Sätze, Texte aus ihren sonst nicht bezweifelten System-Bindungen ›herauskönnen‹ noch ohne Garantie und Rückversicherung, was sie in ihrer neuen Freiheit anrichten werden. Sie werden mobil und frei für offene Versuchsanordnungen, fürs Experiment, was in der Tat dem Verfahren konkreter Poesie entspricht.

Jandls Gedicht ist also auch lesbar als ein Gedicht der Trauer und der Klage über Systeme, die als nicht-veränderbar gelten, und des listigen Zweifels an solcher behaupteten Nichtveränderbarkeit. Darin bekommen der Staub auf den Büchern und »die gute putzfrau / mit dem staubwedel« ihr komisches und kosmisches Aussehen, daß sie zu Gefängniswärtern und Grabhütern solcher nur angemaßten Unveränderbarkeitsdoktrin und Rührmichnichtan-Dogmen werden. »Der Staub auf den Systemen« ist ein sehr weitreichender kritischer Befund gegenüber unseren betonierten Bastionen des Denkens und Verhaltens, und die »gute putzfrau« erhält so mit ihrem Wedel den lächerlichen Anstrich eines senil ohnmächtigen Weltregenten, der seine unbewegliche Schöpfung nur noch abstaubt, aber ihre Elemente nicht mehr bewegt. »Die vielen Gedanken und Dinge, die nicht aus ihren Systemen können« – so schreiben wir Jandls Text hier fort. Das Gedicht ist Klage über das Nichtbewegtwerden dessen, was ist, und latent Ermunterung dazu, das Bewegen doch zu probieren, so wie es Jandl in seinem Werk mit den Elementen der Sprache tut. Wir sind für das Weiterbewegtwerden der Schöpfung verantwortlich.

So sind diese zwölf Zeilen in relativ konventionellen Redeformen die Darstellung der Denkmöglichkeiten des konkreten Verfahrens, ein Stück äußerlich konventioneller Poesie über die heimlich-unheimliche Kühnheit der konkreten. Auch darüber, daß die konkrete Poesie in ihren wirklich großen Konsequenzen Alternativverhalten und Systemsprengung und -veränderung ist. Das hauptsächlich politisch oder gesellschaftlich zu verstehen wäre viel zu kurzschlüssig und eingeengt. Diese großen Aspekte konkreter Poesie aber zu übersehen oder zu unterschlagen wäre töricht oder eben dem Vogel Strauß ähnlich.

Es sollte sich niemand über solche weitreichenden Befunde hinwegtäuschen lassen durch die einfache Redeform dieser zwölf Zeilen. Es wird im reduziertesten Umgangsidiom gesprochen in durchweg fragmentarischen Sätzen, die nicht im Hauptsatz, sondern bestenfalls im Nebensatz überhaupt ein Verb zulassen und dann nur eines der rudimentärsten Art. Darin ist dieses Gedicht schon fast vielen anderen in diesem Gedichtband Jandls nahe, in denen in gebrochenem Deutsch, in einer Art Gastarbeiteridiom geradebrecht wird. Die ungeheure Spannung zwischen der einfachsten, scheinbar hilflosen Art der Diktion und den Konsequenzen dessen, was beobachtet und gesagt wird, läßt dieses Gedicht bis zum Äußersten mit Energie und Potenz aufgeladen erscheinen – ein sehr gewinnendes Gegenstück zu manchem Stück todernster Tiefsinnspoesie, das mit den äußersten Worten und Verzweiflungslauten rudert, um die Heillosigkeit unserer Welt sozusagen ins Bild zu prügeln.

Ich deutete eben die Stellung des *bibliothek*-Gedichtes im Kontext innerhalb der *bearbeitung der mütze* an. Bei der auf den Tag genauen Datierung, die jedem Gedicht mitgegeben ist, läßt sich feststellen, daß viele der räumlich und zeitlich dem *bibliothek*-Text benachbarten Gedichte einen ähnlich klagenden, müden und resignativen Duktus haben, der sich dann im späteren Gedichtband *der gelbe hund* noch intensivierte. Mir scheint daraus zu entnehmen, daß das, was sich wie in *bibliothek* auf den ersten Blick als freundlicher Spieltext mit einfachsten Worten und scheinbar undramatischem

Sujet darstellt, für den Autor mit erheblichem Ernst und Gewicht, mit tiefgehender Trauer aufgeladen ist, ihm also keine nur leichte und einfache Sache ist. Auch aus dieser Beobachtung ziehe ich noch einmal den Schluß, daß eine so ins Generelle ausgeweitete Interpretation, wie ich sie vorher zu skizzieren versucht habe, ihre Berechtigung hat. Jandls Spiel mit den denkbaren Alternativen verfestigter Systeme, des sprachlichen und der mit ihm verknüpften anderen, hat sich in seinen letzten Gedichtbänden zunehmend als ein Spiel um Kopf und Kragen erwiesen, als eine Existenzfrage auf der Folie von Verzweiflung. Um so gewichtiger und ernster erscheint mir die Klage über die gefangenen und nur oberflächlich abgestaubten Buchstaben, Wörter, Sätze, Texte und Bücher. Um so glaubhafter und elementarer wird der Wunsch, daß es möglich wäre, sie herauszulassen und ganz neu zu schauen. Denn so etwas wäre, wie Jandls Werk zeigt, der Akt einer neuen Schöpfung, eingelöste Kreativität.

Zitierte Literatur: Ernst JANDL: Die schöne Kunst des Schreibens. Darmstadt/Neuwied: Hermann Luchterhand, 1976.

Weitere Literatur: Peter HENNINGER: Ernst Jandl ou les mots d'avant le commencement. In: Austriaca 1978. Nr. 7. S. 67–82. – Klaus JEZIORKOWSKI: ... kann der kopf nicht bearbeitet werden, dann immer noch die mütze. In: Frankfurter Allgemeine Zeitung. 17. 10. 1978. – Beatrice von MATT: Gedichte als Gegenstände. In: Neue Zürcher Zeitung. 29. 3. 1979. – B. MURDOCK / M. READ: An approach to the poetry of Ernst Jandl. In: New German Studies 5 (1977) S. 125–155. – Viktor SUCHY: Konkrete und experimentelle Poesie in Österreich. In: Literatur und Literaturgeschichte in Österreich. Budapest / Wien 1979. S. 229–246. – Jürgen P. WALLMANN: Ernst Jandl: die bearbeitung der mütze. In: Literatur und Kritik 1979. H. 133. S. 180 f. – Michael WULFF: Wirklichkeit konkret. Untersuchungen zu Möglichkeiten von Literatur – von der konkreten Poesie Ernst Jandls bis zur sprachimmanenten Lüge. Diss. Salzburg 1978.

Günter Bruno Fuchs

Gestern

Jestern
kam eena klingeln
von Tür zu
Tür. Hat nuscht
5 jesagt. Kein

Ton. Hat so schräg
sein Kopf
jehalten, war
still. Hat nuscht
10 jesagt,

als wenn der
von jestern
war
und nur mal
15 rinnkieken wollte,
wies sich so
lebt.

Zitiert nach: Das Lesebuch des Günter Bruno Fuchs. München: Carl Hanser, 1970. S. 260.
Erstdruck: Günter Bruno Fuchs: Blätter eines Hof-Poeten und andere Gedichte. München: Carl Hanser, 1967.
Weiterer wichtiger Druck: Lesebuch. Deutsche Literatur der sechziger Jahre. Hrsg. von Klaus Wagenbach. Berlin: Klaus Wagenbach, 1968.

Reinhold Grimm

Genrebild mit Hintergrund. Berlinisch, um 1967

Sogenannte Sekundärliteratur gibt es so gut wie keine über ihn. Aber schlimmer ist etwas anderes. Der Frühverstorbene scheint bereits, trotz einer erstaunlichen Fülle von Veröffentlichungen, nahezu vergessen und als Dialektdichter überhaupt nie ins öffentliche Bewußtsein gedrungen zu sein. Gegen beides muß Einspruch erhoben werden. Günter Bruno Fuchs (1928–77) gehört in die Geschichte der deutschen Lyrik. Und nicht zuletzt gehört er in die Geschichte – oder eigentlich schon Vorgeschichte – der neueren und neuesten Mundartdichtung deutscher Zunge.
Ich will die Betrachtung seiner drei Strophen vorläufig zurückstellen. Vielleicht gibt es nämlich doch so etwas, was als Literatur über ihn verzeichnet werden könnte. Karl Krolow z. B. erklärte im Erscheinungsjahr der *Blätter eines Hof-Poeten*: »Alles ist immer von ihm: jedes Requisit, jede Stimmlage, jeder Jux und Übermut und jede Zartheit. Er versteht sich auf Allotria. Denn er ist ein Dichter ...« Ja, sogar der Alltag sei Teil seines Werkes, sei »ein großangelegtes Gedicht«, fiel Jahre später, jedoch ebenfalls noch zu Fuchs' Lebzeiten, Urs Widmer ein, den wie Krolow besonders beeindruckte, daß der Allotria treibende Poet »in jeder Pose, Rolle, Haltung« – und völlig gleichgültig, schieben wir ein, ob im Dialekt oder in der Hochsprache – »immer« er selber blieb.
Indes, sowohl Widmer als auch Krolow wiederholten im Grunde lediglich, was andere mindestens seit 1958 verkündet hatten. Dieser Vielgesichtige, meldete damals ein österreichischer Kritiker, sei »ein wirklicher Dichter, bei aller Skurrilität und dem oft Kapriolen schlagenden Hang zum Sonderbaren«. In allem Wechsel und Wandel, allen »Verkleidungen«, fügte ein Kollege von ihm hinzu, spreche hier unverkennbar ein und derselbe. Er sei ein »Barde«, ein

»abenteuernder Sänger«: eben ein echter Poet, »der mit allen sprachlichen Ingredienzien experimentiert, vielerlei Kunststücke beherrscht und mit einem weitreichenden Repertoire sein Publikum ergreift und fesselt, indem es glaubt, bloß unterhalten zu sein«.

Werfen wir rasch einen Seitenblick auf unseren Text! Denn gilt nicht dies letztere, das vermeintlich bloß Unterhaltende und gleichwohl Ergriffen- oder (in einem sehr spezifischen Sinne) Gefesseltwerden, namentlich für ihn? »Seine Worte sind genau, daß sie auch das ausdrücken, was zwischen den Worten steht«, bemerkte mit Recht, obzwar ein wenig ungelenk, eine dritte Kritikerstimme. Was aber vollends seine Dialektlyrik betrifft, so wurde ihr schon 1969 insgesamt bescheinigt, daß sie jeder künftigen Mundartdichtung, die ernst genommen werden wolle, »einen Maßstab gesetzt« habe. Hier »dichtet« einer, schwärmte Peter O. Chotjewitz, »nicht nur *im* Dialekt, sondern vor allem auch *mit* ihm«. Und entsprechend äußert man sich mittlerweile sogar im Ausland.

Die »Chance« heutiger Mundartdichtung liege darin, »Poesie und Alltag einander anzunähern – in einer Fußgängerzone der Literatur«, stellte Hermann Bausinger zusammenfassend und nicht ohne rhetorische Kühnheit 1976 fest. Zugleich sprach er von ihrer »politischen Dimension«, ja pointiert, doch nicht unkritisch, von einer »Dialektik des Dialekts«. In Anlehnung an bekannte Losungen ging er schließlich so weit, die Formel »Dialekt als Waffe« zu prägen. Wozu diese Waffe diene, sei nichts anderes als die »Verfremdung« der Idylle, die ironische Entlarvung der »scheinbaren Gemütlichkeit«.

Daß damit wiederum entscheidende Züge unseres Textes beim Namen genannt sind, dürfte einleuchten. Ganz ähnlich verhält es sich, wenn Mundartdichter und deren Jünger, beispielsweise Hans Haid oder Manfred Bosch, die »sozial verpflichtete Aussage«, die »Funktion eines äußerst sensiblen Seismographen für Veränderungen der Gesellschaft«

oder pauschal die »Progressivität« und »Universalität« solch dialektischer Dialektpoesie unterstreichen, die, wie sie mit Nachdruck versichern, »durchaus offen für Gedankenlyrik«, »auch in der Großstadt möglich« und jedenfalls ohne Abstrich »für moderne Dichtung geeignet« sei. In der Tat, all diese Kennzeichen gelten in geradezu exemplarischem Maß auch für die drei Fuchsschen Strophen. »Das Gedicht *Gestern* [...] erhebt sich makellos in den Rang großer politischer Lyrik.« Mehr noch: »Von Fuchs stammen [...] einige der großartigsten [...] Mundartgedichte der letzten Jahrzehnte.«

Nun ist allerdings ein kleines Geständnis fällig. Denn ich habe leider, wie ich ohne Erröten bekenne, bei fast sämtlichen Zitaten glatt gemogelt. Von den zwei Schlußsätzen abgesehen, die Selbstzitate aus alten Rundfunkrezensionen sind, geht es überall, wo angeblich von dem Berliner Günter Bruno Fuchs die Rede ist, in Wahrheit um den Wiener Hans Carl Artmann; nirgends hingegen, wo man allgemein von moderner Dialektdichtung redet, wird Fuchs auch nur ein einziges Mal erwähnt, während Artmann beinah ausnahmslos als ihr Begründer gefeiert und unermüdlich zum Zeugen angerufen wird. Und trotzdem, behaupte ich, sind diese falschen Zitate durchweg richtig und somit austauschbar (zu ihren Fundstellen vgl. *Über H. C. Artmann*, S. 69, 134 f., 48 [Gerhard Fritsch], S. 45 [Wieland Schmied], S. 47 [Otto F. Beer], S. 86 [Jörg Drews], S. 29, 142 [Josef Hiršal und Bohumila Grögerová aus der Tschechoslowakei]; ferner Bausinger, *Fußgängerzone*, S. 368, 367, 365, und *Die Internationale der Dialektdichtung*; Bosch, *Neue Dialektliteratur*, S. 434, 439, 435; Haid, S. 8, 7; Grimm, S. 49 bzw. Sendung des Hessischen Rundfunks vom 14. 1. 1971 [ungedruckt]).

Weshalb aber der Umweg? Nun, die Antwort darauf ist ja längst erteilt. Ich möchte sie anhand dreier Thesen zusätzlich präzisieren:

1. Fuchs und sein Schaffen bilden eine Art ›berlinischen Artmann‹.

2. Fuchs ist wie Artmann auch und gerade ein klassischer Dialektdichter der Moderne, obendrein jedoch derjenige, welcher selbst die besten Leistungen der heute in Deutschland und Österreich, in der Schweiz und sogar im Elsaß förmlich wuchernden neuen Mundartdichtung schon vorweggenommen hat.
3. Fuchs gebührt endlich ein Artmann ebenbürtiger Platz in der Geschichte der deutschsprachigen Literatur der fünfziger bis siebziger Jahre.

Folgerung? Weil Person und Werk des Berliner Dichters denen des Verfassers von *med ana schwoazzn dintn* so kongenial sind, war der bisher beschrittene Weg nicht bloß gestattet, sondern ausgesprochen ratsam. Er ist gar kein Umweg, sondern erweist sich als unmittelbarer Zugang – und nicht zuletzt auch zu unserem Text.

Natürlich müßte man, neben dessen ebenso karg betitelten wie sparsam gebauten siebzehn Kürzestzeilen, den gesamten, rund zwei Dutzend Gedichte enthaltenden Dialektzyklus *Blätter eines Hof-Poeten*, das Kernstück des gleichnamigen Bandes von 1967, für eine solche Richtigstellung heranziehen. Indes genügt, scheint mir, *Gestern* vollauf. Eine genauere Betrachtung ist ohnehin unerläßlich, so einfach, von sich aus verständlich und keiner Deutung bedürftig Fuchs' Miniaturidylle in ihrer gestochenen Schärfe zunächst anmuten mag. Den Schlüssel dazu – insbesondere zur ›Tiefenschärfe‹ – liefert er übrigens selber, da er seinerzeit für die Sammlung *Doppelinterpretationen* eine recht aufschlußreiche Textanalyse beigesteuert hat. Noch erhellender ist freilich, daß deren Winke und Einsichten, die dem surreal-verspielten Poem *Geschichtenerzählen* gewidmet sind, ohne weiteres auf die realistischen, ja naturalistischen und auf jeden Fall überaus ernsten Verse des Gedichts *Gestern* angewandt werden können. Das Prinzip der Austauschbarkeit waltet sichtlich, aller Unterschiede ungeachtet, innerhalb wie außerhalb der Fuchsschen Schriften.

Dreierlei wird in dieser »Selbstinterpretation«, die auch der Selbstironie nicht entbehrt, hervorgehoben. Zum einen, hören wir, finde eine »geradezu perfide Umkehrung alltäglicher Geschehnisse« statt (es öffne sich, erläutert Fuchs, »eine erschreckend-gegenteilige Dimension«). Ein zweites Merkmal bilde der »tückische Höhepunkt« des Gedichts, den man sowenig verfehlen dürfe wie den Prozeß der Umkehrung. Von ausschlaggebender Wichtigkeit sei aber drittens, den »Hintergrund« des vom Dichter Geschilderten zu erreichen, »wo die Absichten [...] auf der Lauer liegen«. Man habe nämlich, wird einem augenzwinkernd bedeutet, die »gezinkten Karten« nicht allein zu kennen, sondern müsse darüber hinaus die Fähigkeit besitzen, »sie aufzudekken« (vgl. *Doppelinterpretationen*, S. 271 f.; *Lesebuch*, S. 147 ff.).

Der gemeinsame Nenner dieser Hinweise ist deutlich. Wir brauchen sie lediglich auf Fuchs' hintergründiges Genrebild aus Kreuzberg – denn dort wird es wohl, wie das meiste aus seiner Feder, anzusiedeln sein – zu übertragen.

Gestern: das liest sich als Titel allerdings so alltäglich wie nur möglich. Auch was im Text selber geschieht, der Ansatz zu dessen Handlung zumindest, scheint ganz und gar der Alltagswelt zu entstammen. Jemand kommt, geht »von Tür zu / Tür« und betätigt die Klingel. So verhält sich einerseits ein Hausierer oder Vertreter, ein Bettler oder missionierender Sektenanhänger, vielleicht auch bloß ein betrunkener Spaßvogel; so benehmen sich andererseits, laufend oder rennend, ein paar mutwillige, zu Streichen aufgelegte Kinder, Berlins sprichwörtliche Rangen oder Gören. Ja, man könnte sogar, das Rotwelsch der ›gezinkten Karten‹ aufgreifend, an einen sogenannten Klingelfahrer denken, will sagen einen Vagabunden oder harmloseren Gauner, der zu durchsichtigen Zwecken ›ausbaldowert‹, ob die Leute zu Hause sind.

Aber nichts davon verfängt letztlich. Der da auftritt, bleibt gänzlich stumm, sehr im Gegensatz zu einer lärmenden Kinderschar, zu redseligen Vertretern, Hausierern oder Missionaren, zu Bettlern oder selbst Betrunkenen. Und er bekundet auch nicht die geringste Hast oder Eile. Geschweige denn, daß dieser Unbekannte ein schlechtes

Gewissen verriete ... Dergleichen – ein schlechtes oder überhaupt kein Gewissen – haben am Ende, so möchte man umgekehrt vermuten, eher diejenigen, welche er besucht.
Oder wäre damit bereits zuviel vermutet? Sicher ist immerhin, daß sich im Verlauf der drei Strophen (spätestens mit der zweiten, meine ich) alles Vordergründige in sein Gegenteil zu verkehren, alles Vertraut-Alltägliche mehr und mehr zu verfremden beginnt. Anfangs fast unmerklich, auf dem Höhepunkt jedoch desto nachdrücklicher, gibt das idyllische Bild eine Tiefendimension frei und wird darin etwas spürbar, was zwar nicht unbedingt erschreckend wirkt, aber doch einigermaßen beunruhigend, ja allmählich geradezu beklemmend. Man mag solche Strukturen mit Fuchs meinetwegen als »tückisch« oder »perfide« bezeichnen. Seine Winke treffen jedenfalls zu; seine Hinweise bewähren sich. Die Einsichten des Interpreten und die Absichten des Lyrikers stimmen überein.
Gefragt werden muß freilich, woher jener seltsame Fremdling kommt und was sich hinter seinem Tun verbirgt. Daß in ihm, um nochmals mit Fuchs zu reden, Bereiche »auf der Lauer liegen«, die es »aufzudecken« gilt, dürfte inzwischen außer Zweifel stehen. Doch jener ist und bleibt, wie es bewußt unbestimmt heißt, »eena«, der »still« ist, der ohne ein Wort erscheint und wieder verschwindet. Er beschränkt sich darauf, eindringlich, mit gespannter Aufmerksamkeit, gleichsam forschend (»Hat so schräg / sein Kopf / jehalten«) in die Häuser und Wohnungen der Menschen zu schauen, die in dieser Stadt, diesem Land derzeit leben. Langsam und mit marionettenhafter, beinah mechanischer Abgezirkeltheit macht er schweigend, in absoluter Stille, seine Runde. »Hat nuscht / jesagt«, schreibt Fuchs zweimal. »Kein // Ton.« Sonst erfahren wir nichts – bis dann plötzlich, in der dritten Strophe, der volle, der eigentliche Umschlag erfolgt. Denn jener, der »Jestern / kam [...] / und nur mal / rinnkieken wollte, / wies sich so / lebt«: er klingelte, horchte, blickte tatsächlich und ganz buchstäblich, »als wenn der / von

jestern / war«. Und mit solch doppelsinniger Gestrigkeit, die sich, die Grenzen des Wortspiels weit überschreitend, rückwirkend auch dem Titel mitteilt, haben wir nunmehr nicht erst den Höhepunkt, sondern zugleich schon den Hintergrund des Gedichts erreicht.

Der poetische Kunstgriff, durch den dieser Umschlag erzielt wird, ist so simpel wie frappierend. Was nämlich bedeutet es, von gestern zu sein? Diese Redensart, die ursprünglich der Bibel entlehnt wurde, besagt ja üblicherweise, daß jemand zurückgeblieben und nicht auf dem laufenden oder der Höhe der Zeit, auch einfach unerfahren oder rundweg dumm ist. Sie wird gewöhnlich rein metaphorisch gebraucht und zudem mit Vorliebe verneinend. Fuchs dagegen löst das klischeehaft erstarrte Sprachmaterial wieder auf und macht es erneut dichterisch fruchtbar. Statt einer verneinenden Wendung bedient er sich einer bejahenden; was metaphorisch-abstrakt und mithin ›zeitlos‹ geworden ist, führt er in die Realität und Zeitlichkeit der konkreten Einzelexistenz wie der konkreten politischen Geschichte zurück. Er bewirkt, mit einem Wort, eine Begegnung zwischen dem, was war, und dem, was ist, zwischen denen, die wirklich von einst und gestern sind, und denen, die hier und heute »so« dahinleben.

Das Ergebnis ist außerordentlich. Denn indem die zuerst ebenso alltägliche, so eindeutige Erscheinung des Klingelnden (dessen Tun sich nun vollends als mehrdeutig enthüllt) zum Revenant aus der Vergangenheit, zum historischen Wiedergänger, ja zum gespenstischen Mahner aus Schattenwelt und Totenreich wird, erkennen mit einem Male die anderen, ob Beobachter *im* Gedicht oder Leser *vor* ihm, daß sie selber – wir also – diejenigen heißen müssen, welche in einem spezifischen Sinne »von jestern« sind. Oder um die biblische Formulierung zu wählen, die jener leicht schnoddrig getönten zugrunde liegt: nicht er, sondern »wir sind von gestern her« (Hiob 8,9). Gerade wir sind ohne Gedächtnis und ohne Gewissen, haben bestenfalls ein schlechtes

Gedächtnis, das fortwährend verdrängt, und ein schlechtes Gewissen, das sich ständig betäubt: wir »wissen nichts« (ebd.) oder wollen nichts wissen. Und einzig und allein den Dichtern gelingt es auf Augenblicke, diese »Hegemonie der Gleichgültigkeit« (vgl. Soldat, S. 18f.) zu brechen oder wenigstens in Frage zu stellen.

Daß und wie sich derlei in den siebzehn Zeilen von *Gestern* vollzieht, bezeugt den wegweisenden Beitrag, den Fuchs geleistet hat. Sosehr sein Berliner Gedicht, im Milieu und im Sprachlichen, realistisch getreu, ja naturalistisch exakt verfährt, sowenig erschöpft es sich in regionaler Dialektdichtung, die es gleichwohl souverän meistert. Es ist so artistisch wie nur je moderne Lyrik, so aufrüttelnd wie nur je ein lyrisches Pamphlet ... und dennoch hat Fuchs mit ihm und den übrigen *Blättern eines Hof-Poeten* die Tradition einer einheimischen Dialektliteratur, die sich von Adolf Glassbrenner über Kurt Tucholsky bis in die Gegenwart erstreckt, nicht bloß bewahrt, sondern schöpferisch fortgesetzt.

Auch darin, in dieser Aufnahme und Fortsetzung einer einheimischen Tradition, ähnelt sein Schaffen dem des Österreichers Artmann; und auch dabei, wie im Skurrilen, Abenteuerlichen und Bohemehaften, sind beider Gemeinsamkeiten derart, daß sie fast austauschbar werden. So jedenfalls möchte ich meinen, ohne deshalb das Trennende leugnen zu wollen, das natürlich nicht fehlt, auf das ich aber hier genausowenig eingehen kann wie auf ihr Verhältnis zur jüngsten Entwicklung der zeitgenössischen deutschsprachigen Dialektlyrik, an deren Wiege eben nicht nur der Wiener Hans Carl Artmann stand, sondern auch der Berliner Günter Bruno Fuchs.

Zitierte Literatur: Hermann Bausinger: Fußgängerzone. In: Akzente 23 (1976) S. 364–368. – Hermann Bausinger: Die Internationale der Dialektdichtung. Alt und jung entdecken die Reize der Regionalsprachen. In: Die Zeit. 26. 11. 1976. S. 21. – Manfred Bosch: Neue Dialektliteratur. Tendenzen und Probleme. In: Neue Rundschau 88 (1977) S. 430–442. – Doppelinterpretationen. Das zeitgenössische deutsche Gedicht zwischen Autor und Leser. Hrsg.

und eingel. von Hilde Domin. Frankfurt a. M. / Bonn 1968. – Günter Bruno FUCHS: Lesebuch. [Siehe Textquelle.] – Reinhold GRIMM: Deutsche Lyrik 1967. Ein Querschnitt durch zehn Gedichtbände. In: Monatshefte 60 (1968) S. 45–50. – Hans HAID: Mundart in der Lyrik. In: Schmankerl 5 (Dez. 1970) S. 2–8. – Hans-Georg SOLDAT: Der Erzähler und Lyriker Günter Bruno Fuchs. In: Günter Bruno Fuchs: Polizeistunde. Prosa, Gedichte, Grafik. Baden-Baden [1967]. S. 7–20. – Über H. C. Artmann. Hrsg. von Gerald Bisinger. Frankfurt a. M. 1972.
Weitere Literatur: Georg BOLLENBECK: Günter Bruno Fuchs. In: Kritisches Lexikon der Gegenwartsliteratur. Hrsg. von Heinz Ludwig Arnold. München 1978. – Günter Bruno Fuchs 1928–1977. In: Sprache im technischen Zeitalter 62 (1977) S. 127–157. – Maria LYPP: Kinderblick und Wanderbühne. Zu den Texten von G. B. Fuchs. In: Zeitschrift für Literaturwissenschaft und Linguistik. Beih. 7 (1977) S. 21–46.

Kurt Marti

der name

vielleicht
dass heisenberg
wirklich die weltformel fand
das wird sich noch weisen

5 aber wann aber wann
wird die heiligung
jenes namens erscheinen
der mehr ist
als welten und formeln?

10 vielleicht
dass die herren der erde
wirklich nicht nur das unrecht erstreben
das wird sich noch weisen

aber wann aber wann
15 wird die heiligung
jenes namens erscheinen
der die erde verwandelt
in eine sonne des rechts?

vielleicht
20 dass die christen
wirklich das licht sind der welt
das wird sich noch weisen

aber wann aber wann
wird die heiligung
25 jenes namens erscheinen
der finsternis sprengt
mit explosionen des lichts?

Zitiert nach: Kurt Marti: gedichte am rand. Teufen (Aar): Arthur Niggli / Köln: Kiepenheuer & Witsch, 1963. [Erstdruck.] [2]1968. S. 19.

Ulla Hahn

Zu Kurt Martis Gedicht *der name*

Bereits der Titel des Gedichtbandes ist Programm, sein Verständnis für die Interpretation der in ihm enthaltenen Gedichte unerläßlich. *gedichte am rand* – das sind Texte, die »am rand« der Evangelien entstanden sind, während der Auseinandersetzung des Autors mit der Heilsbotschaft.
Und auch von der beruflichen Tätigkeit des Autors sind diese Gedichte geprägt, denn der 1921 geborene Kurt Marti lebt als Pfarrer in einer Berner Gemeinde, als Pfarrer, der aus seinem sozialkritischen Engagement nie ein Hehl gemacht hat.
Den Leser erwarten mithin Gedichte als Marginalien, als Fußnoten, Kommentare zum Evangelium, allerdings nicht als akademische Exegese. Gefragt wird vielmehr nach der Bedeutung des christlichen Glaubens in der heutigen Welt, nach den Möglichkeiten des Christentums, diese Welt menschenwürdiger zu machen.

So paradox es klingen mag: aber mit dem Schlagwort »die Bibel allein« kann man heute kein Zeuge Christi mehr sein. Die Appelle zur Wachsamkeit von Jesus und in den Paränesen des Paulus immer neu wiederholt bedeuten unter anderem auch dies, daß wir uns über die politischen und sozialen Ereignisse und Bewegungen der jüngsten Vergangenheit und Gegenwart kritisch und möglichst vielseitig informieren lassen. (Marti, zit. nach Nef.)

Dieses christlich-soziale Bekenntnis des Pfarrers Marti ist auch das des Autors, insbesondere des Autors von *gedichte am rand*. Der Sprecher der Gedichte ist kein literarisches ›lyrisches Ich‹, sondern der Autor selbst.
Wie sehr sich religiöser Glaube und der Gedanke an eine politische Utopie durchdringen, zeigt beispielhaft das Gedicht *der name*. Bereits ein erstes Lesen macht deutlich, daß zu seinem Verständnis ein Höchstmaß außerliterarischer

Vorinformation nötig ist. Marti macht den Leser nicht nur zum »Zeugen eines sozusagen präliterarischen Konflikts« (Widmer), er verlangt ihm auch ein beträchtliches Schulbuch- und Katechismus-Wissen ab. Denn das Gedicht Martis läßt sich erst verstehen, nachdem es dechiffriert ist, Namen und Begriffe in ihrer ursprünglichen Bedeutung klar sind.
»heisenberg« und »weltformel«, Name und Begriff aus der ersten Strophe, kann man im Lexikon nachschlagen und weiß dann, daß der Physiker Heisenberg eine Theorie aufstellen will, die in einheitlicher Formulierung alle Naturgesetze enthält. Der Autor steht diesem Versuch skeptisch abwartend gegenüber.
Die zweite Strophe wirft jedoch mit dem Begriff der »heiligung / jenes namens« Interpretationsprobleme auf, bei denen auch das Lexikon der Religionswissenschaft nicht weiterhilft. Im Verständnis dieses Begriffs liegt jedoch der Schlüssel zum Verständnis des gesamten Gedichts, zumal »der name« dem Gedicht auch den Titel gab. »Geheiligt werde dein Name«, heißt es im Vaterunser, »name« meint also den Namen Gottes. Falsch wäre es jedoch, »der name« und »Gott« ohne weiteres identisch zu setzen. Marti spricht bewußt vom »namen«, um damit einer Personifizierung Gottes entgegenzuwirken, um die Idee, den Begriff Gottes, wie er in der jüdisch-christlichen Heilslehre angelegt ist, zu betonen. Diesen Begriff, diese Idee ›Gott‹ zu umschreiben etwa mit Frieden, Gerechtigkeit, Einverständnis zwischen Mensch und Natur – ausgedrückt z. B. in dem jüdischen Gruß »Shalom« – soll »geheiligt« werden. Auch dieses Wort bedarf wiederum der Profanisierung. »Heiligen« – so Kurt Marti – heißt nichts anderes als »Ernstnehmen«. »heiligung jenes namens« meint mithin Ernstnehmen der Idee des Friedens, der Gerechtigkeit, kurz alles dessen, worauf der Begriff ›Gott‹ verweist. Nun fragt Marti in der zweiten Strophe aber nicht, »wann werden wir jenen Namen heiligen«, vielmehr »wann / wird die heiligung / jenes namens

erscheinen«. »Erscheinen« also, nicht »herbeigeführt werden«. Die passivische Formulierung macht sehr gut sichtbar, wie tief Marti in der jüdisch-christlichen Heilslehre verwurzelt ist und wie untrennbar soziales Engagement und Christentum in ihm zu einer Einheit verschmolzen sind. Während die erste Strophe im Bild des nach der Weltformel suchenden Physikers den menschlichen Aspekt der »heiligung jenes namens«, des Ernstnehmens eines Friedens zwischen Mensch und Natur ausspricht, macht die zweite Strophe deutlich, daß allein menschliches Streben nach einer gerechten, friedlichen Welt diese nicht herbeiführen kann, die Vollendung muß vielmehr von Gott kommen. Nicht nur die Menschen heiligen den Namen, vielmehr Gott heiligt sich selbst.

Somit ist die Frage nach der »heiligung jenes namens« Frage nach der Erfüllung einer Utopie, einer eschatologischen Utopie, ist die Frage nach der Realisierung Gottes in den Zuständen der Welt. Daß der Autor an diese Utopie glaubt, drückt selbst noch die Frage aus: denn die Frage ist kein Infragestellen. Nicht »ob«, sondern »wann« ist die Frage, der Zeitpunkt des Erscheinens ist unsicher, nicht das Erscheinen selbst.

Sieht man allerdings die beiden ersten Strophen in einem Zusammenhang, ist auch eine zweite Definierungsmöglichkeit nicht auszuschließen, die einen weit radikaleren Zweifel an der Heilsgewißheit ausdrückt. Die Kopplung des Interrogativadverbs »wann« mit der adversativ gebrauchten Konjunktion »aber« unterstreicht noch einmal die gegensätzliche Spannung, in der die beiden Strophen, der menschlich-irdische und der göttlich-utopische Bereich stehen.

Gewiß erscheint dem Autor, daß es sich irgendwann herausstellen wird, ob menschliche Anstrengungen, die Welt zu erkennen oder zum Besseren zu verändern, fruchten werden oder nicht: »das wird sich noch weisen«.

Liest man auf dem Hintergrund dieser Gewißheit die zweite Strophe mit ihrem drängenden Gestus noch einmal, so wird eine zweite implizite Frage deutlich: Erscheint diese Utopie überhaupt? Auch bei dieser Interpretation wird das Vorhandensein einer Utopie nicht geleugnet, bezweifelt wird jedoch, ob sich diese Utopie jemals erfüllen, ob sich Gott überhaupt jemals in den Zuständen der Welt realisieren wird.

Da auch die folgenden Strophen jeweils zu Strophenpaaren zusammengeschlossen sind, deren Aufbau mit der ersten und zweiten Strophe identisch ist, scheint mir der zweite Interpretationsansatz schlüssiger. Nachdem die zentralen Begriffe des Gedichts geklärt sind, liegen der Interpretation der folgenden Strophen kaum noch Schwierigkeiten im Weg. Erkennbar wird bei gleichbleibendem formalen Grundschema eine Steigerung auf verschiedenen Ebenen. So steigt die Abfolge der Beispiele, die das Streben der Menschen nach Vollkommenheit ausdrücken, vom naturwissenschaftlichen (»heisenberg« – »weltformel«) über den ethischen (»die herren der erde« – »nicht nur das unrecht erstreben«) zum religiösen Bereich (»christen« – »das licht der welt«) auf. Mit der Brisanz der Beispiele werden die Bedenken des Autors provozierender. So drückt die dritte Strophe nicht nur wie die erste mit der Wendung »vielleicht / dass« eine Skepsis des Autors gegenüber den gegebenen Tatbeständen aus; der Autor macht durch die Formulierung ex negativo zudem deutlich, daß er den »herren der erde« das Gegenteil von Gerechtigkeitsstreben unterstellt.

Für den christlichen Leser liegt die größte Provokation in der fünften Strophe, wo der Autor bezweifelt, daß die Christen zum jetzigen Zeitpunkt das »licht der welt«, die Verkörperung der göttlichen Idee auf Erden sind. Ihr Wert oder Unwert wird sich ebenso »weisen« wie die Richtigkeit oder Falschheit der Heisenbergschen Weltformel, wie Aufrichtigkeit oder Lüge des Gerechtigkeitsstrebens der »herren der erde«.

Parallel zur Steigerung der Brisanz der Beispiele und Provokationen geht die Steigerung der bildhaften Umschreibung des »namens«: vom statischen »der mehr ist / als welten und formeln« bis zu dynamischen Vorgängen »verwandelt / in eine sonne des rechts«, »sprengt / mit explosionen des lichts«. Die Bilder werden prächtiger, schließlich überwältigend: »explosionen des lichts« sind für den Menschen kaum noch faßbar, ja gefährlich.

Die sehr komplexe Aussage des Gedichts, die unter theologischen Gesichtspunkten sicher noch weiter ausdeutbar wäre, gelingt Marti mit sehr einfachen Mitteln. Wie die konkrete Poesie, der Marti nach eigener Aussage viele Anregungen verdankt, ist auch dieses Gedicht nur scheinbar lakonisch, monoton und formelhaft.

Die Strophen, welche menschliche Aktivität, und die, welche Utopie gestalten, sind parallel gebaut, nur das Subjekt der Aussage wird jeweils ausgetauscht. Der Austausch nur weniger Worte gewöhnt den Leser an den Sprachgestus und zwingt gleichzeitig zum genauen Lesen, ein Kunstgriff, der beim Hören des Gedichts noch an Wirksamkeit gewinnt. Anders als in der konkreten Poesie steht bei Marti jedoch nie die Sprache als Selbstzweck, sie wird fast immer, und besonders in diesem Gedicht, funktional eingesetzt, sie behält ihren Mitteilungscharakter, nimmt mitunter, so auch hier, den Gestus öffentlicher Rede an. Ein Vergleich mit dem Stil, dem rhetorischen Schema von Predigten und Psalmen drängt sich geradezu auf.

Unverkennbar ist der didaktische Gestus des Gedichts, der jedoch nichts Besserwisserisches hat, sondern den Autor im Prozeß der Selbstverständigung, der Auseinandersetzung mit dem Evangelium zeigt.

Nicht Gewißheiten werden verkündet, sondern die Suche nach den Möglichkeiten des Christentums in der Welt vorgeführt. Wie die meisten Gedichte Martis hat auch dieser Text einen außerliterarischen Zweck; er ist im Brechtschen Sinne ein Gebrauchsgegenstand. Diese Funktion ist Voraussetzung für Martis Dichten: »Der christliche Autor hilft, die Kirche zur Welt hin offen zu halten« (Marti, zit. nach Nef).

Zitierte Literatur: Ernst NEF: Zum Abschied Fragen. In: Die Zeit. 10. 10. 1969. – Urs WIDMER: Ende vom geistlichen Lied. Kurt Martis hochdeutsche »Gedichte am Rand«. In: Frankfurter Allgemeine Zeitung. 15. 6. 1968.
Weitere Literatur: Gisbert KRANZ: Kurt Marti. In: Lexikon der christlichen Weltliteratur. Freiburg i. Br. 1978. – Elsbeth PULVER: Kurt Marti. In: Kindlers Literaturgeschichte der Gegenwart. Die zeitgenössischen Literaturen der Schweiz. Zürich/München 1974. S. 296–298. – Elsbeth PULVER: Kurt Marti. In: Kritisches Lexikon der deutschsprachigen Gegenwartsliteratur. Hrsg. von Heinz Ludwig Arnold. Bd. 2. Göttingen 1980.

Karl Krolow

Terzinen vom früheren Einverständnis mit aller Welt

> »Erinnerungen sind Jagdhörner
> Deren Ton im Winde vergeht.«
> *Apollinaire*

Die schöne Stille der Gewächse
– Zerbrechlich wie die Fabel Welt –
Umschlang ich sanft im Arm der Echse.

Zerbrechlich wie die Fabel Welt,
So ritt ich auf des Windes Nacken,
Den Oberon zusammenhält.

So ritt ich auf des Windes Nacken:
Ein grüner Schatten ohne Laut,
Befreit von meiner Schwere Schlacken.

Ein grüner Schatten ohne Laut.
Ach, von den Fischen trug ich Flossen
Und atmete durch Tigerhaut!

Denn von den Fischen trug ich Flossen.
Mein Geist erheiterte sich still.
Vom Gleichmut tausendfach genossen,

Erheiterte der Geist sich still,
Mit allen Wesen einverständig,
Zypressenfeuern, Asphodill.

Mit allen Wesen einverständig,
Beharrlich, ohne Ungeduld,
Und wie das Flötenholz lebendig.

Beharrlich ohne Ungeduld.
Kein Kartenspiel der Schwermut mehr: –
Wie Süßigkeit, die frei von Schuld

25 Verschwendet sich im Ungefähr ...

Zitiert nach: Karl Krolow: Die Zeichen der Welt. Neue Gedichte. Stuttgart: Deutsche Verlagsanstalt, 1952. S. 48 f.
Erstdruck: Merkur 4 (1950) H. 3 (Nr. 25).
Weiterer wichtiger Druck: Karl Krolow: Gesammelte Gedichte. Frankfurt a. M.: Suhrkamp, 1965.

Klaus Jeziorkowski

Zu Karl Krolows *Terzinen vom früheren Einverständnis mit aller Welt*

Dieses Gedicht, zum erstenmal gedruckt vor einem Dritteljahrhundert, ist einer der zentralen Orte im lyrischen Werk Karl Krolows, fast möchte man sagen, in der deutschen Lyrik nach dem Zweiten Weltkrieg.
Es wirkt zunächst wie ein Plädoyer für die werkimmanente Interpretation – die ja allmählich wieder rehabilitiert wird –, daß dieses Gedicht sich und seine Bedeutung beinahe selbst entschlüsseln könnte. Es scheint sich selber zu lesen. Hilft man noch mit einigen Informationen aus Krolows übrigem Werk und dem literarischen und gesellschaftlichen Kontext der Zeit aus, so könnte man das Gedicht fast sich selbst dechiffrieren lassen. Nicht mehr als ein paar Hebammen-Handreichungen wären nötig.
Natürlich gehören Titel und Motto schon zum Corpus des Gedichts. Sie sagen, daß von Früherem die Rede ist, von »Erinnerungen«, von einem »früheren Einverständnis«, das wahrscheinlich jetzt, beim Auftreten des Gedichts, so nicht

mehr gilt. Vermutlich wird in der Überschrift auch jene leicht wegwerfende Redewendung zitiert, nach der vielleicht der oder jener immerzu »mit aller Welt« sich entweder in den Armen oder in den Haaren liege, mit Krethi und Plethi, ein Stück Degout vor mangelndem Sichabgrenzen gegen etwas, über das man mittlerweile hinaus ist. Die Erfahrung früherer Wonnen (»der Gewöhnlichkeit«) wird distanziert bis reserviert betrachtet – hannoversch kühl, so denkt man sich gerne bei Krolow.
Es ist, im Motto, so, als ob Apollinaire Eichendorff gelesen habe. Freilich konnte man damals, kann man bis heute auch ohne unseren Romantiker draußen Jagdhörner hören, aber die Verbindung dieses Signals mit Psychischem, das Evozieren von Lust und Wehmut, von Wehlust über ein verlorengegangenes Paradies – den alten Garten der Kindheit, das Zauberreich der Natur – durch den Klang der Hörner ergibt sich besonders dicht beim Lesen Eichendorffs. Erinnerungen sind Jagdhörner, Jagdhörner sind Erinnerungen, Signale in unsere seelische Vorgeschichte zurück, Klänge, die an das rühren, was über die Zeit hinweg ins Unbewußte hinuntergesunken ist.
Krolows zweizeiliges Motto sind die beiden Schlußzeilen seiner eigenen Übersetzung des Apollinaire-Gedichts *Cors de Chasse* (*Jagdhörner*) aus den *Rhénanes*: »Les souvenirs sont cors de chasse / Dont meurt le bruit parmi le vent«. In Apollinaires *Rhénanes* selbst ist der Übergang vom Szenarium der deutschen Romantik zu den gebrochenen seelischen Erfahrungen innerhalb der modernen Zivilisation thematisiert und vollzogen, vom deutschen Rhein und von Eichendorff zur Pariser Welt – ein vorauseilender Parallelfall zu Krolows Paradigmawechsel vom deutschen Naturgedicht zur internationalen Moderne der surrealistischen Tradition.
Apollinaire wird für Krolow im Jahrzehnt ab 1950 zum Leitfossil der Erkundung der Moderne, ablesbar an Publikationen: In den Jahren 1950 bis 1959 läßt Krolow fast regelmäßig, mit Ausnahme der Jahre 1951, 1956 und 1958,

Übersetzungen von Texten Apollinaires erscheinen (Paulus, S. 353 ff.). Von den sechs selbständigen Bänden, die Krolow mit seinen Übersetzungen aus Fremdsprachen herausgibt, sind allein zwei Apollinaire vorbehalten (Paulus, S. 297). Das Gedicht wendet sich zurück zu einem früheren Zustand des so nicht mehr vorhandenen »Einverständnisses mit aller Welt«, es artikuliert teilweise vorrationale Erinnerungen an etwas, was seinerseits zum Teil vorrational war.
Der Sprechende äußert sich in Terzinen und etikettiert diese Form schon im Titel – ein häufiger Gebrauch bei Krolow zur Zeit seines Gedichtbandes *Die Zeichen der Welt*. Auffallend häufig sind dort in den Titeln schon die traditionellen lyrischen Genres benannt, denen die Gedichte sich zuordnen: *Morgenlied*, *Ballade*, *Winterliche Ode*, *Koreanische Elegie* und andere mehr. Auch solche Beobachtungen relativieren die These vom Kahlschlag-Status unserer Nachkriegsdichtung und -lyrik. Vielfach wird bewußt gerade in der Wüstenei der Zeit Rückversicherung bei den schon im 17. bis 19. Jahrhundert etablierten Traditionen gesucht, überwiegend erst ab etwa 1950 die Orientierung an der weltliterarischen Moderne ertastet.
Die Terzinen, in den *Zeichen der Welt* gleich im nachfolgenden Gedicht *Terzinen drei Uhr nachts* abermals bewußt aufgegriffen, gehören mit zum Traditionsarsenal. Weil sie vor allem wegen ihres Reimschemas sich dazu eignen, zu Ketten beliebiger Länge (oder auch Kürze) aufgereiht zu werden, hat sich schon von Dante an eine Tradition herausgebildet, in der die Terzinen zum Medium ernster Betrachtung, ins Allgemeine zielender Reflexion, weitreichender Über- und Rückblicke, der Besinnung im weitesten Verstande wurden, so in der deutschen Literatur unter anderem bei Goethe am Beginn von *Faust* II und in dem Gedicht *Bei Betrachtung von Schillers Schädel*, bei Stefan George und Hugo von Hofmannsthal. Vor allem Hofmannsthals bekannte *Terzinen über Vergänglichkeit* benennen schon im formelhaft gewordenen Titel den allgemeinen Gestus der

Terzine: Reflexion auf Zeit und deren Vergehen, Rückblick und Überblick von der Warte des Desillusionierten, durch Erfahrung weise Gewordenen.

Es scheint, daß Krolow mit seinen *Terzinen vom früheren Einverständnis mit aller Welt* sich bewußt in diesen Raum gestellt hat, den die Hofmannsthalsche Terzinen-Formel bezeichnet. Alles, was in Krolows Gedicht zwischen dem ersten und letzten Vers ausgesagt wird, stellt sich dar als vergänglich und vergangen, freilich nicht als abgetan und überwunden, wie wir uns das von früheren Entwicklungsstadien eines Künstlers so gerne denken nach dem Hermann Bahrschen Modell des unausgesetzten Überwindens, das Karl Kraus in seiner *Überwindung des Hermann Bahr* ad absurdum geführt hat mit dem Hieb: »Er überwindet jeden Tag vor dem Frühstück«; vielmehr im Sinne der Hofmannsthalschen Vergänglichkeit als aufgehoben und aufbewahrt.

In seinem Aufsatz *Vom poetischen Gedächtnis* entfaltete Krolow 1963 seine Vorstellungen vom bewahrenden Amt des Poeten, vom Aufheben durch Rückblick und Erinnerung (*Ein Gedicht entsteht*, S. 138–143). Und drei Jahre später schrieb er in *Oskar Loerke – mein Modell?*:

> Wenn ich anfangs sagte, daß man sich seine literarischen Vorbilder nicht aussuchen könne, so wiederhole ich jetzt, daß man der literarischen Tradition niemals ganz entkommen wird. Über ein gewisses Maß der Entfernung von ihr wird es nicht hinausgehen. Ich glaube zuweilen noch die Echowirkungen zu spüren, die von dem ausgehen, was ich in jungen Jahren als Lyriker erfuhr.
>
> (*Ein Gedicht entsteht*, S. 136.)

Der Wortlaut des Krolowschen Gedichts sagt es in vielen Nuancen, was hier aufgehoben erscheint: das frühere Umschlingen der Natur (3), der frühere Versuch des Eingehens in ihr Reich, ja des seligen Verschwindens in ihrem Dschungel, sagen wir es poetologisch mit allem Vorwissen von Krolows literarischem Werdegang: die frühere Orien-

tierung an den Formen des deutschen Naturgedichts ist es, die mit diesen rückblickenden Terzinen aufgehoben erscheint.
Hier ist ein Stück Werkgeschichte fällig, die Krolow ja selbst in vielfältigen Notizen immer erneut aufgezeichnet und reflektiert hat. Krolows poetische Entwicklung ist durch ihn selbst so gut dokumentiert und bedacht wie bei wenigen anderen Autoren. Er weiß immer, was er warum tut – so erscheint es von außen gesehen. Zumindest weiß er es nach getaner poetischer Tat.
Krolows frühere Lyrik hat ganz unter dem Eindruck und in der Tradition des deutschen Natur- und Landschaftsgedichts gestanden, wie es von der Goethezeit, der Romantik, von Salis-Seewis und Matthisson kultiviert worden war und dann viel später von der sogenannten naturmagischen Schule – Oskar Loerke, Wilhelm Lehmann und Elisabeth Langgässer –, aber auch von Peter Huchel und Günter Eich in den Jahrzehnten zwischen 1920 und 1950 abgewandelt worden war. Hier hatte Krolow, nach vielfältigem eigenem Zeugnis, seine Lehrmeister, Väter und Nachbarn. Für die Zeit um 1950 aber bezeugt Krolow selbst ein allmähliches Abrücken von dieser Tradition, die er für sich in ihren Möglichkeiten ausgeschöpft fand, in der er Gefahren erkannte im Ritus der Rezeption, im Sichausliefern an botanische Wucherungen und immer neue Spezies, ans Gesetz der Botanisiertrommel, an immer neue Magien von Kraut und Arom. In der unmerklichen Degeneration des deutschen Naturgedichts zu einer Art von Tee- und Heilkräuterlyrik, wenn auch mit vielfältigen Bezügen zu Mythos und Kosmos, sieht er die Gefahr der Verprovinzialisierung einer sehr deutschen Tradition, die aus mehreren Gründen über den Zweiten Weltkrieg hinweg und in den ersten Jahren nach ihm Rettungsanker, im anschaulichen Sinne Wurzel geblieben war.
Um 1950 herum setzt für Krolow, und wohl nicht nur für ihn, das Kennenlernen der internationalen Moderne ein, das für ihn das Gewicht der deutschen Naturgedichtstradition

entscheidend relativierte und zugleich ein charakteristisches Licht auf die wiederholt beobachtete Tatsache wirft, daß in der deutschen Nachkriegsliteratur Neuanfang, Wende- und Nullpunkt, wenn es sie gab, eben nicht am Kriegsende, sondern erst einige Jahre später lagen, daß die unmittelbaren Kriegserfahrungen in den ersten Jahren danach eher noch in der Sprache und den Formen deutscher Traditionen artikuliert wurden, wie bei Wolfgang Borchert mit den Mitteln Rilkes und des Expressionismus. Das Aufmerken auf die internationale Moderne geschieht verstärkt erst um 1950. Krolows Gedichtband mit dem so übernational programmatischen Titel *Die Zeichen der Welt* setzt und markiert in der Tat die Zeichen dieser Wende weg von heimischen Beengungen hin zum poetischen Diskurs der Welt; er ist Zeichen eines Paradigmawechsels. Um 1950 beginnt für Krolow mindestens ein Jahrzehnt des fast dramatischen Sichaneignens der lyrischen Moderne vor allem der romanischen Länder, besonders Frankreichs und Spaniens, eine Phase der Internationalisierung und des Sicheinübens in Weltläufigkeit, nachdem er schon 1948 seine *Nachdichtungen aus fünf Jahrhunderten französischer Lyrik* hatte erscheinen lassen. Einige Stationen dieses Prozesses: 1951 wird Krolow Mitglied des PEN. Im Jahr danach ist er, programmatisch, bei den »Biennales Internationales de Poésie« im belgischen Knokke. 1953 nimmt er am deutsch-französischen Schriftstellertreffen in Paris teil. 1957 läßt er Verlaine-Übertragungen erscheinen und *Die Barke Phantasie. Zeitgenössische französische Lyrik* in seiner Übersetzung, ebenso sieben von ihm übersetzte Gedichte aus Apollinaires *Bestiaire ou Cortège d'Orphée.* Im Jahr danach ist er auf der Tagung der Gesellschaft für deutsch-französische Zusammenarbeit in Paris, wo er sechs Monate als Unesco-Stipendiat lebt, u. a. auch in Kontakt mit Paul Celan. 1959 erscheint seine Übertragung *Guillaume Apollinaire: Bestiarium.* Im Frühling dieses Jahres ist er auf Vortragsreise in Portugal und Spanien. 1961 erscheinen seine *Aspekte zeitgenössischer deut-*

scher Lyrik und ein Jahr später die Bände *Spanische Gedichte des 20. Jahrhunderts* und *Die Rolle des Autors im experimentellen Gedicht* (alle Angaben nach Paulus, S. 286 ff.). All das sind wahrhaft »Zeichen der Welt«, des Sichöffnens in den Diskurs der Moderne. Am besten läßt man Krolow selbst zu Wort kommen, wenn es darum geht, die Abwendung von den Gefahren des deutschen Naturgedichts und die Dramatik der neuen Wendung darzustellen:

Rechtzeitig zu Hilfe kam mir dabei die Bekanntschaft mit der zeitgenössischen französischen und spanischen Lyrik, auf deren Studium ich damals Jahre verwendete. Mit ihr ergab sich für mich ein »Angebot« ganz neuer Möglichkeiten der Stoffbehandlung, unter Umständen desselben Stoffes. Ich lernte bei der Beschäftigung mit den Franzosen, den Spaniern etwas kennen, was inzwischen auch schon wieder Geschichte geworden war: den Surrealismus in seinen Ausprägungen und Verwandlungen. Diese westeuropäische Literaturphase war, als ihre Wirkungen mich erreichten, längst ins Altern gekommen. Das Land, in dem sie von der Lyrik am wirkungsvollsten praktiziert worden war, Frankreich, hatte sich vom Surrealismus – bis auf einige Nachhutgefechte – abgewendet. – Aber solcher Alterungsprozeß kam mir insofern zugute, als er mir bereits das zuführte, was die surrealistische Wort- und Bildbehandlung zu verarbeiten verstanden hatte.
Vor allem die vom Surrealismus geübte Metaphorik verhalf mir zu einer Lösung vom Stoff-Zwang des Naturgedichts, oder brachte mich doch in ein anderes und neues Verhältnis zum Stoff. Die Überwältigung durch ihn, die sich im Gedicht als jene merkwürdige Benommenheit bekundete, wie sie für die Natur›magie‹ so oft eigentümlich war, wich einem souveräneren Umgang mit ihm. Eine neue Gefahr tauchte auf. An Stelle der Knechtschaft des Stoffes konnte die Knechtschaft durch das Bild treten.
So hatte ich fortan eine Balance zwischen Stoff und Bild zu versuchen. Ich vermute, daß sich durch solchen Versuch in meinen Gedichten eine Art Schwebe-Vorgang einstellte.
(*Oskar Loerke – mein Modell?*, in: *Ein Gedicht entsteht*, S. 133 f.)

Der deutsche Autor, zumindest seit 1933 behindert im Wahrnehmen internationaler Entwicklungen, holt als modern nach, was seinerseits schon wieder Historie ist. Das

Anschluß-Suchen, so charakteristisch und wichtig für die deutsche Literatur nach der Nazizeit, ist hier Exempel und Modell geworden.
Mit dem Entdecken der Moderne vor allem der romanischen Literaturen steht für Krolow noch etwas anderes in verwandtschaftlichem Konnex: das Auffinden einer neuen Raum-Zeit-Perspektive, die er einerseits in der ausländischen Moderne des Symbolismus bis Surrealismus vorgeprägt, aber auch bei Loerke und Lehmann schon angeeignet gefunden hatte; das Entstellen und Deformieren der räumlichen und zeitlichen Verhältnisse, vorfindbar in allen Bereichen der künstlerischen Moderne, am sichtbarsten in der kubistischen und expressionistischen Malerei, etwa bei Picasso und Kandinsky. In der Literatur, im Gedicht sieht Krolow diesen »poetischen Aperspektivismus« (*Ein Gedicht entsteht*, S. 131) sich ausformen in der kühnen, absoluten Metapher, im alogischen Bild von der Art, wie es Hugo Friedrich in seiner *Struktur der modernen Lyrik* als konstitutiv für die Moderne erkannt und erläutert hat. Ganz sicher ist dieser moderne Aperspektivismus des künstlerischen Werks das ästhetische Äquivalent zum Wandel vom naturwissenschaftlich-technischen Kosmos des Newtonschen Modells, bis ins 19. Jahrhundert gültig, hin zum ganz neuen Raum- und Zeit-Verständnis Einsteins und seiner Relativitätstheorie und der neuen Physik. Die absolute, aperspektivische, alogische Metapher der Moderne war der Ausdruck dieser neuen Ordnung der Dinge in Raum und Zeit, wobei eben für den Nichtexperten von Ordnung im herkömmlichen Sinne kaum noch die Rede sein konnte.
Zum Fixpunkt der Erfahrung dieser »perspektivischen Revolution« (*Ein Gedicht entsteht*, S. 131) wurde um 1950 für Krolow in der Hauptsache Guillaume Apollinaire. Er muß für den deutschen Autor in der Mitte des dritten Lebensjahrzehnts zum Angelpunkt für die Erfahrung von Moderne generell geworden sein, die zunächst imaginäre Form jener Paris-Reisen, die Deutsche zu vielen Zeiten mit den künstlerischen Entwicklungen ihrer Epoche in Kontakt

brachte; man erinnere sich nur an Rilke und George, die dort Rodin, Cézanne und Mallarmé gefunden hatten.
Wir wenden uns zu Krolows Gedicht zurück. Es ist uns durchgängig lesbar geworden als der Rückblick des Autors auf jene um 1950 krisenhaft sich aufhebende Phase des Redens in den Konventionen des Naturgedichts. Für jene zu Ende gehende Werk-Epoche steht, wie eine Girlande über dem Eingang in den Raum des Gedichts, »Die schöne Stille der Gewächse« (1) und der ihr korrespondierende später benannte Zustand dessen, der in dieses stille Paradies des Vegetativen oder auch diese grüne Hölle zugelassen war: »Mit allen Wesen einverständig« (17). Jenes jetzt allmählich unmöglicher werdende Naturgedicht war es, das das »frühere Einverständnis mit aller Welt« trug und aussagte. Der Geburtshelfer des Abschiedes von jener Epoche, des Wandels, der Krise ist mit dem Motto in der Klammer genannt: Apollinaire, die Moderne vor allem der romanischen Länder – was besagt, daß dieser Paradigmawechsel von den grünen Wucherungen zur Weltstadtliteratur, von Loerke und Lehmann zu Apollinaire und Verlaine für Krolow bezeichnend sehr vornehm, ruhig, friedlich, »einverständig« vor sich geht, die einander ablösenden Muster erscheinen quasi Arm in Arm in diesem Gedicht, geben den Sprechenden, das Ich, den Autor, das Gedicht einverständig einander weiter. Selten, so scheint mir, werden in Gedichten, in der Literatur die Phasen der Umorientierung, die Wachablösung der normsetzenden Vorbilder, die Gelenkstellen und Scharniere des literarhistorischen Prozesses so deutlich und transparent wie hier, überhaupt das Wesen des literarischen Zusammenhangs als eines historischen Diskurses, als eines Gesprächs der Zeiten und Kulturen. Freilich hat aus guten Gründen Krolow kein literarhistorisches Thesengedicht geschrieben und schreiben wollen, sozusagen um einen Epochenwechsel in gereimter Form anschaubar zu machen. Krolows aufmerksame Bewußtheit und intellektuelle Wachheit, mit denen bei ihm immer zu rechnen ist, sind wie in seinen

besten Gedichten, von denen es viele gibt – mehr als jene berühmten sechs oder sieben, die Theodor Storm auch den Großen nur zugestehen wollte –, hier vollkommen ins transparente Bild übergewechselt, das die Zustände des Früher wie in durchsichtigen Wasserfarben vor uns hinrückt.
Es gibt schließlich noch eine weitere Lesestufe, die das Gedicht ermöglicht: Der Titel, das Motto, die Verse sind Rückblick auf Gewesenes, teils im Gestus der Distanzierung, teils im fast klagenden Ton des Abschiednehmens von etwas, das selbst in jenen Zeiten, als es noch voll galt, die Spuren der Gefährdung und des Untergangs schon in sich trug. »Die schöne Stille der Gewächse« war »Zerbrechlich wie die Fabel Welt« (4), wie das Glück von Edenhall, so möchte man hinzutun. Die Zeichen der Verstörung sind jener früheren grünen Welt noch und schon eingeschrieben: »meiner Schwere Schlacken« (9), »Schatten» (10), »Asphodill« (18) – seit Homer die Totenblume der antiken Mediterranee, die Unterweltwiesenblume der Demeter-Tochter Persephone – und noch in der Negation »kein Kartenspiel der Schwermut mehr« (23).
Spuren von Tod und Schmerz weisen auf jenes versinkende grüne Reich des früheren Naturgedichts zurück; der jetzt mit Apollinaire und der Moderne schon Zurückschauende und Draußenstehende sieht zurück wie auf ein Paradies, dessen Tore dröhnend und endgültig ins Schloß donnerten, ihn unwiederruflich aussperrend. Ich meine, das Gedicht läßt sich auch lesen als Parabel vom verlorenen Paradies und der verlorenen Unschuld eines seligen, hingegebenen Zustands. Hier bekommen die Terzinen – wie in Dantes *Divina Comedia* und ihrem Weg vom Inferno durch Purgatorio zum Paradiso – ihren großen menschheitsgeschichtlichen Sinn, ohne daß Krolows Gedicht als irgendwie religiös zu verstehen wäre. Wohl aber folgt es dem Topos vom verlorenen Paradies, das wie selbstverständlich als paradiesische *Natur*, als grüner Garten Eden erfahren worden war. Die klassischen Paradiesesmomente erscheinen zumindest

angedeutet: das friedliche Miteinander dessen, was außerhalb des Gartens Eden einander auffrißt: »Ach, von den Fischen trug ich Flossen / Und atmete durch Tigerhaut!« (11 f.), »Mit allen Wesen einverständig« (17). Löwe und Lamm, Adler und Mensch ruhen friedlich beieinander, wie übrigens auch in der antiken Paradiesestradition alle sonst verfeindeten Wesen einträchtig zuhören, wenn Orpheus die Leier spielt. Das Paradies, der Garten Eden, das Goldene Zeitalter, jene vergangenen Herrlichkeiten als der Orientierungspunkt der Idylle in ihrer mediterranen Provenienz, sei es der biblischen, sei es der antiken Hirtendichtung: so schlagen wohl auch bei Krolow im Rückblick auf das verlorene Naturgedicht noch idyllische Momente beim Darstellen des früheren Zustands mit durch, spurenhaft sich verdeutlichend in den »Zypressenfeuern« (18) und im lebendigen »Flötenholz« (21).

Noch einmal verdeutlicht sich der historische Ort: das Naturgedicht, das Paradies, das grüne Idyll sind verloren. Sie waren festgehalten worden gegen die Erfahrungen der historischen Katastrophe unserer dreißiger und vierziger Jahre, sozusagen zur Rettung. Ein halbes Jahrzehnt nach Weltkriegsende ist auch diese grüne Betäubung – »Benommenheit«, sagte Krolow selbst – zu Ende. Die Betäubung durch den weltgeschichtlichen Donnerschlag weicht nach einigen Jahren. Es beginnt die Reflexion jener Vertreibung aus dem Paradies, des Sündenfalls und des historischen Strafgerichts und Donnerwetters mit den zivilisatorischen Mitteln der Moderne.

Um den dreiteiligen Bauplan der Kombination von Titel, Motto und Gedicht zum Schluß noch einmal formelhaft zu verkürzen: Das moderne Motto erinnert sich des Gedichts als des gewesenen Paradieses, die Überschrift verschlingt beides in der kombinierenden Bewußtheit. Das Gedicht war das libidinöse oder traumatische Erlebnis, das Motto seine Analyse, der Titel seine Therapie.

Ob jenes »frühere Einverständnis mit aller Welt« uns heute wieder nötiger wird? Brauchen wir heute vielleicht mehr als je das grüne Gedicht, grüne Lyrik, grüne Literatur? Es scheint, daß Krolows Rückblick nach über drei Jahrzehnten uns wieder zur Utopie wird:

Mit allen Wesen einverständig,
Beharrlich, ohne Ungeduld,
Und wie das Flötenholz lebendig.

Zitierte Literatur: Karl KROLOW: Ein Gedicht entsteht. Selbstdeutungen – Interpretationen – Aufsätze. Frankfurt a. M. 1973. – Rolf PAULUS: Lyrik und Poetik Karl Krolows 1940–1970. Produktionsästhetische, poetologische und interpretatorische Hauptaspekte seines »offenen Gedichts«. Mit einer bibliograph. Dokumentation der Veröffentlichungen Karl Krolows (Lyrik, Prosa, Aufsätze, Rezensionen, Übersetzungen). Bonn 1980.
Weitere Literatur: Martin ANDERLE: Die Entwicklung der Lyrik Karl Krolows unter französischem und spanischem Einfluß. Seminar 13 (1977) S. 172–188. – H. S. DAEMRICH: Messer und Himmelsleiter. Eine Einführung in das Werk Karl Krolows. Heidelberg 1980. – Tomas DREVIKOVSKY: The poetry of Karl Krolow. An interpretative approach using the critical conapt of the »lyrisches Ich«. Diss. University of Sydney 1976. – Gerhard KOLTER: Die Rezeption westdeutscher Nachkriegslyrik am Beispiel Karl Krolows. Zu Theorie und Praxis literarischer Kommunikation. Bonn 1977. – Fatma MASSOND: Epochengeschichtliche Aspekte in der Lyrik Karl Krolows. Frankfurt a. M. 1981. (Diss. Marburg 1980.)

Walter Helmut Fritz

Also fragen wir beständig

> Also fragen wir beständig
> Bis man uns mit einer Handvoll
> Erde endlich stopft die Mäuler –
> Aber ist das eine Antwort?

Als Heinrich Heine das schrieb

als er mit letzten Amüsements
dem Verhängnis zuvorzukommen suchte

bei Gesprächen
5 das gelähmte Augenlid mit dem Finger hob

mit dem Opernglas
die Menschen auf der Straße beobachtete

da schleppte er sich
hinter sich selbst her

10 erfuhr er Last und Überlast

hatte er verstanden,
daß man immer zu spät sieht,
wann etwas aufzuhören beginnt

stellte er sich die Frage,
15 ob alles unabänderlich sei

ach diese Vogelscheuche Vergänglichkeit.

Zitiert nach: Walter Helmut Fritz: Schwierige Überfahrt. Gedichte. Hamburg: Hoffmann und Campe, 1976. S. 27. [Erstdruck.]

Helmut Koopmann

Annäherungen an die Vogelscheuche Vergänglichkeit. Zu Walter Helmut Fritz: *Also fragen wir beständig*

Das Gedicht von Walter Helmut Fritz lebt entscheidend von dem Zitat, das hier integraler Teil des Gedichtes selbst geworden ist. Es evoziert die Situation des kranken Heinrich Heine, der an der Grenzlinie zum Sterben eben dieses Sterben ein letztes Mal hinauszuzögern versucht oder es doch zumindest nicht wahrhaben möchte. Das Gedicht ist trotz des gelehrten Zitates dabei nicht kryptisch, und es bedarf im Grunde genommen auch nicht eines ausführlicheren philologischen Kommentars, um verstanden zu werden.

Der Autor, der die Zeilen Heines zitiert, zitiert zugleich einige Szenen aus Heines Biographie, pointillistisch anmutende Situationen, die allerdings besser als jedes Gesamtpanorama die Situation des todkranken, zum Tode kranken Heine verdeutlichen. Diese Begebenheiten waren früher nur allzu bekannt; in den Jahren seiner Krankheit berichteten die Zeitungen häufig über seinen Leidensweg. Moritz Gottlob Saphir, der im August 1855 der deutschen Öffentlichkeit mitteilte, was er bei einem Besuch Heines erlebt hatte, konnte sich bereits damals auf das bekannte Krankheitsbild Heines berufen, wenn er schrieb: »Heine muß, wie bekannt, mit der einen Hand sein Augenlid in die Höhe heben, wenn er Jemand sehen will« (*Begegnungen mit Heine*, S. 400). Die Zahl der deutschen Besucher Heines war Legion; sie alle berichteten entweder privat oder öffentlich über Heines Leidenszeit, und diese Berichte zogen sich über alle Jahre seiner sich immer stärker verschlimmernden Krankheit hin. Über die »letzten Amüsements« wissen wir nicht viel – oder eben doch nur, daß Heine, immer stärker an seine »Matratzengruft« gefesselt, Besuche und Gespräche schätzte, solange er zu ihnen fähig war, aber im Grunde genommen gab es nicht viel an »letzten Amüsements«. Bereits im November 1847 berichtete ein Besucher (Wolfgang Müller von Königswinter): »Es bot sich mir ein trostloses Bild menschlicher Hinfälligkeit« (*Begegnungen mit Heine*, S. 95). Heine wußte nur zu gut um seinen eigenen Zustand, und der Bericht dieses Besuchers schließt: »Als ich ihm mit den besten Wünschen für seine Genesung die Hand reichte, versicherte er mir, daß er über alle Täuschungen hinaus sei und sich jeden Tag mehr und mehr absterben fühle« (*Begegnungen mit Heine*, S. 96). Am schroffsten hat wohl Friedrich Engels in einem Brief an Karl Marx aus dem Januar 1848 Heines Befindlichkeit beurteilt, wenn er schrieb: »Heine ist am Kaputtgehen. Vor 14 Tagen war ich bei ihm, da lag er im Bett und hatte einen Nervenanfall gehabt. Gestern war er auf, aber höchst elend. Er kann keine drei Schritte mehr gehen, er schleicht, an den Mauern sich stützend, vom Fauteuil bis ans Bett und vice versa [...]. Geistig ist er auch etwas ermattet« (*Begegnungen mit Heine*, S. 99).

Alles das war der deutschen Öffentlichkeit also mehr oder weniger bekannt; es sind diese häufig überlieferten, stereotypen Situationen, die hier im Gedicht von Fritz erscheinen. Aber das Gedicht endet nicht mit der Beschreibung der desolaten Situation Heines. Es zielt vielmehr auf die Erkenntnisse ab, die aus diesen Zuständen folgen, und wenn in der zitathaften Überschrift vom beständigen Fragen die Rede ist, so kommen von der Mitte des Gedichtes an gleichsam Antworten auf dieses beständige Fragen; nicht die biographisch orientierten Situationen vor dem Tode sind das eigentliche, zentrale Thema dieses Gedichtes, sondern vielmehr die Folgerungen, die Heine aus der Einsicht in seine Befindlichkeit zieht. Die syntaktischen Verhältnisse des Gedichtes lassen das auch klar erkennen. Denn auf das wiederholte »als«, mit dem Situationen des kranken Heine beschrieben werden, folgt, den zweiten Teil des Satzgefüges einleitend, das »da«: und den vier Eingangssituationen, die das Dasein des maladen Dichters beschreiben – die Niederschrift des Gedichtes, die »letzten Amüsements«, die Gespräche und das Beobachten der Menschen mit dem Opernglas –, entsprechen die im zweiten Teil des syntaktischen Gefüges gegebenen Erkenntnisse: sie werden ebenso, wie im ersten Teil aneinandergereiht Situationen beschrieben werden, gleichfalls additiv als Antworten darauf genannt. Läsen wir das Gedicht anders, also nicht in der vorgegebenen Ordnung der zweimaligen Reihungen, sondern so, wie sich die Situation und deren Exegese jeweils darstellen, dann würden diese Entsprechungen noch deutlicher. Eine einfache Umstellung und Zuordnung der jeweiligen Satzhälften würde zu folgenden vier Feststellungen führen:

Als Heinrich Heine das schrieb
da schleppte er sich
hinter sich selbst her

als er mit letzten Amüsements
dem Verhängnis zuvorzukommen suchte
erfuhr er Last und Überlast

(als er) bei Gesprächen
das gelähmte Augenlid mit dem Finger hob
hatte er verstanden,
daß man immer zu spät sieht,
wann etwas aufzuhören beginnt

(als er) mit dem Opernglas
die Menschen auf der Straße beobachtete
stellte er sich die Frage,
ob alles unabänderlich sei.

Die Sinnzuordnungen sind deutlich: am überzeugendsten in der dritten Antwort auf die dritte Frage, wo der erste Teil des Satzes (»[als Heinrich Heine] bei Gesprächen das gelähmte Augenlid mit dem Finger hob«) die entsprechende Antwort findet (»[da] hatte er verstanden, daß man immer zu spät sieht, wann etwas aufzuhören beginnt«). Dem Sehen, auch bei gelähmtem Augenlid, entspricht also die

Einsicht, daß man zu spät sieht, wann etwas aufzuhören beginnt: hier ist es das Leben, das für Heine tatsächlich schon fast an ein Ende gekommen ist. So kommt den im zweiten Teil der Satzkonstruktion gegebenen Hinweisen die Rolle von Korrekturen zu, von Erkenntnissen, die als Antworten auf die vier dargestellten Situationen zu gelten haben. Wie sind sie zu verstehen?

Ist die Antwort auf die dritte Situation, die vom Sehen bei gelähmten Augenlidern handelt, noch ohne weiteres plausibel, als Erkenntnis verständlich und akzeptabel, Ausdruck der verspäteten Einsicht in ein so notwendiges wie unabänderliches Ende, so fehlt es bei den anderen Antworten zumindest auf den ersten Blick an Eindeutigkeit; und hier wird das Gedicht, das an sich so verständlich und durchaus nicht kryptisch begann, dann doch zunächst rätselhaft, zweideutig. Denn was heißt es, daß Heinrich Heine sich hinter sich selbst herschleppte, als er sein Gedicht schrieb? Daß er »mit letzten Amüsements« (2) »Last und Überlast« (10) erfuhr? Daß der Blick durch das Opernglas auf die Menschen auf der Straße die Frage auslöst, »ob alles unabänderlich sei« (15)? Die Antworten sind aber dennoch nicht unverständlich oder das doch nur dann, wenn man von ihnen rationale Aufhellungen erwarten würde. Doch schon die von Fritz zitierte Strophe Heines läßt ja vermuten, daß die Antworten hier anders ausfallen, als sie von der Frage her möglich sein könnten: und so wie Heine seine eigene Frage durch das Stopfen der Mäuler mit einer Handvoll Erde beantwortet sah, so werden auch die Situationen, die hier in den Rang von Fragen versetzt werden, ebenfalls auf paradoxe Weise beschieden: etwa damit, daß Heine sich hinter sich selbst herschleppte, als er sein Gedicht schrieb. Was heißt das? Das Bild zielt auf eine eigentümliche Dissoziation von sich selbst ab, freilich nicht, um damit einen Identitätsverlust zu veranschaulichen, der hier eingesetzt haben könnte. Tatsächlich geht es wohl eher in einem mehr temporalen Sinne um die Beschreibung einer eigentümlichen Postexistenz, um ein Hinter-sich-selbst-Hergehen, das nur dadurch möglich wird, daß der Dichter aus früherer Zeit, der glücklichere Heine – nicht umsonst hat er sich ja einmal mit jenem anderen, weimarischen Jupiter verglichen –, hier endgültig vergangen erscheint, jener andere, beständig fragende hingegen noch gegenwärtig: dem heiteren Heine vor 1848 folgt der leidende, der auf seine Fragen keine oder doch nur eine letzte, nicht mehr widerlegbare Antwort bekommt. Auf ähnliche Weise läßt sich die Erkenntnis auf die zweite Lebenssituation hin, die hier beschrieben wird, verbalisieren. Heine, der »mit letzten Amüsements« dem Verhängnis, dem Tod also, zuvorzukommen suchte, erfuhr »Last und Überlast«. Das letzte Amüsement schlägt um in Beschwernis; der Wunschtraum, dem Tod zu entfliehen, endet in der bitteren und wahrhaft bedrückenden Erkenntnis, daß es nur Lasten gibt und mehr, eben eine »Überlast«: auch das eine eigentümliche Verdoppelung dessen, was hier erfahren wird. In eben diese Richtung geht auch die verständlichste Antwort, nämlich jene Aussage auf die dritte Situation, die das Lähmungsleiden Heines beschreibt. Was jener Halbgelähmte sieht, ist nichts Realistisch-Konkretes. Er hat eine Ein-Sicht im ursprünglichen Sinne: Heine sieht, daß nichts mehr ist, da jenes bereits vergangen ist, was er noch wahrzunehmen meinte, als er das gelähmte Augenlid mit dem Finger hob. Wiederum also eine paradoxe Situation, Erkenntnis der Unzulänglichkeit seiner Erfahrung, wobei diese Erkenntnis auch noch zu spät kommt, irreparabel und unaufhebbar ist wie jene anderen Einsichten. Schließlich die vierte Situation, der mit dem Opernglas die Menschen auf der Straße beobachtende Dichter: er stellt sich die nicht unverständliche, aber überraschende Frage, »ob alles unabänderlich sei«. Sie ist deswegen überraschend, weil jenes Hin und Her auf der Straße an sich alles andere als eine Herausforderung zur Ewigkeitserkenntnis ist, da nichts veränderlicher zu sein scheint als eben eine Straßenszene; aber wie schon auf die vorangegangenen Situationen Einsichten antworteten, die auf den ersten Blick hin rätselhaft waren, bei einigem Nachdenken dann aber ihre Paradoxie verloren, so

folgt auch hier die vierte Erkenntnis auf zunächst überraschende, dann aber akzeptable Weise: überraschend, weil eben die Diskrepanz zwischen dem Veränderlichen und dem Unabänderlichen so ungeheuerlich ist, verständnisvoll und einsichtig, weil dann, wenn alles unabänderlich sein muß, das auch für die beliebige Straßenszene gilt, die Heine durch das Opernglas beobachtet.
Alle diese »Einsichten«, so paradox sie zunächst auch formuliert sein mögen, entsprechen damit zugleich jener Erkenntnis, von der Heines Gedicht schon berichtet. Die Schlußzeile nimmt alles vorher Gesagte dann noch einmal auf und gibt eine kommentierende Antwort auf Heines und des Autors beständiges Fragen: »ach diese Vogelscheuche Vergänglichkeit«. Es ist das Gemeinsame in den Spukbildern, von denen hier die Rede ist, Vergänglichkeit die dem Bewußtsein drohende Gefahr, die Heine so deutlich spürte. Auch darin ist das Gedicht historisch gesehen »richtig«: die Berichte über Heines Vergänglichkeitsangst sind ebenso zahlreich wie seine lyrischen Äußerungen zum Tod; der ist ihm nicht als Erlösung, sondern in seiner Schrecklichkeit erschienen, wenn er ihn in Gedanken vorwegnahm, ohne ihn bewältigen zu können. Daß die Vergänglichkeit hier als Vogelscheuche erscheint, ist dabei weder ein lächerliches noch ein pejoratives Attribut: Vergänglichkeit ist für Heine wie für Fritz nur vergleichsweise zu erfahren, nicht an sich, da das wirkliche Erlebnis der Vergänglichkeit, also die Erfahrung des Todes, ja gleichzeitig das Ende des Bewußtseins wäre. So sind die Schreckbilder des Todes eben nur als Schreckbilder zu erkennen, erscheint Vergänglichkeit nur als Vogelscheuche. Heine in seinem Gedicht und der Autor in dem Gedicht über das beständige Fragen nehmen vorweg, was nicht realiter, sondern nur imaginativ antizipiert werden kann. Es sind Vorerfahrungen des Todes, und am Beispiel Heines, der sie aufs deutlichste kennengelernt hatte, werden sie hier noch einmal dargestellt: vierfach ist von der Vergänglichkeit die Rede, vierfache Ängste gibt es, vierfache

Antwort, und sie alle sind Todesannäherungen; sie stehen am Ende im Widerspruch zu den »letzten Amüsements«, dem letzten Schreiben der Gedichte, den Gesprächen und dem Beobachten der Menschen auf der Straße. Aus noch vergleichsweise alltäglichen Situationen heraus kommen Feststellungen, die verständlich, wenn auch nicht mehr klar analysierbar sind, aber in jedem Fall endgültig, das Unwiderrufliche des Todes antizipierend. Das Schlußbild ist alles andere als tröstlich, die Vogelscheuche Vergänglichkeit Bild und übersinnliches Zeichen zugleich. Hier ist noch einmal das Abstraktum mit dem Konkretum zusammengebunden, so wie es durch das ganze Gedicht hindurch der Fall war, wenn auf die Situationen, die jedermann vorstellbar und einsichtig waren, etwas antwortete, was den Bereich des Sichtbaren zum Visionären hin ausweitete, etwas Abstraktes, nur intellektuell Erfahrbares. So ist die »Vogelscheuche Vergänglichkeit« denn die letzte Antwort auf das beständige Fragen, zugleich ein Schlüssel zum Verständnis des Heineschen Gedichtes, wie es uns von dem Autor Walter Helmut Fritz nahegelegt wird.

Das Heine-Gedicht stammt aus dem Zyklus *Zum Lazarus*, wie er erstmals im ersten Band der *Vermischten Schriften von Heinrich Heine* (Hamburg 1854) veröffentlicht wurde. Die von Fritz zitierten Verse sind die Schlußstrophe des Eingangsgedichtes des *Lazarus*-Zyklus, der im ganzen sechzehn Gedichte enthält. Sie alle handeln von der Vergänglichkeit und antizipieren gedanklich den Tod, beschreiben häufig aber auch noch etwas vom früheren Leben. Heine hat sich im Bilde des Lazarus zweifellos selbst erkannt; er neigte gerade in seiner Spätzeit zu derartigen Identifikationen. Fritz hat, als er die letzte Strophe des Eingangsgedichtes zitierte und diese dann durch die überlieferten, hier im Kontext seines eigenen Gedichtes jedoch nur erdachten Situationen anreicherte, eine Dimension des Heine-Gedichtes freilich ausgeschlossen: denn die beständigen Fragen, die

Heine stellt, sind nicht Fragen an den Sinn des Lebens an sich, sondern solche, die sich auf das scheinbar Ungereimte des Daseins beziehen. Die beiden vorangegangenen Strophen handeln nur von diesen »verdammten Fragen«, wie es in der ersten Heine-Strophe heißt; sie sind gegen die »heil'gen Parabolen« und die »frommen Hypothesen« gerichtet, die zwar eine Welterklärung liefern, mit der der Dichter Heine jedoch nicht zufrieden ist, zumal sie seine Fragen nicht sofort und direkt beantworten – während er darauf aus ist, sie »ohne Umschweife« zu lösen. Die von Heine gestellten Fragen beziehen sich auf die Disparatheit der Verhältnisse, die unglaubwürdige Ungerechtigkeit auf dieser Welt, auf die Diskongruenz von Sein und Schein. Sie lauten:

Warum schleppt sich blutend, elend,
Unter Kreuzlast der Gerechte,
Während glücklich als ein Sieger
Trabt auf hohem Roß der Schlechte?

Woran liegt die Schuld? Ist etwa
Unser Herr nicht ganz allmächtig?
Oder treibt er selbst den Unfug?
Ach, das wäre niederträchtig.

(*Heinrich Heines Sämtliche Werke*, S. 92.)

Danach folgt die von Fritz zitierte Strophe. Die beiden vorangegangenen Strophen lassen nun deutlich erkennen, daß die Fragen Heines nicht Fragen an einen allgemeinen Lebenssinn sind, sondern solche an die Gerechtigkeit auf dieser Welt: Heine sieht den Widerspruch zwischen dem vermeintlichen Sieger und dem wirklichen Verlierer. Der Gerechte ans Kreuz geschlagen, der Schlechte mit Ehren überhäuft: das ist ein altes Thema, das Heine schon mehrfach abgehandelt hat, am deutlichsten in seinem *Romanzero*. Dort ist in den *Historien* von ähnlichem die Rede: der Dieb hat in dem Gedicht *Rhampsenit* ungeheures Glück, im *Schelm von Bergen* wird beschrieben, wie ein Schelm zum Edelmann wird, in den *Walküren* siegt der schlechtere

Mann, in *Schlachtfeld bei Hastings* geht der Bessere zugrunde, in *Karl I.* ist vom Tode eines Königs durch den Henker die Rede, in *Marie Antoinette* vom Untergang der höfischen Welt, in *Pomare* vom armseligen Tod der schönen Tänzerin, in *Der Apollogott* von der ärmlichen Wirklichkeit des vertriebenen Apoll. Betrug siegt also über das Recht, Verrat über die Treue, das Schlechtere über das Bessere, Gaunerei über Adel, die Wirklichkeit über den schönen Mythos – es ist im Grunde Heines Geschichtsbild, wie er es in seinen späten Gedichten, vor allem eben im *Romanzero* beschrieben hat, und es versteht sich, daß Heine in seinem *Lazarus*-Zyklus nicht sehr viel anderes aussprach als das, was er 1850 in den *Romanzero*-Gedichten dargestellt hatte. Sie präludieren das hier Thematisierte, oder vielmehr: Heine nimmt hier noch einmal auf, was er schon in den *Historien* des *Romanzero* erfragt und beschrieben hatte, und die Antwort, die er hier zu geben hat, ist so vorläufig wie das, was in den *Historien* dazu zu finden war, oder vielmehr: sie ist auch hier nicht möglich. Eben dieses beständige Fragen nach der offenbaren Ungerechtigkeit auf dieser Welt steht auch hinter der von Fritz zitierten Strophe. Fritz hat das freilich nicht mehr in sein Gedicht hineingenommen, aber dennoch sind seine Zeilen nicht Heine-fremd; nur daß er die Disproportionalität von scheinhafter Welt und unsichtbarem, aber wirklichem Dasein transponiert hat in eine solche von äußerer Situation und eigentlicher Erkenntnis. In einem freilich treffen sich beide Gedichte, das Heines und das von Fritz: in der ängstlichen Beschwörung der »Vogelscheuche Vergänglichkeit«.

Die tiefere Gemeinsamkeit zwischen diesem Gedicht von Fritz und Heines späten Gedichten ergibt sich jedoch aus der Todesthematik, wie sie sich bei Heine im Grunde genommen nicht nur in den späten Texten findet, auch wenn sie dort vorrangiger ist, sondern bereits ganz früh, schon im *Buch der Lieder*. Bei Walter Helmut Fritz zieht sie sich zumindest durch den Gedichtband, in dem dieses Gedicht steht, das, zitathaft, die erste Rubrik der in *Schwierige*

Überfahrt versammelten Gedichte bestimmt. Es sind neunzehn Gedichte unterschiedlichster Inhalte, Länge und Motivik. Untergründig zentrales Thema ist dennoch überall die Vergänglichkeit, und von dorther ist Heines Strophe und das dieser zugeordnete eigene Gedicht zu Recht das Schlußgedicht dieses Zyklus, ohne daß engere stoffliche oder motivliche Bindungen innerhalb der Gedichte bestünden. Zeit und Vergänglichkeit sind Leitthemen auch der folgenden in diesem Band versammelten Zyklen: in *Was auch du nicht hast* gibt es mythische Vertiefungen, Absenkungen ins »Uralte«, in die Zeit »vor Jahrtausend«. Die Situation des kranken Heine, der nur noch in der Wohnung warten kann, wiederholt sich andeutungsweise im zwölften Gedicht dieses Zyklus. Das Thema der Vergänglichkeit bestimmt auch den Zyklus *Den Blick auf Zifferblätter gerichtet* – die Zeit als Gegenthema zur Vergänglichkeit, das Heute als Kontrast zum Gewesenen. Todesthemen finden sich schließlich auch im *Täglichen Anfang*, dem vierten Zyklus dieses Bandes: der Tod wartet, wie es in *Nach der Überschwemmung* heißt, »man sieht ihn draußen«. Auch hier ist das Titelgedicht ein Todesgedicht, und was für diesen Band gilt, gilt in etwa auch für andere Lyriksammlungen: so für *Achtsam sein* (1956), *Bild und Zeichen* (1958), *Veränderte Jahre* (1963), *Zuverlässigkeit der Unruhe* (1966), *Aus der Nähe* (1972), *Auch Jetzt und Morgen* (1979). *So viele Fragen* heißt hier ein Gedicht, und mit diesem fragenden Dichten ist eine Grundbefindlichkeit des Schreibens von Fritz genannt, das sich in seinen Gedichten immer wieder findet, das aber, in gleichsam epischer Mutation, auch in Romanen von Fritz begegnet, etwa in *Bevor uns Hören und Sehen vergeht* (1975). Dort ist der lyrische Stil ins Epische übersetzt, in die punktuelle Skizze, die Beschränkung auf die einzelne Situation, in das eigentümlich Unverbundene der Erfahrungen, in abrupte Erlebnisse und kontinuitätsloses Dasein, in die Schilderung konkreter Wirklichkeit bei gleichzeitigem Öffnen der existentiellen oder auch intellektuellen Hintergründe. Für die Lyrik gilt ähnliches. Auch die Zyklen können nicht darüber hinwegtäuschen, daß die kleinste Einheit die oft überraschend gesehene Situation ist; sie sind Summierungen solcher Situationen, oft eine Balance aus Gegensätzen herstellend. Selbst innerhalb der Gedichte schreibt Fritz nicht kontinuierlich, sondern eher pointillistisch: Unverbundenes ist nebeneinandergestellt, intellektuelle Erfahrungen sind mit Bildern gemischt, wobei oft gar nicht immer klar auszumachen ist, ob diesen eine Verdeutlichungsfunktion für jenes zukommt oder umgekehrt. Zu den Lehrmeistern von Fritz gehört offensichtlich Benn, sicherlich auch Robert Walser, dem mit dem Motto »Keine Beredsamkeit« der Roman *Bevor uns Hören und Sehen vergeht* gewidmet ist. Manches mutet eigentümlich aphoristisch an, ohne freilich die zugeschliffene Form des pointierten Sprechens zu haben, und am Ende ist es die Existenz isolierter, vereinzelter, eigentümlich kommunikationsunfähiger Figuren, die im Roman ebenso begegnet wie in seiner Lyrik. Seine Lyrik ist freilich erinnerungsträchtiger, in seinen späteren Gedichtbänden schiebt sich der Süden, die Antike, Griechenland immer wieder vor die Gegenwart, aber auch das ist intellektuell erlebt, Erfahrung und Exegese zugleich, und hier eben sind Möglichkeiten wie auch die Grenzen der Lyrik von Fritz sichtbar: die außergewöhnliche Verfügbarkeit der Welt, das Schreiben-Können über fast alles, gleichzeitig aber auch das Aufladen des Erlebten oder Gesehenen mit Bedeutung und existentieller Exegese. Sinnbefrachtungen, ja Sinnüberfrachtungen intellektualisieren das Beschriebene, bis in metaphysische Dimensionen hinein. So sind die Einzelerlebnisse gewissermaßen Sprungbretter zu allgemeinen Erfahrungen hin, das Erlebnis kommt ohne die Reflexion nicht aus, diese aber auch nicht ohne das Erlebnis: und darin mögen sich tiefere Gemeinsamkeiten zwischen Walter Helmut Fritz und Heinrich Heine andeuten, als es das kurze Gedicht über Heinrich Heine, *Also fragen wir beständig*, verrät.

Zitierte Literatur: Begegnungen mit Heine. Berichte der Zeitgenossen. 2 Bde. Hrsg. von Michael Werner in Fortführung von H. H. Houbens »Gespräche mit Heine«. 1847–1856. Bd. 2. Hamburg 1973. – Heinrich Heines Sämtliche Werke. Hrsg. von Ernst Elster. Bd. 2. Leipzig/Wien [1890].
Weitere Literatur: Jerry GLENN: Bibliographie zu Walter Helmut Fritz. In: J. G.: Deutsches Schrifttum der Gegenwart. Bern/München 1971. S. 68f. (Handbuch der Deutschen Literaturgeschichte. Abt. 2: Bibliographien. Bd. 12.) – Winfried HÖNES/Rainer GERLACH: Walter Helmut Fritz. In: Kritisches Lexikon zur deutschsprachigen Gegenwartsliteratur. Hrsg. von Heinz Ludwig Arnold. München 1978. – Heinz PIONTEK: Poesie ohne Aufwand. Zum Gedicht von Walter Helmut Fritz. In: Neue Deutsche Hefte 1969. H. 122. S. 100–108.

Elisabeth Borchers

chagall

die geschichte der liebenden
ist ein fisch
die geschichte der liebenden
ist ein stier
es liegen
die sich lieben
als feuer vor der stadt

ein engel singt blau ihre nacht
noch sitzt die taube still
der wind speist das tieraug
mit nachtblauen blumen
zwischen kieme und horn
treibt heiteres geschick

doch die sich lieben
achten es nicht
und liegen ein feuer
rot vor der stadt

Zitiert nach: Elisabeth Borchers: Gedichte. Ausgew. von Jürgen Becker. Frankfurt a. M.: Suhrkamp, 1976. (Bibliothek Suhrkamp. 509.) S. 20. © Suhrkamp Verlag, Frankfurt a. M.
Erstdruck: Elisabeth Borchers: Gedichte. Darmstadt: Hermann Luchterhand, 1961.

Peter Wapnewski

»Fisch und Feuer, Stier und Stadt«. Zu Elisabeth Borchers' Gedicht *chagall*

I

Es geschieht selten, aber es geschieht: daß Gedichte Wellen schlagen, Öffentlichkeit machen, ja die Öffentlichkeit aufbringen. So im Jahre 1960, und der Ort war das Feuilleton der *Frankfurter Allgemeinen Zeitung*. Magisch singende summende wiegende Undinen-Verse erregten Empörung, Zorn, Protest – und auch Bewunderung, die Emotionen schlugen sich über Wochen nieder in den Ausgaben der Zeitung: eine Reaktion, »deren Ausmaß niemand erwarten konnte, der professionellen Umgang mit Gedichten hatte, und das heißt, der mit der Wirkungslosigkeit des Gedichte-Schreibens vertraut war« (Becker, S. 105). »eia wasser regnet schlaf«, so begann es, und »eia regnet's wasserschlaf« endete es; und dazwischen wurde ein Toter zur Ruh gebracht, wurde ein Kind getröstet: »was sollen wir mit dem ertrunkenen matrosen tun?« Die Dichterin, deren Namen damals kaum jemand kannte, hieß Elisabeth Borchers, und dieses todesschlaftrunkene Zauberlied war ihre Version des Shantys, der da fragt: »What shall we do with the drunken sailor?« Denn sie – »hochbegabte Nachtigall« – ist auch eine literarische Dichterin, eine die mit mancherlei Zitat- und Bildmaterial arbeitet und solche Versatzstücke den eigentlichen Elementen ihrer Lyrik beigibt. Einige dieser eigentlichen Elemente aber sind schon in diesem ersten Gedicht versammelt, und sie werden immer wiederkehren: Wasser, Abend, Gras, Schlaf ... Wie in der Repetition des Gebete-Murmelns werden die Motive abgehandelt, abgewandelt – und sie assoziieren, was zu ihnen gehört als Begleiter oder als Widersacher: Erde und Wind, Nacht und Feuer – der Stoff, aus dem die Träume sind, die Märchen und die Kinderspiele. Formen der tieferen, der höheren Realität.

II

Elisabeth Borchers, geboren 1926 am Niederrhein, wo die Kinder im Martinszug singen (»der mantel rot / steigt aus dem grab / das schwert wird sanft / für eine nacht / so singen / meine armen kinder«), und Frankreich ist nicht weit: auch in Frankreich hat Elisabeth Borchers gelebt, und es gibt Verse von ihr in der Sprache des nachbarlichen Landes. Ihr Hauptgeschäft ist das Verlagslektorat, bei Luchterhand erst, in der Insel dann, und sie hat, mit ihrem Namen auf dem Titelblatt oder eher noch ihn hinter anderen Namen versteckend, viele schöne Bücher herausgebracht. Selber auch Kinderbücher geschrieben und Hörspiele und Prosa (*Eine glückliche Familie*, 1970); und dazu drei schmale Bände mit Gedichten (der dritte von 1976 eine Auswahl aus den ersten beiden von 1961 und 1967, aber vermehrt um eine Abteilung *Neue Gedichte*). Die *chagall* betitelten Verse gehören der frühesten Sammlung an – so sind sie denn auch, im Gegensatz zum späteren Brauch der Autorin, konsequent in der Kleinschreibung gehalten und entbehren des gliedernd-deutenden Satzzeichens. Was im Bereich der Lyrik durchaus nicht im gleichen Maße als geschmäcklerisch und Marotte abzutun ist wie anderwärts. Denn die Hilfsmale der Großschreibung und der Interpunktion dienen wohl dem schnelleren Erfassen der gemeinten Bedeutung in syntaktischen Zusammenhängen, indes hat Lyrik ihre eigenen Gesetze und will nicht schnell erfaßt sein und macht sich nicht deutlich durch Konrad Dudens Markierungen, sondern allein durch ihre Form.

III

Die Form: Drei Strophen in abnehmendem Umfang. Sieben Verse die erste, sechs die zweite, vier die dritte: Verknappung als Mittel der Steigerung. Die Verse selbst ungleich lang, von einer Hebung bis zu deren drei. Keine Reime (wie sie sich gelegentlich in den Liedern der Borchers finden), wohl aber Assonanzen, deren Vokalklang Worte einander

suchen und finden läßt: fisch/stier/still/geschick/nicht; liegen/lieben; stadt/nacht.
Die Farben Rot und Blau und dann wieder Rot färben die Strophen: die erste nur indirekt (»als feuer«); die zweite kennt das »blau« und das »nachtblau« (und »taube« und »-aug« klingen hinein); die dritte nennt das »rot« und setzt zum Ende ein feuriges Zeichen.
Im Erzählton beginnt es, er wird durch die Feierlichkeit der sich wiederholenden Formel zum Ton der Verkündigung: »die geschichte der liebenden ist ...«, »die geschichte der liebenden ist ...«. Und biblische Bildsprache ist es, die die Verse insgesamt durchtönt.
Vergangenheit mündet in Gegenwart: Einst waren die Liebenden Fisch, und einst waren sie Stier; jetzt sind sie Feuer.
Feuer vor der Stadt.
So die Exposition. Die zweite Strophe ergänzt, malt das Ambiente, schmückt die Szene, läßt den Engel mitspielen und die Taube, den Wind und die Blumen und läßt all diese Wesen sich aufeinander beziehen: Heiterkeit ist ihr Element, das sie ausströmen zwischen den einander weit abgewandten Kopf-Enden von Fisch und Stier.
Die dritte Strophe greift zurück in den Anfang, gibt dem ganzen Gebild eine Ring-Struktur, und drei ihrer vier Verse sind aus den letzten drei Versen der ersten Strophe unmittelbar abgeleitet. Dazwischen drängt sich die Verweigerung des »heiteren geschicks« durch die Liebenden: Sie »achten es nicht«. Denn sie scheinen nunmehr aufgegangen in der Absolutheit ihrer Liebe. Hieß es anfangs noch, sie liegen »als Feuer« vor der Stadt, in der Rolle gewissermaßen des Feuers, so *sind* sie zum Ende das Feuer; und so ist es auch konsequent, daß nunmehr hart die Farbe genannt, wie eine Fackel in die Szene geworfen wird: »und liegen ein feuer / *rot* vor der stadt«.

Marc Chagall, »Die Bastille«, Farblithographie 1954.

IV

»chagall«: Die Überschrift ist kein Aperçu, es geht nicht darum, nach Chagalls Manier ein Panorama zu ersinnen, ein Szenario einzurichten. Das Bild ist authentisch, ein Farblitho aus dem Jahre 1954, und es hat das Format 51,5 mal 66,8 cm.

Der Untergang ist ein verwaschenes Lila. Davor übereinander geschichtet in drei Ebenen die großen Elementar-Wesen: Der Fisch (das Wasser); der Stier (die Erde; so war der Stier z. B. das Kultbild des Vegetationsgottes Baal); die Liebenden (und ihrem Rot mag man das Feuer zuordnen). In das gleichfarbene Rot des Stierleibs hineingemalt: schachtelartig die Waben-Fassaden der Stadt-Häuser, vor ihnen aufragend eine Siegessäule. Der große Fisch, einem Wal nicht unähnlich, mit einem Sichelmond als Auge, und nach links aus dem Bild hinausschwimmend, läßt seine Schwanzflosse ausmünden in den Oberkörper einer Frau, deren Kopf – wir haben einen Chagall vor uns – um 180 Grad versetzt ist. Darunter, parallel nach rechts aus dem Bild hinausstrebend, das Haupt des Stiers, der somit einen Kontrapost zum Haupt des Fisches bildet: Kieme links und Horn rechts, und dazwischen das Spannungsfeld des »heiteren geschicks«.

Am rechten Außenrand, in blauer Ausbuchtung unter dem Stierhaupt, eine zweite weibliche Gestalt, eine Taube im Arm, die »noch« still sitzt – sie wird also aufflattern: an Tiervater Noah erinnernd (1. Mose 8); den Heiligen Geist assoziierend (Matth. 3,16)?

Es tritt übrigens zu den solchermaßen aus den Bildfiguren abzuleitenden Elementen Wasser – Erde – Feuer auch das vierte, die Luft hinzu: der »wind«, das Haar der beiden Frauenköpfe läßt er wehen, und nachtblaue Blumen trägt er heran, ihre Farbe wird vom auf diese Weise »gespeisten« Auge des Stiers reflektiert.

V

Die Elemente und Symbolwesen stehen zum einen für sich selbst. Zum andern sind sie ihrerseits Chiffren für biblische Botschaft. Der Fisch erinnert an das Abenteuer des Jonas, vor allem jedoch ist er Symbol des frühen Christentums (da man seinen griechischen Namen ἰχθύς auflösen konnte in die Anfangsbuchstaben einer griechischen Wortreihe, die deutsch lautet »Jesus Christus, Gottes Sohn, Heiland«). Stier und Engel sind die Symbolfiguren der Evangelisten Lukas und Matthäus. »wind« mag erinnern an das πνεῦμα θεοῦ, den Atem oder Odem Gottes, der des Menschen Leben ist. Und zwischen Engel und Windatem also die Taube, die den Heiligen Geist meint.

Ein Bild-Gedicht. Ein Gedicht-Bild. Elemente vorführend, die immer wieder in immer wechselnden Konfigurationen die Bilder Chagalls, die Gedichte Elisabeth Borchers' bewegen. Archaische Chiffren, also Chiffren der Zeitlosigkeit. Traumsignale, Märchengesten, heilige Siglen. Träger von Sinn und Bedeutung, doch in ihrer Zuordnung nicht notwendig eine Geschichte bündig erzählend. Hier ist traumdeutlich versammelt, was des Menschen Leben bewegt und rahmt: die vier Elemente; und der Atem des Göttlichen; und der Flügelschlag des Friedens; die Blumen der Erde und der Engel der Verkündigung; die lebenzeugende Nacht, die Schlaf sein kann und Tod – dazu das Feuer, das wärmende und das vernichtende. Wenn Liebe, wie wir vom Apostel Paulus wissen, größer ist denn Glaube und Hoffnung, dann ist hier das liebebrennende Feuer wohl auch größer als die andern Elemente. Bedroht es, vor der Stadt, die Stadt? Bedrohen die Liebenden die Stadt? Weil die Liebe zweier Liebender auch eine ordnungsprengende Gewalt ist? Fragen. Sie zu stellen, wurde ein Bild gemalt. Sie weiterzufragen, ein Gedicht gemacht.

Dabei hat – »Dichter sind Könige und können einen Bastard legitimieren« (Ulrich von Wilamowitz-Möllendorf) – Elisabeth Borchers von der Autonomie ihrer Kunst gegenüber dem auslösenden Kunstwerk souverän Gebrauch gemacht. Sie hat anders weitergedacht, weitergedichtet, weitergefragt als der Maler. Der ja zwar das glühende Rot über die Hälfte fast des Bildes ausbreitete, ihm aber nirgends die Züge des Feuers einzeichnete. Und der, das wurde bisher verschwiegen, dem Litho einen Namen gab, und keinen willkürlichen. Es heißt »Die Bastille«. Damit ist ein konkreter Ort bezeichnet, und zugleich ist jene Siegessäule, die man auch anderwärts, z. B. in Berlin, hätte wiedererkennen können, präzis bestimmt.

So wie Chagall es gemalt hat, weisen freilich die Konturen des Bauwerks, weist der es tänzelnd krönende geflügelte Engel mit dem hoch erhobenen fackeltragenden Arm das Sujet nicht zwingend der »Place de la Bastille« zu. Der Titel indes, so wie Chagall ihn dem Bild mitgegeben, weist diesem zwingend die »Place de la Bastille« zu, jene Säule, deren mehrfach gestufte Basis der Maler zu einem einzigen steinernen Rondell vereinfacht (aber nicht entstellt) hat. Es handelt sich also um die »Julisäule« von Alavoine und Duc, errichtet 1841 zur Erinnerung an die Opfer des Aufstandes vom Juli 1830 an eben jener Stelle, wo einst das am 14. Juli 1789 gestürmte Bastille-Gefängnis stand (das dann 1790 als Symbol verhaßter Zwingherrschaft geschleift wurde).

Hat Chagall in der Konfiguration der Elementarwesen, der Elementarfarben mit jenem Revolutionsmal etwas aussagen wollen über das Leben und Sterben und Handeln der Menschen? Hat er andeuten wollen, wie Liebe gedeiht im Schutz der von Gewalt befreienden Gewalt-Taten? Wie das Blau des Wassers, das Rot des Feuers, wie sich Stern und Blume und Engel und Taube als »ewige« Zeichen und Gesten um die Zeitlichkeit des menschlichen Befreiungsaktes versammeln und ihn in ihren Schutz nehmen, mit ihm die Liebe der Liebenden?

Müßige Fragen. Der Maler hat sie nicht anders beantwortet als mit seinem Bild. Der Dichter hat andere gestellt.

VI

Die antike Poetik unterrichtete auch in der Kunst der ›descriptio‹, der Beschreibung etwa einer Gestalt von Kopf bis Fuß. Der Manierismus der frühen Neuzeit brillierte in einer den Wappenmalern abgeguckten Technik mit sogenannten ›blasons‹, zierlichen die weibliche Schönheit nachmalenden Versen. Bildbeschreibung: dergleichen verlangte die Schule von uns, damit wir uns übten im genauen Hinsehen und in der sprachlichen Übertragung des Gesehenen auf die entsprechende, eben wörtliche Weise.

Hier geht es um anderes. Wenn Conrad Ferdinand Meyer die himmelauffahrende Madonna Tizians, wenn Rilke den archaischen Torso Apollons ›beschreibt‹, und wenn Elisabeth Borchers Verse macht *Auf ein Bild von Klee namens Fischzauber* (*Gedichte*, 1976, S. 94), dann ist nicht der wörtliche Nachvollzug malerischer Formen und Figurationen gemeint. Die gesetzmäßigen Grenzen der einen Kunstübung von der anderen zu sondern, hat uns ein für allemal Lessing gelehrt. Vielmehr handelt es sich um den Versuch, den Gegenstand der einen Kunst zum Gegenstand auch der anderen zu wählen und ihn, den auf solche Weise verfremdeten, auf neue Weise vertraut, verstehbar, verstanden zu machen.

Wer ein Bild, ein gemaltes, in Worten nachvollziehen will, wird notwendigerweise einen Verlust in Kauf nehmen müssen. Es kann indes geschehen, daß ein solches Verfahren autonom wird und die Minderung der Anschaulichkeit in Mehrung der Anschauung umwandelt. *chagall* ist ein Bild von Chagall von Elisabeth Borchers.

P. S.: Fritz Schönborn, der seine höchst merkwürdigen »Anweisungen zum Bestimmen von Stilblüten, poetischem Kraut und Unkraut« zusammengefaßt hat unter dem Titel *Deutsche Dichterflora*, bucht auch das zarte »Wiesenborchers« (das er weiter unter den Namen »Märchenhold, Traumkissen, Sanfterl« kennt, S. 128 f.). Die Beschreibung dieses Märchenkrautes ruft als Zeugen auch den Dichter Rainer Maria Rilke zur Hilfe: Schrieb doch dieser »einmal einer Freundin, die seltsamerweise nicht genannt sein will: ›Das Fragile des Wiesenborchers erinnert an bestimmte Soufflees. Ein kalter Anhauch läßt ihn erschauern und verwelken – wie es mit Gedichten geschieht, die nicht zum Verstehen geschrieben sind‹«. – Ich danke Dr. Katharina Schmidt, Baden-Baden, für ihre Hilfe bei der Verifizierung der Chagall-Vorlage und Dr. Joachim Nettelbeck für seine Hilfe bei der Verifizierung der Örtlichkeit.

Zitierte Literatur: Jürgen Becker: Nachbemerkung. In: Elisabeth Borchers: Gedichte. 1976. [Siehe Textquelle.] S. 105–109. – Fritz Schönborn: Deutsche Dichterflora. München 1980.

Günter Grass

Adornos Zunge

Er saß in dem geheizten Zimmer
Adorno mit der schönen Zunge
und spielte mit der schönen Zunge.

Da kamen Metzger über Treppen,
die stiegen regelmäßig Treppen,
und immer näher kamen Metzger.

Es nahm Adorno seinen runden
geputzten runden Taschenspiegel
und spiegelte die schöne Zunge.

Die Metzger aber klopften nicht.
Sie öffneten mit ihren Messern
Adornos Tür und klopften nicht.

Grad war Adorno ganz alleine,
mit seiner Zunge ganz alleine;
es lauerte auf's Wort, Papier.

Als Metzger über Treppenstufen
das Haus verließen, trugen sie
die schöne Zunge in ihr Haus.

Viel später, als Adornos Zunge
verschnitten, kam belegte Zunge,
verlangte nach der schönen Zunge, –

zu spät.

Zitiert nach: Günter Grass: Gesammelte Gedichte. Mit einem Vorw. von Heinrich Vormweg. Neuwied/Berlin: Hermann Luchterhand, 1971. (Sammlung Luchterhand. 34.) S. 121.
Erstdruck: Günter Grass: Adornos Zunge. In: Akzente 12 (1965) H. 4.

Heinrich Vormweg

Ein Gelegenheitsgedicht

> »Böse,
> wie nur eine Sütterlinschrift böse sein kann,
> verbreitet er sich auf liniertem Papier ...«
>
> Günter Grass, *Der Dichter*

Theodor W. Adorno soll damals, anno 1965, gesagt haben, nein, er habe sich über das Gedicht nicht geärgert. Grund dazu hätte er gehabt. Wie Günter Grass in *Adornos Zunge* – kurz nach Erscheinen von Adornos *Jargon der Eigentlichkeit*, die erst 1966 vorgelegte *Negative Dialektik* im voraus parodierend – das Mit-Zungen-Reden des Philosophen der Kritischen Theorie bildhaft auf den Punkt lüsterner Eitelkeit gebracht hat, das war von zugreifender, durch schwarzen Humor verstärkter Bosheit. Aber Adorno war wohl in der Tat viel zu klug, um sich zu ärgern. Eher schloß er, so ist zu vermuten, daß sich ihm mit diesem Gedicht eine neue Dimension des Ruhms auftat. Jetzt wurden sozusagen schon Straßenlieder auf ihn gemacht, und nicht von irgendeinem.

Eine Voraussetzung für das Verständnis dieses Gedichts ist, einiges von Adorno zu wissen und sich an die Zeit um 1965 zu erinnern, das Jahr, in dem Grass *Adornos Zunge* geschrieben und zuerst veröffentlicht hat. Eines ist damit sogleich klar: Grass hatte zu seiner poetischen Attacke durchaus Anlaß. Damals, vier Jahre vor Adornos vorzeitigem Tod, zwei Jahre vor Beginn der Studentenrevolte war der Philosoph auf dem Höhepunkt seiner öffentlichen Wirkung. Überall seine Stimme, überall seine Reden, Vorträge, Aufsätze in Sachen Gesellschaft, Ästhetik, Musik, Literatur. Ein großer Teil der Studenten hörte auf ihn. Und Adornos Zunge schuf offenbar Genuß auch solchen, die seine Argumente und Gedanken kaum verstanden. Ein Phänomen, kein Zweifel, eine sich aufdrängende Herausforderung, auch

einmal dagegenzureden, sich zu mokieren. Aus verschiedenen Gründen gehörte dazu freilich einiger Mut.
Günter Grass hat die Gelegenheit aufgegriffen. Er hat auf sie reagiert mit einem Gelegenheitsgedicht, und zwar in jenem Sinn, laut dem er sich in seiner November 1960 auf der Tagung »Lyrik heute« in Westberlin gehaltenen Rede *Das Gelegenheitsgedicht oder Es ist immer noch, frei nach Picasso, verboten, mit dem Piloten zu sprechen* als »eingefleischter Gelegenheitsdichter« bekannt hat: einem den Begriffen, gar der Definition sich entziehenden, den komplex dichterischen Anspruch lässig, ironisch, doch entschieden reklamierenden Sinn.
Grass wollte kein programmierter und programmierender, kein »Labordichter« sein, sondern einfach ein Dichter, kraft eigener Imagination, eigener Bilder. Andere Voraussetzungen erkannte er nicht an, und hieran ist zuallererst zu erinnern. In deutlich provokatorischer Absicht hat er in jener Rede auch einige »Kniffe des Gelegenheitsdichters« verraten. Zum Beispiel diesen: »Sobald ich das Gefühl habe, es liegt wieder mal ein Gedicht in der Luft, vermeide ich streng, Hülsenfrüchte zu essen, und fahre oft, obgleich mich das teuer zu stehen kommt, sinnlos sinnvoll mit dem Taxi, damit sich jenes in der Luft liegende Gedicht löst [...].« Leider hilft das nicht in jedem Fall. Manchmal läuft es genau andersherum: »Wenn also ein Gedicht in der Luft liegt und ich ahne, diesmal will sie, nämlich die Muse, mich mit etwas Fünfstrophigem, Dreizeiligen heimsuchen, helfen mir weder der Verzicht auf Hülsenfrüchte noch unmäßiges Taxifahren, dann hilft nur eines: grüne Heringe kaufen, ausnehmen, braten, in Essig einlegen, Einladungen zu Leuten, die gerne über elektronische Musik reden, ablehnen [...].« Und so weiter.
Adornos Zunge ist kein fünfstrophiges dreizeiliges, sondern ein siebenstrophiges dreizeiliges Gedicht mit einem eigens abgesetzten, fast seufzenden Nachtakt. Grass dürfte einen dritten seiner Kniffe angewandt haben, als dieses Gedicht in der Luft lag. Aber egal, welchen: auch *Adornos Zunge* ist

nicht zu dem Zweck verfaßt, hinsichtlich Entstehung und Aussage bis zum letzten I-Punkt erklärbar zu sein. Sondern als ein Gedicht von Günter Grass, dessen Bildmetaphern beanspruchen, als sie selbst akzeptiert zu werden. Die Erklärlust allerdings fordert auch dieses Gedicht von Grass gerade damit dringlich heraus.

Relativ leicht zu befriedigen ist sie, soweit es um die Zunge selbst und das Vergnügen ihres Besitzers an ihr geht. Dieses Bild ist mit all seinen Andeutungen spontan faßlich als die Parodie einer selbstzufriedenen und -gefälligen, ihres Erfolgs sicheren Zungengewandtheit. Die Zunge allein ist die Botschaft, ließe sich mit Seitenblick auf McLuhan festhalten. Auf den Bezug des Zungenwerks zu irgendeiner rauhen Wirklichkeit kommt es überhaupt nicht an. Das Gedicht suggeriert dies allein schon mit dem einen Wort vom »geheizten« Zimmer, in dem Adorno beim Spiel mit seiner Zunge sitzt. Während der Leser noch denkt: natürlich geheizt, falls Herbst oder Winter ist, wieso auch nicht – während er so denkt, drängt auch schon ein leises Aha nach vorn: In solcher Welt also lebt er, Adorno mit der schönen Zunge, in einer bequemen, abgeschirmten, stets angewärmten Zimmerwelt, die den wirklichen Auseinandersetzungen enthoben ist. Da hat er es leicht, mit der Zunge zu spielen, so behaglich und sicher, wie er sich fühlt. Welch Gefühl nur leider auf Irrtum beruht.

Von beträchtlicher Impertinenz die beiden weiteren Momente in diesem idyllischen Bild. Beim »runden / geputzten runden Taschenspiegel« (7 f.), in dem Adorno seine schöne Zunge spiegelt, kommt eine Assoziation von kleiner Rundlichkeit auf, die sich unversehens aus der Erinnerung an Adornos Statur verdichtet. Und wie in der Zeile »es lauerte auf's Wort, Papier« (15) die Wörter gesetzt sind, das gibt dem »Papier« ein die Bedeutung erweiterndes Übergewicht. Alles nur Papier, was Adornos schöne Zunge zustande bringt?

Noch ehe die verräterische Idylle überhaupt ausgemalt ist allerdings, bereits in der zweiten dreizeiligen Strophe, wird

sie auch schon überschattet von einer Bedrohung, die auftaucht wie im Märchen, bildhaft zweidimensional wie die Idylle selbst, doch nicht nur wie diese weit offen für handfeste Assoziationen aus der Kenntnis der Person Adornos – für Assoziationen auch aus deutscher Geschichte. ». . . und immer näher kamen Metzger« (6). Adorno hat als Linker und als Jude vor Hitler flüchten müssen. Haben die Bilderbogen-Metzger des Gedichts etwas mit den Naziverfolgern von damals zu tun? Ist es denkbar, daß sie mit diesen nichts zu tun haben könnten? Grass läßt die Metzger die schöne Zunge herausschneiden und ihre schrecklich gleichmütige Übermacht flugs wieder zurücksinken ins idyllisch-makabre Märchenbild. Wieder einfach nur Märchen-Metzger, verschneiden sie die schöne Zunge. Zungenwurst? Ist »belegte Zunge«, die es verspätet abgesehen hat auf die schöne Zunge, ein Möchtegern-Nachfolger? Deutet der Zungenverschnitt auf Adornos Schülerschar, aus der keiner es zu einer so schönen Zunge gebracht hat, wie der Meister sie hatte? Wird aus dem spöttischen Gelegenheitsgedicht auf den Philosophen ein Rundumschlag gegen die ganze Adorno-Schule? Kommen aus ihr etwa die Metzger?
Je weiter der Leser vorankommt im Gedicht, je mehr er sich auf es einläßt, desto mehr Fragen steigen auf, und das hat nichts damit zu tun, daß inzwischen irgendwelche 1965 unmittelbar aktuellen Bezüge verblaßt wären. Die Fragen blieben auch zur Zeit der Niederschrift des Gedichts schon Fragen. Auch damals schon war dies Blatt aus dem Grassschen lyrischen Bilderbuch so friedvoll-heillos ambivalent, wie es sich heute zeigt. Übrigens mit bis heute erstaunlich klaren Konturen und unverwelkten Farben, auf die man nur die Wahrnehmung wieder ein wenig einüben muß.
Wäre weiterzufragen nach Stellung und Stellenwert des Gedichts im lyrischen Œuvre des Gelegenheitsdichters. Zunächst die Daten. In der Ausgabe *Gesammelte Gedichte*, erschienen 1971, findet *Adornos Zunge* sich im Teil *Gleisdreieck*. Aber im gleichnamigen, 1960 herausgekommenen Gedichtband des Autors ist das Gedicht noch nicht enthal-

ten. Zuerst veröffentlicht wurde es in Heft 4 des Jahrgangs 1965 der Zeitschrift *Akzente*. In den Gedichtband *Ausgefragt* von 1967 nicht aufgenommen, wurde es in den *Gesammelten Gedichten* sozusagen zurückdatiert.
Adornos Zunge hat, zwischen den Gedichten *Racine läßt sein Wappen ändern* und *Sonntagsjäger*, im Teil *Gleisdreieck* den angemessenen Platz. Das Gedicht drängt über die gleichsam handkolorierte Wunsch-, Spiel-, Bilderwelt der frühen Gedichte von Günter Grass, gesammelt in *Die Vorzüge der Windhühner*, auf ähnliche Weise hinaus wie die übrigen, sich der unmittelbaren Umwelt samt ihren Widersprüchen immer direkter aussetzenden Gedichte in *Gleisdreieck*. Dezidiert politisch wie so viele Gedichte dann in *Ausgefragt* ist es noch nicht. Unheimlichkeit, die Ahnung von Gefahr bleiben gebannt im Bild.
Auf das nur unmerklich, ähnlich einem nach altem Jahrmarktmuster gemalten Comic sich bewegende Bild assoziierend sich einzulassen – das bleibt die Voraussetzung, das Gedicht *Adornos Zunge* zu begreifen. Es ist eine komplexe, in der Vorstellung zum sichtbaren Bild sich konkretisierende Metapher. Wie auch sonst meist in seinen Gedichten war der Zeichner Grass mit am Werk. Und wie auch sonst ist die Sprache des Gedichts, ferngehalten allem neueren, 1965 längst ausgearbeiteten Bewußtsein von der konditionierenden Eigenmacht der Sprache, naiv, doch mit einer Dringlichkeit und Kraft, die alle moderne Sprachproblematik für den Moment der Wahrnehmung außer Kraft setzt, über sie hinwegspringt und tatsächlich etwas Konkretes faßt. Allerdings im nicht völlig entschlüsselbaren, auf seinem Eigenwert bestehenden Bild.
Die noch immer gegebene direkt spürbare Gegenwärtigkeit des Gedichts beruht inzwischen weniger auf seinen schon zu seiner Entstehungszeit nicht rationalisierbaren aktuellen Bezügen als auf der unverhohlenen Künstlichkeit seines Bildcharakters, und diese ist es auch, die den Ausblick in Realität offenhält. Es funktioniert wie in den Märchen, in denen, selbst als Kindermärchen, das Schreckliche, Gewalt

und Tod, anwesend sind, ohne daß die Idylle zerbräche. Sie wird bei Grass nur durchsichtig – wie der Wahn, dem Schrecklichen sei man oder ließe sich entkommen. Spürbar wird, wo dieses sich am wirkungsvollsten verbirgt. Aber die Idylle, das faßliche, beruhigende Bild ermöglicht auch das Weiterleben. Eine Spannung, die noch immer explosiv ist.
Die Zeilen aus dem Gedicht *Der Dichter*, aus *Gleisdreieck*, die als Motto dieser Überlegungen zitiert sind, zeigen nur den einen Impuls des Günter Grass. Das Gedicht geht weiter. Der Dichter verbreitet sich nicht nur auf liniertem Papier so »böse, wie nur eine Sütterlinschrift [!] böse sein kann«, er erschrickt auch über seine Wirkung:

Alle Kinder können ihn lesen
und laufen davon
und erzählen es den Kaninchen,
und die Kaninchen sterben, sterben aus –
für wen noch Tinte, wenn es keine Kaninchen mehr gibt!

Neben allen anderen Ambivalenzen ist auch diese im Gedicht *Adornos Zunge* virulent. Die Eitelkeit des Zungenspielers, die schrecklichen Metzger, die Untat – doch alles im Bild. Das Leben soll weitergehen, Adorno weiterreden, und ohne Metzger gäbe es nirgendwo Fleisch und Wurst zu kaufen. Im Gedicht ist das eine wie das andere wirklich.

Zitierte Literatur: Günter Grass: Das Gelegenheitsgedicht oder Es ist immer noch, frei nach Picasso, verboten, mit dem Piloten zu sprechen. In: G.G.: Aufsätze zur Literatur. Darmstadt 1980. S. 15ff.

Hans Magnus Enzensberger

leuchtfeuer

i

dieses feuer beweist nichts,
es leuchtet, bedeutet:
dort ist ein feuer.
kennung: alle dreißig sekunden
5 drei blitze weiß. funkfeuer:
automatisch, kennung SR.
nebelhorn, elektronisch gesteuert:
alle neunzig sekunden ein stoß.

ii

fünfzig meter hoch über dem meer
10 das insektenauge,
so groß wie ein mensch:
fresnel-linsen und prismen,
vier millionen hefnerkerzen,
zwanzig seemeilen sicht,
15 auch bei dunst.

iii

dieser turm aus eisen ist rot,
und weiß, und rot.
diese schäre ist leer.
nur für feuermeister und lotsen
20 drei häuser, drei schuppen aus holz,
weiß, und rot, und weiß. post
einmal im monat, im luv
ein geborstner wacholder,
verkrüppelte stachelbeerstauden.

iv

weiter bedeutet es nichts.
weiter verheißt es nichts.
keine lösungen, keine erlösung.
das feuer dort leuchtet,
ist nichts als ein feuer,
bedeutet: dort ist ein feuer,
dort ist der ort wo das feuer ist,
dort wo das feuer ist ist der ort.

Zitiert nach: Hans Magnus Enzensberger: blindenschrift. Frankfurt a. M.: Suhrkamp, 1964. ^{3}1969. S. 66f. [Erstdruck.]

Hiltrud Gnüg

Poesie und Metapoesie. Zu Enzensbergers Gedicht *leuchtfeuer*

Sind Gedichte für Hans Magnus Enzensberger »Leuchtfeuer«, »Leuchttürme«, die in ihrer konturierten Leuchtkraft das dunkle Meer alltäglicher Geschichte erhellen, oder sind sie »schattenwerke« – so der Titel des Schlußgedichts der *blindenschrift* (S. 92) –, dunkelt die Patina ihrer Geschichtlichkeit ihre Leuchtbotschaften ein?
Befremdlich mag zunächst diese Frage angesichts eines Gedichtes erscheinen, das von nichts weniger als vom Dichten spricht, das eher positivistisch Funktion und Konstruktion eines Leuchtturms beschreibt, in knapp charakterisierenden Sätzen Aussehen und Umgebung eines bestimmten Leuchtturms skizziert. Fachtermini aus Physik und Schiffahrt dominieren, und dunkel hermetisch ist dem fachunkundigen Leser eher diese ›unpoetische‹ Begrifflichkeit,

nicht aber das ästhetische Arrangement des Gedichtes. Jedoch, Enzensberger, der Poeta doctus, der sein *Museum der modernen Poesie* zusammengestellt hat, der die Avantgarde der lyrischen Moderne und deren Theorien kennt, ist ein literarischer Fallensteller, der den Leser über das scheinbar Offenkundige in eine Aporie stolpern läßt, aus der ihm nur die Literatur wieder heraushilft: die Aufschlüsselung der literarischen Anspielungen.
Die drei ersten Zeilen scheinen zunächst nur tautologisch den Befund auszusagen, daß da ein Feuer ist, das leuchtet, und daß das nichts anderes bedeutet, als daß da ein Feuer ist; irritierend der Hinweis »dieses Feuer beweist nichts« (1), diese dezidierte Absage an eine Auslegungsmöglichkeit, die der Leser ja noch gar nicht erwogen hat. Auffallend auch, daß sich die drei ersten Zeilen in ihrer tautologischen Kreisbewegung von den folgenden kurzen und präzisen Angaben über das Funktionieren eines Leuchtfeuers abheben. Elliptisch reihend der Stil, eine asyntaktische, Verben aussparende Kürzelsprache, die sich dem Sprachduktus der Funkersprache annähert, auf sie zitathaft anspielt. Gleich das erste Wort (4) »kennung« ein Fachbegriff aus der Schiffahrt, der die Art der Lichtsignale, die optischen Morsesignale bezeichnet: »alle dreißig sekunden / drei blitze weiß« (4 f.) – ein konkretes Beispiel optischer Morsesprache wird vorgeführt. Doch zum Signalsystem eines Leuchtturms gehören neben den optischen auch die akustischen und Funksignale. Enzensberger zitiert – im Sinne eines exakten Wissenschaftsideals – alle drei Morsemöglichkeiten: »funkfeuer: / automatisch, kennung SR. / nebelhorn, elektronisch gesteuert: / alle neunzig sekunden ein stoß« (5–8). Drei Formen möglicher Signale, die die Schiffahrt steuern, werden an einem konkreten Beispiel aufgezeigt. Schon hier stellen sich erste Überlegungen ein, ob die Anfangszeilen nicht doch hintergründiger zu verstehen sind. – Behaupten die ersten drei Zeilen, daß das Leuchtfeuer nur bedeutet, »dort ist ein feuer«, so demonstrieren ja die Beispiele, daß die Leuchtfeuer in ihrer jeweiligen »kennung« durchaus eine sehr präzise Bedeutung

haben. Hier ist ein Widerspruch, der entweder als ästhetische Schwäche dem Gedicht anzulasten ist oder der auf einer anderen Sinnebene seine Widersprüchlichkeit verliert, eben auf diese andere Sinnebene hinweist. Diese Frage bleibt zunächst noch offen.
Auch die zweite Strophe ist einem skizzenhaften Beschreibungsstil verhaftet, der auflistet, eher Stichworte für Sachkundige hintupft, als daß er in ›poetischer‹ Bildlichkeit auf irgendeinen symbolischen Sinn anspielt. Eine Metapher, »das insektenauge« (10), ist auszumachen, die jedoch auch wieder nur ein biologisch exaktes Anschauungsbeispiel ist, das Laien konkret die physikalische Struktur des optischen Morseapparats vor Augen führt. Eine Metapher als didaktisches Hilfskonstrukt, das die Facettenstruktur des optischen Apparats am vertrauteren Lebewesen versinnlicht. Metapher also als ›Erfahrungsbrücke‹, nicht jedoch als poetische, erst Sinn stiftende Figur.
Enzensberger bleibt in seinem lyrischen Weltbild, das aus sich heraus – in seiner Kürzel-Evokation physikalischer Erfindungen – eine vor allem physikalisch gesteuerte Realität vorführt. »insektenauge« und »so groß wie ein mensch« (11) – da werden zwei divergierende Erfahrungsbeispiele/Anschauungsmetaphern gemischt, um die optisch nivellierende, verkleinernde Fernenperspektive und die Nahperspektive im Sachmaßstab zusammenzuschauen. Doch der anschaulichen Beschreibung des Morse-Instruments fügt Enzensberger – formelhaft – die physikalischen Daten an: »fresnel-linsen und prismen, / vier millionen hefnerkerzen, / zwanzig seemeilen sicht, / auch bei dunst« (12–15). Fresnel, der die Beugungs- und Interferenzerscheinungen des Lichts untersuchte, hat die nach ihm benannten Ring- und Gürtellinsen erfunden, v. Hefner die nach ihm benannten Hefnerkerzen eingeführt, mit der die Einheit der Lichtstärke lange Zeit gemessen wurde. Hinter diesen naturwissenschaftlichen, exakten Angaben verbirgt sich kein ›eigentlich‹ poetischer Sinn, zwanzig Seemeilen Sicht auch bei Dunst, das ist die faktische Leistung dieses Leuchtturms, das bedarf keiner

Interpretation. Auch in der dritten Strophe, die den Leuchtturm in seiner Umgebung, eine ›Landschaft mit Leuchtturm‹, evoziert, spart Enzensberger jede Ambivalenz, jede poetische Vielschichtigkeit aus, behauptet er durch einen betont deiktischen Gestus, der an den Eich des *Inventur*-Gedichts erinnert, seine oberflächige Sicht auf die Dinge: »dieser turm aus eisen ist rot, / und weiß, und rot. / diese schäre ist leer« (16–18). Der Sprachduktus zeichnet den Farb-Rhythmus nach, die einfache parataktische Reihung mit der wiederholten Deixis scheint auch stilistisch die Kargheit und Abgeschiedenheit dieser skandinavischen Seelandschaft wiederzugeben. Erneut eine Aufzählung: »drei häuser, drei schuppen aus holz« (20), die stilistische Wiederholung auch der Farbskala entspricht der Monotonie der evozierten Landschaft; der metaphernlose, sparsam selektierende Skizzenstil suggeriert nichts anderes als die Faktizität des Beschriebenen. Im Luv, also auf der Seite, auf die der Wind trifft, »ein geborstner wacholder, / verkrüppelte stachelbeerstauden«, eine kümmerliche Vegetation, die nichts anderes als eine kümmerliche Vegetation bedeutet.
Und das verkündet auch die vierte, die Schlußstrophe, mit dem Pathos der insistierenden Wiederholung, das zum ›Lügensignal‹ wird. Die variierende Wiederholung der Anfangszeile: »dieses feuer beweist nichts« – »weiter bedeutet es nichts« (25) – »weiter verheißt es nichts« (26) – »das feuer dort leuchtet, / ist nichts als ein feuer, / bedeutet: dort ist ein feuer« (28–30) etc. – diese penetrant tautologische Zirkelbewegung entwickelt eine eigene ästhetische Dynamik, nimmt einen Beschwörungscharakter an, der in merkwürdigem Konstrast zu dem sehr verknappten Duktus steht, mit dem Enzensberger sein eigentliches Sujet »leuchtfeuer« behandelt. Scheinbar insistiert Enzensberger in dieser Schlußstrophe vehement auf diesem einen Gedanken, daß die Dinge die Dinge bedeuten, nichts anderes, wehrt er – gegen wen? – jede symbolische Deutungsmöglichkeit ab. Doch schon das Wort »verheißt« fällt aus dem Kontext heraus, zielt über die Kritik symbolischen Deutens hinaus.

Und vollends die Abwehr »keine lösungen, keine erlösung« (27) erinnert an eine Poetik moderner Lyrik, die zwar jeden außerästhetischen Sinn des Gedichts ablehnte, zugleich jedoch im lyrischen Produktionsvorgang eine letzte mögliche Transzendenz sah. Man denke an die ›poésie pure‹ Mallarmés, auf die der späte Benn in seinem ›Artistenevangelium‹ sich berief. Enzensberger – das sei hier als These vorausgeschickt – setzt sich in diesem Gedicht mit einigen Theoremen moderner Dichtungstheorie auseinander.
Zunächst die faktischen Belege, die diese These unterstützen: In seinem dichtungstheoretischen Essay *Weltsprache der modernen Poesie* grenzt Enzensberger den Begriff moderner Poesie ein: »Moderne Poesie also, auf diesen Seiten, soll heißen: Poesie nach Whitman und Baudelaire, nach Rimbaud und Mallarmé. Die *Grashalme* sind 1855, die *Blumen des Bösen* 1857 erschienen. Unzweideutig und strahlend ›modern‹ war das Werk dieser wenigen, ›einzelner tiefsinniger Naturen‹, die ›wie versiegelte Brunnen‹ in der zweiten Hälfte des vergangenen Jahrhunderts gestanden und ›mit Arcanis gehandelt‹ haben (Brentano)« (S. 7). Und eben Baudelaire, den er als den Vater moderner Poesie anführt, hat ein Gedicht *Phares* (›Leuchttürme/Leuchtfeuer‹) geschrieben, auf das auch Benn wieder in seiner berühmten Marburger Rede *Probleme der Lyrik* verwies.
Baudelaires Gedicht *Phares* entwickelt eben den Gedanken, den Enzensberger in seinem Essay verficht: die Strahlkraft einiger weniger großer Geister – bei Baudelaire sind es die großen Maler- und Bildhauergenies von Michelangelo bis zu Delacroix –, die aus der Mittelmäßigkeit herausragen und wie ›Leuchtfeuer‹ das dunkle Meer der Zeitläufe erhellen. In den Werken dieser Genies sind »diese Verfluchungen, diese Blasphemien, diese Klagen, / diese Ekstasen, diese Schreie, diese Tränen, diese Te Deum« aufgehoben; das Werk verdankt sich dem Leiden an der Existenz, ist dem Schaffenden jedoch zugleich »göttliches Opium« (S. 14), letzte Idealität in einer prosaischen Wirklichkeit. Ähnlich wie später Enzensberger, der »an den verschiedenen Punkten der west-

lichen, bald auch der östlichen Welt« einzelne Autoren isoliert und unabhängig voneinander eine »Weltsprache der modernen Poesie« schaffen sieht (S. 15), hebt auch Benn die Einsamkeit des Künstlers hervor: »Er arbeitet allein, der Lyriker arbeitet besonders allein, da in jedem Jahrzehnt immer nur wenige große Lyriker leben, über die Nationen verteilt, in verschiedenen Sprachen dichtend, meistens einander unbekannt – jene ›Phares‹, Leuchttürme, wie sie die Franzosen nennen, jene Gestalten, die das große schöpferische Meer für lange Zeit erhellen, selber aber im Dunkeln bleiben« (S. 517).

Bei allen drei Autoren also der Gedanke der wenigen, einsam schaffenden Künstler, die einander verwandter sind als den Durchschnittsbürgern ihrer Zeit und ihrer Nation. »Die großen Meister der modernen Poesie«, schreibt Enzensberger, »zwischen Chile und Japan, sie haben miteinander mehr gemein als jeder mit seiner nationalen Herkunft« (*Weltsprache der modernen Poesie*, S. 16). Daß Enzensberger mit seinem Gedicht *leuchtfeuer* auf Baudelaires *Phares* und auf die darin konzipierte Künstlerexistenz anspielt, darauf verweist auch die Plazierung des Gedichts innerhalb des Gedichtbandes, der noch einmal in vier Gruppen mit je einem Titelgedicht untergliedert ist. Die dritte Gruppe *leuchtfeuer* enthält sicherlich nicht zufällig die Gedichte *schwierige arbeit (für theodor w. adorno)* und *karl heinrich marx*, zwei Porträtgedichte also, die den Strophenporträts des *Phares*-Gedichts entsprechen, wie diese die einsame schwierige Existenz nicht der Künstler, sondern zweier ›moderner‹ Philosophen thematisieren. Das Gedicht für Theodor W. Adorno beginnt mit den Zeilen:

im namen der andern
geduldig
im namen der andern die nichts davon wissen
geduldig
im namen der andern die nichts davon wissen wollen
geduldig
festhalten den schmerz der negation (*blindenschrift*, S. 58.)

Und das Gedicht für Karl Marx schließt:

riesiger zaddik
ich seh dich verraten
von deinen anhängern:
nur deine feinde
sind dir geblieben:
ich seh dein gesicht
auf dem letzten bild
vom april zweiundachtzig:
eine eiserne maske:
die eiserne maske der freiheit. (*blindenschrift*, S. 61.)

Diese Anspielungen und Parallelen, scheinen sie zunächst nichts mit dem Gedicht selbst zu tun zu haben, das keineswegs einen metaphorischen, sondern einen konkreten Leuchtturm in sehr technischer Fachsprache evoziert, so sind sie doch der Schlüssel, der den Sinn der tautologischen Beschwörungen erschließt. »dieses feuer beweist nichts, / es leuchtet, bedeutet: / dort ist ein feuer« (1–3), diese Tautologie spiegelt in ihrer ästhetischen Struktur die poetologische Reflexion, daß Gedichte nicht auf irgendeine außerästhetische Wirklichkeit verweisen, daß sie autonom sind, daß ihre Bedeutung sich aus dem ästhetischen Arrangement der Sprache entwickelt. Und in Anlehnung an Adornos *Rede über Lyrik und Gesellschaft* verficht auch Enzensberger in seinem programmatischen Essay von 1962 *Poesie und Politik*, »daß es die Sprache ist, die den gesellschaftlichen Charakter der Poesie ausmacht, nicht ihre Verstrickung in den politischen Kampf« (S. 133). Er beruft sich also auf dasselbe ›l'art pour l'art‹-Prinzip, mit dem Benn sich gegen die Forderungen nach positiver Sinngebung, nach gesellschaftlichem Engagement wehrte. Bei Benn hieß es: »Artistik ist der Versuch der Kunst, innerhalb des allgemeinen Verfalls der Inhalte sich selber als Inhalt zu erleben und aus diesem Erlebnis einen neuen Stil zu bilden, es ist der Versuch, gegen den allgemeinen Nihilismus der Werte eine neue Transzendenz zu setzen: die Transzendenz der schöpferischen Lust« (S. 500).

Wie Benn, so sucht auch Enzensberger aus einem grundsätzlichen Ideologieverdacht heraus die Lyrik von allen gesellschaftlichen Ansprüchen des Tages freizuhalten, sieht er den Zweck der Kunst zuerst in der Kunst. So wie das Feuer nichts beweist, sein Leuchten nur seine Existenz, seine sinnliche Gegenwart bedeutet, so bieten Verse keine Argumente, liegt ihr Sinn im ästhetischen Arrangement ihrer Worte. Und so wie das Feuer nichts »verheißt«, keine »lösungen«, keine »erlösung« verspricht, so verweigert das Gedicht jede Antwort, enthält sich aller Lösungsvorschläge zur Reformierung einer schlechten Realität. »Wer nicht müde wird, die moderne Poesie kopfschüttelnd nach dem Positiven abzufragen« – so heißt es in der *Weltsprache der modernen Poesie* –, »der übersieht, was auf der Hand liegt: ›negatives‹ Handeln ist poetisch nicht möglich; die Kehrseite jeder dichterischen Destruktion ist der Aufbau einer neuen Poetik« (S. 12). Das Positive des modernen Gedichts, das im Zuge der »Ausfaltung des historischen Bewußtseins« eine »enorme Einstrahlung von Tradition brechen und resorbieren« (S. 11 f.), das destruktiv sein muß, will es innovativ sein, das Positive liegt allein in seiner neuen ästhetischen Form, die als Form immer Gestalt, also positive Setzung ist. »Albern« (S. 12) wird die Frage nach dem Positiven, zielt sie auf positive Inhalte, Antworten, ›Lösungen‹. Ähnlich wehrte auch Eich in seiner Büchner-Preis-Rede von 1959 (S. 450) die Forderung nach positiven Antworten für das Gedicht ab: »Die Antworten beweisen, daß es nichts Fragwürdiges gibt. Da wir aber weder Auguren noch reine Toren sein wollen, bleibt uns der Antwortcharakter der gelenkten Sprache verdächtig.« Im Sinne der ›poésie pure‹, der »Antiware schlechthin« (*Weltsprache der modernen Poesie*, S. 23) argumentiert Enzensberger für die ästhetische Autonomie des Gedichts, ohne jedoch – wie der späte Benn oder auch Eich – im Ästhetischen eine neue letzte Transzendenz, eine ›Erlösung‹ zu sehen. Poesie ist dem Nachgeborenen Brechts kein »göttliches Opium« mehr, verschafft ihrem Autor keine »Transzendenz der schöpferischen Lust«, doch in

ihrer ästhetischen Autonomie antizipiert sie ein Moment von Freiheit, hält sie den Gedanken an Freiheit wach. »Poesie tradiert Zukunft« – so pointiert Enzensberger in seinem Essay *Poesie und Politik* (S. 136). Poesie »ist Antizipation, und sei's im Modus des Zweifels, der Absage, der Verneinung. Nicht daß sie über die Zukunft spräche: sondern so, als wäre Zukunft möglich, als ließe sich frei sprechen unter Unfreien, als wäre nicht Entfremdung und Sprachlosigkeit (da doch Sprachlosigkeit sich selbst nicht aussprechen, Entfremdung sich nicht mitteilen kann). Solches Vorgreifen schlüge ihr zur Lüge aus, wäre es nicht zugleich Kritik; solche Kritik, wäre sie nicht Antizipation im gleichen Atemzug, zur Ohnmacht« (S. 136 f.)
Das ist im Sinne einer dialektischen Denkfigur Adornos formuliert, eines jener »Phares«, Leuchtfeuer, die Enzensberger in dem Gedicht *schwierige arbeit* porträtiert. Dort heißt es:

ungeduldig
im namen der zufriedenen
verzweifeln

geduldig
im namen der verzweifelten
an der verzweiflung zweifeln. (*blindenschrift*, S. 59)

Verzweiflung wäre ebenso Lüge wie zweifelsfreie Zufriedenheit, die sich einrichtet im Bestehenden und die Zukunft verrät! Und so tradiert Poesie – nach Enzensberger – Zukunft, indem sie als autonome sich die Freiheit nimmt, Antworten, Lösungen zu verweigern, jedoch gleichzeitig in ihrer Verweigerung die Scheinlösungen der »zufriedenen« kritisiert. »das feuer dort leuchtet, / ist nichts als ein feuer, / bedeutet: dort ist ein feuer, / dort ist der ort wo das feuer ist, / dort wo das feuer ist ist der ort« (28–32) – Negation und Position definieren gleichermaßen die Bedeutung des Feuers durch sein Dasein als Feuer, setzen die Identität von Gegenstand und Bedeutung. Eine Frage stellt sich: Suggeriert

Enzensberger – gerade wenn man die literarischen Anspielungen ernst nimmt – nicht doch wieder einen symbolischen Sinn seiner Verse, sollen die Leuchtfeuer nicht vielleicht doch die Seinsweise von Gedichten symbolisieren? Klaffen poetologische Reflexion und der oberflächige Realismus, in dem ein konkreter Leuchtturm evoziert wird, nicht auseinander?

Nicht das *Symbol*, sondern die *Analogie* verbindet Darstellungs- und Reflexionsteil: So wie die Bedeutung des Leuchtfeuers in seiner jeweiligen »kennung«, im ›Wie‹ seiner optischen Signale liegt, so wie es nichts anderes bedeuten kann, als die Abfolge seiner Leuchtsignale aussagt, so sagt auch das Gedicht nichts anderes aus als das, was im ›Wie‹, in der ästhetischen Komposition seines Wortmaterials erscheint. Daß Enzensberger das technische Sujet des »leuchtfeuers« wählt, ist gewiß nicht zufällig: Der technologischen Vernunft ist mit der Definition auch die Herstellungsmöglichkeit des Gegenstandes gegeben, mit der Bestimmung des Kreises $2\pi r$ auch seine Produzierbarkeit; und so liegt umgekehrt in der jeweiligen ästhetischen Produktion, im bestimmten artistischen Arrangement eines Gedichts auch seine Bedeutung/Definition. Zugleich spielt Enzensberger mit diesem ›technischen‹ Sujet auf eine Poetik lyrischer Moderne an, die gegen jede Inspirations-Ästhetik das Kalkül, die bewußte Konstruktion der poetischen Form hervorhebt.

Mögen sich auch scheinbare Widersprüche auflösen, indem man den literarischen Anspielungen des Gedichts nachgeht, es bleibt der Befund, daß diese Lyrik esoterisch ist, letztlich nur von ›Eingeweihten‹ rezipiert werden kann. Auch diesem Vorbehalt begegnet Enzensberger mit einem geistesgeschichtlichen Argument, das dennoch die Frage nach den Wirkungs-, Aufklärungsmöglichkeiten moderner Lyrik nicht löst: »Mit Recht hat man bemerkt, daß mit der Moderne die Stunde des *poeta doctus* geschlagen hat« (*Weltsprache der modernen Poesie*, S. 11). »dieses feuer beweist nichts, / es leuchtet, bedeutet: / dort ist ein feuer« – dennoch will es dechiffriert werden, wendet sich an die Kenner des Morsealphabets, trägt nicht zur ›Alphabetisierung‹ derjenigen bei, die des Morse-Feuers am meisten bedürften. Das bleibt eine Aporie moderner Lyrik.

Zitierte Literatur: Theodor W. ADORNO: Rede über Lyrik und Gesellschaft. In: Th. W. A.: Noten zur Literatur I. Frankfurt a. M. 1978. S. 73–104. – Charles BAUDELAIRE: Œuvres complètes I. Texte établi, présenté et annoté par Claude Pichois. Paris 1975. – Gottfried BENN: Probleme der Lyrik. In: G. B.: Gesammelte Werke. 4 Bde. Hrsg. von Dieter Wellershoff. Bd. 4. Wiesbaden 1959. S. 494–532. – Günter EICH: Rede zur Verleihung des Georg-Büchner-Preises. In: G. E.: Gesammelte Werke. Bd. 4. Hrsg. von Heinz Schafroth. Frankfurt a. M. 1973. S. 443–455. – Hans Magnus ENZENSBERGER: blindenschrift. [Siehe Textquelle.] – Hans Magnus ENZENSBERGER: Poesie und Politik. In: H. M. E.: Einzelheiten. Bd. 2. Poesie und Politik. Frankfurt a. M. ^{4}1976. S. 113–137. – Hans Magnus ENZENSBERGER: Weltsprache der modernen Poesie. In: Einzelheiten. Bd. 2. S. 7–28.
Weitere Literatur: Hiltrud GNÜG: Hans Magnus Enzensberger: A. v. H. [Alexander von Humboldt]. In: Geschichte im Gedicht. Texte und Interpretationen. Hrsg. von Walter Hinck. Frankfurt a. M. 1979. S. 292–301. – Otto KNÖRRICH: Hans Magnus Enzensberger. In: Deutsche Literatur in Einzeldarstellungen. Bd. 1. Hrsg. von Dietrich Weber. Stuttgart 1975. S. 485–506. – Otto KNÖRRICH: Lyrik und Gesellschaft: Das politische Gedicht. In: O. K.: Die deutsche Lyrik der Gegenwart. Stuttgart 1971. S. 326–371. – Joachim SCHICKEL: Über Hans Magnus Enzensberger. Frankfurt a. M. ^{2}1973. – Text und Kritik. H. 49: Hans Magnus Enzensberger. München 1976. – Arthur ZIMMERMANN: Hans Magnus Enzensberger. Die Gedichte und ihre literaturkritische Rezeption. Bonn 1977.

Erich Arendt

Nach den Prozessen

Steingrauer Tag,
der sein Lid senkt.
Knie nicht
in den Schatten!

5 Spreu
schleifen die Stunden,
Spreu, abermillion, die
halt nicht machen

vor deiner Stirn
10 – Trauerschafott –,
schneller und
schneller, ohne
Geheimnis, und –
kein blutender Kern.

15 Verzweifelt die
chimärischen Fahnen,
sie blichen im jäh
verdämmernden
Rot.

20 Gleichgeschaltet
mit abwaschbaren
Handschuhn
gleichgeschaltet durch die
gezeichneten Finger
25 das erschöpfte
tausendströmige Herz.

Die da
handeln, an Tischen,
mit deiner Hinfälligkeit,

allwissenden Ohrs,
ledernen
Herzens ihr Gott, sie
haben das Wort:

Worte,
gedreht und
gedroschen: Hülsen
gedroschen, der
zusammengekehrte Rest.

Gehend im Kreis
der erschoßnen Gedanken
– wie war
doch der Atem groß –
halt versiegelt den Mund, daß
der Knoten
Blut
nicht Zeugnis ablege!

Wo Freude und Recht
gemeuchelt lag,
an der Wand
der Geschichte
stets noch: Du!

Gehend im Kreis – doch
der Meteor
Verfinsterung jagt
am ummauerten Himmel.
knie nicht –

Blutwimper, schwarz:
das Jahrhundert.

Zitiert nach: Das zweifingrige Lachen. Ausgewählte Gedichte 1921–1980. Hrsg. und mit einem Nachw. von Gregor Laschen. Düsseldorf: Claassen, 1981. © Erich Arendt.

Erstdruck: Erich Arendt: Unter den Hufen des Winds. Ausgewählte Gedichte 1926–1965. Hrsg. und mit einem Vorw. von Volker Klotz. Reinbek bei Hamburg: Rowohlt, 1966. [Unter dem Titel: Nach dem Prozeß Sokrates.]
Weitere wichtige Drucke: Aus fünf Jahrzehnten. Gedichte von Erich Arendt. Nachw. von Heinz Czechowski. Rostock: Hinstorff, 1968. – Erich Arendt: Ägäis. Leipzig: Insel, 1967.

Heinrich Küntzel

Hieroglyphe und Zeitgedicht. Zu Erich Arendts Gedicht *Nach den Prozessen*

Erich Arendt galt uns lange Zeit nur als »Nebenstimme zu Peter Huchel« (Klaus Günther Just) und passionierter, nicht unumstrittener Übersetzer spanischer und hispanoamerikanischer Lyrik. Er hat eine erstaunliche Entwicklung durchgemacht. Das Buch *Ägäis*, in dem dies Gedicht steht, eine Sammlung zwischen 1960 und 1964 entstandener Gedichte, verarbeitet neue Griechenland-Erlebnisse, wie sie der Autor auch in Bildbänden beschrieben hat. Aber auch die Weltauffassung und die poetischen Mittel haben sich verändert, so daß man von einem Einschnitt, einem Endpunkt und neuen Anfang sprechen kann. Die erweiterten Möglichkeiten der Abstraktion hat Arendt in seinem Alterswerk bis heute fortgebildet. ›Abstrakt‹ heißt, nach der Parallele der modernen Malerei und Musik, das Komponieren in Farben, Tönen, Worten, welche die Abbildungsästhetik, die klassische Harmonielehre, die Poetik des 19. Jahrhunderts hinter sich gelassen haben. Die neue Formensprache der klassichen Moderne, speziell der Lyrik, kennen wir aus Frankreich von Apollinaire und den Surrealisten bis zu Saint-John Perse oder René Char, von der spanischen 27er-Generation, den russischen Akmeisten und Futuristen, der Universalsprache Ezra Pounds und in Deutschland vor allem aus der expressionisti-

schen Poetik des »Sturm«-Kreises und in jüngerer Zeit insbesondere von Paul Celan.
Aus den weiträumigen und sehr unterschiedlichen Kunsterfahrungen hat Arendt seinen Stil entwickelt: die Vereinzelung der Worte in luftigen Zeilen und freien Rhythmen, die sich wechselseitig in der Schwebe halten, das ›In-Bildern-Sprechen‹, in absoluten Metaphern, wo inneres Bild und äußerer Gegenstand in eins gesetzt sind, das »Simultanschreiben aus unterschiedlichen Bereichen heraus«, das Biographisches, Historisches, Mythisches, Landschaftliches austauscht und miteinander verschränkt.
Zwar kehrt er mit der Einzelwort-Sprache auch zu seinen Anfängen, den spätexpressionistischen Zeiten im »Sturm«, zurück, stammen die prägenden Eindrücke aus der Zeit des Spanischen Bürgerkriegs und der Exilzeit in Kolumbien und hat sich seine Bildersprache im langen Umgang mit romanischer Dichtung entwickelt. Das in ›harter Fügung‹ vorgetragene hymnische und elegische Pathos trug auch die *Flug-Oden* schon und steht in Einklang mit Hölderlin-Tönen in klassizistischen deutschen und mit neuklassischen europäischen Traditionen unseres Jahrhunderts. Das Neue aber ist des Dichters Abkehr von seiner bisherigen vollmundigen Sprache, das Reduktions- und Aussparungsverfahren, das eine andere Art von Vieldeutigkeit, Verschwiegenheit, eine gewisse Hermetik zur Folge hat und der »Gebrauchsware Vers« den Rücken kehrt. Sie ist »in meiner Umgebung [...] mit ihrer ganzen Landläufigkeit das Übliche, so das ›Kunstgebilde‹ wenig zu Wort kommen lassend«. Für die Lyrik der DDR haben seine Gedichte die Bedeutung, an eine Moderne zu erinnern, die jenseits von konventioneller Verseschmiede und moralischer Epigrammatik in der Nachfolge Brechts steht. Für die westdeutsche Lyrik verkörpern sie wenn nicht eine Mahnung, so ein Relikt hochtoniger europäischer Lyrik, die in der Alltagssprache der ›neuen Sensibilität‹ untergegangen ist.
Wirken die neuen Verse in sich gekehrter und beharren auf ihrer Autonomie, so entsprach das Veränderungen im litera-

rischen Klima der DDR (aber es korrespondierte auch mit Celans und Günter Eichs späten Gedichten). Sind sie in demselben Grade durchsichtiger, ja hautlos geworden, so ist das auch Ausdruck ihrer hochempfindsamen Wahrnehmung dessen, was Arendt »Realität« nennt. Der Dichter, gebürtig aus Neuruppin, wohnhaft in Ost-Berlin, kehrte heim in die Mittelmeerwelt, die er nie ganz verlassen hatte, sein »poetisches Zuhause«. »Hier am lateinischen Meere, verspür in Fels, in Wein und Olive meine uralte Herkunft ich«, spricht er Rubén Dario nach. Die zerstörenden Gewalten der Geschichte und die zeitüberdauernde Humanität, sprich: die natürliche Beschaffenheit des Menschen, treten ihm klarer in der Natur und Kultur der Griechen hervor als in der trüben und düsteren Atmosphäre des Nordens und unseres blutigen Jahrhunderts.

Der antike Mythos tritt wieder in sein Recht, das er in der deutschen Literatur innehatte: als geistiger Ort elementaren Verhaltens, als »zeitlose« Gegenwelt gegen den »Nutzwert« und die »Vergewaltigung« von Geschichte, als Beispiel, wie der Mensch in sich und in der Natur das Dasein und das »ungebrochene Selbst« achtet. So oder ähnlich hat es Arendt formuliert. Man hat deshalb in den Gedichten die Flucht aus der Gegenwart und der Geschichte in einen paradiesischen Zustand (Rüdiger Bernhardt) oder in eine menschenlos starre, zumindest atavistische Urzeit (Fritz J. Raddatz) zu finden geglaubt, wenn man sie nicht gar als bloße Bildungspoesie abtat (Friedrich Dieckmann).

Tatsächlich stehen die Verse aus *Ägäis* der idyllischen Verklärung der klassischen Antike wie der Mythenseligkeit eines Theodor Däubler sicherlich ferner als jenen Bildern des archaischen Griechenland, die Karl Rottmann oder in seiner *Griechischen Reise* Bachofen malte: die »nackte, ausgeraubte Landschaft, der tellurische Stoff der Natur, die dem Tod verfallene Geschichte, die Äternität, die vergeistigten Züge Griechenlands« (Walther Rehm). Die Gesichte des »Kentaurischen«, die Hofmannsthal in den *Augenblicken in Griechenland* erschreckten, des »vulkanischen« und »meteorischen« Landes, der »lähmenden Stille« (Rehm), wie sie Rudolf Borchardts *Volterra* beherrschen, tauchen auf. Die Verwandtschaft mit der Malerei, Picassos etwa oder des befreundeten Werner Gilles, hat Arendt selber hervorgehoben. Doch wie auch immer die Pole der Mythenaneignung von der Tradition gesetzt und besetzt seien: die Geschichte ist aus ihr nicht ausgespart, die Zeitlichkeit und Zeitgebundenheit als absolute Instanz nur relativiert. Liest man die Gedichte vollends als »sublime Erfüllung eines Programms« sozialistisch verinnerlichter Klassizität, das von Johannes R. Becher und Georg Maurer der Lyrik der DDR vorgegeben ist (Adolf Endler, Heinz Czechowski), so darf man, diesem dialektischen Wink folgend, den Vorwurf der Flucht aus der Zeit sogar als Bestätigung der Aktualität verbuchen: der Fluchtpunkt im Mythos stellt den künstlerisch zementierten Fortschrittsoptimismus, der glaubte, die klassischen Ideale in der jüngsten Geschichte verwirklicht zu sehen, »sublim« und grundsätzlich in Frage. Der Prozeß Sokrates nun gar, so mythisch beispielhaft er sein mag, ist eigentlich überhaupt kein Mythos, sondern Geschichte, und das Gedicht, das ursprünglich diesen Titel führte, ist ein Zeitgedicht, wie es im Grunde die anderen Gedichte des Zyklus auch sind.

Dessen vier Teile lassen eine Ordnung erkennen: nachdem der erste die Steine, die Inseln zum Reden gebracht hat, ist im zweiten ein freieres, persönlicheres Leben, ein körperliches, liebendes Dasein stärker zu spüren. Der dritte ist der mythologische Teil, sammelt die Verfinsterung aus Historie und Dichtung der Alten, der vierte ist dem Feuer, dem Vulkanischen, der bebenden Erde gewidmet, von der Abschied genommen wird mit dem Gedicht, das *Ankunft* heißt.

Unter den mythologischen, den rahmenden homerischen des dritten Teils, in dem unser Gedicht seinen Platz hat, ist es das historischste; mit der benachbarten *Elegie*, der ein Zitat des Thukydides vorgesetzt ist, fordert es die Deutung auf Politisches am meisten heraus. Diese gewisse Sonderstellung wird dadurch bestätigt, daß es in der jüngsten Ausgabe

von Gregor Laschen nur noch *Nach den Prozessen* betitelt ist (»ein aus durchsichtigen Gründen geänderter Titel«, wie der Herausgeber anmerkt) und in die bebilderte Sammlung der *Ägäis*-Gedichte von Gerhard Wolf nicht aufgenommen wurde.
Folgt man dem Hinweis des Titels, so handelt es sich um den Tageslauf eines Gefangenen, wessen auch immer, der seine Hinrichtung oder, falls er bußfertige Bekenntnisse ablegt, Begnadigung zu erwarten hat. Die Abbreviatur der ersten beiden Zeilen schließt nicht nur die leere Zeit und das abwesende Licht (das unsichtbare Auge ist die Sonne) zusammen, sie verkürzt auch die Zeit auf einen Tag, die zugleich Lebens-, mehr noch, wie die Wiederkehr der Bilder am Schlusse zeigt, säkulare Zeit ist. Auch die Aufforderung, nicht aufzugeben, nicht sich zu demütigen und »Zeugnis abzulegen«, kehrt zweimal wieder, eine Repetitio, durch Eindringlichkeit und Beharrlichkeit den Kreislauf des Gedichtes aufhaltend, wenn auch die Aposiopese »knie nicht –« am Ende fast erstickt erscheint. Die Stunden des Gefangenen sind durch leere Wiederholung gezeichnet, aber auch die Worte der Richter: das gedroschene leere Stroh, die Spreu, diese alltägliche und biblische, auch homerische Metapher der Nichtigkeit und Vernichtbarkeit, macht weder vor den Argumenten und Phrasen der Machthabenden noch vor den Gedanken des Gerichteten, vielleicht Gerechten, halt. Die ausdrucksvoll kühne Metaphorik der dritten Strophe (»deiner Stirn / – Trauerschafott –« [9 f.], die Spreu der Stunden »ohne / Geheimnis, und – / kein blutender Kern« [12–14]) verlegt die Richtstätte vor und nach innen in die »Hinfälligkeit« des Verurteilten. In ihm herrscht dasselbe präpotente Präsens einer um ihren Sinn, ihr Leben gebrachten Gegenwart, wie in den Köpfen derer, die »das Wort haben«. Diese, mit den Insignien der Folterknechte, der Spitzel, der Wortverdreher, der Götzendiener gezeichnet (aber ein Gott »ledernen Herzens« ist auch ein toter und gewalttätiger Götze), sitzen an den »Tischen«, die Richter-

tische, einstmals die Tische der Götter (wie bei Goethe und Hölderlin) waren. Ihr Übermut scheint sich allerdings darin zu erschöpfen, daß sie alle Hoffnung vernichtet, die Menschen »gleichgeschaltet« und die Geschichte zur Wand der Exekutionen gemacht haben. Überall dort, wo das Perfektpartizip diesen Zustand der tödlichen Endgültigkeit anzeigt, ist diese böse, nie mit Namen genannte Macht an der Arbeit. Wer sind diese Anonymen, »Die da / handeln, an Tischen, / mit deiner Hinfälligkeit« (27–29)? Wer ist das angeredete Du, das zum Durchhalten ermutigt wird und immer dort das Opfer war, »Wo Freude und Recht / gemeuchelt lag« (47 f.), wenn es nicht nur Sokrates ist?
Bevor der Adressat und die politische Stoßrichtung benannt werden können, muß man Genaueres über das Verhältnis des Opfers zu seinen Henkern auszumachen suchen. An zwei Stellen erscheint noch eine andere Zeitstufe, die historische Vergangenheit dessen, was leider nicht mehr ist: »Verzweifelt die / chimärischen Fahnen, / sie blichen im jäh / verdämmernden / Rot« (15–19) und »Gehend im Kreis / der erschoßnen Gedanken / – wie war / doch der Atem groß –« (39–42). Es ist die eigentlich elegische Zeitstufe. In der ersten Ausgabe (von Volker Klotz) stand noch: »die wilden Hoffnungsfahnen« (es ist, außer einigen Zeilenbrechungen, die mehr Luft oder, mit Gerhard Wolf zu reden, mehr Ozean hineinbringen, die einzige Änderung). Wessen Hoffnungen sind zu Chimären geworden, woran sind die Fahnen verzweifelt, wovon soll der Knoten Blut nicht Zeugnis ablegen? Von den erschossenen Gedanken, die doch so großartig waren, oder von der Tatsache, daß sie erschossen, nicht mehr gedacht und nicht mehr geglaubt werden? Das »tausendströmige Herz« des Opfers, des Dichters (»mein rhodisches Herz! Ach, immer die Unzeit, Narbenriß der Stunde!« heißt es in *Stunde Homer*), steht es nur schroff denen mit dem Gott ledernen Herzens gegenüber, die es gleichschalten, hat es sich nicht selber gleichgeschaltet, ist es nicht auch »erschöpft«?

Die Vieldeutigkeit und Mehrschichtigkeit des Kunstgebildes enthüllt sich. Sie ist, wie der Kontrast der Farben der Schatten und des Blutes, der sich vom Steingrau und dem verdämmernden Rot zu den Oxymora »Meteor / Verfinsterung« (53 f.) und »Blutwimper, schwarz« (57) ins Apokalyptische steigert, streng komponiert: hinter der Konfrontation des Opfers und seiner Henker und der Ermahnung zur Tapferkeit löst sich eine zweite Schicht der Selbstermahnung und Selbstanklage ab. Die am Archetypus des Prozesses gegen die Vernunft, am Prozeß Sokrates, festgemachte paränetische Ode verwandelt sich in verzweifelte Klage und Protest angesichts der Gewalt, die in unserem Jahrhundert Menschen einander und sich selbst antun. Der Prozeß Sokrates wiederholt sich nicht: Sokrates bewahrte sich in der Verurteilung die Freiheit und bewies die Unsterblichkeit der Seele, während hier gerade die Freiheit der Seele in Frage steht, von ihrer Unsterblichkeit zu schweigen. Und die Klage verwandelt sich wieder, liest man in den Bildern des steingrauen Tags, des Auges, der Stirn, der Hand, der Wunde usw. die anderen Gedichte mit, in eine Art physiologischer Betrachtung der Geschichte: ist der Tag wie ein Jahrhundert, so ist schließlich das Jahrhundert auch nur ein Lidschlag der Zeit. »Leg / die Stirn / unters lautlose / Fallbeil Zeit: / Erglimmt, greifbar, ein Flugkorn, noch / der Tag?« (*Elegie*). Es ist, als ob menschliches Tun und Naturgeschehen doch nicht so verschieden sind, wie man gewöhnlich glaubt.
Die Bildersprache zwingt aber nicht nur kühn die Gegensätze Natur und Geschichte zusammen, sie hat zugleich einen sehr aktuellen, politischen Sinn. Sie beantwortet nämlich auch die Frage: wer sind hier die Opfer, wer die Henker? Da ist das Wort »gleichgeschaltet« (23), ein Nazi-Begriff, aus dem Wörterbuch des Unmenschen, oder das Bild vom »ledernen Herzen« (31 f.), die Parole »Knie nicht« (3, 56): sie stammen aus dem Widerstandskampf gegen die Faschisten; aus der *Ballade von der Guardia Civil* das

»lederne Lächeln des Todes« und der Refrain »Dreispitz aus Todesglanz und Leder«, und aus dem Sonett *Das Beispiel*: »Stehst du vorm Blutgericht, beug nicht zuletzt dein Knie«. Es ist die Mahnung, die von Madrid nach Rom und Berlin ausgeht. Gerhard Wolf sah wohl deshalb die spanischen Prozesse von 1937 als gemeint an. Man könnte an das Aushalten und den Tod des Dichters Miguel Hernández in den Gefängnissen Francos denken, von dem Arendt im Vorwort zu seiner Übersetzung berichtet, und an den Schlachtruf der Arbeiterführerin La Passionaria: »Lieber stehend sterben als kniend leben!« Andererseits: die »chimärischen Fahnen« legen die »kaum verschlüsselte Anspielung« (Klotz, Laschen) auf stalinistische, insbesondere die Prozesse »gegen Slansky und andere« nahe, die zu ihrer Zeit schon den Dichter Louis Fürnberg verwirrt hatten. Die »Verfinsterung« ist in einer ganzen Reihe von Gedichten aus dem Jahre 1961 zu spüren (am deutlichsten in der Zusammenstellung von Wolf): *Elegie*, *Erdbeben*, *Spruch*, *Hahnenschrei*, *Nach dem Prozeß Sokrates*, *Prager Judenfriedhof (für Paul Celan)*. In ihnen ist von Verrat der Freunde, ungerechter Hinrichtung, Spitzeln, von Reue und Selbstbezichtigung, Gedächtnis der ermordeten Juden die Rede. Das deutet auf jene Säuberungen der kommunistischen Partei der ČSR 1952, in denen man durch Folterungen und Versprechungen falsche Geständnisse erpreßte, in denen unter den vierzehn Angeklagten elf Juden waren und über die der mit Arendt befreundete Artur London sowie die Veröffentlichung der Prager Protokolle später (1968) Aufschluß gaben. Artur London, den Gefährten im Spanischen Bürgerkrieg, KZ-Häftling in Mauthausen, hohen kommunistischen Funktionär und Angeklagten im Prager Prozeß (dem auch, unter seinem alten Decknamen Gérard, das Gedicht *Hafenviertel II* gewidmet ist), kann man sich unter den Helden und Adressaten unseres Gedichtes denken, zumal gerade die Tätigkeit als Freiwilliger in den internationalen Brigaden auch vor den richtenden Parteigenossen wieder zu den Verdachtspunkten gehörte. (»der Knoten Blut« könnte auf die Tuberkulose deuten, die er sich in Mauthausen geholt hatte und die unter den Mißhandlungen wieder aufbrach. Den Versuch, die Krankheit bis zum Selbstmord zu treiben, gab er aber auf, um nicht als schuldig zu erscheinen.) Der Rückschluß auf die Ähnlichkeit der verurteilenden Gewalthaber liegt auf der Hand, der Schluß auf des Dichters eigene Lage, liest man das Gedicht als Selbstbekenntnis, nicht fern.

Die Bilderschrift des Gedichts hat also auch und zuallermeist eine politische Spannung und Gleichung auszuhalten. Je tiefer, existentieller und widersprüchlicher die Betroffenheit, desto deutlicher übernimmt sie die Aufgabe der historischen Reflexion. Warum gerade im Jahre 1961 Ohnmacht und Zorn gegenüber dem »Wolfshunger Geschichte« sich so häufig ausdrücken, ist nur zu vermuten. Vielleicht drangen jetzt erst, mit beginnender Rehabilitierung, Berichte von den Prozessen zu Arendt, vielleicht ist der »ummauerte Himmel« ein Hinweis. Spätere Gedichte (*Marina Zwetajewa*, *Hafenviertel*) setzen diese Reflexion fort. Die Bilder sprechen eine beziehungsreiche Sprache. Nur dem Vergeßlichen wird sie unentzifferbar, zum Idiom einer Kaste, wie nicht mehr verstandene Hieroglyphen: »Spreu das Straßengedächtnis«. Was sie schwierig macht, ist ihre Anstrengung, nicht aufzugeben: »als hätte Leiden Vernunft unter der Gleichung Lüge Macht«.

Literatur: Erich ARENDT: Gedichte. Ausw. und Nachw. von Gerhard Wolf. Leipzig 1973. 2., erw. Aufl. 1976. – Erich ARENDT: Starrend von Zeit und Helle. Gedichte der Ägäis. Hrsg. und mit einem Vorw. von Gerhard Wolf. München 1980. – Rüdiger BERNHARDT: Erich Arendts Gedicht »Steine von Chios«. Versuch einer Interpretation. In: Weimarer Beiträge 21 (1975) H. 1. S. 20 ff. – Friedrich DIECKMANN: Orphische Bucht. Beim Lesen in Erich Arendts gesammelten Gedichten. In: Sinn und Form 24 (1972) S. 619 ff. – Adolf ENDLER: Über Erich Arendt. In: Sinn und Form 25 (1973) S. 432 ff. – Gregor LASCHEN: Das Gedicht als Wahrheit der Geschichte. Überlegungen zum Verhältnis von Geschichte und Gedicht im Werk Erich Arendts. In: Zur Literatur und Literaturwissenschaft in der DDR. Hrsg. von Gerd Labroisse. Amsterdam 1978. S. 97 ff. – Gregor LASCHEN: Gespräch mit Erich Arendt. In:

Deutsche Bücher 6 (Amsterdam 1976) S. 88 ff. – Artur London: Ich gestehe. Der Prozeß um Rudolf Slansky. Hamburg 1970. [Zuerst u. d. T.: L'aveu. Paris 1968.] – Ton Naaijkens: Maskenmundiges Sprechen. Zu Erich Arendts Metaphern in »Ägäis«. In: Zur Literatur und Literaturwissenschaft in der DDR. S. 127 ff. – Utz Riese: Traum des Menschenmaßes. Erich Arendt: »Stunde Homer«. In: Neue Deutsche Literatur 26 (1978) H. 3. S. 37 ff. – Achim Roscher: Verstehen und Verständlichkeit. Gespräch mit Erich Arendt. In: Neue Deutsche Literatur 21 (1973) H. 4. S. 118 ff. – Der zerstückte Traum. Für Erich Arendt. Zum 75. Geburtstag hrsg. von Gregor Laschen und Manfred Schlösser. Berlin/Darmstadt 1978.

Karl Mickel

Dresdner Häuser

Seltsamer Hang! die Häuser stehn, als sei
Hier nichts geschehn, als sei das Mauerwerk
Von Wind und Regen angegriffen, als
Hab nur Hagel Fenster eingeschlagen.
5 Die schöngeschnittnen Räume! ihr Verfall
Rührt, scheint es, vom ungehemmten
Wachstum wilder Kirschen im Parterre
Langsam, scheint es, haben die Bewohner
Sich eingeschränkt, um endlich ein Zimmer
10 Noch einzunehmen mit dem Blick zum Fluß.
Das also gibt es!
Sagen will ich: Freundin
Dies Haus ist ruhig, hätt ichs hätt ich Ruhe
Ruhe brauch ich, also muß ichs haben
15 Ich mach was Geld bringt.
Die hier wohnten
Inmitten großer Industrie, erhabener
Natur, die Stadt zu Füßen, setzten in Gang
Des Todes Fließband: welke Lausejungen
20 Kommerzienräte, mordgeil vor Alter, Nutten
Zahnarm mit fünfundzwanzig, Buckelköpfe
In sichern Bunkern, westwärts weg, bevor
Gestein und Fleisch zu schrecklichen Gebirgen
Zusammenglühten stadtwärts, menschenwärts.

25 Das Neue Leben blüht nicht aus Ruinen
Da blüht Unkraut. Unkraut
Muß weg, eh Neues hinkann: kein Baum
Ist mehr als mannshoch, wo späte Eile
Wohnraum hinsetzt, kahle Häuser, reizlos
30 Eins wie's andre, buntgemalt, mit dünnen
Wänden, niedern Zimmern, Bad

Ungekachelt, schön, daß sie dasind
Und angemessen dem Finanzplan, schließlich
Weil sie den Krach mit den Vermieterinnen
Gewaltlos hindern. Weil ich Ruhe liebe
Sag ich zu dieser Bauart: Ja. Das Neue.

Gibts das: Ruhe hierorts? Freundin, wir
Beschäftigt auf den Polstermöbeln empf-
Inden was wie Ruhe zwischen zwei
Herzschlägen, doch muß der Herzschlag
Zweier Leiber gleich sein, das ist selten
Und wenn es ist, weiß man, es bleibt nicht.

Ruhig sind die Pausen in den hastig
Polternden Schritten, wenn der Schichtarbeiter
Von nebenan zur offnen Haustür geht:
Ein ruhiger Mann: seine Söhne brüllen
Mich nächtens wach, zwei an der Zahl, die Frau
Macht einen zarten Eindruck, die Hände
Rot: die Windeln. Täglich trägt sie
Drei Treppen hoch die Einkaufnetze, schleppt
Winters Kohlen.
Das ist die Ruhe:
Zeit zwischen Blitz und Donner, Unrast hat Löcher
Pflicht geht nicht durch, eh Muße Pflicht wird.
Vor bessern Zeiten kommen schlimme Winter
Abraum auf dem Abraum: Schnee, man schlägt
Mit Muskelkraft Elektrobagger frei
Frost in der Kohle, Frost muß Frost bekämpfen
Im Krafthaus Havarie, die Kindlein heizen
Mit ihrem Fieber ihre Krankenzimmer
Wie nebenan.

Sodann das Eis bricht auf:
Aufatmen, denk ich, kann der Nachbar jetzt
Aufholen muß er. Er ist Fernstudent
Schwarz seine Lider, ich seh ihn sitzen

Früh an Büchern, schlaflos blicklos blättern
Die Frau geht fremd, was bleibt ihr, sie sagte:

»Auf Disteläckern wir lernten uns kennen
Und krumme Rücken, dem Bündnispartner
70 Halfen wir, daß er die Ernte
Einbringt, die er uns verkauft.
Wie unser Biß das harte Brot durchdringt
Wir dringen durch! wir hattens versprochen
Uns und allen, da wars hartes Brot.
75 Nicht in die Knie gehn! Erste sein am Rain!
Daß Zeit ist für den Kuß, die Luft war trocken
Staub im Mund, er sprach:

Nicht erst das Grab
Soll, wenn wir leben, Bucklige heilen
80 Ich geb nicht auf, wie leb ich sonst?
Jenes Todes Leib sei nicht der unsre
Der uns bereitliegt, durch die dünnen Wände
Kälte spendend, auf des Ehbetts (sprach er)
Katafalk, der Januskopf des Zeit-
85 Genossen Zukunft: du sahst ihn gestern
Öffentlich essen, die Frau vorm Fleisch
Die beißt in Totes, nur noch, ihre Zähne
Mühvoll erhalten, kauten stellvertretend
Was sich Ihr Mann nennt, fühllos saß er, und
90 Mich sah ich sitzen an seiner Stelle
Dich an der ihren, die Wände wuchsen
Einwärts, streckte ich den Arm
Stieß er an Schränke, stoffgepolstert, weniger
Luft war im Raum, als die Lungen faßten
95 Brüllen wollt ich, Röcheln wars, du hörtests
An . . .«

Das sagte er, sie mir, ich dir. Die Augen
Stumpfen ab, gelegentlich erreicht

Der Blick die Wimpern Spitzen Speere
Gezielt wohin? Der Körper wie an Stricken
Bewegt sich, noch, im Lufthauch, den der Baum
Erzeugt, in den sie eingeknotet sind.

Wo bin ich? wer? »Des Dichters Lied sei heiter!«
Sprach der Mann der Frau und Fernstudent
»Nicht diese Töne, Freunde! Eure Stimme
Soll hinbaun was, wo vorher nichts war, Wald
Niederreißen, Schornsteinwälder hochziehn
In kürzern Zeiten als ein Ästlein wächst
Einwurzeln dichtes Baumwerk in den Städten
Auf Kellern, die ein Krieg geebnet hatte
Mit Stein und Fleisch und Eisensplittern, und
Auswerfen Straßennetze, wo der Fischer
Fischnetze auswarf, Brücken übern Sumpf
Verspannen, und zwei Ähren wachsen lassen
Wo eine wuchs, bewässern und entwässern
Natur uns unterwerfen, uns natürlich
Benehmen lernen: das ist Arbeit, aller
Genüsse erster, edelster, der Ziele
Äußerstes Ziel, wie Liebe unerschöpflich!«

Ich selber will ein Haus sein, sterbe ich
Stein durch und durch, der Frost Glut Sturm
Unfühlend abweist, weist sie für euch ab.
Nach außen leit ich eure Stürme willig
In mir ein Herz wird schlagen wie der Donner
Waldungen stürzen, fliegt ein Fenster auf
Mit euren Gluten heize ich die Stadt, und
Sobald euch friert, den Kontinent vereis ich.
Wer in mich eindringt, bricht sich das Genick
Bevor er euch behelligt, auf der Treppe
Die Kindlein über meinen Dachfirst wandeln
Schwerelos, denn das ist meine Höhe.

Zitiert nach: Karl Mickel: Vita nova mea. Gedichte. Reinbek bei Hamburg: Rowohlt, 1967. S. 45–49.
Erstdruck: Karl Mickel: Vita nova mea. Mein neues Leben. Gedichte. Berlin/Weimar: Aufbau-Verlag, 1966.

Frank Trommler

Die Mühen des Nachkriegsaufbaus. Zu Karl Mickels Gedicht *Dresdner Häuser*

Ein so langes Gedicht ist, zumindest im 20. Jahrhundert, ungewöhnlich. Wer auf einen solchen Bandwurm trifft, sieht sich versucht, die Seiten zugunsten kürzerer Gedichte umzublättern, in denen die Aussage handlicher zubereitet wurde. Daß Lyriker Mitte der sechziger Jahre, zur Entstehungszeit von Karl Mickels *Dresdner Häuser* (in *Vita nova mea* wird 1958/65 angegeben), in Ost und West gegen das kurze und für das lange Gedicht plädierten, mag als literaturhistorisches Faktum aufschlußreich sein, hilft dem Leser jedoch kaum beim Einstieg.
Wichtiger ist da schon die Erwähnung Dresdens im kurzen Titel, mit der sich für viele Nachlebende des Zweiten Weltkrieges Assoziationen an eine der großen Katastrophen des 20. Jahrhunderts einstellen. Wer noch zögert, diesen Assoziationen nachzugehen – und mit zunehmendem Abstand zu jenem 13. Februar 1945, als mit Dresden eine der schönsten Städte Europas in Schutt und Asche gebombt wurde, schwächt sich dieser Impuls ab –, der wird schon in den ersten Zeilen intensiv mit den Trümmern dieser Katastrophe konfrontiert. Nachdem die Eingangsworte »Seltsamer Hang!« auf eine Irritation vorbereiten, bringt der Autor Beobachtungen, die angesichts des geschichtlichen Vorwissens verblüffen und Interesse wecken. Er spricht von der

Zerstörung, jedoch fast begütigend, als sei sie von der Natur zurückgenommen worden. Daß damit allerdings unsicheres Terrain betreten wird, läßt der glatte, allzu glatte Reim erkennen: »die Häuser stehn, als sei / Hier nichts geschehn«. Ein ominöser Auftakt.

Während sich der Leser bei einem kurzen, d. h. von vornherein überschaubaren Gedicht, auch wenn die Sprache kompliziert ist, leichter am Gesamtplan orientieren kann, ist er hier voll auf die Lenkung durch das lyrische Ich angewiesen. Angesichts der dichtgefügten, keineswegs leichtverständlichen Sprache muß er bald erkennen, daß Geschichte und Gegenwart hier literarisch reflektiert, nicht poetisch-stimmungshaft kurzgeschlossen werden. Schon in der 11./12. Zeile (»Das also gibt es! / Sagen will ich:«) rückt der Sprechende die Dialektik von Allgemeinem und Individuellem in den Vordergrund. Er signalisiert, wieviel Bedeutung dem Wechsel der Perspektive zukommt. In der Tat lebt das Gedicht von solchen Momenten kritischer Vergewisserung. Seine Vorwärtsbewegung, die sehr bald an Kraft zunimmt, gewinnt mit ihnen eine eigentümliche argumentative Spannung, ja Dramatik. Mickel spricht selbst von »dramaturgischer Großstruktur« in der Lyrik.

Ausgangspunkt bildet der Blick über Hausruinen, die von Dresdens Brand übriggeblieben sind. Die Spuren von Verwitterung und Überwucherung haben sich inzwischen so malerisch eingegraben, daß es scheint, als ob die Natur und nicht jener Brand diese Ruinen hervorgebracht habe. Nur der Hagel habe die Fenster eingeschlagen, nur das Wuchern wilder Kirschen sei für den Verfall verantwortlich. Nicht die Brandnacht habe den bewohnbaren Raum auf ein Zimmer verkleinert, sondern die bewußte Entscheidung der Bewohner gegenüber der Natur. Hier wäre, wie der Sprechende seiner Freundin klarmacht, ein Platz für ihn, der Ruhe wegen, die er braucht. Mit dem Bedürfnis nach Ruhe, das er im ersten Teil des Gedichts als zentrales Motiv entfaltet, schlägt er den Bogen zur Gesellschaft, zu den beengten Lebensformen der Gegenwart.

Allerdings beläßt es der Sprechende nicht beim Skizzieren eines trügerischen Idylls. Als mißtraute er der historischen Assoziationskraft, fügt er einen Exkurs über die ehemaligen Bewohner dieser Dresdner Häuser am Elbhang ein, einen sehr harschen Exkurs über deren Verflechtung mit der nationalsozialistischen Mordmaschinerie. »Was wissen wir von den Häusern, die wir bewohnen oder denen wir gegenüberstehen?« fragt Mickel in einem Interview. »Es tut aber not, zu wissen, was da spukt – denn es spukt ja, ob wir wollen oder nicht.« Spukhaft erscheinen die von ihm genannten Kommerzienräte, »mordgeil vor Alter«, die zahnarmen Nutten und die »Buckelköpfe« (20 f.), die in sicheren Bunkern saßen und sich vor der grausamen Brandnacht nach Westen absetzten. Es sind Typen wie aus George Grosz' oder Otto Dix' Skizzenmappe, grotesk verzerrrt und klischiert. Dabei wird dick aufgetragen, auch darin, daß von hier aus »Des Todes Fließband« (19) in Gang gesetzt worden sei. Womit der Autor, dem es um die Verurteilung des Bürgertums insgesamt, also auch in Dresden, geht, jede Differenzierung vom Tisch kehrt: etwa daß Dresden, eben weil es Pensionärsstadt und nicht politische oder ökonomische Kommandozentrale war, so lange von Bomben verschont wurde.
Schon hier läßt sich die generelle Ausrichtung des Gedichts über den ›Fall‹ Dresden hinaus erkennen. Danach ist von Dresden nur indirekt die Rede. Es wirkt mit seinen auch im Verfall noch beeindruckenden Häusern – »Die schöngeschnittnen Räume!« (5) – wie eine Kontrastfolie, vor der der graue und ermüdende Alltag des Neuaufbaus nach 1945 betrachtet wird. Da tritt auch das Klischee zurück, und die Phrase »Und neues Leben blüht aus den Ruinen«, die in der Aufbaueuphorie ihren Platz hatte, wird spöttisch zurechtgerückt: »Das Neue Leben blüht nicht aus Ruinen / Da blüht Unkraut« (25 f.). Real ist die Häßlichkeit und Enge der Neubauten. Nur weil sie der Wohnungsnot abhelfen und dem Bedürfnis nach Abgeschlossenheit, Ruhe nachkommen, sind sie gerechtfertigt. Selbst das aber stellt der Spre-

chende in einem neuen Einschub kritischer Vergewisserung in Frage. Sein Maßstab ist Ruhe als Ermöglichung individueller Entfaltung. Es deutet sich an, daß er als Schriftsteller spricht, als einer, der Ruhe und Abgeschlossenheit besonders braucht. Mit ironischem Schlenker – er trennt »empf- / Inden« auf zwei Zeilen – konstatiert er, daß in der Liebesumarmung, wenn der Herzschlag zweier Leiber gleich ist, »was wie Ruhe« empfunden werden kann (38–41). Ruhe als Intervall also, schnell vorübergehend. Das erscheint im Hinblick auf den Lärm, der konstant durch die dünnen Wände aus der Nachbarwohnung dringt, noch fragiler, noch quälender. Konsequenterweise spitzt sich die Definition »Das ist die Ruhe« (52) ganz auf den Intervallcharakter zu, darauf, daß Ruhe die »Zeit zwischen Blitz und Donner« (53) darstellt, also aus dem Lärm und der Erwartung von Lärm herausgeschnitten werden muß. Die anschließenden Zeilen: »Unrast hat Löcher / Pflicht geht nicht durch, eh Muße Pflicht wird« (53 f.), lassen keinen Zweifel daran, daß es sich dabei nicht nur um ein privates Problem handelt. In dieser Aufbaugesellschaft voller Unrast und Pflichten kommt Ruhe erst dann zustande, wenn Muße zur Pflicht wird. Gewiß war die DDR-Gesellschaft der Nachkriegszeit alles andere als eine Freizeitgesellschaft. Im Mangel an Ruhe, die mehr als nur ein Intervall der Stille bedeutet, gelangt all die Unrast, Unbequemlichkeit und Mühsal zum Ausdruck, die den Aufbau des Landes begleitete.

Das Thema von der Mühseligkeit des Aufbaus ist damit voll etabliert. Im zweiten Teil des Gedichts entwickelt es sich dann nicht mehr vom Motiv der fehlenden Ruhe, sondern von einem langen wörtlichen Bericht der Nachbarin her, die von der Zerstörung ihrer Ehe durch ein Übermaß an Pflicht und Arbeit spricht. Zuvor findet die immer prekäre Winterversorgungslage der DDR mit Braunkohle Erwähnung. Das Folgende beginnt als Erzählung der Frau, für die der Ehemann keine Zeit hat, da er sich als Fernstudent beruflich höherzuqualifizieren sucht, und mündet in eine generelle Klage über den Verlust an Leben, Gefühl, Liebe. Die Klage

wird von der Frau als Aussage ihres Liebhabers zitiert, der ablehnt, sich zu Tode zu schuften, wie es ihr Mann tut. Er hat sie in den Pausen der gemeinsamen Landarbeit zu sich herübergezogen, hat ihr die Augen dafür geöffnet, wie all die Orientierung an der schöneren Zukunft eine tötende, tödliche Seite besitzt. Nicht nur die Mühseligkeit des Aufbaus tritt ins Bild, sondern der »Januskopf des Zeit-Genossen Zukunft« (84 f.), d. h. die andere Seite des öffentlichen Zukunftsoptimismus: der Tod als versäumtes Leben. So quälend ist die Vision dieser Entleerung und Erstarrung, daß sich das Gefühl der Erstickung einstellt.
»Das sagte er, sie mir, ich dir« (97). Mit dieser einfachen Raffung der drei Gesprächskonstellationen – der Liebhaber zur Frau, die Frau zum Sprechenden, der Sprechende zur Freundin – intensiviert Mickel die Tragweite des Gesagten. Was als Einzelerfahrung formuliert wird, gewinnt in dieser mehrmaligen Brechung allgemeinere Gültigkeit. Das wird im Bild von dem Körper gesteigert, der sich wie an Stricken bewegt, wobei seine Bewegung vom Lufthauch im Baum stammt, in dem die Stricke eingeknotet sind. Ein zentrales Bild, das die poetische Vergegenwärtigung von Einengung, Abhängigkeit, Außensteuerung im Marionettensymbol zusammenfaßt. Auch in anderen Gedichten stellt Mickel dieses Marionettensein heraus, etwa in *Deutsche Puppenbühne* und *Neubauviertel*. Immer geht es um die Gefahr, daß das Individuum in dieser geordneten, gebauten, gekästelten Gegenwart verkümmert. Nicht zufällig folgt auf diese traumatische Vergegenwärtigung der entscheidende Umschlag des Gedichts mit den Worten: »Wo bin ich? wer?«
Bei seiner aufschlußreichen, ebenfalls im Band *Vita nova mea* abgedruckten Interpretation von Schillers Ballade *Die Bürgschaft* weist Mickel darauf hin, wie Schiller überm Allgemeinen das Individuum nicht übersieht und dessen Bedrängnis artikuliert. Die Frage Hölderlins »Wohin denn ich?« mache Schiller in der gemilderten Fassung »Wo bin ich?« zum entscheidenden Drehpunkt des Gedichts. In

Dresdner Häuser leitet die Frage »Wo bin ich? wer?« den letzten Teil ein, wobei sofort deutlich wird, daß sie den Status des Sprechenden als Dichter zum Inhalt hat. In wörtlicher Rede kommt zunächst der Ehemann der Frau, der sich als Fernstudent abplagt, zu Wort, und es geschieht nicht ohne Ironie, daß ausgerechnet derjenige, der vor Arbeit und Weiterqualifizierung menschlich verkümmert, die alte Forderung »Des Dichters Lied sei heiter!« auf diese Gegenwart angewandt wissen will. Er wird zum Sprecher der in der DDR offiziell immer wieder vertretenen Auffassung, daß die Literatur den Aufbau bereits vorausnehmen und dort, wo noch nichts ist, etwas poetisch hinstellen solle. Fast unmerklich leitet diese auf den sozialistischen Realismus zielende Ermahnung zu einem Preis der Arbeit über, der mit seinen idealen Zügen fast etwas Rührendes hat.
Dieser Ansturm an Optimismus wirkt keineswegs völlig phrasenhaft, dennoch ist seine Kontrastfunktion für die von Mickel im Schlußteil poetisch-bildhaft formulierte Definition des Dichters unverkennbar. Schon die exaltierte Sprache schafft Kontrast. War eingangs von den alten und neuen Dresdner Häusern die Rede, von ihren fragwürdigen Möglichkeiten, Ruhe zu gewähren, so projiziert der Sprechende nun das Bild vom Haus auf sich und gewinnt damit für die Definition seiner selbst als Dichter eine überaus eindrucksvolle Metapher. Es geht darum, den Bedürfnissen, Ängsten und Triumphen der Menschen, die in solchen Häusern wohnen, zum »Haus« zu werden, und das will er als Dichter. Statt heiterer Verklärung der schlechten Wirklichkeit will er dem, was die Menschen wirklich bewegt, zum Ausdruck verhelfen, will als Katalysator intensivieren, kritisieren, helfen. Hier enthemmt sich seine Metaphorik geradezu. Assoziationen an expressionistische Gedichte, etwa an Georg Heyms *Der Gott der Stadt*, stellen sich ein. Der Evokationskraft der Sprache ist mit Wendungen wie »Frost Glut Sturm«, »In mir ein Herz wird schlagen wie der Donner«, »Mit euren Gluten heize ich die Stadt« freie Bahn geschaffen, und wenn es schließlich mit gleichem rhetori-

schen Elan heißt: »Wer in mich eindringt, bricht sich das Genick / Bevor er euch behelligt, auf der Treppe«, so kann kein Zweifel aufkommen, daß er als Dichter alles abwenden wird, was sein Wirken für »euch«, die Allgemeinheit, beeinträchtigt. Daß Mickel das Gedicht nicht mit einem gewaltigen Schlußakkord, sondern dem rührend-leisen Bild »Die Kindlein über meinen Dachfirst wandeln / Schwerelos, denn das ist meine Höhe« ausklingen läßt, bezeugt seinen Sinn für die poetische Nuance, mag schließlich auch ein kleines ironisches Fragezeichen setzen. Spätestens hier wird die Deutung problematisch. Sind die Kindlein Attribute des träumenden Poeten? Mickel bricht in der späteren Fassung von 1976 die Schlußzeile beim Wort »schwerelos« ab und läßt »denn das ist meine Höhe« aus. Das dürfte darauf hindeuten, daß es ihm mehr um die poetische Assoziation als um eine definitorische Abrundung geht. Auch in anderen Gedichten läßt Mickel das Ende offen; einfache Lösungen liegen ihm nicht.
Ein überraschender Schluß? Überblickt man von ihm aus erneut das Gedicht, zeigt sich die innere Konsequenz der Argumentation. Was als eine Epistel über Dresden beginnt (wo Mickel 1935 geboren wurde), geht in eine kritische Vergegenwärtigung des Nachkriegsaufbaus in der DDR über. Schließlich löst die erfahrungsgesättigte, von mehreren Stimmen getragene Manifestation dieser Thematik die Selbstbesinnung des Sprechenden aus. Er definiert sich als Dichter im Zusammenhang mit den aufgewiesenen realen Problemen, nicht den offiziellen Wunschvorstellungen dieser Gesellschaft. Die Kohärenz des Ganzen wird sichtbar: was der Dichter im Schlußabsatz als seine Aufgabe bestimmt, praktiziert er in diesem Poem. Er bringt nicht die schönfärberischen Darstellungen des sozialistischen Realismus, keine glatte Agitations- oder Selbstverklärungslyrik, wie sie in der DDR-Literatur lange Zeit dominierte. Vielmehr rührt er an die Tabus der Aufbauwirklichkeit, scheut die Behandlung der verpönten Themen Tod und Entfremdung nicht.

An dieser Stelle erhebt sich die Frage, inwiefern dieser Lyriker damit die offiziell gezogenen Grenzen der Kritik übertrat und entsprechend selbst kritisiert wurde. Denn was der zu dieser Zeit regierende Parteichef Walter Ulbricht von der Literatur verlangte, wies nach wie vor in die Richtung öffentlicher Affirmation, speziell nach dem harschen Verdikt des 11. Plenums des ZK der SED 1965. Mickel gehörte mit Volker Braun, Rainer und Sarah Kirsch, Bernd Jentzsch, Reiner Kunze, Heinz Czechowski zu einer Reihe junger Lyriker, die sich Mitte der sechziger Jahre bewußt als eine neue Generation artikulierte, den literarischen Klischees über diesen sozialistischen Staat zu Leibe rückte und ihr Bekenntnis zu ihm im kritischen Umgang entwickelte. Es war Mickels Gedicht *Der See*, das 1966 in der Studentenzeitschrift *Forum* eine Auseinandersetzung auslöste, die zu den wichtigen Stationen der Lyrik-Entwicklung in der DDR gehört. Hans Koch ging dabei mit den kritischen Gedichten der Jüngeren scharf ins Gericht. Er sprach von »Mickels Häßlichkeitsorgien« und resümierte: »Es bedarf kaum einer Erklärung, wie sehr all diese schwer- und kaumverständlichen Gedichte ein ›Zeitgefühl‹ großer Bedrückung und Bedrohung menschlicher Existenz signalisieren.« Zwei der zentralen Streitpunkte der Lyrik-Debatte wurden damit zusammengebunden: die nichtoptimistischen Inhalte und die schwerverständlichen Formen. In beidem sahen andere Diskussionsteilnehmer entscheidende Wegmarken für eine unklischierte Annäherung an die aktuelle Wirklichkeit. In der Tat gewannen die Lyriker mit diesen Elementen Einblicke und Aussagen, die über die bloße Bestandsaufnahme einer historischen Aufbausituation weit hinausreichen.
Daß Mickels Gedichte den Vorwurf der Schwerverständlichkeit besonders anzogen, überrascht nicht. Sie setzen eine intensive Beschäftigung des Lesers voraus, der zudem in antiker Mythologie und dem, was man als Bildungsgut bezeichnen kann, bewandert sein muß. *Dresdner Häuser* hält dabei eine gewisse Distanz zu den kruden Alltagsdetails ebenso wie zu den Mythoselementen, zwischen denen seine

knappe, aphoristisch zugespitzte Sprache pendelt. Dafür rückt eine kunstvolle – ohne Brecht nicht zu denkende – gestische Rollensprache ins Zentrum, ein ins Dramatische weisender Sprachduktus, mit dem individuelle Haltungen in ihrer gesellschaftlichen Bedingtheit plastisch werden. Der Sprechende ist nicht nur das lyrische Ich, das die gedankliche und ästhetische Einheit verbürgt, sondern eine Figur, in der sich Geschichte verbürgt und die gerade in dieser Determinierung auch in anderen Zeiten beispielgebend sein kann. Die Subjektivität, die Kritiker wie Koch angriffen, ist nicht die der hermetischen Lyrik eines Trakl oder Celan. Wenn Mickel für den Titel seines Gedichtbandes zu Dantes *Vita nova* das Wort *mea* hinzufügte, so entspricht das der Intention, das neue Leben eindeutig unterm Aspekt dichterischen Bekenntnisses zu sehen.
Allerdings: ob sich damit die Bedenken gegen die Form des langen Gedichts erledigen, bleibt fraglich. Mickel, der 1966 in der mit Adolf Endler herausgegebenen Lyrik-Anthologie *In diesem besseren Land* für das lange Gedicht plädierte, vermag die Konzentration und Abstraktion lehrhaften Diskurses nicht immer durch Realität zu balancieren. Der gehobene Tonfall, der bei seinen Lehrmeistern Georg Maurer und Johannes R. Becher nicht selten zum feierlichen Gerede verkommt, stellt in unserer Zeit ein prekäres Kommunikationsmittel dar.

Zitierte Literatur: Aufklären heißt umstülpen. Karl Mickel im Gespräch. In: Neue Deutsche Literatur 28 (1980) H. 1. S. 52–58. – Hans Koch: Haltungen, Richtungen, Formen. In: Forum 19 (1966) H. 15/16.

Volker Braun

Nach dem Treffen der Dichter gegen den Krieg

Was bleibt, frage ich mich, von euern Worten
Keiner sonst hält sie, und das Gedächtnis
Ist sterblich, und das Papier bricht
Einer redet dem andern zu, beide werden begraben
Vom gelben Blatt eh es verfallen ist
Schreibt sich das blanke her, zahllose Neudrucke
Behaupten jeden Satz neu, hohe Auflagen
Retten den Satz des Sokrates, durch den er berühmt ist.

Aber das fragt ihr euch nicht, ist das nicht viel
Was die geduldige Luft trägt, aber ihr redet
Und ruft, wen alles, und an berufener Stätte
Wo jeder Rinnstein großherzoglich-weimarsch riecht: hier
Sprachen schon andere, sag ich, und die
Hatten den Hexameter auch nicht erfunden:
Ist es der Mai, aber ihr fragt nicht, oder weil ihr von weither
Gekommen seid aus unsern finsteren Zeiten
Und aus den fünfzig Landschaften des Kriegs, hier
Sprecht jetzt ihr, wer zählt die Worte, die kleinen
Gewichte, die die Seele auslasten: was
Bleibt, frage ich mich, von euern Worten

Oder von dieses Baums Blüten, aus dem Park
Aus dem Mai, jede Wiese
Geht aus sich, nicht weil hier Goethe ging
Jeder Busch bauscht sich über dem Sommer auf, der Wind
Orgelt in tausend Zeugungsorganen, das wirbelt
Staub auf aus allen Gefäßen – wozu
Der Aufwand an Absenkern, warum nicht, Linde, gelinder?
So große Verschwendung: was schwände
Nicht ohne sie? Ohne Überfluß: wo
Flösse der Fluß noch? Nur was so aufsteht

Setzt sich durch. Nach dem maßlosen Mai, mäßig
Erhält die Natur sich und

Die Menschheit auch. So bäumt ihr euch auf
Und zeigt Blätter. Zahllose, mit euern Worten
35 Randvoll: was bleibt, aber so
Bleiben wir leben. Mit großem Aufwand
Dies Mindeste. Da ist so viel zuviel, doch weniger
Wäre zuwenig. Denn noch sind wir, redend zwar
Natur. Und wieviel Kraft ist vertan
40 In unserm Dickicht. Die Gesetze
Die allen den Plan geben und die Tropfen dem Eimer
Sind kaum erkannt und
Fast unbekannt. So fehlt dem Leben die Kunst.

Zitiert nach: Volker Braun: Wir und nicht sie. Gedichte. Frankfurt a. M.: Suhrkamp, 1970. (edition suhrkamp. 397.) S. 38 f.
Erstdruck: Kursbuch 4 (1966).

Andreas F. Kelletat

Im Dickicht der Widersprüche. Zu Volker Brauns Gedicht *Nach dem Treffen der Dichter gegen den Krieg*

»Redner, steckt weg eure Zettel. Nichts mehr davon, ich bitt euch.«
Volker Braun, *Kultur in Weimar*

Schriftsteller, so will es ihre Arbeit, sind Einzeltäter. Wenn sie dennoch zu gegebener Zeit und aus gegebenem Anlaß in großer Zahl an einem Ort zusammenkommen, um Aufrufe, Resolutionen und Solidaritätsadressen zu verlesen, beschleicht viele von ihnen ein ungutes Gefühl. Er habe sich erholen müssen, schreibt Johannes Bobrowski Anfang Juni 1965 an Manfred Peter Hein, »von diesem Weimar, wo es laut war mit vielzuviel Leuten, wenn nicht die Finnen und einige Polen, ein Litauer, ein Lette, ein Este und Saroyan und Déry gewesen wären: ein Babel (›daß wir uns einen Namen machen‹)«. Ein Babel – das war es wohl *auch*, jenes Treffen von Schriftstellern aus über fünfzig Ländern, »aus den fünfzig Landschaften des Kriegs« (17), in Berlin und Weimar vom 14. bis 22. Mai 1965. Nicht nur weil dort »jeder Rinnstein großherzoglich-weimarsch riecht« (12), hatten sich die Veranstalter für die »Stadt der deutschen Klassik« (*Ruf aus Weimar*) entschieden, sondern auch, weil hier »1945 der Schwur der antifaschistischen Kämpfer von Buchenwald in den Sprachen vieler Nationen erklungen ist« (ebd.). Man war zusammengekommen, um, wie Volker Braun in den Anmerkungen zu seinem Gedichtband *Wir und nicht sie* mitteilt, »gegen die neuen Bedrohungen der Menschheit aufzurufen«, gegen Amerikas militärisches Eingreifen in Vietnam, in Santo Domingo, gegen den drohenden Atomkrieg.

Über den Sinn dieser (für die um internationale Anerkennung bemühte DDR wichtigen) Veranstaltung und im weiteren über die grundsätzlichen Wirkungsmöglichkeiten von Kunst auf die historische Entwicklung spricht Volker Braun in seinem Gedicht *Nach dem Treffen der Dichter gegen den Krieg*. Es ist nicht das erste Mal, daß sich Braun, der in seinen frühen Gedichten selbst eine erhebliche Lautstärke anschlägt, über die Wortinflation der Festtagsreden mokiert. Den Gedichtband *Wir und nicht sie* (vgl. Klopstocks Ode von 1790 *Sie, und nicht wir*) eröffnen die Zeilen:

Zufriedne Helden schanzen sich in den Ebenen ein
Auf die Schminktöpfe trommeln die Heilskünstler, Lob
Trieft aus den Blättern, jeder Furz klingt als Fanfare
Revolutionäre bitten, den Status bald zu bestätigen
Die permanente Feier verkünden Schaumschlägertrupps –

Das erinnert an Enzensbergers *An alle Fernsprechteilnehmer*, und von »erloschenen Resolutionen« könnte auch in unserem Text die Rede sein.
Vers 1 kehrt Hölderlins zu oft feierlich zitiertes »Was bleibet aber, stiften die Dichter« in die – zunächst an sich selbst gerichtete – Frage »was / Bleibt [...] von euern Worten« (19 f.). Die erste Antwort ist Zweifel. Nichts wird bleiben. Das Papier zerfällt, auch das Gespräch rettet nichts: »Einer redet dem andern zu, beide werden begraben / Vom gelben Blatt« (4 f.). Dann jedoch folgt schon der Widerspruch, die Gegenthese: »Vom gelben Blatt [...] / Schreibt sich das blanke her, zahllose Neudrucke / Behaupten jeden Satz neu« (5–7). Das Gedicht entfaltet seine antithetische Struktur, es wird sie beibehalten bis in die letzte Zeile. Durch die Unbestimmtheit des Übergangs von Vers 4 zu Vers 5 (Zeilensprung oder kein Zeilensprung) wird der Leser hineingezogen in das vertrackte Einerseits/Andererseits, er muß sich für eine Lesart entscheiden. Als Beleg für die fortdauernde Wirkung der »Worte« nennt Braun den »Satz des Sokrates, durch den er berühmt ist« (8) – einen Satz also, der von seinem Urheber gar nicht aufgeschrieben wurde, sondern seine Überlieferung der späteren Aufzeichnung verdankt. Selbst das nur gesprochene Wort bleibt erhalten, die Sentenz aus Platons *Verteidigung des Sokrates*: »Ich weiß, daß ich nichts weiß« (*Apologie* 21d). Die listige Pointe, mit der die nach Rede und Widerrede erlangte Gewißheit, daß nichts von den Worten verlorengehe, in jenes fatale »Ich weiß, daß ich nichts weiß« mündet, ist jedoch nicht ausschlaggebend für den Rückgriff auf Sokrates. Braun adaptiert vielmehr die dialektische Methode des griechischen Philosophen, der – ausgehend von subjektiven Erfahrungen und Beobachtungen – im Dialog nach objektiver Erkenntnis strebt. Im Gespräch nur, in Rede und Widerrede zeigt sich für Sokrates der »über allen stehende Logos, der alle in seine Gesetze zwingt« (Ernesto Grassi). Auf diesen Gedanken werden wir bei der Analyse der Verse 40–43 zurückkommen.
Die zweite Strophe variiert und steigert die Frage aus Vers 1

bis zu der naßforschen Formulierung der Verse 12–14, die sich gegen die Selbstüberschätzung der an »berufener Stätte« versammelten Schriftsteller richtet. Aber es bleibt nicht bei dem Vorwurf, in der zweiten Hälfte der Strophe wird nach den Gründen für das überlaute Reden und Rufen gefragt. Brechts »finstere Zeiten« (16; wobei den Leser in der DDR das Pronomen »unsern« stutzig machen müßte) verweisen auf den Anlaß des Treffens in Weimar, auf den Anteil, den auch die Schriftsteller am Widerstand gegen den Faschismus gehabt haben. Daß sie nun aus den »fünfzig Landschaften des Kriegs« (17) zusammengekommen sind, sollte das nicht reichen als Rechtfertigung für die Appelle gegen die erneute Bedrohung der Menschheit? Aber *wie* wird in Weimar gesprochen? »wer zählt die Worte, die kleinen / Gewichte, die die Seele auslasten« (18 f.) – das heißt doch, daß sich die Schriftsteller nicht an den Verstand ihres Publikums wenden, sondern an dessen Gefühl. Eine solche »Gemütserregungskunst« (Novalis) kann der Brecht-Schüler Volker Braun nicht akzeptieren. Er beendet die Strophe mit der jetzt resigniert klingenden Eingangsfrage »was / Bleibt, frage ich mich, von euern Worten«.
Der tiefe Einschnitt des Gedichts zwischen der zweiten und dritten Strophe gibt uns Gelegenheit, einen Moment innezuhalten und die formale Struktur des Textes näher zu betrachten. Sie erweist sich bei genauerem Hinsehen als weit entfernt von jeder Beliebigkeit. Die Aufnahme von Zitaten in das Gedicht wurde bereits angedeutet. Braun nutzt sowohl die ausdrucksstarke Bildhaftigkeit der Umgangssprache (12, 14) wie auch »markante Stellen klassischer Dichtung« (Hartinger, S. 157). Daß sich Volker Braun »mit unseren Bildungsunterlagen (Klopstock, Hölderlin) ganz neu ins Benehmen gesetzt« hat (Peter Rühmkorf), zeigt sich auch im Bewegungsverlauf des Gedichts. Zwar gehorchen die Zeilen nicht einem der bekannten metrischen Schemata, jedoch sind sie mit einem genau berechneten Netz lautlicher und rhythmischer Entsprechungen überzogen. Das Gedicht kann nicht in einem mit willkürlichen Betonungen durch-

setzten Parlando gelesen werden, vielmehr wird der Leser in einen mal stockenden, mal beschleunigten Redefluß genötigt. Dem antithetischen Gedankengang entspricht diese mit Versatzstücken aus der klassischen Metrik angereicherte freirhythmische Sprache. »Dialektisch zu strukturieren verstanden auch die klassischen Dichter, in bewußter Rezeption der Philosophen«, schreibt Braun 1966 in seinem poetologischen Aufsatz *Eine große Zeit für Kunst?*. Über Hölderlin heißt es in diesem Zusammenhang: »Er hat Kampf und Einheit der Gegensätze immer bewußter zu seiner Methode gemacht. Teilen und Vereinigen der Motive, Strophe gegen Strophe [. . .] Strophengruppen gegeneinander als Negation der Negation.« In der Beschäftigung mit der Philosophie und den klassischen Dichtern entwickelt Volker Braun seine materialistische Ästhetik: »Die Gesetze der Bewegung der Wirklichkeit müssen Gesetze des strukturellen Aufbaus des Gedichts sein« (*Eine große Zeit für Kunst?*, S. 24).
Auch die dritte Strophe belegt, wie Braun bis ins kleinste sprachliche Fügungen diese Ästhetik anzuwenden weiß. Sie zeigt zugleich, wie der mit dieser Methode verbundenen Gefahr entgangen wird, daß sich die einzelnen Bestandteile des Gedichts, die Thesen und Antithesen, verselbständigen, daß das Gedicht in miteinander unverbundene Strophen und Zeilen zerbricht. Denn Strophen- und Zeilensprung schaffen immer dort wieder Verbindungen, wo Rede und Widerrede zunächst unvereinbar aufeinanderstoßen. Selbst der Eindruck der Finalität, der sich am Ende von Vers 20 aufdrängt, wird durch einen – erst beim Weiterlesen erkennbaren – Strophensprung wieder aufgehoben. Strophen- und Zeilensprünge tragen außerdem maßgeblich zur Dynamisierung und Rhythmisierung des Gedichts bei, besonders wenn ihnen geschlossene syntaktische Einheiten unmittelbar vorausgehen (24/25, 26/27, 29/30, 31/32, 32/33). Neben die bewußte Durchformung des Rhythmus tritt im zweiten Teil des Gedichts eine Fülle von Stab- und Binnenreimen, bis zu der wuchtigen Fügung in Vers 31, in dem drei aufeinander

folgende Wörter miteinander staben (maßlos, Mai, mäßig). Über ein Dutzend Stabreime benutzt Braun im zweiten Gedichtteil. Dieses Ausschöpfen dichterischer Möglichkeiten, die »Verschwendung« von Alliterationen, die in dialektischem Spiel sich gegeneinander kehren (27–30), das ganze Feuerwerk poetischer Einfälle, die noch ergänzt werden durch die komische Abwandlung von Goethes *Maifest* in den Versen 22/23, korrespondiert mit der Naturmetaphorik der dritten Strophe, setzt sie auch klanglich und rhythmisch ins Bild. Die Natur benötigt die Verschwendung zur Erhaltung ihrer selbst, so die Aussage. Der Leser mag zunächst rätseln über den Zusammenhang zwischen Naturbild und dem Inhalt der beiden vorangegangenen Strophen, er mag allenfalls durch die Korrespondenzen Mai/Mai (15/22) und Weimar/Goethe (12/23) eine inhaltliche Verbindung herstellen. Doch erst der Strophensprung (32/33) schafft Klarheit: Wie die Natur sich durch jenen »Aufwand an Absenkern« (27) erhält, so können auch die Schriftsteller mit zahllosen, randvoll beschriebenen Blättern (34) ihren Teil dazu beitragen, daß wir leben bleiben (36). Damit schließt sich – nach dem Gedankengang der ersten Gedichthälfte – eine weitere Argumentationskette.

Die Leichtigkeit, mit der Braun in der dritten und zu Beginn der letzten Strophe die Widersprüche fast übermütig gegeneinandersetzt, scheint zunächst in eine Zirkelhaftigkeit zu münden, in der die Realität zu einem Kopfstand ansetzt, nur um mehr Aufmerksamkeit zu erregen. Doch es geht Volker Braun nicht um die Faszination des Paradoxen. Vom antithetischen Gang seiner Gedichte verlangt er nicht nur, daß in ihnen die »Widersprüche sozusagen strophisch miteinander kämpfen« (*Das Wir und das Ich*, S. 322), er will sie »an das Ende der Vorgänge« führen. Was heißt das für dieses Gedicht?

Die Antwort ergibt sich aus der Analyse der letzten Zeilen, die äußerst komprimiert die Zusammenhänge von Natur, Kunst und gesellschaftlichem Wandel darzustellen versuchen (38–43). Über die zentralen Begriffe der vierten Strophe (Gesetze, Kunst, Natur) schreibt Braun in dem schon erwähnten Aufsatz *Eine große Zeit für Kunst?:* »[...] und Goethes ›Wem die Natur ihr offenbares Geheimnis zu enthüllen anfängt, der empfindet eine unwiderstehliche Sehnsucht nach ihrer würdigsten Auslegerin, der Kunst‹ [*Maximen und Reflexionen*, 720] gilt wohl auch für die Natur der Gesellschaft, deren Gesetze sich uns enthüllen.« An welche Gesetze denkt Braun? Was muß sich da enthüllen, damit eine »große Zeit für Kunst« beginnen kann? Die Antwort enthält Vers 41, der die jahrhundertelang gültige Überzeugung negiert, daß die Natur nur als Schöpfung *Gottes* begriffen werden kann. Die Negation erfolgt durch ein Zitat aus Klopstocks berühmter Hymne *Die Frühlingsfeyer* (1759/71):

Nur um den Tropfen am Eimer,
Um die Erde nur, will ich schweben, und anbeten!
Halleluja! Halleluja! Der Tropfen am Eimer
Rann aus der Hand des Allmächtigen auch!

Parodierend, durch die Verwendung des Plural »die Tropfen«, wird Klopstocks Metapher zerstört: Nicht Gott schafft und regiert die Welt, sondern – wie in der Natur – bestimmen erkennbare *Gesetze* den Lauf der Menschheitsgeschichte. Diese Gesetze, von denen schon die Schulkinder in der DDR lernen, daß Marx und Engels sie entdeckt haben, »Sind kaum erkannt und / Fast unbekannt« (42/43). Weil ihre »Entdeckung« erst kurze Zeit zurückliegt, weil sie ständig »schöpferisch weiterentwickelt« werden müssen und weil viele (wohl auch unter den in Weimar versammelten Schriftstellern) von ihrer Gültigkeit bisher nicht überzeugt werden konnten, sind wir »redend zwar« noch »Natur«.
»Natur« ist hier zu verstehen nicht als »dieses Baums Blüten« (21), sondern als »*terminus a quo* der Freiheit, und deren Verwirklichung [...] als Heraustreten aus der Natur« (Spaemann, S. 963), im Sinne der Forderung Kants, »der Mensch solle aus dem ethischen Naturzustand herausgehen,

um Glied eines ethischen Gemeinwesens zu werden« (ebd.). Hegel spricht vom Verharren in der Natur als dem Bösen, und für Marx schließlich sind die vorsozialistischen gesellschaftlichen Strukturen »naturwüchsig«.

Endet das Gedicht also mit einem letzten Widerspruch im Namen der reinen Lehre – hier die Erkenntnisse der Klassiker des historischen Materialismus, dort die bornierten Schriftsteller, die sie nicht nachvollziehen und anwenden wollen? Nein, die ›Widerspruchskunst des Volker Braun‹ ist diffiziler. Sie sucht nicht nach den Widersprüchen *zur* Realität, das wäre billig, sie sucht die Widersprüche *in* der Realität (Nemetz, S. 44), um sie von dort an ihr Ende zu treiben. Dieses Ende, der Aufbau einer humanen sozialistischen Gesellschaft, wird von Braun allerdings nie in der Manier sozialistischer Panegyrik als längst erreicht beschrieben.

Obwohl schon so viel Kraft in dem »Dickicht« der Widersprüche vertan ist, steht alles noch am Anfang. Seinem jüngsten Gedichtband gab Volker Braun den Titel *Training des aufrechten Gangs* (Halle 1979). Er bekennt sich damit ausdrücklich zur Philosophie Ernst Blochs. Bloch hat den Schlußgedanken unseres Gedichts bereits am Ende seines Hauptwerks *Das Prinzip Hoffnung* ausgesprochen: »Der Mensch lebt noch überall in der Vorgeschichte, ja alles und jedes steht noch vor Erschaffung der Welt, als einer rechten. *Die wirkliche Genesis ist nicht am Anfang, sondern am Ende*, und sie beginnt erst anzufangen, wenn Gesellschaft und Dasein radikal werden, das heißt sich an der Wurzel fassen.«

Zitierte Literatur: Volker BRAUN: Eine große Zeit für Kunst? In: V. B.: Es genügt nicht die einfache Wahrheit. Notate. Frankfurt a. M. 1976. S. 22–27. – Christel und Walfried HARTINGER: Nachwort. In: Volker Braun: Gedichte. Leipzig 1979. S. 141–158. – Rolf NEMETZ: Die Widerspruchskunst des Volker Braun. In: Aktualisierung Brechts. Versuch, Brecht für die Gegenwart neu zu gewinnen. Von Wolfgang F. Haug [u. a.]. Berlin 1980. S. 43–56. – Ruf aus Weimar. In: neue deutsche literatur 13 (1965) H. 8. S. 5. – Robert SPAEMANN:

Natur. In: Handbuch philosophischer Grundbegriffe. Bd. 4. München 1974. S. 956–969. – Das Wir und das Ich. Interview mit Volker Braun. In: Auskünfte. Werkstattgespräche mit DDR-Autoren. Berlin/Weimar 1974. S. 319 bis 334.

Weitere Literatur: Christine COSENTINO: Literarische Tradition und Montagetechnik in der Lyrik Volker Brauns. In: Basis 8 (1978) S. 190–199. – Heinz CZECHOWSKI: Bleibendes Landwüst. Zur Lyrik Volker Brauns. In: Sinn und Form 25 (1973) S. 900–915. – Christel und Walfried HARTINGER: Volker Braun. In: Literatur der DDR in Einzeldarstellungen. Hrsg. von Hans J. Geerdts. Stuttgart 1972. S. 504–522. – Manfred JÄGER: Sozialliteraten. Funktion und Selbstverständnis der Schriftsteller in der DDR. Opladen ²1975. – Manfred JÄGER: Das Handeln als Basis und Ziel dichterischer Praxis. Zu Volker Brauns Reflexionen über Poesie und Politik. In: Text + Kritik 55 (1977) S. 12–21. – Silvia SCHLENSTEDT: Das WIR und das ICH des Volker Braun. In: Weimarer Beiträge 18 (1972) H. 10. S. 52–69.

Günter Kunert

Geschichte

1

Leichter mal mal schwerer mal unerträglich:
Die währende Bürde.
Das allzeit fällige Urteil.
Was nie aufgeht ob wir uns multiplizieren oder
Uns reduzieren: die Rechnung. Aber immer
Präsentiert und präsent: Dir Ziffer mir Zahl.

2

Nagelt den Zeiger fest schlagt ihn
Ans Kreuz das hält nicht auf den Verlauf den Ablauf
Nur gerechtenfalls: den Zulauf.

3

Bei günstigem Licht dem anhaltend
Wechselnden und gunstvollem Aspekt läßt sie
Sich sehen: eine Kette
Scheu geschlängelt mal mal gestrafft
Schlangengleich unter sich erneuernden Häuten
Zwischen Maschine und Maschinisten: Einander
Oder Wer Wen halten sie fester als sie halten.

4

Die Revolution wo finden wir sie und wieder.
Unterm tückischen Marmor liegt siebenmal siebenfach
Sisyphos verdammt und unaufweckbar.
Lang lebe die unbesiegliche Inschrift.

5

Aber wahr ist das Ungeheuerliche: Polyphem
Vorgeblich überlistet noch furchtbarer in Blindheit

Indem seine Höhle sich hinstreckt ins Dunkel
Der Zukunft und dort ist kein Ausgang zu sehen.

6

25 Sie ist über den Völkern.
An einem Faden.
Ein damokleischer Schatten: Deutschland
Unaufhörliche Wolke zwiefach zwieträchtiger Form.
Dabei wir dabei
30 Ins Universalische zu wachsen und an einem Kabel
In den Kosmos zu hängen zu schaukeln und frei
Uns zu fühlen vor allem von Gravitation von Atemnot von
Gedanken: einschneidenden ätzenden verletzenden
Wie
35 Die dort unten die kleine bläuliche Kugel zerfurchten
Das alte Gesicht
Leidstarre Miene darin keine Wunde vernarben will:
Wir steigen wir fallen stets tiefer
Als möglich.

7

40 Geschichte sage ich und weiter noch: Wenig bleibt.
Glücklich wer am Ende mit leeren Händen dasteht
Denn aufrecht und unverstümmelt dasein ist alles.
Mehr ist nicht zu gewinnen.

8

Was dauert ist grau und unauffällig
45 Unter allen Tritten. Was die Opfer ohne Augen glauben
Und die Mörder ohne Ohren sich denken und was doch
Die Lebenden verstummen müssen laut redet: [wenn
Der Stein der Fels der Würfel der immer fällt
Und immer bleibt
50 Das ist das einzige und eine was ist.

Zitiert nach: Verkündigung des Wetters. Gedichte, München: Carl Hanser, 1966. S. 25–28. [Erstdruck.]

Manfred Durzak

»... unverstümmelt dasein ist alles.«
Zu Kunerts *Geschichte*

Die acht Epigramme, die eine poetische Reflexion von Geschichte enthalten, verdichten eine immer wieder neu ansetzende und abbrechende Denkbewegung, die nachzuvollziehen von einer Bedingung abhängig ist: von dem Stellenwert, den diese Reflexionsbewegung in der Entwicklungsgeschichte des Autors hat. Die Geschichtlichkeit dieser Verse über die Geschichte ist also mitzubedenken, wenn man den Resonanzraum der poetischen Reflexion zu bestimmen versucht.

Kunerts künstlerische Individuation ist Teil einer historischen Wirklichkeitserfahrung, die von Nationalsozialismus, der Judenverfolgung, der Zerstörung Deutschlands und seiner politischen Zweiteilung geprägt ist. Und das um so mehr, als Kunert seine eigene (auch dichterische) Entwicklung mit der Entwicklung im sozialistischen Deutschland verband und, in seinen lyrischen Anfängen von Bertolt Brecht und Johannes R. Becher begrüßt, sich selbst auf längere Zeit als identisch mit der neuen politischen Richtung in diesem Teil Deutschlands empfand. In einem seiner frühen Gedichte aus dem Band *Das kreuzbrave Liederbuch*, dem Gedicht *Als ich ein Baum war* (S. 30f.), hat er diese seine eigene Entwicklung bestimmende Geschichte dargestellt. Er geht aus von dem Zustand einer naturgeschichtlichen Harmonie, in der sich das Ich als organischer Teil der Natur empfand. Im Bild des im Erdreich verwurzelten Baumes wird dieser harmonische Zustand der Geborgenheit ausgedrückt:

Als ich noch ein Baum gewesen,
Hielt ich mich mit Wurzeln
In der guten Erde fest

Und liebte die Erde, weil diese
Mich aus sich kommen läßt.

Das Älterwerden dieses sich noch mit der Natur im Einklang befindenden Ichs führt die erste entscheidende Situation der Desillusionierung herbei: die Konfrontation mit einer politischen Geschichte, die sich von der Naturgeschichte grundsätzlich unterschied, die Konfrontation mit der Realität des Nationalsozialismus, der die Welt in einen Schlachthof verwandelte:

Weil ich aufwuchs, ragte ich endlich
Über Sträucher und Büsche hinaus:
Die Welt ward mir größer und weiter,
Zeigte Gaskammern, Galgen und Zellen
Und sah wie ein Schlachthof aus.

Damals habe ich mich entschlossen,
Nicht länger Baum mehr zu sein;
Und zog mich aus dem Boden mit Macht
Und mischte mich in das Leben der Menschen
Ganz unauffällig ein.

Die von der Zeitgeschichte erzwungene Entwurzelung wird nicht als eine passive Leidenserfahrung dargestellt, sondern als Akt eines erwachenden politischen Bewußtseins, das zugunsten einer humanen Geschichte die naturgeschichtliche Harmonie als Fluchtzone hinter sich läßt:

Ein Baum! den der Anblick der Kämpfe
Aus den friedlichen Wäldern trieb!

Kunert hat in den fünfziger Jahren die politische Hoffnung geteilt, daß diese neue Gesellschaft, die auf den Trümmern des Zweiten Weltkrieges in Mitteldeutschland errichtet wurde, nicht nur die Entwicklungsrichtung einer humanen neuen Geschichte abgeben würde, sondern auch die naturgeschichtliche Utopie des Ursprungs wieder ermöglichen würde. In dem frühen Gedicht *Aufforderung zum Zuhören* aus seinem Band *Wegschilder und Mauerinschriften* (S. 11) wird emphatisch verkündet: »GESTERN IST VORBEI«, und der Beginn einer neuen Geschichte proklamiert, die in die naturgeschichtliche Harmonie des Anfangs wieder einmünden würde:

Laß mich die Arme recken und dir den
ersten Teil einer anderen Geschichte
erzählen, die neu ist.
Noch schreibt sie der Stift.
Noch druckt sie die Maschine.
In festen Lettern steht über ihr:
BALD IST MORGEN.

Und in dieser kriechen freche Buchstaben
und mutige.
Zeigen einen Waldweg mit hellen Fichten,
geliebten Wiesen und – hoch oben –
lautlos segelnden Vögeln in der Ruhe
des Tages.
Laß sie mich dir erzählen.

Mitte der sechziger Jahre, als die Gedichte der *Verkündigung des Wetters* erschienen, war die Schrift, die dieses Morgen schrieb, zum Teil bereits lesbar geworden. Die epigrammatischen Blöcke des Gedichtes *Geschichte* sind in gewisser Weise Kunerts Versuch, diese nun teilweise eingetretene Zukunft zu lesen. Was sich ihm in dieser Schrift enthüllt, ist von der naturgeschichtlichen Utopie der Ursprungshoffnung weit entfernt.
Die im Muster von erreichten Leistungen und erfüllten Normen meßbar gemachte Geschichte bleibt widersprüchlich: eine Bürde, deren Gewicht ständig schwankt, ein Urteil, das keine Überzeugungskraft besitzt, eine Rechnung, die nicht aufgeht. Eine solche in Statistiken eines meßbaren Fortschritts gekleidete Geschichte erhebt den Anspruch, als seien ihre Zahlenwerte Stundenmarkierungen der voranschreitenden Zeit auf dem historischen Zifferblatt einer objektiven Entwicklung. Für das reflektierende Ich

sind es nur zufällige Zahlen ohne Beweiskraft. Daher der Appell, diese Phantomuhr der geschichtlichen Progression als ideologisches Versatzstück außer Kraft zu setzen, indem man den imaginär kreisenden Zeiger blockiert. Freilich ist sich das Ich bewußt, daß das am tatsächlichen Verlauf der Ereignisse wenig ändern wird. Es würde nur die ideologische Anziehungskraft dieser imaginären Uhr für die Massen geringer werden lassen, die Überzeugtheit vom unaufhaltsamen Fortschritt eindämmen.
In den mittleren Epigrammen wird der Blick aus der Gegenwart in die Vergangenheit gerichtet. Die für die Gegenwart geltende Desillusionierung der Geschichte wird überprüft am Beispiel von überkommenen Verständnismustern, die an die Geschichte angelegt werden. In gewissen herausgehobenen Augenblicken, die von der Gunst einer besonderen Konstellation bestimmt sind, scheint Geschichte fast jeden Anspruch zu erfüllen, den die gesellschaftliche Umgebung postuliert, der sich der Autor Kunert zugeordnet weiß: Die geschichtlichen Ereignisse schließen sich im Bild einer Kette zusammen, einer kausal verknüpften Progressionslinie, die den Menschen mit seinem historischen Umfeld notwendig verbindet. Geschichte wird freilich hier zu einem Produkt des Menschen gemacht, zu seiner rationalen Konstruktion, zu einer Maschine, über die der einzelne als Maschinist, als Subjekt der Geschichte, zu verfügen vorgibt. Der Zweifel bleibt bestehen, ob es sich bei dieser Kette um einen Transmissionsriemen handelt, der die Maschine in Bewegung setzt und vorantreibt, oder nur um eine Art Seilschaft, durch die sich die Menschen an die geschichtliche Bewegung ankoppeln, um nicht abzustürzen: »Einander / Oder Wer Wen halten sie fester als sie halten« (15 f.).
Dieser Zweifel wird noch verstärkt, indem der historische Schub, der die Progression der Geschichte mit dem Ziel einer durch Veränderung zu erreichenden Humanisierung in Bewegung setzt, die Revolution nämlich, sich als Fata morgana enthüllt, die sich dem suchenden Auge ständig entzieht. Die Revolution erweist sich als ein rhetorisches Fanal,

als eine »unbesiegliche Inschrift« (20) im »tückischen Marmor« (18) der Vergangenheit, unter dem, wenn man den Menschen als Handelnden freizulegen versucht, nicht das große historische Individuum erscheint, das der Geschichte seinen Stempel aufdrückt, sondern die mythische Figur des Sisyphos, der, auf ewig in den Hades verdammt, einen riesigen Stein auf einen Berg zu wälzen versucht und, vor dem Erreichen des Gipfels von dem Stein in die Tiefe gerissen, immer wieder zu seiner sinnlosen Anstrengung neu ansetzt. Das im Bild des Maschinisten die Geschichte steuernde und regulierende technokratische Subjekt wird im mythischen Ich des Sisyphos aufgelöst: der handelnde einzelne projiziert einen Sinn in sein geschichtliches Tun, das von der Schwerkraft der geschichtlichen Verhältnisse stets neu widerlegt wird.

Es ist auf diesem Hintergrund bemerkenswert, daß auch das zweite mythische Muster, mit dem das Verhältnis des Menschen zur Geschichte in der Vergangenheit bestimmt wird, die Mythe vom einäugigen Polyphem, die Aufmerksamkeit nicht auf den Gegner des Zyklopen lenkt. Nicht Odysseus, der sich mit seinen Gefährten in der Höhle des Zyklopen an dessen Käse labte und nur mit großer Mühe und nach dem Verlust von einigen Freunden, die der kannibalische Riese verschlang, aus der Höhle entfliehen konnte, um seine Heimreise nach großen über ihn verhängten Schwierigkeiten fortzusetzen – nicht Odysseus, der durch seine Umsicht und Klugheit die widrigen Verhältnisse immer wieder bezwingt, der überlebt und schließlich nach Hause findet, stellt die mythische Folie dar, auf der das menschliche Ich als in der Geschichte handelndes Subjekt gespiegelt wird. Es ist vielmehr Polyphem, der, nach dem Weingenuß von Odysseus und seinen überlebenden Gefährten im Schlaf geblendet, hilflos in der Dunkelheit seiner Höhle gefangen ist. Polyphems körperliche Kraft führt (in der Mythe) nur zu einem ohnmächtigen Wutanfall, hat aber keinerlei Einfluß auf die Ausweglosigkeit seiner Situation. Sisyphos und Polyphem in der Hoffnungslosigkeit ihrer Lage treten als mythische

Personifikationen des der Geschichte überantworteten einzelnen jenem Bild des technokratischen Subjekts gegenüber, das glaubt, die Geschichte wie eine Maschine in Bewegung setzen und steuern zu können.

Kunert hat 1979 in einem Briefwechsel mit Wilhelm Girnus *Anläßlich Ritsos* indirekt einen Kommentar zu diesen Versen gegeben, indem er die von Girnus vertretene These, der Klassenstandpunkt entscheide letztlich über die positive Qualität der technologischen Entwicklung in der Moderne, als »hybride Phrase« zurückwies:

> Daß nämlich Wissenschaft und Technik in der Hand ›fortschrittlicher Kräfte‹ keinesfalls die gleichen negativen Folgen wie im Kapitalismus zeitigten. Daß dieses klare Ideologem den Wert einer Seifenblase hat, muß nicht besonders betont werden: Es ist durch eine Realität widerlegt worden, in welcher eine volkseigene Industrie, unabhängig von ihrer andersgearteten Organisationsform und Besitzgrundlage, ebenfalls kein reines Manna in die Flüsse und Seen leitet und nicht schieren Sauerstoff von sich gibt. Aus einem sozialistischen Automobil, so ist entgegen aller ›wissenschaftlichen‹ Weltanschauung zu fürchten, kommt das gleiche Gift wie aus einem kapitalistischen, und es richtet sich überhaupt nicht danach, wer es fährt. (S. 850.)

Als voraussehbares Ergebnis dieser pessimistisch stimmenden Zukunftsentwicklung wird formuliert:

> Vor der Wahl: Verhungern oder sich vergiften, scheint keine dritte Möglichkeit eines Auswegs gegeben. Und dies ist nur ein Aspekt der schleichenden Katastrophe, vor der wir im Allgemeinen und Besonderen die Augen verschließen. (S. 851.)

Die schleichende Katastrophe, vor der wir die Augen verschließen, wird im sechsten Epigramm noch unter einem andern, einem politischen Aspekt sichtbar gemacht, der die historische Gegenwartserfahrung Kunerts einbringt: nämlich in einer Wirklichkeit leben zu müssen, die ideologisch und politisch zweigeteilt ist und als in sich gespaltenes Deutschland einen permanenten Unruheherd darstellt, eine politische Gefahrenzone, deren Bewältigung man verdrängt.

Der Mensch, der zur technologischen Eroberung des Weltalls ansetzt und durch seine Erfindungen Schwerkraft und Luftleere bei seinen Weltraumexkursionen bereits überwunden hat, ist gleichzeitig nicht in der Lage, das Naheliegende zu erreichen. Er vermag nicht jener Probleme Herr zu werden, die das Gesicht der Erde vor der Zeit altern ließen, es mit Wunden und Narben gezeichnet haben, die Oberfläche der Erde in eine Katastrophenlandschaft verwandelten: »Leidstarre Miene darin keine Wunde vernarben will.« Die Handlungen und Bewegungen, die die Menschen vollziehen, sind ohne jenes Maß, das sie sinnvoll und berechenbar macht. In den Versen »Wir steigen wir fallen stets tiefer / Als möglich« (38 f.) verdichtet Kunert das im mythischen Gleichnis von Sisyphos signalisierte sinnlose Auf und Ab von geschichtlicher Aktivität zu einer Formel der Hoffnungslosigkeit.

Von der naturgeschichtlichen Utopie, von der Kunert seinen Ausgangspunkt nahm und in die er die Entwicklungsdynamik einer sozialistischen Gesellschaft wieder einmünden sah, ist bereits Mitte der sechziger Jahre nichts mehr zurückgeblieben. In Gedichten später erschienener Sammlungen wird diese Desillusionserfahrung noch radikalisiert. So in dem Gedicht *Evolution* aus seiner kürzlich erschienenen Sammlung *Abtötungsverfahren* (S. 12):

Erde und Steine
Sand und Geröll
Ziegel und Quader
Zement und Beton
und immer wieder
wir

Zwischen Mauern marschieren
bedeutet: Es geht voran
Doch es leuchtet kein Licht
wo wir sind für uns mehr
und das Dunkel kommt
aus uns selber

Aus blinden Augen
fällt Finsternis
bevor die Hand
ins Leere greift.

Es ist deutlich erkennbar die Situation des in seiner Höhle gefangenen geblendeten Polyphem. Seine Höhle ist ein steinernes Labyrinth, das sich im Fortgang der Geschichte nur unter dem Aspekt der verwendeten Materialien verändert hat. Wo man einst Ziegel und Quader gebrauchte, verwendet man heute Zement und Beton. Es entstehen immer wieder die gleichen Mauertunnel, durch die man sich vorwärtszubewegen scheint, nur weil der Weg geradeaus führt. Blindheit, Finsternis und Leere sind die bleibenden Kennzeichen dieses Wegs.
Und auch in dem Gedicht *Unterwegs nach Utopia II* aus derselben Sammlung (S. 76) wird die Vergeblichkeit und die Zurücknahme der naturgeschichtlichen Utopie akzentuiert:

Auf der Flucht
vor dem Beton
geht es zu
wie im Märchen: Wo du
auch ankommst
er erwartet dich
grau und gründlich

Auf der Flucht findest du
vielleicht
einen grünen Fleck
am Ende
und stürzest selig
in die Halme
aus gefärbtem Glas.

Allerdings hat es den Anschein, als habe Kunert Mitte der sechziger Jahre noch an einem utopischen Hoffnungssignal festgehalten, das freilich nicht mehr verbunden ist mit der Vorstellung einer im geschichtlichen Prozeß zu erreichenden besseren, humanen Wirklichkeit. Unter diesem Aspekt wird im siebten Epigramm die Absage an die Geschichte nicht zurückgenommen. Die Einbettung des einzelnen in eine Geschichte, die von ihm beeinflußt oder gar verändert werden könnte, wird aufgekündigt. Der Appell, der an den einzelnen gerichtet wird, zielt vielmehr darauf, sich der Geschichte, ihren Erosionskräften, zu verweigern und das eigene Ich aus dem Sog des Vakuums zu retten: »Denn aufrecht und unverstümmelt dasein ist alles. / Mehr ist nicht zu gewinnen« (42 f.).

Dieses »Mehr«, das postuliert wird, bezeichnet freilich einen Gewinn, bei dem ausgespart wird, wie er denn zu erreichen wäre. Das »aufrecht und unverstümmelt« wird weder von der Sisyphos- noch von der Polyphem-Mythe eingelöst: Sisyphos, der mit vor Anstrengung gekrümmtem Rücken den Felsen vorwärtszurollen versucht, Polyphem, dessen Auge verstümmelt wurde und der den Ausgang seiner Höhle nicht zu erkennen vermag.

Das wird im Schlußepigramm nochmals ausdrücklich bestätigt. Denn der Sinn des geschichtlichen Tuns, in das die Menschen verstrickt sind, erweist sich als Exzeß der Zerstörung, in dem sich die Menschen untereinander verstümmeln, in dem es nur Opfer und Mörder gibt, »Opfer ohne Augen« und »Mörder ohne Ohren« (45 f.). Die in die Geschichte verstrickten Menschen, hinter deren politischen Taten ja einmal Zielsetzungen und Absichten standen, sind, als Opfer oder Mörder zugrunde gegangen, letztlich nur die Dokumentation der Sinnleere. Es ist die pure materielle Indifferenz, die zurückbleibt, der ununterbrochene gleichgültige Kreislauf, der im mythischen Bildmuster des rollenden Sisyphos-Felsen angesprochen wurde und hier am Ende ein weiteres Mal variiert wird: »Der Stein der Fels der Würfel der immer fällt / Und immer bleibt / Das ist das einzige und eine was ist.«

Das Hoffnungsdiktum des siebten Epigramms wird durch diese ›realistischeren‹ Bilder widerlegt, weil die Verkettung des Menschen mit seiner Umwelt, mit seiner geschichtlichen Umgebung keine Möglichkeit zur Befreiung, zum Fortschritt offenläßt.

Ist also die Zone der Integrität, in der das Ich sich zu bewahren versucht, nicht eine Wunschprojektion? Es sei denn, der im Gedicht vollzogene poetische Diskurs über das Verhältnis des menschlichen Ichs zur Geschichte zieht den Leser in eine Reflexionsbewegung hinein, die ihm als Erkenntnisertrag eine Ahnung davon vermittelt, wie er sich im geschichtlichen Prozeß verhält und eigentlich verhalten sollte.

In einem Diskussionsbeitrag zu der 1972 in *Sinn und Form* ausgetragenen Lyrik-Diskussion hat Kunert die Erkenntnismöglichkeiten des Gedichts so bestimmt: »[. . .] daß der Akt des Schreibens einer der Selbstbefreiung ist, des Selbstverständnisses, der Selbstverwirklichung, einer der einzig möglichen Individuation, nämlich der geglückten Identitätsfindung« (S. 1102). Und er unterstreicht diese Feststellung noch: »Im lyrischen Subjekt, im Ich des Gedichts erscheint – und darum zur Befreiung berufen – das vollkommene (im Sinne von ›vollständig vorhandene‹) Individuum, exakt das, worauf jeder Sozialismus, der utopische wie der säkularistische abzielte und insistierte« (S. 1103).

Daß sich das Ich in der ästhetischen Dimension der Sprache seiner selbst bewußt werde, setzt freilich voraus, daß der Akt des poetischen Erkennens von einer verwandelten Sprache ausgelöst wird, die sich von dem Sprechen im rationalen Diskurs durch einen Qualitätssprung unterscheidet. Die von Kunert auch in diesen Epigrammen gewählte Sprachhöhe ebnet den Unterschied zur Umgangssprache ein, verschmäht poetische Intensivierungsmittel wie Metaphern und Bilderverschränkung, Reimbindung und rhythmische Musikalität, versucht, das gestische Sprechen im Gedicht, wie Brecht es entwickelt hat, fruchtbar zu machen: durch ungewohnte Wortstellung im Dienste rhythmischer Konturierung, durch syntaktische Verknappung und Verschränkung, durch die

Lakonie des gedrungenen Satzes, durch das rhythmisch ausgegliederte und dadurch bedeutungsschwer gemachte einzelne Wort, das selten uneigentlich gebraucht wird, zumeist bezogen ist auf eine semantische Konvention, die von dem Vertrauen des Lesers zu dieser Sprache ausgeht. Zu dieser semantischen Konvention gehören auch die mythologischen Zitate, die Hinweise auf Sisyphos, Polyphem oder das Schwert des Damokles.

Wo sich in einzelnen Versen Widerstände gegen diese semantische Konvention aufbauen, geschieht es nicht primär durch innovatorische Kühnheit, sondern durch assoziative Verschlingung, die ein gewähltes Wort durch Alliteration wuchern läßt und unfreiwillig auf konventionelle Metaphern durchsichtig macht oder in rhetorischen Steigerungen zum Ornament werden läßt. Für das erste Phänomen wäre ein Beispiel die Verwendung der »Kette« (12) für die geschichtliche Progression (im dritten Epigramm): das »geschlängelt«, »schlangengleich« und das Bild der »sich erneuernden Häute« (13 f.) variieren den Topos der sich häutenden Schlange. Für das zweite Phänomen könnte man auf die Wendung des »siebenmal siebenfach« (18) im vierten Epigramm oder die Wendung von der »zwiefach zwieträchtigen Form« (28) im sechsten Epigramm verweisen.

Ob solche Momente noch den Anspruch des poetischen Sprechens einlösen können, scheint nicht ohne weiteres klar, wie es auch nicht klar ist, ob auf der sprachlichen Ebene eines Diskurses, der in Kunerts Gedicht dominiert, das zu erreichen ist, was er für das eigene Ich und das Ich des Lesers erstrebt: die poetische Kristallisation der Möglichkeitsdimension des Menschen im Wirklichkeitssog der Geschichte, über die sich das Ich, desillusioniert und in Trauer, hinwegzusetzen versucht.

Zitierte Literatur: Anläßlich Ritsos. Ein Briefwechsel zwischen Günter Kunert und Wilhelm Girnus. In: Sinn und Form 31/4 (1979) S. 850–864. – Günter Kunert: Abtötungsverfahren. Gedichte. München 1980. – Günter Kunert:

Das kreuzbrave Liederbuch. Gedichte. Berlin [Ost] 1961. – Günter KUNERT: Manche, einige, Gewisse und Sogenannte. In: Sinn und Form 24/5 (1972) S. 1099–1104. – Günter KUNERT: Wegschilder und Mauerinschriften. Gedichte. Berlin [Ost] 1950.

Weitere Literatur: Michael KRÜGER (Hrsg.): Kunert lesen. München 1979. [Mit kommentierter Bibliographie im Anhang.] – Hans RICHTER: Interview mit Günter Kunert. In: Weimarer Beiträge 20/5 (1974) S. 51–66. – Hans RICHTER: Über Günter Kunert. In: Weimarer Beiträge 20/5 (1974) S. 67–89.

Wolf Biermann

Und als wir ans Ufer kamen

Und als wir ans Ufer kamen
Und saßen noch lang im Kahn
Da war es, daß wir den Himmel
Am schönsten im Wasser sahn
Und durch den Birnbaum flogen
Paar Fischlein. Das Flugzeug schwamm
Quer durch den See und zerschellte
Sachte am Weidenstamm
  – am Weidenstamm

Was wird bloß aus unsern Träumen
In diesem zerrissnen Land
Die Wunden wollen nicht zugehn
Unter dem Dreckverband
Und was wird mit unsern Freunden
Und was noch aus dir, aus mir –
Ich möchte am liebsten weg sein
Und bleibe am liebsten hier
  – am liebsten hier

Zitiert nach: Wolf Biermann: Preußischer Ikarus. Lieder. Balladen. Gedichte. Prosa. Köln: Kiepenheuer & Witsch, 1978. S. 71. [Erstdruck.] © 1978 by Verlag Kiepenheuer & Witsch, Köln.
Schallplatte: Wolf Biermann: Das geht sein' sozialistischen Gang. Dokumentation. Köln 13. November 1976. Schallplattendoppelalbum mit Begleitheft, ersch. 1977 als Nr. 88224 bei CBS.

Manfred Jäger

»Am liebsten«: eine melancholische Ermutigung. Zu Wolf Biermanns Lied *Und als wir ans Ufer kamen*

Wolf Biermanns Sammlung *Preußischer Ikarus* aus dem Jahre 1978 besteht aus zwei deutlich voneinander getrennten Teilen. Die Mitte bildet ein längerer, 23 Abschnitte umfassender Prosatext mit Erläuterungen des Autors, *Vorworte* genannt. Die erste Hälfte des Bandes enthält Lieder und Gedichte, die noch in der DDR entstanden sind, die zweite vereint poetische und musikalische Resultate der ersten Erfahrungen im Westen nach der zwangsweisen Ausbürgerung Biermanns durch die DDR-Behörden im Herbst 1976.

Das zweistrophige Lied mit der Eingangszeile »Und als wir ans Ufer kamen« gehört zu den Texten, die der Autor aus der DDR mitgebracht hat. Die erste Strophe gibt die Erinnerung an eine Naturszenerie, die zweite subjektive politische Reflexionen über gegenwärtige deutsche Zustände wieder.

Aus dem unendlichen Film, den das optische Gedächtnis speichert, wird dem Leser oder Hörer ein kleines zusammenhängendes Stückchen vorgeführt. Man ist von einer Bootsfahrt zurückgekehrt, hat den Kahn am Ufer festgemacht. Die Insassen bleiben sitzen, lange, und vertiefen sich in die Beobachtung der Wasseroberfläche, auf der ›wirkliche‹ Realität und gespiegelte Realität surrealistische Bildmischungen ergeben. Die Ruheposition der Beobachter kontrastiert dabei mit den überraschenden Bewegungen der Dinge. »Und durch den Birnbaum flogen / Paar Fischlein.« Die neue Zeile enttäuscht die Erwartungen des Lesers: es fliegt, was schwimmt. Das Fehlen des Artikels gibt der Pointe zugleich etwas Beiläufiges: »Paar Fischlein«. Ausführlicher wird der scheinbare Weg des Flugzeugs durch den See beschrieben: jetzt schwimmt, was fliegt. Das Flugzeug zerschellt am Weidenstamm nicht wirklich, der Beobachter kann nur diesen Eindruck haben, wenn es aus dem Bereich entschwindet, der sich vom Blickpunkt des Betrachters her im See spiegelt. Weil er weiß, daß es sich um eine optische Täuschung handelt, kann er das Zerschellen mit dem Adverb »sachte« koppeln. Das kräftige und ›laute‹ Verb wird so in die ausschließlich optischen Eindrücke eingebettet, auf die die Szenerie am See reduziert erscheint. Nur das Auge schafft Imagination, und diese bleibt skizzenhaft, wird nicht farbig ausgemalt. Es ist irgendein See, irgendein Ufer, irgendein Himmel – der Text verzichtet auf alle schmückenden Beiwörter wie auch auf die konkrete Lokalisierung der Situation.

Kein Naturerlebnis wird unmittelbar sinnlich vergegenwärtigt, sondern ein Stückchen Erinnerung im Imperfekt nacherzählt, verknappt auf das, was der Gedächtnisfilm aufbewahrt hat und was während eines bestimmten Gemütszustands (den die zweite Strophe beschreibt) abrufbar ist: »Da war es, daß wir den Himmel / Am schönsten im Wasser sahn«. Das einfache Vokabular, die abgeklapperten Reime (»Kahn«/»sahn«; »schwamm«/»-stamm«), der nachgeahmte Volksliedton stehen freilich in paradoxem Gegensatz zur Doppeldeutigkeit des Ganzen. Oben und unten werden auf eine einzige Ebene gezogen, reale Dinge entfalten ihre volle Schönheit erst im Abglanz, nichts ist mehr an seinem wahren Platz, man verliert die Orientierung, bleibt man lange passiv und beobachtend im Kahn sitzen, anstatt zu rudern. Gegen die Verführung, untätig auf bessere Zeiten zu warten, hat Biermann bekanntlich manche Verse der kleinen und großen Ermutigung und Selbstermutigung geschrieben. Freilich warnte er dabei die Freunde immer davor, bittere Wahrheiten etwa deswegen nicht zur Kenntnis nehmen zu wollen, weil der kämpferische Veränderungswille dadurch gelähmt werden könnte. Stehen Himmel und Flugzeug für hochfliegende Träume, so liegt die Deutung nahe, manchmal sehe es so aus, machmal habe es den Anschein, als seien die Hoffnungen, Erwartungen, Ziele buchstäblich ins Wasser gefallen, am Boden zerschellt.

Die rhetorischen Fragen der zweiten Strophe nehmen den elegischen Grundton wieder auf: »Was wird bloß aus unsern Träumen / In diesem zerrissnen Land«, »Und was wird mit unsern Freunden / Und was noch aus dir, aus mir –«. Ein Gefühl der Ungewißheit wird gegen die bornierte Zukunftsgläubigkeit derjenigen gesetzt, die sich als Sieger der Geschichte fühlen. Aber der damals seit Jahren von größeren Wirkungsmöglichkeiten in der DDR abgeschnittene Dichter und Sänger verzweifelt dennoch nicht. Biermann zieht kein Resümee der Resignation. Er schreibt nicht: »Was ist bloß aus unseren Träumen geworden!«
Daß er sich nicht der Hoffnungslosigkeit überläßt, zeigt ein Vergleich mit seinem 1965 geschriebenen *Barlach-Lied*, dessen Refrain lautet:

Was soll aus uns noch werden
Uns droht so große Not
Vom Himmel auf die Erden
Falln sich die Engel tot
(Die Drahtharfe, S. 37.)

Die erste Zeile des Refrains erinnert an Wendungen des hier besprochenen Textes, aber die Nuancen verdeutlichen doch den großen Unterschied zwischen der existentiellen Klage in dem von den leidenden Figuren des christlichen Bildhauers Ernst Barlach inspirierten Liedtext und der dialektischen Selbstvergewisserung des Kommunisten Biermann, für den Zukunft bei aller zeitweiligen Beschwerlichkeit immer unterschiedliche Möglichkeiten offenhält. Das hilft dem Autor, Larmoyanz zu vermeiden. Die Klage reflektiert eine historische Situation, die für den Autor nur ein Moment in einem schmerzhaften und langwierigen Prozeß darstellt. Die beiden Hälften des zerrissenen Deutschland sind für Biermann unansehnliche Stückelei, belastet mit faschistischen oder stalinistischen Hypotheken. Je mehr diese Provisorien sich in ihrem jeweiligen staatlichen und gesellschaftlichen Selbstbewußtsein als ›gesund‹ aufspielen, desto gefährlicher

ist diese oberflächliche Selbstdiagnose: »Die Wunden wollen nicht zugehn / Unter dem Dreckverband«.
Das Gefühl der Zerrissenheit steht in einem merkwürdigen Gegensatz zu jener kämpferischen Parteilichkeit, die nur ein ›Entweder-Oder‹ kennen dürfte. Biermann hat es sich schwergemacht und bemühte sich darum, unabhängig von seinem persönlichen Schicksal an dem prinzipiellen Bekenntnis zur DDR festzuhalten, in die er 1953 aus seiner Vaterstadt Hamburg mit enthusiastischer Zustimmungsbereitschaft übergesiedelt war. Diese Illusionen verflogen bald angesichts der Erfahrungen mit dem realen Sozialismus; aber an der Überzeugung, die DDR biete wegen ihres radikalen Antifaschismus und wegen des dort abgeschafften Privateigentums an Produktionsmitteln die günstigeren historischen Zukunftschancen als die kapitalistisch restaurierte Bundesrepublik, hielt Biermann fest. Der Zorn und die Enttäuschung darüber, daß die herrschenden Bürokraten in der DDR ihn dennoch zum Feind stempelten, ist in viele seiner Lieder eingegangen. Motivisch verwandt mit dem hier in Rede stehenden ist z. B. eines aus dem 1968 erschienenen Band *Mit Marx- und Engelszungen* (S. 77):

Es senkt das deutsche Dunkel
Sich über mein Gemüt
Es dunkelt übermächtig
In meinem Lied

Das kommt, weil ich mein Deutschland
So tief zerrissen seh
Ich lieg in der beßren Hälfte
Und habe doppelt Weh

Die Behauptung, die DDR sei – trotz allem – das bessere Deutschland, ist übrigens auch von linken Freunden Biermanns bestritten worden, vor allem deshalb, weil sie den Rückfall der Staaten des mit der Sowjetunion verbundenen ›sozialistischen Lagers‹ hinter die von bürgerlich-liberalen

Demokratien schon erreichten Freiheitsstandards anders gewichteten. So schrieb der Gewerkschafter Heinz Brandt in dem Aufsatz *Die DDR ist nicht das bessere Deutschland*: »Wolf Biermann irrt, wenn er in der ›DDR‹ den ›besseren Staat‹ sieht. Das sagen wir ihm in kritischer Solidarität, kampfverbunden. Wir radikalen Demokraten, freiheitlichen Sozialisten haben denen da drüben einen entscheidenden Vorteil voraus: die demokratischen Freiheiten.«
Die Schlußzeilen »Ich möchte am liebsten weg sein / Und bleibe am liebsten hier« variieren die Wendung von der »beßren Hälfte« und dem »doppelt Weh« in dem älteren Lied. Am liebsten möchte er weg sein und hier bleiben – das ist eine Paradoxie, die auf den ersten Blick nichts als Zerrissenheit ausdrückt. In Wahrheit aber werden ein bloßer Wunsch und ein faktischer Entschluß nebeneinandergestellt. Das Fluchtgefühl (»weg sein«) ist so zugleich flüchtige Stimmung – wie jene Eindrücke auf der Wasseroberfläche des Sees in der ersten Strophe, als das Flugzeug ja nur scheinbar zerschellte. Die Wiederholung »am liebsten hier« gibt dem einschränkungslos formulierten Entschluß zum Bleiben eine zusätzliche Bekräftigung. Der Wunsch, das zerrissene Deutschland hinter sich lassen zu können, erweist sich als ungefähre, unkonkrete Sehnsucht nach Entlastung. Deswegen ist vom Wegsein, nicht etwa vom Weggehen die Rede, und so wie kein Weg vorgestellt wird, sowenig wird irgendein Ziel imaginiert. Daß Biermann sich letztlich kein anderes Wirkungsfeld vorstellen konnte als die DDR, hat seine zeitweilige Verzweiflung nach der Ausbürgerung bewiesen. In einem früheren Lied hatte er der Sängerin F. zugerufen:

Wenn du es aber im Osten
überhaupt nicht mehr aushalten kannst, dann
bleibe im Osten: der Westen nämlich
würde dich aushalten!

(*Für meine Genossen*, S. 88.)

Das Wortspiel mit drei verschiedenen Bedeutungen von »aushalten« zeigte, daß Biermann entschieden dafür plädierte, Schwierigkeiten innerhalb der DDR dort zu bestehen. In dieser Überzeugung bestritt er am 13. November 1976 das Konzert in der Kölner Sporthalle, das die DDR-Behörden zum Vorwand für die Ausbürgerung nahmen. Dem Doppelalbum *Das geht sein' sozialistischen Gang*, das diesen Auftritt auf der Platte dokumentiert, ist ein Begleitheft beigegeben, das auch Biermanns Notizen für seine Ansagen und Kommentierungen enthält. Zu dem Lied *Und als wir ans Ufer kamen* hatte er sich dies aufgeschrieben:

Politischer Gemütszustand
Also gut: hierbleiben (also dableiben)
Hier ist dort. Dort ist hier.
Hierbleiben – so oder so:
Karriere, Bequemlichkeit, Müdigkeit
Sich einmischen

Während des Konzerts hat Biermann das Lied mit den beiden Schlußzeilen angesagt – sie werden auch auf der Plattenhülle an Stelle des Eingangsverses als Titel genannt. Am meisten fürchtete er wohl, unaufmerksame oder in Vorurteilen befangene Zuhörer könnten glauben, er wolle am liebsten in Westdeutschland bleiben. Deswegen sprach er – vor der Wiederholung der Schlußverse – in das Lied hinein den Satz: »Hier ist natürlich nicht hier, nicht wahr.« Damit setzte er zugleich ein ›prosaisches‹ Gegengewicht gegen ein Zuviel an Gefühligkeit. Biermann weiß, daß manche seiner Texte, vor allem, wenn sie von Leiden und Schmerz handeln, literarisch eigentlich ›nicht mehr gehen‹. Wenn die Verse triefen, in ihren Gegenstand reinfallen, muß die Musik oder auch ein dazwischen geschobener gesprochener Kommentar gegensteuern. In der Kölner Sporthalle hat er die Stichworte des Notizzettels dazu benutzt, verschiedene Motive fürs Bleiben in der DDR nebeneinanderzustellen. Warum er bleibt, darüber muß freilich nur grübeln, für den Weggehen real möglich wäre. Die Bevölkerungsmehrheit ist durch Mauer und Grenzsicherungsanlagen anderer Art zum

Bleiben genötigt. Da Biermann dies aussparte, konzentrierte er sich unausgesprochen auf Probleme jener privilegierten Minderheit, die Gelegenheit zu Westreisen hat. Die einen richteten sich bequem in der Misere ein, andere blieben aus Faulheit oder um irgendeine billige Karriere zu machen oder auch eine teure. Aber man könne auch bleiben, um sich einzumischen. Es ist offensichtlich, daß Biermann nur die zuletzt genannte Position für produktiv hält. So mündet ein melancholisches Lied voller weltschmerzlicher Untertöne in eine aktivistische Nutzanwendung.
Das Stichwort »Politischer Gemütszustand« hat Biermann nicht aufgegriffen. Die darin enthaltene Spannbreite läßt sich ermessen, wenn man die Traditionslinien verfolgt, die in diesem Lied zu Heine und Brecht führen, Biermanns wichtigsten literarischen Bezugsgrößen. Ähnlich wie in dem in vergleichender Absicht zitierten *Es senkt das deutsche Dunkel* wird nicht nur der bittersüße Heine-Ton aufgenommen, vielmehr ist ein Lieblingsmotiv Heinescher Gedichte aus den Jahren 1822 bis 1824 deutlich erkennbar, nämlich Reflexionen über die Welt mit einer Kahnfahrt, mit dem Ruhepunkt nach einer Kahnfahrt zu verbinden. »Wir saßen am Fischerhause / Und schauten nach der See«, so beginnt Nr. 7 in dem Zyklus *Die Heimkehr*, dessen Nr. 14 (*Am Meer*) von Schubert vertont wurde, worin es heißt: »Wir saßen am einsamen Fischerhaus / Wir saßen stumm und alleine«. Brahms vertonte *Meerfahrt*, das 42. Gedicht aus dem *Lyrischen Intermezzo*, das mit den Versen beginnt: »Mein Liebchen, wir saßen beisammen, / Traulich im leichten Kahn«. Die rhetorische Struktur des Liebesgedichts ist auch bei Biermann erhalten geblieben: das »wir« vereint wie bei Heine den Dichter und seine Geliebte: was wird »noch aus dir, aus mir«, so fragt der Autor in der zweiten Strophe. Der Gemütszustand aber wird politisiert, die Vertrautheit der Liebenden verpersönlicht die Antwort auf eine gesellschaftliche Frage. Die Paradoxie am Ende sagt mit anderen Mitteln dasselbe wie Brechts Gedicht *Der Radwechsel* aus den *Bukkower Elegien* (S. 1009):

Ich sitze am Straßenrand
Der Fahrer wechselt das Rad.
Ich bin nicht gern, wo ich herkomme.
Ich bin nicht gern, wo ich hinfahre.
Warum sehe ich den Radwechsel
Mit Ungeduld?

Die Zustände sind von der Art, daß man sich nur zu gern aus ihnen wegwünschte. Aber der ungeduldige Einmischungsimpuls ist doch stärker als die Verführung zur Flucht. Biermanns Parteilichkeit läßt nicht weg, was nicht ›in den Kram‹ paßt. Seine Lieder kennen Leiden und Tod, Schmerzen und die Verzweiflung wiederkehrender Niederlagen. Nicht aus ideologischer Gewißheit leitet sich seine kämpferische Haltung ab, sie beglaubigt sich vielmehr durch eine nachdenkliche Offenheit, die sich nicht für allezeit gefeit glaubt gegenüber Stimmungen eines Ungenügens an aller Politik. Das Lied *Und als wir ans Ufer kamen* ist wie viele spätere, erst nach der Ausbürgerung im Westen entstandene Texte geschrieben im Geiste eines »Trotz alledem«. So heißt auch eine Platte Biermanns, und in den Anmerkungen zu ihr hat der Verfasser und Sänger das Wort »Trotz alledem« so erläutert: »Es ist ein dialektisches, ein radikales Wort, denn zu einem Zorn, der politisch fruchtbar werden soll, der nicht modisch-müde werden soll, gehört ja grade auch diese große Portion Schmerz, die dem eindimensionalen Idiotenoptimismus fehlt.«

Zitierte Literatur: Wolf Biermann: Das geht sein' sozialistischen Gang. [Siehe Textquelle.] – Wolf Biermann: Die Drahtharfe. Balladen, Gedichte, Lieder, Berlin [West] 1965. – Wolf Biermann: Für meine Genossen. Hetzlieder, Gedichte, Balladen. Berlin [West] 1972. – Wolf Biermann: Mit Marx- und Engelszungen. Gedichte, Balladen, Lieder. Berlin [West] 1968. – Heinz Brandt: Die DDR ist nicht das bessere Deutschland. In: das da. H. 1. 1977. – Bertolt Brecht: Gesammelte Werke. 20 Bde. Bd. 10: Gedichte 3. Frankfurt a. M. 1967.
Weitere Literatur: Peter Roos (Hrsg.): Exil. Die Ausbürgerung Wolf Biermanns aus der DDR. Eine Dokumentation. Köln 1977. – Thomas Rothschild (Hrsg.): Wolf Biermann. Liedermacher und Sozialist. Reinbek bei Hamburg 1976. – Heinz Ludwig Arnold (Hrsg.): Wolf Biermann. München 1975. 2., veränd. Aufl. 1980.

Peter Rühmkorf

Hochseil

Wir turnen in höchsten Höhen herum,
selbstredend und selbstreimend,
von einem *Individuum*
aus nichts als Worten träumend.

5 Was uns bewegt – warum? wozu? –
den Teppich zu verlassen?
Ein nie erforschtes Who-is-who
im Sturzflug zu erfassen.

Wer von so hoch zu Boden blickt,
10 der sieht nur Verarmtes/Verirrtes.
Ich sage: wer Lyrik schreibt, ist verrückt,
wer sie für wahr nimmt, wird es.

Ich spiel mit meinem Astralleib Klavier,
vierfüßig – vierzigzehig –
15 Ganz unten am Boden gelten wir
für nicht mehr ganz zurechnungsfähig.

Die Loreley entblößt ihr Haar
am umgekippten Rheine...
Ich schwebe graziös in Lebensgefahr
20 grad zwischen Freund Hein und Freund Heine.

Zitiert nach: Peter Rühmkorf: Gesammelte Gedichte. Reinbek bei Hamburg: Rowohlt, 1976. S. 133.
Erstdruck: Peter Rühmkorf: Walther von der Vogelweide, Klopstock und ich. Reinbek bei Hamburg: Rowohlt, 1975. (das neue buch. 65.)

Hans-Peter Bayerdörfer

Loreley wird rehabilitiert. Zu Peter Rühmkorfs Gedicht *Hochseil*

Der Eindruck beim ersten Lesen des Gedichts läßt sich wohl am ehesten in die Worte fassen, die in der vorletzten Zeile die Bewegungsart seines ›Ich‹ charakterisieren: »Schwebend« und »graziös«. Erst beim zweiten Lesen wird man gewahr, daß man vielleicht über Abgründe ›hinweggeschwebt‹ ist, erst nach wiederholter Lektüre, welche sprach- und verskünstlerische Phantasie nötig ist, damit der Eindruck des Schwebens entsteht. Eine der einfachsten und eingängigsten der deutschen Reimstrophen liegt zugrunde: vierzeilig und »vierfüßig«, mit Kreuzstellung des Reims und Wechsel von männlicher und weiblicher Kadenz – es ist die Strophe zahlloser Volkslieder und romantischer Gedichte, aber auch die Strophe von Heinrich Heines *Wintermärchen*. Angereichert durch alliterierende oder assonierende Binnenklänge, wie bei Rühmkorf in fast jedem Vers, erreicht diese Strophe eine musikalische Mühelosigkeit, die nicht nur das zugrunde liegende Sprach- und Verstraining überspielt, sondern auch das Artistische der Wortspiele und semantischen Balance-Akte als fast natürlich, fern allem Gesuchten erscheinen läßt. Freilich kann gerade dies Befremden hervorrufen. Müheloser Klangzauber und verbale Artistik könnten Mitte der siebziger Jahre anachronistisch anmuten, es sei denn, man hätte von vornherein das ›Schwebende‹ als jongleurhaft und das ›Graziöse‹ als schnoddrig empfunden. In der Tat entdeckt man bei näherem Zusehen moderne, und das heißt auf Brechung angelegte Verfahrensweisen. Schon die Reime verraten nicht nur Bennsche Klanglust, die sich besonders auf Fremdwort-Einschlüsse kapriziert, sondern auch Aha-Effekte aus der Schule jenes Autors, dessen Name in der Schlußzeile die Reim-Pointe des ganzen Gedichts bildet.

Die lebenslange Reim-Besessenheit des Verfassers erklärt sich daraus, daß der Reim sowohl den sprachmagischen Einklang in der Zweiheit bilden als auch die Nachäffung des Vorklangs, als Spott und als Unsinn, sein kann, wie der Germanist Rühmkorf erst kürzlich in seiner Studie *Zur Naturgeschichte des Reims und der Anklangsnerven* (1981) dargelegt hat. Die wortspielerische Wendung »selbstredend und selbstreimend« (2) ist daher ebensowenig beiläufig wie die Beschwörung Heines, auf den sich der Autor ebenfalls seit den fünfziger Jahren beruft. *Hochseil* ist also ein poetologisches Gedicht, in das die wichtigsten Bestimmungen des Rühmkorfschen Dichtungsbegriffs direkt eingegangen sind.

Das Grundproblem ist zunächst das sprechende Ich, das formal als Pronomen der ersten Person im Text anwesend ist, und sein Verhältnis zu dem Ich des Autors. Eine Lösung im Sinne des Begriffs »lyrisches Ich«, wie er u. a. von Gottfried Benn in seiner Marburger Rede von 1951 vorgeschlagen und dann in den fünfziger und sechziger Jahren diskutiert worden ist, weist Rühmkorf jedoch im ›Ich-Teil‹ von *Walther von der Vogelweide, Klopstock und ich* ausdrücklich zurück. Er besteht vielmehr darauf, daß die gesellschaftlichen Bedingungen und die Biographie des Autor-Ich mit in das Gedicht eingehen, da nur unter dieser Voraussetzung die Frage, wie daraus ein authentisches »Individuum aus nichts als Worten« werden kann, sinnvoll ist. Da auf ein ›lyrisches Ich‹, das für ästhetizistische Verkürzung anfällig ist, nicht zurückgegriffen werden kann, ist es gerade Heine, der für die Identität stiftende Bedeutung des modernen Gedichts die Bürgschaft übernehmen muß. Heine tut es indes nicht alleine; wie er selbst die lyrische Tradition der klassisch-romantischen Dichtung als Halt brauchte, an dem sich in der sprachlichen Gegenbewegung seine eigene Diktion profilierte, so sind Traditionsübernahmen auch für Rühmkorfs Gedicht konstitutiv. »Freund Hein«, der in Matthias Claudius' sprachlicher Wendung begütigte und vertraulich gewordene Tod, welcher »Freund Heine« gegen-

übergestellt wird (20), ist ein solches Traditionselement. Aber schon von Anfang an ist lyrisches Erbe, das in unterschiedlichen Subtilitätsgraden dem Witz und der Ironie des Kontextes ausgesetzt wird, in dem Gedicht präsent.
Für den Eingang genügt es, sich der Bergschluchten-Szene von *Faust* II zu erinnern, etwa des Chores seliger Knaben »um die höchsten Gipfel kreisend«, um die traditions- und wertgesättigte Aura des Superlativs »höchste Höhen« zu erkennen. Diese Aura wird zitiert, damit sie im gleichen Atemzug durch das schnoddrig-heutige »herumturnen« desavouiert werden kann. In einer Zeit, in der die ›Schwerkraft‹ des Materiellen und Sinnlichen das Gesetz unseres Daseins und die Basis unseres »irdischen Vergnügens« ist, haftet dem Hochseil-Akt etwas Zweideutig-Gauklerisches an, von dem die künstlerischen Höhenflüge früherer Jahrhunderte noch frei waren. Immerhin ist auch heute noch diese Tätigkeit so ›selbstverständlich‹, so sehr sprachliche und künstlerische *Selbst*tätigkeit, daß der Traum von der sprachlich Ereignis werdenden Individuation nicht gar so halluzinatorisch erscheinen mag. Daher gilt auch die Umkehrung des Verhältnisses: mit der Höhenmetapher wird dem Gedicht das Vermächtnis der Gattung zugesprochen, mag auch die moderne Sprach-Welt noch so ungeeigneter Boden für Aufschwünge sein. Die zweite Strophe formuliert daher ein ›Dennoch‹. Obwohl Rühmkorf den »Benn-Epigonen« früher den parodistischen Prozeß gemacht und auch ein programmatisches *Anti-Ikarus*-Lied geschrieben hat (*Irdisches Vergnügen in* g, S. 60, 37), kommen nun doch Bennsche Ikarus-Höhenflug-Motive oder – um auf den lyrikgeschichtlichen Ursprung solcher Motivik für die Moderne zu verweisen – Baudelairesche Elevationsmotive ins Spiel. Sie geben sich noch hinter der Folie des heutigen Jargons zu erkennen: man bleibt *nicht* auf dem Teppich und begnügt sich *nicht* mit den Steckbriefen der Identität, die in einer Zeit der handlichen Nachschlagewerke, der Informationsschemata und der ideologischen Etikettierung feilgeboten werden.

Freilich fordern Entzug und Verweigerung ihren Preis. Der Blick aus der Vogelperspektive bewahrt die Kritikfähigkeit, aber er entrückt den Sehenden auch, macht weltfremd. Ein assertorisch redendes Ich, das an Stelle des bisherigen »wir« die Rede an sich reißt, erhebt mit seinem alltäglich-banalen »verrückt« (11) Einspruch gegen das Pathos des Ikarus. Auch Baudelaires Albatros-Dichter wirkte am platten Boden »comique et laid«, weil ihn seine riesigen Flügel am Gehen hinderten. Das Abseitig-Versponnene der Identitätssuche, die allen anderen zeitgenössischen Identitätsangeboten hohnspricht, weil sie diese der unbemerkten Entfremdung verdächtigt, wird danach noch einmal besonders kraß gekennzeichnet. Die okkultistisch-theosophische Vorstellung vom Astralleib, einem den physischen Körper durchdringenden und transzendierenden Geistleib, verspricht eine ›höhere, sternenhafte‹ Identität. Die Höhenmetapher des Eingangs wird weitergeführt und zugleich parodiert. Der Geistleib erhält lächerlicherweise physische Extremitäten; diese enthüllen jedoch mehrfachen metaphorischen Sinn und leiten nicht nur zur Musik, sondern auch zur Metrik über. Der metaphysische Astralleib wird auf die Ästhetik und auf die musikalisch-poetische Gestalt des Gedichtes selbst zurückbezogen: »vierfüßig – vierzigzehig« (14).
Damit beginnt sich auch jener merkwürdige Gegensatz von Ich und Wir, der mit der Formulierung »Ich sage« (11) einsetzt, aufzuhellen. Möglicherweise stehen sich ein ›empirisches‹ und ein ›poetisches‹ Ich gegenüber. Wie immer man aber diesen Gegensatz weiter erklären mag, mit Rühmkorf selbst im Sinne von »aufklärerisch« und »anarchistisch-vitalistisch« (Arnold, S. 119/127), oder mit seinen Interpreten im Sinne von Aufklärung und Artistik, Vernunft und Leidenschaft (Reich-Ranicki) – völlig befriedigend sind die begrifflichen Formulierungen nicht. Jedenfalls handelt es sich um ein plurales Wir, um einen »Wechselbalg von Persönlichkeit, halb der Natur entsprungen, halb ins Kostüm verwickelt« (*Über notwendige neurotische Verkantungen*, in: *Haltbar*, S. 97). Unter den ›Bodenbedingungen‹ der

standardisierten Verhaltens- und Ausdrucksweisen mag ein solches Wir in der Tat als nicht zurechnungsfähig, als schizoid gelten. Die Erinnerung an Rimbauds Satz »Je est un autre« drängt sich auf, aber auch der Wortsinn des erstrebten ›Individuums‹, das Ungeteilt-Substantielle und daher das Schöne. Der Sehnsucht danach wird in der Schlußstrophe das alte romantische Symbol beigegeben, die Loreley. Die zauberische Felselfe, Inbegriff von Faszination und Betörung, sitzt zwar ›leicht deplaziert‹; denn die reine elementare Natur des Stromes, auf welcher der Schiffer ihr widerstandslos zutreibt, gibt es im Zeitalter der weltweiten ökologischen Gefährdung nicht mehr. Aber auch in der umgekippten heutigen Welt ist die Idee von Schönheit und Einheit unverzichtbar und gefahrbringend.* Trotz aller ironischen Brechung hat es daher mit dem »Astralleib« (13), der in anachronistischer Weise die »andere Seite« des Ich andeutet, seine Richtigkeit: dieses andere Ich bleibt dem Singen der Loreley zugänglich, obwohl das Alltags-Ich, mehr oder weniger gewaltsam, immer wieder sein Verdikt über die Lyrik spricht. Es bleibt ihm aber letztlich nichts anderes übrig, als die gefährliche Lage zu erkennen und anzuerkennen, und zwar in Gestalt eines lyrik- und bewußtseinsgeschichtlichen Resümees. Wenn Kunst nach wie vor ein elementares menschliches Bedürfnis darstellt, wie Rühmkorf in *Kein Apolloprogramm für Lyrik* ausführt (*Walther, Klopstock und ich*, S. 188), wenn der »Akrobatikakt« der Identitätssuche »als Überlebensnummer« zu verstehen ist (ebd., S. 139), so kann der Lyriker seinem Geschäft nur mit Todesverachtung nachgehen, und das Mißlingen des »Sturzfluges« (8) würde ihn zutiefst gefährden. Für die Absolut-

* Rühmkorf formuliert daher implizit den Widerspruch zu Erich Kästner, der in seinem Gedicht *Der Handstand auf der Loreley* die geschichtliche Situation anders charakterisiert hat:

Wir wandeln uns. Die Schiffer inbegriffen.
Der Rhein ist reguliert und eingedämmt.
Die Zeit vergeht. Man stirbt nicht mehr beim Schiffen,
bloß weil ein blondes Weib sich dauernd kämmt.

heit dieses Anspruches, der sowohl ein ästhetischer als auch ein existentieller ist, steht die Metapher der Todesbedrohung in der Schlußzeile. Den Gegenpol bildet der Vorläufer Heine, der selbst aus der Position der metaphysischen Ungesichertheit und der persönlichen Zerrissenheit heraus neue Formen lyrischen Sprechens geleistet und der Geschichte der Gattung eine neue Epoche eröffnet hat.

Diese lyrikgeschichtliche Positionsbestimmung klingt nun freilich noch sehr allgemein, und fast mag es so scheinen, als gehe es doch in erster Linie um ein Wiederaufnahmeverfahren in dem Prozeß, der dem lyrischen Ich nach Ablauf der fünfziger Jahre gemacht worden ist. Indessen kann die Zeitansage des Gedichtes wesentlich genauer bestimmt werden, wenn man den Tatbestand näher ins Auge faßt, daß es, fast in der Form einer Reprise, auf programmatische Vorgaben aus Rühmkorfs früheren Jahren zurückgreift. Die eine der rückläufigen Linien führt vom Namen des poetischen Schutzpatrons zu dem *Heinrich-Heine-Gedenk-Lied* (1959; *Gesammelte Gedichte*, S. 44), die andere von der *Hochseil*-Metaphorik zu dem Gedicht *Waschzettel* (1967; *Gesammelte Gedichte*, S. 106).
Das *Gedenk-Lied* spielt auf den politischen Dichter Heine an, der an »Deutschland in der Nacht« denkt (*Nachtgedanken*, in: *Neue Gedichte*) und der »die Konterbande«, die er »im Kopfe stecken« hat (*Deutschland. Ein Wintermärchen*, Caput II), in das von Metternich reglementierte Deutschland schmuggelt. Angesichts der sich staatlich verfestigenden Zweiteilung Deutschlands sowie der das ganze Jahrzehnt bis 1960 prägenden weltpolitischen und deutschlandpolitischen Konfrontation heißt es:

Was schafft ein einziges Vaterland
nur so viel Dunkelheit?!
Ich hüt mein' Kopf mit Denkproviant
für noch viel schlimmere Zeit.

Darin steckt ein politisch-aufklärerisches, aber auch ein poetisches Programm. Die Berufung auf den Heine der vormärzlichen politischen Versdichtung bedeutet die Absage an die in den fünfziger Jahren herrschende Lyrikrezeption und Lyrikauffassung, die, abgesehen von Benns Rede, noch einmal 1956 in der Lyrik-Konzeption Hugo Friedrichs eine starke Stütze gefunden hat (*Die Struktur der modernen Lyrik*). Der Lyriker Heine ist in diesem Zusammenhang eine Randfigur. Aber auch von der kritischen Position Adornos aus wird die Lyrik Heines, bei aller Anerkennung seiner sonstigen Bedeutung, abgewertet und behält gegenüber dem radikalen Neuanfang Baudelaires allenfalls ein historisch-symptomatisches Interesse. In mehr als einem Sinne stellt sich Rühmkorfs *Gedenk-Lied* gegen die Zeit und nimmt die kommende Wende der sechziger Jahre schon vorweg. Es wendet sich in erster Linie gegen einen emphatischen Lyrik-Begriff, dem eine für Deutschland bezeichnende Auffassung von der Zweiteilung der Welt, in eine kulturell-ästhetische und eine öffentlich-politische, entspricht; nicht weniger aber wehrt es sich gegen einen Kunstbegriff der reinen Negativität, der auf seine Weise eine Trennung der Sphären vollzieht, schließlich aber auch gegen ein Programm von konkreter Poesie, das in Rühmkorfs Augen mit der Betonung des Konstruktiv-Formalen gegenüber dem sprachlichen Inhalt eine Trennung von der Welt vollzieht und in ein experimentelles Séparée ausweicht. Es gibt für ihn keine experimentelle Dichtung ohne Engagement; dies hat Marcel Reich-Ranicki richtig gesehen (*Laudatio*).
Aber auch die Umkehrung dieses Satzes gilt: es gibt kein Engagement ohne Experiment, und dies wird knapp ein Jahrzehnt später aktuell, nachdem »Gebrauchslyrik« im ideologisch-politischen Sinn zur dominierenden Erscheinungsform geworden ist. Auf dem *Waschzettel* wird dem Leser mitgeteilt, Rühmkorfs pseudonymes Alter ego, Leslie Meier, bekannt aus *Akzente*, sei »inzwischen natürlich auch

aufs Hochseil übergetreten«, zeige sich berührt von der »tragisch verlorenen Einheitlichkeit« des Individuums und übe sich in der Balance »zwischen Krisen- und Klassenbewußtsein« (*Gesammelte Gedichte,* S. 106). Diese Übertrittserklärung bedeutet eine Kampfansage an die politische Lehr- und Agitationslyrik. Sie besagt, daß das Identitätsproblem keineswegs mit ideologisch-theoretischen Positionsbestimmungen zu lösen ist, schon gar nicht, wenn die ideologische Front mit dogmatischen Ansprüchen durchsetzt ist und in ideellem Purismus die reale Lage völlig fehleinschätzt, und wenn das funktional gewordene, Handlungsanweisungen erteilende Gedicht sich so gut »zu Markte« tragen läßt, wie das im Zeichen von Massen-Veranstaltungen wie »Lyrik und Politik« möglich geworden ist (*Walther, Klopstock und ich,* S. 184). Das Gedicht ist somit von der Auflage, Kampfinstrument zu sein, entbunden; es wird zum Austragungsort jener Konflikte des Bewußtseins, die ideologisch gerade nicht zu bereinigen sind, da die Frage nach der Bedeutung von Ideologie für die Identitätsfindung selbst zur Debatte steht. Dieses erste *Hochseil*-Gedicht, noch in der Aufstiegsphase der Studentenbewegung publiziert, nimmt vorweg, was sich nach deren Abbruch als Grundproblem herausstellt und – in Ermangelung einer ästhetisch fundierten Konzeption – zu einer Welle fragwürdiger Katzenjammer- und Bewältigungslyrik führt. Für Rühmkorf stehen Kunst und Poesie nun »stellvertretend für einen riesengroßen Risikobereich«, als Symbol »für eine ganz allgemeine Depressions- und Gefährdungszone« (*Walther, Klopstock und ich,* S. 139).

Mitte der siebziger Jahre, als die sogenannte neue Innerlichkeit dem Übertritt Leslie Meiers gefolgt ist, wenn sie ihn auch kaum erreicht hat, steht erneut eine Abgrenzung an. Gegen die billige Innerlichkeit, die noch das prosaischste Lamento für ein Gedicht ausgibt, wird die *Hochseil*-Metaphorik erneut aufgeboten. Ihre ästhetischen und poetologischen Implikationen werden um so stärker hervorgehoben, je höher die allgemeine Gefährdung eingeschätzt wird, wel-

che von totalitär werdenden Kommunikationsansprüchen in allen Bereichen des Lebens von den Massenmedien bis zu den Wissenschaften ausgeht. Das ästhetische Gegenprogramm, im Gedicht mit »vierfüßig, vierzigzehig« metonymisch angedeutet, wird im Nachwort *Kein Apolloprogramm für Lyrik* mit Begriffen wie »archaische Mitteilungsform« der Verskunst und »Sphäre magischer Partizipation« erläutert. Wie mißverständlich dies auch immer sein mag, deutlich ist jedenfalls, daß Rühmkorf das Gedicht allen einfachen Mechanismen von Kommunikation, die ihrerseits nur Signum extremer Entfremdung sind, entziehen will, in der Einsicht, daß Kommunikation nur in dem Maße bedeutungsvoll für ein Subjekt und seine Ich-Findung sein kann, als diesem Aneignungsarbeit abverlangt und Verständnis- bzw. Selbstverständnishürden im Sinne einer »Ausnahmesituation« zugemutet werden (*Haltbar*, S. 98).
Aber noch eine zweite Front öffnet sich in dem Gedicht *Hochseil:* das nach wie vor gängige, nach Rezept herzustellende »epigrammatische Lehrgedicht« (*Kein Apolloprogramm für Lyrik*, in: *Walther, Klopstock und ich*, S. 186), das sich, bei aller aufklärerischen Absicht, sprachlich und gedanklich oft kaum von der Überredungspointe von Werbeslogans unterscheidet. Die erneute Berufung auf Heine hat gemäß der geschichtlichen Entwicklung einen neuen Sinn. Denn dieser Heine ist selbst in den zwei Jahrzehnten seit dem *Gedenk-Lied* nicht nur in breitem Maße als politischer Autor und Lyriker rezipiert, sondern auch von jeder sich fortschrittlich gebenden ideologischen Position in Anspruch genommen und eingemeindet worden, nicht selten unter Preisgabe aller Nuancen von Werk und Person. Rühmkorfs Heine-Beschwörungen haben ihre eigene dialektische Konsequenz. Sie tragen der Entwicklung der Lyrik, gerade ihren Wendungen und Brüchen, Rechnung, aber nicht weniger der Zwiespältigkeit im Werk Heines, der »auf der Schneide zweier Zeitalter höchst disparate Positionen bezogen«, aber »alle Antinomien und Widersprüche seines Säkels in ästhetische Sensationen umzumünzen verstanden«

habe (*Kunststücke,* S. 100). Im Hinblick auf die politisch motivierte Heine-Hausse und das trivial gewordene lyrische Engagement der siebziger Jahre verweist das *Hochseil-*Gedicht daher auf den Dichter der *Loreley.*

Es ist kein Zufall, daß in dem Text, der im Namen Heines die vielfach mißbrauchte und geschmähte *Loreley* rehabilitiert, sich die literarischen Anspielungen auf die symbolistische Lyriktradition häufen. Die wichtigsten Motive sind genannt worden. Aber selbst noch die schnoddrig formulierten Gegenzeilen gegen diese Tradition, die den Lyriker und seinen Leser der Verrücktheit zeihen, formulieren eine »Wahlverwandtschaft«, die auch Baudelaire bewußt war und die er in seiner an den Leser gerichteten Vorrede zu *Les Fleurs du mal* in die Apostrophe faßte: »Hypocrite lecteur, – mon semblable, – mon frère!« Schließlich besteht auch noch Gemeinsamkeit in dem Gesichtspunkt, daß in einer Zeit, in der das Tun des Lyrikers nicht mehr in verbindlicher Weise metaphysisch oder religiös begründet werden kann, die Gestalten der Vorläufer die Rechtfertigung und Beglaubigung darstellen. *Les Phares* ist Baudelaires Chiffre für eine solche Reihe von künstlerischen Instanzen; *Walther, Klopstock und ich* lautet sie, wenn der Literaturwissenschaftler Rühmkorf das Wort führt; ist es der Lyriker, so könnte die Reihe abgewandelt lauten: »Heine, Baudelaire und ich«.

Die Frage ist freilich, ob diese Zusammenstellung nicht etwas gewagt ist, zumal Heine und Baudelaire, zumindest nach Adornos Analyse, ja lyrikgeschichtliche Gegenwelten vertreten. Die Antwort wäre mit Rühmkorfs Poetik der Parodie, die ein literaturwissenschaftlich voll entwickeltes Konzept (vgl. Theodor Verweyen, *Theorie der Parodie*) darstellt, zu geben und an einer Reihe von Gegentexten, vor allem auf Gedichte des 18. Jahrhunderts, zu demonstrieren. Rühmkorf weist der Parodie »*die* Vermittlerrolle« zwischen Dichtungstradition und Gegenwart zu, sieht in ihr die Möglichkeit einer »Überlieferung als aktiven Vorgang« (Arnold, S. 122). Der ›Gegengesang‹, der die erlesenen Zitate des

Alten mit den unbereinigten Sprachsedimenten des heutigen Jargons konfrontiert, ist keine einseitig abwertende Verfahrensweise. Zwar hat sich das, was einmal historisch gültig formuliert worden ist, in seiner »Bedenklichkeit« für das Heute auszuweisen; aber umgekehrt wird auch die heutige Sprachwelt dem ehemaligen Anspruch ausgesetzt. In *Hochseil* ist das Parodie-Prinzip nur andeutungsweise sichtbar. Dennoch ist der sprachliche Rahmen erkennbar. Sowohl die alte Lyrik als auch der neue Jargon sind im Modus des Zitates oder Quasi-Zitates präsent. Das Gedicht hat keine primär geprägte Sprachsubstanz, sondern gewinnt diese gleichsam aus Geliehenem. »Nichts eratmet, alles angelesen / siehe, das bist du«, formuliert Rühmkorf selbst (*Auf was nur einmal ist,* in: *Haltbar,* S. 65). Die historische Signatur dieser Dichtung besteht darin, daß sie ihre Authentizität paradoxerweise solchen Elementen verdankt, die in ihrem Sprachfluß second hand sind. Dies behindert ihre Aufschwünge nicht im geringsten, vorausgesetzt die ästhetischen Maßstäbe für die Konfrontation des Heterogenen sind hoch genug angesetzt. Allerdings, die Fallhöhe des Ikarus oder die Baudelaireschen Höhen »par delà les confins des sphères étoilées« (*Élévation*) erreicht sie nicht mehr, nur noch die Höhen der Zirkuskuppel, und der Fliegende ist auch nicht mehr »mon esprit« (Baudelaire), sondern ein schlecht definierbares gespaltenes Wir, für das metaphorisch der Gaukler eintritt. Am künstlerischen und persönlichen Anspruch wird aber deswegen kein Abstrich gemacht. Jeder andere kann sich einmal verrennen, irren, vergreifen; »nur der Gaukler muß unfehlbar sein« (*Zirkus,* in: *Walther, Klopstock und ich,* S. 179). Dies könnte fast eine Heinesche Formulierung sein, und so nimmt es nicht wunder, daß Heine schon 1962 als »begnadeter Gaukler« (*Kunststücke,* S. 100) bezeichnet wird, der sich zwischen allen Ismen seiner Zeit und dabei ständig zwischen »Artistik und Veränderungswillen« bewege (vgl. Verweyen, S. 86–91). Die Schwebelage des Zwischen erinnert an *Hochseil* und deutet an, wie stark sich Rühmkorf auch hier in Heine wiedererkennt. Daß er sich letztlich als Statthalter Heines in heutiger Zeit versteht, verrät eine Strophe des Jahres 1979 (*Haltbar*, S. 44), in der mittels syntaktischer Unbestimmtheit ein schwebender Übergang hervorgerufen wird:

Ich reise mit Gedichten umher,
paarmal rundumerneuert
seit Achtzehnhundertichweißnichtmehr
Heinrich Heine die Lore beleiert.

Zitierte Literatur: Heinz Ludwig ARNOLD: Ich hasse Schriftsteller, die nicht alle paar Jahre mal Hasard spielen. Gespräch mit Peter Rühmkorf. In: Als Schriftsteller leben. Reinbek bei Hamburg 1979. – Hugo FRIEDRICH: Die Struktur der modernen Lyrik. Von Baudelaire bis zur Gegenwart. Hamburg 1956. – Marcel REICH-RANICKI: Der Prediger mit der Schiebermütze. Laudatio anläßlich der Verleihung des Erich-Kästner-Preises. In: Frankfurter Allgemeine Zeitung. 3. 3. 1979. – Peter RÜHMKORF: Gesammelte Gedichte. [Siehe Textquelle.] – Peter RÜHMKORF: Haltbar bis Ende 1999. Reinbek bei Hamburg 1979. – Peter RÜHMKORF: Irdisches Vergnügen in g. Fünfzig Gedichte. Hamburg 1959. – Peter RÜHMKORF: Kunststücke. Fünfzig Gedichte nebst einer Anleitung zum Widerspruch. Hamburg 1962. – Peter RÜHMKORF: Walther von der Vogelweide, Klopstock und ich. [Siehe Textquelle.] – Theodor VERWEYEN: Theorie der Parodie. Am Beispiel Peter Rühmkorfs. München 1973.
Weitere Literatur: Thomas AYCK: Tanzend zwischen Freund Hein und Freund Heine. Gespräch mit dem Lyriker und Essayisten Peter Rühmkorf. In: horen 24 (1979) H. 4. S. 157–162. – Matthias PRANGEL: Gespräch mit Peter Rühmkorf. In: Deutsche Bücher 10. (Amsterdam 1980) S. 1–17. – Albert von SCHIRNDING: Laudatio auf Peter Rühmkorf. In: Deutsche Akademie für Sprache und Dichtung in Darmstadt. Jahrbuch 1976. Heidelberg 1977. S. 88–92. – Theodor VERWEYEN / Gunther WITTING: Die Parodie in der neueren deutschen Literatur. Eine systematische Einführung. Darmstadt 1979. – Ulrich WYSS: Rühmkorf, Walther von der Vogelweide und ich. In: Euphorion 72 (1978) S. 260–276.

Christoph Meckel

Andere Erde

Wenn erst die Bäume gezählt sind und das Laub
Blatt für Blatt auf die Ämter gebracht wird
werden wir wissen, was die Erde wert war.
Einzutauchen in Flüsse voll Wasser
und Kirschen zu ernten an einem Morgen im Juni
wird ein Privileg sein, nicht für Viele.
Gerne werden wir uns der verbrauchten Welt
erinnern, als die Zeit sich vermischte
mit Monstern und Engeln, als der Himmel
ein offener Abzug war für den Rauch
und Vögel in Schwärmen über die Autobahn flogen
(wir standen im Garten, und unsre Gespräche
hielten die Zeit zurück, das Sterben der Bäume
flüchtige Legenden von Nesselkraut).

Shut up. Eine andere Erde, ein anderes Haus.
(Ein Habichtflügel im Schrank. Ein Blatt. Ein Wasser.)

Zitiert nach: Christoph Meckel: Wen es angeht. Gedichte. Mit Graphiken des Autors. [Düsseldorf:] Eremiten-Presse, 1974. (Broschur. 53.) S. 22. [Erstdruck.]

Wulf Segebrecht

Vom Sterben der Bäume. Zu Christoph Meckels Gedicht *Andere Erde*

Eine »andere Erde« zu entwerfen, Traumbilder zu phantasieren, Utopien auszudenken – das ist von alters her die vielleicht schönste und notwendigste Aufgabe der Poesie gewesen: wir verdanken dieser dichterischen Erfindungskraft so reizende, friedliche oder geheimnisvolle Sehnsuchts-Landschaften wie Arkadien, Atlantis und Orplid. Und auch in den dichterischen Vorstellungen von vergangenen oder künftigen Paradiesen und vom goldenen Zeitalter, in den Idyllen, Schäferdichtungen und Robinsonaden, in den Darstellungen von poetischen Inseln und fiktiven fernen Reichen treten uns Bilder einer »anderen Erde« entgegen. Als Wunschbilder sind solche utopischen Entwürfe einer anderen Erde zugleich auch Gegenbilder: Indem sie zeigen, wie die Erde sein sollte oder könnte, sagen sie zugleich, daß sie der Kritik bedarf, damit sie nicht bleibt, wie sie ist. Die poetischen Alternativen entfalten eine kritische Kraft, ihre Harmonien sind die hoffnungsvollen Reaktionen auf die Disharmonien der Erde.
Meckels Gedicht *Andere Erde* setzt nicht mit einem solchen poetischen Wunsch- oder Traumbild ein, sondern mit dem Schreckbild einer perfekt verwalteten Natur. Auf diesen Zustand, in dem auch noch das letzte Blatt der Bäume amtlich registriert sein wird, steuert die Erde zu, unaufhaltsam. Es sind düstere Prognosen, die das Gedicht zu Beginn abgibt. Der Blick in die Zukunft wird nicht – wie in den idyllischen Utopien – zum Traum von einer besseren, sondern zum Alptraum von einer bösen Erde, die nicht mehr lebendig und nicht mehr bewohnbar ist. Anti-utopisch beginnt das Gedicht: mit schlimmen, nicht mit guten Aussichten. Und anti-utopisch sind auch die Konsequenzen

dieser Perspektive in die Zukunft: Von dort nämlich, von ihrem künftig schlimmen Ende her gesehen, fällt auf die gegenwärtige Erde ein freundlicherer Blick. Angesichts dessen, was auf uns zukommt, ist das, was wir haben, noch vergleichsweise gut und wertvoll. Dieses Resultat legen Anti-Utopien nahe; in ihnen erscheint die Gegenwart als das kleinere Übel angesichts der Zukunft. Die Kritik richtet sich dementsprechend auch nicht auf die Gegenwart schlechthin, sondern auf diejenigen Faktoren in ihr, die die befürchtete Zukunft bestimmen könnten. Utopien errichten Gegenmodelle, Anti-Utopien verfolgen Konsequenzen. Sie werfen regelmäßig die Frage auf, ob nicht das, was sie als befürchtete Zukunft beschreiben, in Wirklichkeit längst Gegenwart geworden ist.

Das gilt beispielsweise im Hinblick auf den totalen Staat, den George Orwell in seinem berühmten anti-utopischen Roman *Nineteen eighty-four* entworfen hat. Es gilt auch für Meckels *Andere Erde*. Denn guten Gewissens kann – wenigstens in Mitteleuropa – wohl niemand behaupten, hier würden die Bäume nicht gezählt, ihr Laub und ihre ökologische Bedeutung wären nicht längst aktenkundig. Wo immer Waldbestände der Trasse einer Autostraße, der Startbahn eines Flughafens oder einer Wiederaufbereitungsanlage zum Opfer fallen sollen, da wird oft um jeden einzelnen Baum gekämpft, an den sich die Menschen in erschütternder Weise klammern. Die Umweltschützer, die Grünen und die Alternativen haben selbst dafür gesorgt, daß die Natur registriert und verwaltet wird, damit sie nicht weiterhin rücksichtslos ausgebeutet und vernichtet werden kann. Die von Meckel beschriebene Zukunft hat in Wirklichkeit schon begonnen.

Das bestätigen die folgenden Zeilen des Gedichts. Denn wer kann noch einen Genuß daran haben, in die ›umgekippten‹ Flüsse zu steigen, die mit lebensgefährlichen Schadstoffen angefüllt sind, so daß nicht einmal Fische in ihnen leben können; und wer darf es noch als ein Privileg betrachten,

Kirschen zu ernten? »Viele« sind das schon heute nicht mehr. Was Meckel als gefährliche Zukunft beschreibt, wird vom Leser als schreckliche Gegenwart erfahren.
Ebenso ist aber offensichtlich auch das Gegenwart, was im Gedicht als Objekt künftiger Erinnerung erscheint, jenes Stadium »der verbrauchten Welt« (7) also, das gekennzeichnet ist von der Gleichzeitigkeit des noch Lebendigen mit dem schon Gefährdeten. In mehreren Bildern wird diese Gleichzeitigkeit vorgeführt: so mit den »Monstern und Engeln« (9), jenen Wesen, die dem Menschen Angst und Hoffnung einflößen. Sie sind in der Zeit, an die man sich einst gern erinnern wird und die die Gegenwart ist, gleichzeitig vorhanden; Angst und Hoffnung halten sich noch die Waage, sie sind noch nebeneinander existenzfähig und schließen sich nicht gegenseitig aus. Ebenso steht es mit dem »Rauch« (10), den die Menschen produzieren, und dem »Himmel« (9), in den sie ihn entlassen; auch hier ist noch beides sichtbar: die Luftverschmutzung, der Smog, aber auch der »Himmel«. Die Erinnerung gilt der Phase in der Geschichte der Vernichtung der Erde durch den Menschen, die der Katastrophe unmittelbar vorausgeht, also unserer Zeit. In einem anderen Gedicht (*Bei kleinem Feuer*) aus dem gleichen Band heißt es:

Und als wir die Erde erledigt hatten
legten wir Gift aus für den Himmel.

Diese Phase ist in dem vorliegenden Gedicht angesprochen: Das Gift ist ausgelegt, nur seine Wirkung hat noch nicht voll durchgeschlagen. Noch – aber wie lange noch? – können »Vögel in Schwärmen über die Autobahn« (11) fliegen. Das Glück der Erinnerung an solche Situationen beruht – aus der Perspektive der späteren Zeit, in der die Katastrophe eingetreten ist – darauf, daß die Gleichzeitigkeit von Hoffnung und Angst, das Nebeneinander von Lebendigem und Tödlichem noch einmal den Anschein der Vereinbarkeit des unvereinbar Gewordenen erweckt, die Illusion eines (nicht nur ökologischen) Gleichgewichts, das es in Wirklichkeit gar nicht mehr gibt; denn sonst könnte dieses Stadium der »verbrauchten Welt« (7) nicht als vergleichsweise liebe Erinnerung vergegenwärtigt werden.

Eine zweite Erinnerung, in Klammern gesetzt, die scheinbare Beiläufigkeit signalisieren, wird angefügt; sie betrifft das Verhalten und das Bewußtsein der Menschen in der Phase der sich anbahnenden Katastrophe. Mit sich selbst befaßt und miteinander sprechend, verlieren sie das Zeitgefühl und bemerken weder das tatsächliche und endgültige »Sterben der Bäume« (13), das sich gleichzeitig vollzieht, noch die Bedeutung der notwendigen Vergänglichkeit in der Natur, die sie umgibt. In diesem Verhalten ist die eigentliche Ursache für die Unabwendbarkeit der Katastrophe zu sehen: Die Menschen, gefangen in ihren eigenen Empfindungen und Angelegenheiten, lassen die Zeit nicht an sich herankommen, sie entwickeln das Gefühl der Zeitlosigkeit und Unendlichkeit und versäumen es dabei, ein ihrer eigenen Zeit angemessenes Bewußtsein zu entfalten.

»Zeit« wird in Meckels Gedicht nicht nur ausdrücklich ›thematisiert‹; vielmehr bildet die komplizierte Zeitstruktur des Gedichts das Gewicht der Zeitproblematik ab, die es behandelt. Das Gedicht geht aus von einer fiktiven Zukunft, die vom Leser unschwer als seine Gegenwart erkannt werden kann. Zugleich aber ist auch der Blick aus dieser fiktiven Zukunft in die Vergangenheit für den Leser Gegenwart. Der Sinn dieser Aufspaltung von Gegenwartsproblemen in Aspekte der Zukunft und Aspekte der Vergangenheit ist es, die unerbittliche Konsequenz zu demonstrieren, mit der bestimmte Ursachen (hier: ein falsches Bewußtsein) zu heillosen Wirkungen führen müssen (hier zu einer »anderen Erde«).

Bis zum Ende wird diese Konsequenz durchgehalten. Die Schlußzeilen erwecken den Eindruck, als habe man die »andere Erde«, die nicht mehr lebenswerte Erde, schlicht und resignativ hinzunehmen; auch auf ihr, so könnte der Schluß naheliegen, werde es noch ein Haus geben, wenn

auch »ein anderes Haus«. Und auch dort wird im Schrank aufgehoben, was Erinnerungswert hat oder Schmuckcharakter besitzt: »Ein Habichtflügel [. . .]. Ein Blatt. Ein Wasser.« Das Gedicht betreibt seine Konsequenz, wie man sieht, bis zum Widersinn; denn kann es noch ein »Haus« für den Menschen geben, wenn er das lebensnotwendige Wasser im Schrank aufhebt wie Souvenirs oder Nippes?
Spätestens hier, wenn nicht schon eher, muß der Widerspruch des Lesers gegen die Konsequenz des Gedichtes erfolgen. Dieser Widerspruch wird, genau besehen, unaufhörlich herausgefordert, von Anfang an: Schon heute und nicht erst, wenn alles Laub amtlich registriert ist, sollten sich die Menschen über den Wert ihrer Erde im klaren sein; schon heute und nicht erst, wenn es endgültig zu spät ist, müßte man sich der »verbrauchten Welt« erinnern; und schon heute, und nicht erst nach der absehbaren Katastrophe, benötigt der Mensch ein Bewußtsein der ihm drohenden Endzeit. Meckels Gedicht befördert dieses Bewußtsein nicht durch beschwörende Appelle und nicht mit schrecklichen Visionen, sondern mit einer fast kühlen Schlichtheit, ohne Wehmütigkeit oder Pathos. Das Gedicht erscheint in einer unauffälligen äußeren Gestalt: reimlos, ohne Strophengliederung, in ungefähr gleich langen Zeilen – es macht nicht viel Aufhebens von sich. Dem formalen und stilistischen Understatement entspricht ein klarer dreiteiliger Aufbau der Argumentation: Auf die Klage über (künftig) Verlorenes folgt die Erinnerung an (einst) noch Unverlorenes. Daran schließt sich das lapidare Resümee an. Diese Struktur ist nicht dazu angetan, den Leser zu heftigen emotionalen Reaktionen herauszufordern. Das Gedicht ruft weder agitatorisch zu lautstarkem Widerstand auf, noch gestattet es die innige Einfühlung des Empfindsamen. Es sagt auf unnachgiebige Weise das nach Lage der Dinge Notwendige: nicht hinreißend ›schön‹ und nicht zugespitzt polemisch. Es ist eine unaufdringliche Zumutung für den Leser, eine Herausforderung an seine Vorstellungskraft, ein Anstoß zur intellektuellen Arbeit der Überprüfung, der Unterschei-

dung, der Kritik, des Widerspruchs. Er hat zuletzt zu entscheiden, ob die »andere Erde«, die ihm vorgestellt wird, auch die wünschbare Erde ist.
Man sieht: Das »Gespräch über Bäume«, über Wasser, Luft und Vögel hat eine qualitative Veränderung erfahren seit Brecht. Er sah 1939 noch »fast ein Verbrechen« darin, von Bäumen zu sprechen, »weil es ein Schweigen über so viele Untaten« des Faschismus einschloß. Seine anspruchsvolle Bitte um die Nachsicht der Nachgeborenen setzte die aktive Überwindung des Faschismus voraus; unter solchen Umständen erst werde – so Brechts Hoffnung – ein »Gespräch über Bäume« zugleich das Zeichen einer friedlichen Erde sein. Diese Hoffnung hat in mehrfacher Hinsicht getrogen, und so ist es heute »fast ein Verbrechen« geworden, nicht vom »Sterben der Bäume« zu sprechen, weil das ein Schweigen über die bereits stattfindende Verwüstung der Erde einschließen würde.
In seiner *Rede zur Verleihung des Bremer Literaturpreises* (1981) hat Meckel diese Verwüstung der Erde erneut angesprochen:

Das Ausmaß der inneren und äußeren Belastung, der Vergiftung und Verkrüppelung aller Art, der gezielten Ruinierung von Welt und Leben ist unabsehbar geworden, ein weltweites Trauma. Es gab eine Zeit, sie ist nicht lange her, da man Leute mit Weitsicht Pessimisten nannte und ihre Prognosen für Unkenrufe erklärte. Und es erstaunt mich, immer wieder zu sehen, wie blind die menschliche Hoffnung sich weiterbewegt, Entwicklungen außer acht läßt und Tatsachen leugnet (etwa Aufrüstung oder Ökologie).
Man erschöpft sich wieder in grauenhafter Geduld mit den Angelegenheiten von Staat und Macht. Man veranschlagt die eigenen Kräfte als wirkungslos und gibt die Courage ungefährdet preis. Der Geduld entspricht eine wachsende Ungeduld in persönlichen Sachen, im alternativen Bereich, in Freundschaft, Liebe und Solidarität. Im bezeichnenden Zustand dieser Gegenwart, im Simultanbetrieb aller Widersprüche, aller Spezialisierungen, Perspektiven, Tendenzen, aller menschlichen, technischen, ökonomischen Fragen scheint Wirklichkeit in sich selbst zusammenzustürzen. Was immer WIRKLICHKEIT bedeuten kann – sie ist inzwischen zur Chimäre geworden.

Wo fängt man an, mit ihr umzugehen? Wie bestimmt man, nüchtern und ohne Illusion, den Charakter der Zeit, was hat man entgegenzusetzen?

Keine Lösungen jedenfalls, keine Antworten. Vor allem aber: keine Beschönigungen. In seiner poetologischen *Rede vom Gedicht* (ebenfalls in *Wen es angeht*) heißt es programmatisch:

Das Gedicht ist nicht der Ort, wo das Sterben begütigt
wo der Hunger gestillt, wo die Hoffnung verklärt wird.

Das Gedicht ist der Ort der zu Tode verwundeten Wahrheit.
Flügel! Flügel! Der Engel stürzt, die Federn
fliegen einzeln und blutig im Sturm der Geschichte!

Das Gedicht ist nicht der Ort, wo der Engel geschont wird.

Die Figur des Engels begegnet in Meckels Lyrik von Anfang an. Er vertritt das »Prinzip Hoffnung«: die Möglichkeit, der Wirklichkeit, der Geschichte, der Welt eine positive Deutung zu geben. Aber es ergeht ihm zunehmend schlechter im Werk Christoph Meckels. Zu einer hoffnungsvollen Deutung besteht offenbar immer weniger Veranlassung. Harald Hartung hat in seiner Rezension darauf hingewiesen, daß Meckel hier auf den »Engel der Geschichte« anspielt, von dem Walter Benjamin in der neunten seiner *Geschichtsphilosophischen Thesen* spricht. Dort ist der Engel der vergangenheitszugewandte, aber vom Sturm des Fortschritts getriebene Geschichtsdeuter, dem es zwar nicht gelingt, die Trümmer der historischen Fakten zu einem einheitlichen Geschichtsbild zusammenzufügen, der aber trotz dieser Vergeblichkeit für Benjamin die einzig mögliche Deutungsinstanz bleibt – nicht zufällig sollte die von Benjamin geplante Zeitschrift den Namen *Angelus Novus* erhalten. Selbst diesen bereits desillusionierten Engel schont Meckel nicht: Eine – wie immer geartete – einheitliche Geschichtskonzeption kann es für ihn nicht geben.

Läuft das auf Enttäuschung, Resignation, Hoffnungslosigkeit, Ohnmacht, Pessimismus, Verzweiflung hinaus? Und wie, wenn es so sein sollte, vertragen sich solche Einstellungen mit der Schonungslosigkeit des Blicks auf die verbrauchte Erde? Die Intensität seiner Kritik an gesellschaftlichen Mißständen und Fehlentwicklungen ist gewiß nicht zu bezweifeln; aber kann es resignierende Gesellschaftskritik geben? »Es bleibt zuletzt zu fragen, ob Meckels resignative Haltung im Bereich der politischen Lyrik zulässig ist« (Gutzschhahn, S. 183). Zulässig! Vielleicht wäre es sinnvoller, zu fragen, ob Meckels Haltung (mit welchen Begriffen man sie auch bezeichnen will) begründet ist, verständlich, erklärlich. Wer vom tatsächlichen Elend der Gegenwart und von der »gezielten Ruinierung von Welt und Leben« spricht, hat allerdings wenig Veranlassung zu Fortschritts-Optimismus und Zukunftsglauben. Unter den gegebenen Umständen (und sie sind Meckels Thema) kann die »andere Erde«, das »andere Haus« nicht besser, sondern nur schlimmer aussehen als die gegenwärtige Erde, das gegenwärtige Haus. Hoffnungen sind heute grundlos, ja mehr noch: sie wären verlogen ohne eine Veränderung der gegenwärtigen Umstände. Eine solche Veränderung kann aber weder durch Parolen noch durch Appelle, sie kann nicht durch Zauberworte und auch nicht durch Schlagworte bewirkt werden. Sie kann nur das Resultat des Entschlusses der Menschen sein, »eine andere Erde, ein anderes Haus« bewohnen zu wollen, als ihnen bevorsteht. Nicht des Autors Hoffnung, sondern der Wille des Lesers, nicht ohne Hoffnung zu leben, ist gefragt: »Wie willst du / leben ohne die Hoffnung an deinem Denken / zu beteiligen«, heißt es im Schlußgedicht des Bandes *Wen es angeht*. Der Grund zu dieser Hoffnung muß erst geschaffen werden. Er ist zu finden am »Ort der zu Tode verwundeten Wahrheit«, im Gedicht, das diese Wahrheit sagt:

Wenn die Widersprüche und Theorien erschöpft, die Begriffe verwelkt und die Ideologien erstarrt sind; wenn Ethik, Moral und

Humanität besprochen, die Überzeugungen bekräftigt und die Meinungen verdampft sind; wenn Rat und Ratlosigkeit sich die Waage halten, Parolen wie defekte Schallplatten kreisen und Wut und Verzweiflung am Boden verblutet sind – dann tritt ein Moment vollkommener Stille ein. In diesem Augenblick beginnt Poesie.

(*Rede zur Verleihung des Bremer Literaturpreises.*)

Zitierte Literatur: Uwe-Michael GUTZSCHHAHN: Prosa und Lyrik Christoph Meckels. Köln 1979. – Harald HARTUNG: Der letzte Engel. In: Der Tagesspiegel. 27. 10. 1974. – Christoph MECKEL: Wen es angeht. [Siehe Textquelle.] – Christoph MECKEL: Rede zur Verleihung des Bremer Literaturpreises 1981. In: Deutsches Allgemeines Sonntagsblatt. 1. 2. 1981. Auch in: Bogen 5: Christoph Meckel: Jedes Wort hat die Chance einen Anfang zu machen. München/Wien 1981.

Weitere Literatur: Beda ALLEMANN: Laudatio für Christoph Meckel. In: Ernst-Meister-Preis für Literatur. Hagen 1982. S. 17–30. – Herbert GLOSSNER: Christoph Meckel. In: Kritisches Lexikon zur deutschsprachigen Gegenwartsliteratur. Hrsg. von Heinz Ludwig Arnold. München 1979. 7. Nachlieferung. 1. 1. 1981. S. 1–11, A–J. – Horst KRÜGER: Eine andere Welt meldet sich zu Wort. Rede auf Christoph Meckel. In: Deutsches Allgemeines Sonntagsblatt. 1. Februar 1981. – Michael SCHNEIDER: Den Kopf verkehrt aufgesetzt. Oder die melancholische Linke. Aspekte des Kulturzerfalls in den siebziger Jahren. Darmstadt/Neuwied 1981. S. 8–64. – Wulf SEGEBRECHT: Christoph Meckels Erfindungen. In: Merkur 20 (1966) S. 80–85.

Sarah Kirsch

Die Luft riecht schon nach Schnee

Die Luft riecht schon nach Schnee, mein Geliebter
Trägt langes Haar, ach der Winter, der Winter der uns
Eng zusammenwirft steht vor der Tür, kommt
Mit dem Windhundgespann. Eisblumen
Streut er ans Fenster, die Kohlen glühen im Herd, und
Du Schönster Schneeweißer legst mir deinen Kopf in den
Schoß
Ich sage das ist
Der Schlitten der nicht mehr hält, Schnee fällt uns
Mitten ins Herz, er glüht
Auf den Aschekübeln im Hof Darling flüstert die Amsel

Zitiert nach: Sarah Kirsch: Rückenwind. Gedichte. Ebenhausen bei München: Langewiesche-Brandt, 1977. S. 12. [Erstdruck.]

Sybille Demmer

»Schnee fällt uns / Mitten ins Herz«. Naturbildlichkeit und Liebeserlebnis in Sarah Kirschs Gedicht *Die Luft riecht schon nach Schnee*

Der Titel, zugleich die erste Zeile des Gedichts, spricht die Erwartung des Winters aus. Das lyrische Ich beginnt seine Aussage zwischen »Wiedererinnerung und Vorerinnerung« (Baumann, S. 102); die vorangegangene Erfahrung erlaubt die Antizipation des Künftigen. Der »Bogen« des Gedichts, »der erfüllt werden muß« (*Erklärung*, S. 16), führt von der Natur- und Situationsbeschreibung zum visionären Moment, der Naturgeschehen und Liebeserlebnis identifiziert, charakterisiert durch Zeitenthobenheit (»Der Schlitten der nicht mehr hält«) und Absolutheit des Erlebens (»Schnee fällt uns / Mitten ins Herz«).

Innerhalb der herkömmlichen Naturlyrik bilden die Jahreszeitengedichte eine eigene Gruppe mit langer literarischer Tradition: Im Naturbild soll subjektiven Vorgängen objektivierend Anschaulichkeit und Bestimmtheit verliehen werden. Parallelismus und Personifikation als die zentralen Stilfiguren erlauben die »Möglichkeit der Abbreviatur komplexer Verhältnisse in ein übersichtlich-lebendiges Ganzes« (Killy, S. 62). So kennzeichnet viele Wintergedichte die Parallelisierung ›Winter der Natur / Winter des Herzens‹ (in der Ferne vom Geliebten) oder aber die kontrastierende Entgegensetzung von ›Winterkälte‹ und ›Liebesfeuer‹.

Dem zeitgenössischen Naturgedicht fehlt die Voraussetzung der strukturellen Analogie äußerer und innerer Vorgänge, von Natur und Innenwelt; die »Korrespondenz zu einer vorstellbaren oder Erfahrungsgut gewordenen Wirklichkeit« (Marsch, S. 210), wie sie dem Symbol oder der Metapher eigen ist, weicht in unserem Jahrhundert der »Herstellung autonomer, von der Wirklichkeit unabhängiger Beziehungssysteme« (Lohner, S. 327). Natur- und Welterfahrung sind fragmentarisch, ihre Deutung nur mehr subjektiv. An die Stelle der Metapher tritt ein »evokatives Äquivalent« (Burger/Grimm, S. 24), die Chiffre. Angesichts des Verlusts von Wirklichkeitsstrukturen und der Skepsis gegenüber einer verbindlichen Übersetzbarkeit der Realität in Sprache werden das Gedicht, der Dichter und die dichterische Sprache selbst zum Thema der Lyrik: »Die Wirklichkeit existiert [...] nicht in den Dingen, sondern in den Beziehungen, die das dichterische Bewußtsein zwischen sich und der Realität der Erscheinungen herstellt und im Gedicht absolut niederlegt« (Lohner, S. 333).

Das zeitgenössische Gedicht reflektiert das Fragmentarische des Weltbezugs und ist auf der Suche nach seiner Sprache: »Das Gedicht im Vorzustand der Unbestimmtheit befindet

sich [...] selbst auf dem Weg zur Entschlüsselung und kann vielleicht als Protokoll seines reflektierten Zustandes im Prozeß seiner Verfertigung verstanden werden« (Marsch, S. 211).
Naturbilder werden zum Zeichenvorrat; an die Stelle des »Zeichensystems« Natur, das die Naturlyrik »entziffert« (Mecklenburg, S. 11 f.), tritt die experimentierende Kombination disparater Elemente. Aus der Naturmetapher wird die Chiffre als »Signal im verflochtenen Prozeß der Sprachwerdung des Gedichts« (Marsch, S. 211); die Natur als Raum ersetzt der künstliche Sprachraum, »der sich aus dem spannungsvollen System der für sich und zueinander gesetzten Worte ergibt« (Marsch, S. 213).
Vieles von dem, was in gedrängter Kürze über das Gedicht allgemein gesagt wurde, läßt sich auf Sarah Kirschs Gedichte übertragen. Die Naturbilder der Lyrikerin sind ihrer Struktur nach nicht einheitlich. »Vorliterarische Naturwahrnehmung« (Volckmann, S. 78), Naturmetaphern und individuelle Chiffren stehen nebeneinander. Signale für die Ankunft des Winters sind »Windhundgespann« – die Elemente des Kompositums (Wind/Hundgespann) vermögen eher ›Winter‹ zu assoziieren als dieses selbst – und »Eisblumen« – im vorliegenden Kontext eher dekorativ aufgefaßt, ohne jene subtile Anspielung auf den künstlerischen Prozeß wie im Gedicht *Schneeröschen* (*Zaubersprüche*, S. 63). »Fenster« und »Herd« orten das Innere eines Hauses; die »glühenden Kohlen« bezeichnen die Atmosphäre menschlicher Wärme und Nähe. Der Geliebte, apostrophiert als »Schönster Schneeweißer«, vollzieht eine Geste enger Vertrautheit und liebender Geborgenheit. Name und Aussehen (»langes Haar«) deuten auf die Gestalt des – zunächst als Bär auftretenden – Prinzen im Märchen von *Schneeweißchen und Rosenrot* nach den Brüdern Grimm: Die eigenwillige Umdeutung der Schwestern des Märchens in Liebende, ausgesprochen im Gedicht *Schneeweißer und Rosenrot* (*Rückenwind*, S. 11), verdankt die Lyrikerin wohl psychologischen und farblichen, auch landschafts- oder jahreszeit-

bezogenen Assoziationen; in einem vielfachen Verdichtungsprozeß werden Wirklichkeit und Phantasie verflochten, »die Naturbilder messen die Zwischenwelten von Realität und Irrealität aus« (Volckmann, S. 86) – eine märchenhafte Integration psychischer, vegetativer und poetischer Elemente, die eine vollkommen persönliche Chiffre ergibt.

Eine reiche, vieldeutige Schnee- und Winterbildlichkeit läßt sich in den Gedichten Sarah Kirschs aufweisen. Unter dem Titel *Anziehung* verbinden die Einleitungszeilen des Gedichtbands *Zaubersprüche* eine Winterbeschreibung (»Eis auf dem See«) mit der Einladung zur Begegnung (»Komm über den See«). Das bereits genannte Gedicht *Schneeweißer und Rosenrot* wiederholt die Aufforderung (»Drüber! Drüber!«) – der Schlittschuh impliziert den vereisten See – und nennt den »Bären« des Märchens. Hier ist das »lange Haar« mit Leid der Trennung und Warten verknüpft – ähnlich der Verwendung in *Datum* (*Rückenwind,* S. 35). »Weiße Bären« versinnlichen den Winter in *November/Dezember* (*Rückenwind,* S. 66). Das Gedicht *Schneeröschen* zeigt das einsam liebende Ich hinter sich »türmenden Schneehecken«; der zu spät kommende Geliebte wird zum »Eisdichter«, dem nur noch der Nachruf zu dichten bleibt. Ein Beleg findet sich, in dem der optisch-emotionale Kontrast »weiß/rot« bzw. »Schnee/Wärme« unmittelbar auf die dichterische Tätigkeit bezogen wird: »papierweiß«, auf das »rot / leuchtet mein Wort« folgt (vgl. *Bäume lesen,* in: *Landaufenthalt,* S. 70f.). In dem frühen Gedicht *Der Himmel schuppt sich* (*Landaufenthalt,* S. 14) erscheint die Kälte des Winters gegenüber der des schweigenden Geliebten hyperbolisch kontrastiert mit »Lava, kochendem Stahl« und gerinnt »Schnee« zum »Reimwort auf Weh«. Im Prosatext *Im Glashaus des Schneekönigs* (*Rückenwind,* S. 67) wirft dieser »Kohle ins Feuer«.

Die angeführten Beispiele demonstrieren: In den Bildern Sarah Kirschs verbinden sich Winterszenerie und Märchen-

welt, Farbsymbolik und Wärmemetaphorik mit der Psychologie menschlicher Beziehungen auf vielfältige, jedoch nicht systematische Weise. Naturalistische und phantastische, zuweilen surrealistische Elemente, die den Horizont des Gedichts öffnen, neue Räume erschließen und Dingliches und Psychisches transparent füreinander machen, verbinden sich weniger zu einer »Janusgesichtigkeit der Wintermotive« (Volckmann, S. 83) als vielmehr zur Vielgesichtigkeit der erlebten Winterwelt. In der Fernsehsendung »Der Autor und sein Thema« äußerte die Lyrikerin am 26. Dezember 1977: »Der Winter, das ist mein Thema«, und verwies auf seine Bedeutung als Jahreszeit der Gegensätze, der Dunkelheit und Bedrohung ebenso wie der Reinheit und Schönheit, der assoziationsreichen Symbolik und metaphorischen Tradition. Für manche Zeilen in Sarah Kirschs Wintergedichten gilt, was Hugo Friedrich generell für moderne Gedichte formulierte: »Ihre Dunkelheit fasziniert den Leser im gleichen Maße, wie sie ihn verwirrt. Ihr Wortzauber und ihre Geheimnishaftigkeit wirken zwingend, obwohl das Verstehen desorientiert wird« (S. 15).
Die Schlußwendung des vorliegenden Gedichts »Darling flüstert die Amsel« bricht in Anspruch und Stil – und damit auch im Niveau – mit den vorangegangenen Zeilen. Als Pointe gesetzt, absichtsvoll salopp – das Fremdwort ist eher der Schlagersprache als dem lyrischen Vokabular zugeordnet –, bewirkt sie eine Entpoetisierung, einen relativierenden Kontrapunkt zur sich abzeichnenden Tendenz ins Überwirkliche; man könnte sie jedoch ebenso als private Formel für Glück lesen, wenn der »Vertrauenseffekt« (Politzer) – die Happy-end-Assoziation – dominiert. Die Neigung zur Pointe gehört zu den auffallenden Eigenarten der Gedichte Sarah Kirschs. Peter Hacks nannte den »Einfall«, eine »wenig erwartete und vieles erhellende Zuspitzung«, das zentrale Element des »Sarah-Sounds« (S. 108 f.). Man mag der Lyrikerin Neigung zum »Kuriosen« (Reich-Ranicki), Nähe zu »naiver Malerei« (Ritter) oder »koketten, selbstiro-

nischen Trotz« (v. Becker) bescheinigen – sicher gilt: Sie »verwandelt alles, übermütig und treuherzig zugleich, in die Szene ihrer Liebe« (Reich-Ranicki).
Um eine erste Summe zu ziehen: Bekenntnis zur eigenen Subjektivität und Thematisierung der Sehnsucht nach Liebesglück lassen sich als die beiden charakteristischen Pole der Lyrik Sarah Kirschs benennen: Ihre Gedichte sind Selbstgespräche privater, oft unmittelbar autobiographischer Natur, ihre Lyrik ist fast immer, auch wenn Natur, Märchen, Historie oder Politisches thematisiert werden, Liebeslyrik. Bleibt die Autorin stets in ihren Gedichten präsent als »Subjekt, das seine Subjektivität zur Geltung bringt« (Hinck, S. 128), so kennzeichnen ihre persönlichen Chiffren in der Absage an konventionelle Erwartungen in Bildlichkeit und Stil zugleich den »Prozeß, der das Individuum nicht nur zum Bewußtsein seiner selbst bringt, sondern auch zur Bestimmung seiner Freiheit als Freiheit der Subjektivität« (Hinck, S. 129 f.).
Bestimmend für Sarah Kirschs Liebeslyrik sind Utopien märchenhaften Geschehens, Erotik und Naturverbundenheit sowie die Parallelisierung privater und politischer, natürlicher und gesellschaftlicher Vorgänge. Gehen die Gedichte meist vom konkreten Bild, von der beobachteten Landschaft oder erlebten Szene aus – in denen sich oft die Schulung der Biologin Sarah Kirsch erkennen läßt –, so eignet ihnen »die jede Beobachtung übersteigende Verlagerung einer in der Natur oder im Alltag bemerkten Verdopplung oder Parallelität in die Zweieinigkeit einer höheren Wirklichkeit« (Michaelis), eine generelle – »panerotische« (Reich-Ranicki) – Liebesthematik. Folgerichtig zeigt die Sprache der Gedichte eine »Vorliebe für bis zur unendlichen Melodie sich dehnende Reihungen« (Hacks, S. 115). In der prosanahen Syntax dominieren Substantive – dingliche Gegenstände, Sinneseindrücke, Bilder –, die von den sparsamer gesetzten Verben nicht immer eindeutig in ihren Bezügen determiniert werden: Oft ist – auch aufgrund des Fehlens von Satzzeichen – die Möglichkeit gegeben, Satzele-

mente sowohl an das Vorhergehende wie an das Folgende zu binden.
Das lyrische Ich bekennt sich ungeniert zu seiner subjektiven Perspektive. Die Zeile »Ich sage das ist« – zwar grammatisch mit der folgenden verknüpft, doch optisch und rhythmisch isoliert – akzentuiert den kräftigen Anspruch des Subjekts und belegt seine Anwesenheit im Gedicht.
Versucht man, die Erfahrungsweise dieses lyrischen Ichs auf eine Formel zu bringen, so ist es die des Momentanen, des Details, das jeweils als Signal fungiert; mögliche Assoziationsketten verlängern das Gesagte ins Unendliche. Geschlossenheit und Präzision der lyrischen Aussage – man vergleiche Günter Kunerts »Das Verläßliche bleibt nur das Gedicht selbst« – werden aufgegeben zugunsten einer intendierten Offenheit, die »Spielraum« (*Erklärung*, S. 13) für gedankliche Fortsetzungen in verschiedene Richtungen zuläßt. In bewußter Unabgeschlossenheit wird das Gedicht Anstoß und Aufgabe – ein Rätsel, für das jede Deutung nur vorläufigen, notwendig ebenfalls persönlichen Charakter haben kann. So reichen die bisher vorliegenden Interpretationen und Paraphrasierungen des Gedichts *Die Luft riecht schon nach Schnee* von »weißer Zauberkunst« (Politzer) bis zum »dialektischen Modell von Be- und Entgrenzung«, in dem Sarah Kirsch »gleichsam die Extreme gesellschaftlicher Erfahrung fusioniert« (Volckmann, S. 81). Das Gedicht gewinnt seine volle Aussage erst in der rezipierenden Ergänzung durch den Leser. Das Bekenntnis des Autors zu seiner Subjektivität enthält zugleich das Zugeständnis an die Subjektivität des Lesers. So heißt es bei Sarah Kirsch: »Es sind nur kleine Anstöße, und jeder kann sich in den Zeilen noch bewegen – und mehr will ich eigentlich gar nicht, als daß jemand sagt: So ähnlich ist es mir auch schon mal gegangen, das habe ich auch schon mal gedacht. So eine kleine Solidarisierung zwischen dem Schreibenden und dem Leser« (*Erklärung*, S. 13). Das Gedicht wird reduziert zum Medium einer emotionalen Begegnung zwischen Individuen, während der Anspruch der Lyrik, Weltsicht zu formulieren, ja Welt zu

konstituieren, bei Sarah Kirsch zurücktritt. Was sich einerseits als »Diskretion« (Wiegenstein) oder »Verschwiegenheit« (Fritz, Michaelis), als »Charakter des Redlichen, Verläßlichen« (Corino) ausgibt, andererseits als »natürliche, gänzlich selbstverständliche und nie um Rechtfertigung bemühte Egozentrik« erscheint, eröffnet zugleich dem Leser »Identifikationsmöglichkeiten« (Reich-Ranicki). So kann die subjektive Erfahrung exemplarisch ausgedeutet werden. Der Erfolg der Gedichte Sarah Kirschs gründet in ihrer »neuen Subjektivität«, einem »neuen Realismus der Welterfahrung als Selbsterfahrung« (Gnüg, S. 74), in einer Weise des Dichtens, die über bloße »Frauenlyrik« (Rothschild, Ritter) hinausweist (vgl. dazu Volckmann, S. 105 ff.). »Höchst kunstvoll in ihrer Luftigkeit« (Krolow) thematisieren die Gedichte in Sensibilität, formaler Vielfalt und intendierter Mehrdeutigkeit eine zeitgenössische Suche des Ich nach sich selbst und einem Gegenüber.

Zitierte Literatur: Peter von BECKER: Das Herz auf der Zunge. Sarah Kirschs Gedichtband »Rückenwind«. In: Süddeutsche Zeitung. 30. 3. 1977. – Karl CORINO: Begriffe sind etwas Sekundäres. Sarah Kirsch hat die DDR verlassen. In: Stuttgarter Zeitung. 30. 8. 1977. – Gerhart BAUMANN: Wiedererinnerung – Vorerinnerung. Vom Zeitfeld des Gedichts. In: G. B.: Entwürfe. Zu Poetik und Poesie. München 1976. S. 102–121. – Heinz Otto BURGER / Reinhold GRIMM: Evokation und Montage. Drei Beiträge zum Verständnis moderner deutscher Lyrik. Göttingen 1961. – Hugo FRIEDRICH: Die Struktur der modernen Lyrik. Von der Mitte des 19. bis zur Mitte des 20. Jahrhunderts. Erw. Neuausg. Hamburg 1968. – Walter Helmut FRITZ: Spröde Intensität. In: Frankfurter Hefte 32 (1977) H. 10. S. 74–78. – Hiltrud GNÜG: Was heißt »Neue Subjektivität«? In: Merkur 31 (1977) H. 1. S. 60–75. – Peter HACKS: Der Sarah-Sound. In: Neue deutsche Literatur 24 (1976) H. 9. S. 104–118. – Walter HINCK: Das lyrische Subjekt im geschichtlichen Prozeß oder Der umgewendete Hegel. Zu einer historischen Poetik der Lyrik. In: W. H.: Von Heine zu Brecht. Frankfurt a. M. 1978. S. 125–138. – Walther KILLY: Winterkälte und Liebesfrühling. Bemerkungen über Parallelismus und Personifikation in der Lyrik. In: Festschrift für Richard Alewyn. Hrsg. von Herbert Singer und Benno von Wiese. Köln/Graz 1967. S. 46–62. – Sarah KIRSCH: Drachensteigen. Gedichte. Ebenhausen bei München 1979. – Sarah KIRSCH: Erklärung einiger Dinge (Dokumente und Bilder). Ein Gespräch mit Schülern. Vier frühe Gedichte. Ebenhausen bei München 1978. – Sarah KIRSCH: Landaufenthalt. Gedichte. Ebenhausen bei München 1969. [2]1977. – Sarah KIRSCH: Rückenwind. [Siehe Textquelle.] – Sarah KIRSCH: Zaubersprüche. Gedichte. Ebenhausen bei München 1974. – Karl Krolow: Spröde Sprache. Sarah Kirschs neuer Gedichtband »Landaufenthalt«. In: Nürnberger Nachrichten. 3. 2. 1978. – Edgar Lohner: Wege zum modernen Gedicht. Strukturelle Analysen. In: Etudes Germaniques 15 (1960) H. 4. S. 321–337. – Edgar Marsch: Die lyrische Chiffre. Ein Beitrag zur Poetik des modernen Gedichts. In: Sprachkunst 1 (1970) S. 207–240. – Norbert Mecklenburg: Naturlyrik und Gesellschaft. In: Naturlyrik und Gesellschaft. Hrsg. von N. M. Stuttgart 1977. S. 7–32. – Rolf Michaelis: Windsbraut Hoffnung. Die trotzigen Elegien einer nicht volkseigenen Dichterin. Sarah Kirschs neuer Gedichtband »Rückenwind«. In: Die Zeit. 11. 3. 1977. – Heinz Politzer: Die weiße Zauberkunst der Sarah Kirsch. Ihr Gedichtband »Rückenwind«. In: Frankfurter Allgemeine Zeitung. 29. 3. 1977. – Marcel Reich-Ranicki: Der Droste jüngere Schwester. Über die Lyrik der Sarah Kirsch. In: Frankfurter Allgemeine Zeitung. 17. 5. 1980. – Roman Ritter: Meubeln zierlich, Verse o. k. »Rückenwind«, Lyrik von Sarah Kirsch. In: Deutsche Volkszeitung. 7. 4. 1977. – Thomas Rothschild: Von wo der Wind bläst. Sarah Kirschs neue Gedichte. In: Frankfurter Rundschau. 23. 4. 1977. – Silvia Volckmann: Untersuchungen zum Naturbild in der deutschen Gegenwartslyrik: Jürgen Becker, Sarah Kirsch, Wolf Biermann, Hans Magnus Enzensberger. Diss. Köln 1981 [masch.]. – Roland H. Wiegenstein: Approbierte Hexe. Sprechstunden nach Vereinbarung. In: Merkur 31 (1977) H. 2. S. 178–184.

Weitere Literatur: Heinz Ludwig Arnold: Vorliebe für zarte Pastelltöne: Die Lyrikerin Sarah Kirsch. In: Nürnberger Nachrichten. 23. 8. 1977. – Sigrid Damm: Sarah Kirsch: »Rückenwind«. In: Weimarer Beiträge 23 (1977) H. 3. S. 131–141. – Adolf Endler: Sarah Kirsch und ihre Kritiker. In: Sinn und Form 27 (1975) H. 1. S. 142–170. – Franz Fühmann: Vademecum für Leser von Zaubersprüchen. In: Sinn und Form 27 (1975) H. 2. S. 385–420. – Christa Jauch: Sarah Kirsch. In: Deutsch als Fremdsprache 14 (1977) Sonderh. S. 70–78.

Jürgen Becker

Vorläufiger Verlust

Mühlen entfernt auseinander liegend im Traum
die Frage beschäftigt wie atmende Bilder
entstehen und weiterleben einige graue Tage
wie jetzt als wir sprachen
5 über den vorläufigen Verlust der Eifel
die Quelle und das Wasserrecht
die private Turbine
das eigene Rudel Fisch

auch war es die Zeit für Rückzüge
10 wenn die Luft fehlte zwischen den Räumen
es gab den Nutzen der Leere
die Lust der Unteilbarkeit war beständig

im Traum die Fortsetzung entscheidet nichts
ein Mann verfügt über Gelände
15 und arbeitet am Zaun für die Ruhe
baut Gespenster auf
für die Nacht die Nähe der Straße
ein Recht der Vielen und Anderen
allein der Ort für dich

20 der Ort erreichbar im Konjunktiv
eine Tarnung aus Geflechten des Gerüchts
schon viele Schriften entstanden
als eine Beschreibung der Suche
des aufwachenden Zweifels
25 der Selbstkritik später

Ungewißheit auch für Eulen
das Beispiel für mögliches Überleben

oder ein Anfang wieder vor der Dämmerung
ach Gegenwart zuviel ist erledigt
und zuwenig getan gegen den Fortschritt der Klage

aufwachend im Knistern der Sonne
Steine rutschen zurück hinter dir in die Tiefe
und der Himmel ist noch grün
noch unsichtbar die neue Front der Kälte
nicht lange warten die Gärten
auf das Verschwinden der Schatten unter den Bäumen
was wert ist für keine Nachricht
ein stilles Entstehen beschäftigt uns weiter

Zitiert nach: Jürgen Becker: In der verbleibenden Zeit. Gedichte. Frankfurt a. M. Suhrkamp, 1979. S. 65 f. [Erstdruck.]

Franz Norbert Mennemeier

Poetik des Rückzugs: ein lyrischer Gestus der siebziger Jahre. Zu Jürgen Beckers Gedicht *Vorläufiger Verlust*

Becker legt es darauf an, den Leser an einem doppelten Prozeß, dem von Verfall und Aufbau, ›spontan‹ teilnehmen zu lassen. Er bietet nicht fertige ›Produkte‹, sondern stellt das ›Produzierende‹ mit dar – die frühere Poetik, der allerdings andere ideologische Prämissen zugrunde lagen, sprach angesichts solcher Struktur von »Transzendentalpoesie« (so Friedrich Schlegel im *Athenäum-Fragment* 238). Es handelt sich um ein prozessuales Konzept des Gedichts. Diesem Konzept entsprechend, wird in den vorliegenden Versen nicht eigentlich über Zerstören und Schaffen, über Auflösung und Entstehenlassen als ein ›Thema‹ geredet. Der

komplexe, zwiespältige Vorgang selbst *ist* vielmehr in gewisser Hinsicht das Gedicht.
Das Gedicht ›bewegt‹ sich vor dem Leser, vollzieht sich assoziativ, in Sprüngen oder in konturenloser Übergänglichkeit. Eine Art semantisches Drama läuft ab, eines ohne große Gesten, ohne das lyrische Ich als Helden, ohne inhaltlich greifbares Ende. Das Gedicht ist vielleicht in extremer, partiell an irritierende Ambivalenz heranreichender Weise offen. Das ist eine Offenheit, die grundsätzlich der Skepsis des Autors, seinem Bewußtsein von der Schwierigkeit, Position zu beziehen, entspricht. Doch gibt sich der Autor mit der gefährlichen Nichtfestlegbarkeit, zu der sein Dichten tendiert, diesmal keineswegs zufrieden. Er beansprucht, offen zu sein für etwas und nicht für nichts: »ein stilles Entstehen beschäftigt uns weiter«, heißt die Schlußzeile.
Das klingt bei aller Diskretion des Ausdrucks ein wenig forciert, fast wie ein Programm, und eine den Gedichtgehalt nicht paraphrasierende, das verschwiegene Drama der Verse nicht zusätzlich dramatisierende, seine tatsächlich oder scheinbar intendierte finale Struktur nicht in begeisterter Zustimmung verstärkende Lesart, eine, die vielmehr analytisch-kritisch verführe und sich gegen das Gedicht und seinen Schein von Positivität gegebenenfalls zu wehren wüßte, hätte wohl zu prüfen, ob dem Autor die Behauptung jenes ›Endes‹ – formal und inhaltlich – geglückt sei.
Die erste Zeile des Gedichts läßt ein sehnsuchtsvolles Motiv anklingen: »Mühlen entfernt auseinander liegend im Traum«. Eine Landschaft mit Mühlen und Raum genug dazwischen wird vom Städter als etwas Märchenhaft-Mythisches empfunden. Dorthin sähe er sich, sei's auch nur im Traum, gern versetzt. Da hätte das Auge einen Halt; die Phantasie fände Raum, in die Ferne schweifend sich zu entwickeln. Solche »atmenden Bilder« braucht wohl das Gemüt, wenn Häßlichkeit, Enge, tristes Einerlei vorherrschen. (Impliziert ist die Aussage: An solchen Bildern mangelt es.)
Jürgen Becker wirft hier in den ersten Zeilen im Grunde das

Problem ›ästhetischer‹ Produktion auf. Allerdings stellt sich die Frage höchst einfach, elementar: Wie kann sinnliche Wahrnehmung erreicht werden, die etwas zeitigt (»atmende Bilder«), was – wenn auch vielleicht nur für »einige graue Tage« – vorhält, was, lebendig, seinerseits Leben erzeugt? Zugleich ist das Thema Besitz und Ort, das – in welchem Sinn immer – im folgenden eine Rolle spielt, angeschlagen: Auch »Bilder«, als Resultat von Wahrnehmung und Phantasieproduktion, können aufgefaßt werden als eine Form von Besitz, als ein Ort, um an ihm zu verweilen.
Die Reflexion über das mögliche Entstehen »atmender Bilder« entspringt einem Zusammenhang, in dem die Tatsache eines »Verlusts«, angeblich eines »vorläufigen« Verlusts, ins Bewußtsein gehoben wird. Zwischen beiden Komplexen, kann man mutmaßen, gibt es einen ursächlichen Zusammenhang. Verluste sind gewöhnlich Anlaß, neue Werte zu produzieren. Je umfassender der Verlust, um so dringlicher, um so fundamentaler die Frage nach dem, was ihn ausgleichen könnte.
So pointiert und so prinzipiell wie der Interpret soeben spricht das Gedicht allerdings nicht. Die Redeweise ist bemerkenswert locker, vorübereilend, konversationell, fast als wäre, der da spricht, unbetroffen – unbetroffen jedenfalls von dem materiellen Verlust, der hier erwähnt wird: dem »Verlust der Eifel« (5). Auch fällt auf, daß der Sprechende, genau genommen, nur von der Gelegenheit redet, bei welcher unter anderm jener »Verlust« Gegenstand eines Gesprächs war. Die präteritale Zeitform, die an dieser Stelle trotz des »jetzt« gebraucht wird, bewirkt zusätzlich eine gewisse Distanzierung, die den Eindruck der Unbetroffenheit erweckt. Auch ist der Verlust offensichtlich einer, den mehrere Menschen erlitten haben. Die »wir«-Rede, in welcher auf das Thema Bezug genommen wird, hebt die negative Erfahrung in eine gewissermaßen gesellige Sphäre jenseits eines individuellen vehementen Schmerzes (4: »wie jetzt als wir sprachen« usw.).
Wie es in fast allen Gedichten Jürgen Beckers der Fall ist, in

denen das sich artikulierende Bewußtsein mehr oder minder deutlich als ein historisch und soziologisch vermitteltes in Erscheinung tritt (vgl. insbesondere das *Berliner Programm-Gedicht; 1971*), wird das Gedicht an dieser Stelle andeutungsweise konkret. Topographisches und Lebensgewohnheiten einer bestimmten sozialen Schicht werden umrißhaft sichtbar. Auch ein Reflex persönlicher Lebensumstände des Autors spielt möglicherweise in die Zeilen hinein. Becker lebt in Köln, keineswegs als isolierter Einzelgänger (wie man hört), versehen vielmehr wie viele seinesgleichen mit allerlei greifbaren Lebensmöglichkeiten. Aufenthalte auf privaten Besitztümern in unverdorbener Natur der nahegelegenen Eifel mögen bei den bessergestellten Bürgern Kölns ein beliebter Luxus gewesen sein. Aus welchen Gründen immer haben einige diesen offenbar aufgeben müssen. Ein Verlust zwar, aber keine existentielle Katastrophe. Genug, eine gewisse Komfortabilität, bleibt übrig. – Solche Komfortabilität, aus der sozialen Situation erklärbar, pflegt in Beckers Versen und ihrer spezifischen Stimmung häufig durchzuschlagen. Es handelt sich dabei um einen Impuls ›gesellschaftlicher‹ Ehrlichkeit, der die dieser Lyrik immanente poetische Reflexion auf Verfall keineswegs schwächt, sie indes auf eigentümliche (fast möchte man sagen: bundesrepublikanische) Weise färbt.

Vermeldet also wird der Verlust einer quasi-kapitalistischen Idylle mit Privilegien, die halb feudal anmuten, wie »die Quelle und das Wasserrecht / die private Turbine / das eigene Rudel Fisch« (6–8). Warum wird der »Verlust« als »vorläufig« bezeichnet? Erklärt sich das mildernde Beiwort aus der Lässigkeit und Halbbewußtheit des erwähnten Gesprächs oder aus der Tatsache, daß der Verlust alles in allem leicht verschmerzt werden kann? Oder soll auf einen sinnlich-materiell vermittelten Selbstgenuß hingewiesen werden, der – in welcher sozialen Gestalt immer – für menschliche Existenz auf die Dauer unabdingbar ist? – Die lockere Komplexität des Gedichts erlaubt es, Fragen solcher Art zu stellen; sie immer präzis beantworten zu wollen

empfiehlt sich nicht; es wäre dem Stil des Gedichts wenig angemessen. – Immerhin ist festzuhalten, daß die Wendung vom »vorläufigen Verlust« den Versen ihren Titel gegeben hat. Wohl kaum hat der Dichter damit jedoch der Hoffnung auf die privatkapitalistische Wiedergewinnung der Eifel Ausdruck verleihen wollen.
Der nächste Versabschnitt spielt die Vorstellung des »Verlusts« weiter – mit einer Wendung, die vom quasi Konkreten zum Allgemeinen, Epochal-Historischen überleitet (9: »auch war es die Zeit für Rückzüge«). »Rückzug«, das ist ein Ausdruck, gebräuchlich im Kontext militärischer Berichterstattung. Der Autor erklärt mit der Wendung nichts, er konstatiert lediglich die Notwendigkeit einer Bewegung, die das Abstandnehmen von Kampf, von unmittelbarer physischer oder politisch-ideologischer Auseinandersetzung bedeutet. Etwas von der resignativen Mentalität derer scheint in jener Formulierung zu liegen, die angesichts einer verlorenen Sache das Verbleibende zu retten suchen.
Die Zeit, in der solches Verhalten sich empfiehlt, wird mit den folgenden Zeilen näher charakterisiert (10: »wenn die Luft fehlte« usw.). Ist der Hinweis auf den »Nutzen der Leere« (11), auf die »Lust der Unteilbarkeit« (12) positiv oder negativ zu deuten? Die additive Fügung der Sätze läßt den Leser darüber im unklaren. Die »Lust der Unteilbarkeit« z. B. könnte als Wille zur Selbstbehauptung, aber auch als Ausdruck eines anachronistischen, entfremdeten Verhaltens gedeutet werden. – Auffallend die hilflos wirkende Abstraktheit des Sprechens in diesem Abschnitt. Abstrakt, vage sind die Substantivkonstruktionen ebenso wie die verbalen Floskeln (»war es«, »es gab«, »war«). – Solche scheinbar ästhetisch ›durchhängenden‹ Partien erklären sich bei Becker zum Teil aus einer ›Poetik des Rückzugs‹ (um es so auszudrücken): Es fehlen Kraft und Fähigkeit zu umfassender Lagebeurteilung. Das Bewußtsein duckt sich unter die historische Tendenz, die wie eine Welle über es hinweggeht, und sucht aus der Dimension der kleinsten Größe Haltung und Bestand zu gewinnen. Von »eingreifendem« Denken

(wie Brecht es nannte) sind wir meilenweit entfernt. Eher schon liegt Gottfried Benns geschichtliche Chiffre des »Phänotyps« nahe, in dessen poetisch verschlüsselter Gestalt ebenfalls eine Oberflächen- und eine Tiefen-Reflexion irritierend miteinander verschmelzen.
»[...] im Traum die Fortsetzung entscheidet nichts« (13), dieser lapidare, ›mutig‹ sich anhörende Satz greift assoziativ auf die Vorstellung des »Traums« in der ersten Zeile zurück, scheint im übrigen aber eine Gegenbewegung zu signalisieren, so, als sei Verzicht auf »Traum« die aktuelle Devise. Angenommen (wie anzunehmen man Grund hat), daß es noch immer um die Frage des Entstehens »atmender Bilder« geht, dann scheint – trotz der historischen Diagnose, die Zeit sei eine »Zeit für Rückzüge« – jedenfalls dem Rückzug in träumerische Innerlichkeit widersprochen werden zu sollen. Der »Mann«, der »über Gelände« »verfügt« (14), der »am Zaun für die Ruhe« (15) arbeitet, »Gespenster« aufbaut »für die Nacht die Nähe der Straße« (17) – wäre er dann also derjenige, der das Rechte tut, um die Bewahrung elementarer Bestände zu gewährleisten, wäre er der, welcher, »wenn die Luft fehlte zwischen den Räumen« (10), Voraussetzungen dafür schafft, daß immer noch »atmende Bilder« entstehen? »allein der Ort für dich«, heißt es am Schluß der Verssequenz des dritten Abschnitts – in einer Formulierung, die eine Art emphatischer Selbstanrede zu sein scheint. Es ist in gewisser Weise ein geschichtliches Zitat, ein Programmwort der siebziger Jahre, das den Abschied von gesellschaftlichen Aufbrüchen, sozialistischen Träumen, das den neuen Individualismus markiert. Wird die ›privatistische‹ Haltung vom Gedicht als positive ausgegeben?
Bei mehrmaliger Lektüre der Passage wird diese Auffassung zweifelhaft. Der Mann, arbeitend am Zaun, zerfällt dann unversehens. Er transformiert sich gleichsam selbst zu einem Gartenlauben-Gespenst von der Art derer, die er aufrichtet, beinahe lächerlich in seiner Bemühung, die Nähe der lauten Straße (die doch da ist) vergessen zu machen. Gegen das »Recht der Vielen und Anderen« (18) sein Recht behaup-

tend, scheint er selbst plötzlich einer der »Vielen und Anderen«; die »Lust der Unteilbarkeit«, die er, naiver Homo faber, demonstriert, scheint die eigentliche Illusion, scheint der eigentliche »Traum«, dessen »Fortsetzung« »nichts« »entscheidet«. – Es verhält sich also keineswegs so, daß das Gedicht hier eine positive Stellung eindeutig bezöge; es ›spielt‹ eine solche bestenfalls ›vor‹, läßt sie tatsächlich in ambivalenter Schwebe – was impliziert, daß scheinbar Positives auch nicht, etwa durch Ironie, als eindeutig Negatives erkennbar würde.
Jedoch kann das Folgende als ein ›Umschlag‹ der bisherigen Gedankenbewegung gelesen werden, vorausgesetzt, man hält sich auch hier bewußt, daß die Tendenz des Gedichts zur ›weichen‹ Montage solche massive Strukturierung (und eine entsprechend energische Hermeneutik) im Grunde nicht zuläßt. Eine Art Zweifelsbewegung erfaßt jedenfalls die Verse. Zugleich erscheinen für den rückblickenden Leser von hier ab die bisherigen Vorstellungen des Gedichts metaphorisiert. Der »Ort«, um dessen Erreichung es ging, erscheint im vierten Abschnitt als ein wesentlich ideeller. Die Arbeit am Zaun des »Geländes« wird, einfach durch die ›logische‹ Entwicklung der poetischen Gedanken, der intellektuellen Tätigkeit ›verglichen‹, deren Terraingewinne »im Konjunktiv« (20) stattfinden und offenbar ihrerseits »eine Tarnung aus Geflechten des Gerüchts« (21) nötig haben; auch hier bedarf es also der »Gespenster [...] / für die Nacht« (16 f.), anscheinend um sich vor sich selbst und der Kritik zu behaupten. – Wieder ist der Tenor der Aussage jedoch offen; er bleibt offen bis in die folgenden Zeilen hinein, die das Bild der »Eule« heraufrufen (26: »Ungewißheit auch für Eulen«) und die mit einer Klage abschließen: »ach Gegenwart zuviel ist erledigt / und zuwenig getan gegen den Fortschritt der Klage« (29 f.).
In dieser expressiven, überdies sentenzhaften Aufgipfelung, die unerwartet erfolgt und in dem quasi konversationellen Kontext des Gedichts überraschend emotional erscheint, ›verdeutlicht‹ sich das Gedicht vielleicht am stärksten –

gegen die in ihm vorherrschende komplex-labile Redeweise. Bildlich gesprochen: von dem bisher entwickelten Gemälde grauer Farbe, auf dem wenig deutliche Umrisse wahrzunehmen sind, leuchtet dem Leser ein lebhafter Farbtupfer entgegen.

So wirkungsvoll die ästhetische Seite der Dramaturgie dieses Gedichts hier in Erscheinung tritt, die Stelle vermag die kunstvoll-kunstlose diffuse Semantik des Ganzen nicht aufzuheben; der Leser bleibt ratlos – es sei denn, er nähme eine Trivialität für einen Rat; schon gar nicht wird einem Denken, das an Handeln interessiert ist, etwas wie eine Anweisung gegeben. Das hervorgehobene »ach«, das mangelndes Tun »gegen den Fortschritt der Klage« beklagt (und implizit jenen Mut zu fordern scheint, dessen Reflex schon oben in dem Satz »im Traum die Fortsetzung entscheidet nichts« sich zu melden schien), könnte besagen wollen, daß Bemühung um lebendige »Gegenwart«, um den »Ort« »allein [...] für dich« vermißt und also herbeigewünscht würde. Wird also eben jene Bemühung vermißt und herbeigewünscht, die vorher – doch in Form einer Zweifelsbewegung, in Formulierungen, versehen mit ›ambivalenten‹ Lichtern – angedeutet worden ist? – Das Gedicht führt, so betrachtet, in Widersprüche auf der Ebene der Bedeutungen. Es ist nicht so positiv ›gerichtet‹, wie es am Ende scheinen mag.

Die »Eule« Jürgen Beckers ist auch nicht die gedankenvolle, wissende »Eule der Minerva«, von der es in der Vorrede der Hegelschen Rechtsphilosophie heißt, daß sie »erst mit der einbrechenden Dämmerung ihren Flug« beginne. Zwar läßt auch Becker erkennen, daß – mit Hegel zu reden – »eine Gestalt des Lebens alt geworden ist« (»Verlust der Eifel«, »Zeit für Rückzüge«, »graue Tage«). Doch betont wird, unhegelisch, die »Ungewißheit« (»Ungewißheit auch für Eulen«). Es ist die geschichtsphilosophische Ungewißheit, die sich, vom Rücken des Gedichts her, immer wieder gegen dessen Andeutung von ›Position‹, von optimistischen Aus-

sagen über die Möglichkeit der Erlangung »atmender Bilder« durchsetzt.
Ob der Autor selbst dies weiß? Das Gedicht jedenfalls ›weiß‹ es im allgemeinen und läßt sein Wissen der »Ungewißheit« in der Sprache und der astrukturellen Struktur seiner Redeweise erkennen. Deren partielle Schein-Festigkeit erweist sich an entscheidenden Stellen als dünn, rissig; das kritische Lesen der Worte und Sätze führt weniger an einen »Ort« als ins Bodenlose.
Bezeichnend, daß das Gedicht sich vor seiner geheimen Bodenlosigkeit im letzten Versabschnitt wie durch einen Sprung zu retten sucht. Da wird, als wäre dergleichen mühelos, ohne »Konjunktiv« erreichbar, ein Naturbild, eins der »atmenden Bilder« gesetzt (oder handelt es sich eher um ein geschickt präsentiertes naturlyrisches Klischee?).
Mit der Frage nach solchen Bildern hat das Gedicht begonnen. Mit dem Schein einer Antwort, ja dem Schein eines ›Beweises‹ – bitte, hier ist ein Bild! – endet das Gedicht. Was offen ist, tut am Ende so, als könnte es sich runden; und die Sentenz des Schlusses, die vielleicht ein wenig zu sehr nach Rilke klingt und deren »wir« unabsichtlich mit einem Hautgout von Pluralis majestatis versehen scheint, unterstreicht den Versuch, eine Illusion inhaltlich-formaler Einheit zu erzeugen, die in Wirklichkeit so nicht vorhanden ist. – Jürgen Becker, der sich mit dem Titel seines Gedichts, *Vorläufiger Verlust*, gegen den zeitüblichen »Fortschritt der Klage« diskret-mutig auflehnt, hat einen »Rückzug« ins Positive angetreten, auf dem ihm die eigene Sprache zum Vorteil der Verse noch nicht immer hat folgen wollen.

Literatur: Hiltrud GNÜG: Nachschrift 1977. In: Deutsche Literatur der Gegenwart. Hrsg. von Dietrich Weber. Bd. 2. Stuttgart 1977. – Walter HINCK: Jürgen Becker. In: Deutsche Literatur der Gegenwart. Bd. 2. – Leo KREUTZER (Hrsg.): Über Jürgen Becker. Frankfurt a. M. 1972.

Nicolas Born

Da hat er gelernt was Krieg ist sagt er

I

Er hat eine Ahnung von Nichtwiederkommen
in der Allee die sich hinten
ordentlich verengt wie auf Fotos.
Aber kaum verschwunden ist er wieder da
5 kaum bin ich vom Fenster weg
wird er riesengroß auf Fronturlaub
der immer (sagt er zu seiner Frau)
der letzte sein kann.

Er ist im ganzen eine Überraschung
10 seine Stimme klingt im Korridor
etwas anders
(es ist eher die Stimme seines
Bruders der vermißt ist)
du du sagt er und sieht sie komisch an
15 und fragt – da bin ich weg –
wo ist der Junge.
Sie stöbern mich auf
ziehn mich hervor knallrot die Augen zu
aus dem Einmach-Regal.
20 Als hätte ich Spaß gemacht lachen sie
und verlangen von mir das gleiche
ich muß umarmt und geküßt werden
bis ich schreie.

Nachdem ich ihn nicht mehr gemocht habe
25 mag ich ihn wieder
er spürt das sofort und nimmt von mir
was er kriegen kann.
Es ist das Erlebnis der Weite sagt er
das man in Rußland hat

es ist ein rätselhaftes Land.
Später einigt er sich auf die Bezeichnung:
Land der Gegensätze.
Er ist da in voller Überlebensgröße
will auf einmal wieder mein Vater sein
das kostet ihn Geld und viele Worte.
Ich liebe ihn nur wenn ich reite
auf dem hohen Nacken dieses Vatermenschen
der in Rußland war.

II

Theodor Anton Friebe (40) schlug mich hart
er zog mich hoch aus Zimmerecken teilte
die Schläge in Rationen ein
(zwischendurch drehte er sich um
ob er noch die Zustimmung meiner Mutter hatte
sie weinte nickte aber tapfer zu jeder Ration).
Er ist ein Arschloch habe ich geschrien
wenn Vater kommt der macht ihn kaputt
doch Theo Friebe
(Asthmatiker, stellvertr. Bürgerm.) sagte:
Dein Vater ist mein Freund
wenn du mich erpressen willst hier ist
dein Vater
und nahm das Bild in beide Hände und
trieb mich damit vor sich her
ich wich meinem Vater zur Seite aus
doch Friebe entwischte ich nicht:
Hier ist dein Vater entschuldige dich.
Friebe schlug mich hart in Millingen am Rhein
bis ich mich entschuldigte mit Nasenbluten
bei meinem Vater der danach
wieder ganz ruhig auf dem Klavier stand.

III

Da hat er gelernt was Krieg ist sagt er
brachte aber keinen Streifschuß mit
keinen Splitter im Rücken
der nicht zur Ruhe kommt
65 der ihn verändert hätte
später
als ich wehrpflichtig wurde.
Er brachte Geschichten von Feindberührung
zum lebendigen Erzählen beim Bier
70 er brachte das Geständnis Angst gehabt zu haben
was ihn mir nicht glaubhafter machte
aber reinlich stand er da und reimte alles
»Churchill hat gesagt: Wir haben
das falsche Schwein geschlachtet«
75 und liebte mich ab 47 wieder von vorn
er war nicht amputiert und nicht
gar nicht zurückgekommen
ich weiß nicht ich glaube
ich atmete trotzdem auf.

IV

80 Er hat überlebt
er kehrte als Heimkehrer heim
Februar 47 es war hell und kalt
die Pappelallee knüppelhart gefroren.
Am Friedhof nahm er die Mütze ab
85 er hob die Hand
er grüßte von unten herauf
ein schmaler älterer Mann.
Als er im Haus war sah es so aus
als nähme er sich eine Frau
90 sie sahen sich an er umarmte sie
sie riß sich los und weinte am Schrank.
In der Nacht noch kamen Verwandte
zur Begrüßung mit Eigenheimer Korn

mein Vater war sofort betrunken
sie haben ihn ins Bett gebracht
ich trug die Schuhe hinterher.
Alles fing ganz langsam wieder an
die Schwierigkeiten hielten die Ehe aus
vorläufig gab ich ihm keine Antwort
er hatte den Krieg verloren.

V

Er sprach ich bin gemäßigt
gab immer öfter Adenauer recht
baute ein Haus
kämpfte in der Familie um das letzte Wort
hatte als Angestellter Erfolg
erzog seine Kinder falsch mit Erfolg
trank gern
lachte gern
sah fern
wurde immer gemäßigter
wenn er betrunken war
schämte er sich seiner Tränen nicht
er protestierte mit einer Herzattacke
gegen die Frühschwangerschaft der Töchter
aber was dabei herauskam
das drückte er an sein Herz.
Er stritt mit ihr wer wen überlebe
sie gab ihm unrecht als sie starb.

Zitiert nach: Nicolas Born: Gedichte. 1967–1978. Reinbek bei Hamburg: Rowohlt, 1978. S. 80–84.
Entstanden: Zwischen 1967 und 1970.
Erstdruck: Nicolas Born: Wo mir der Kopf steht. Gedichte. Köln/Berlin: Kiepenheuer & Witsch, 1970.
Weiterer wichtiger Druck: In: Deutsche Gedichte seit 1960. Eine Anthologie. Ges. und eingel. von Heinz Piontek. Stuttgart: Reclam, 1972. (Reclams Universal-Bibliothek. 9401 [4].)

Walter Hinderer

Form ist eine Ausdehnung vom Inhalt. Zu Nicolas Borns Gedicht *Da hat er gelernt was Krieg ist sagt er*

Auf der Umschlagsklappe seines ersten Gedichtbands (*Marktlage*, 1967) hatte Nicolas Born durchaus programmatisch eine bewußte Abkehr »von der alten Poetik, die nur Anleitung zum Poetisieren ist«, gefordert. Er will mit seinen Texten »weg von Symbol, Metapher, von allen Bedeutungsträgern; weg vom Ausstattungsgedicht, von Dekor, Schminke und Parfüm«. Im gleichen Jahr verkündete Peter Rühmkorf in der Anthologie *Ein Gedicht und sein Autor*: »Artistik rechtfertigt keinen ganzen Mann mehr«, und meinte Günter Herburger im *Kursbuch 10* gegen das modische anämische Kurzgedicht: »Ich wünsche mir Gedichte wie vollgestopfte Schubladen, die klemmen. Wer Metaphern anfaßt, verbrennt sich die Finger.«
Solche und ähnliche Bemerkungen setzen die 1965 von Walter Höllerers *Thesen zum langen Gedicht* ausgelöste Lyrik-Diskussion um das kurze oder lange, um das aristokratische oder demokratische, geschlossene oder offene Gedicht fort. Die jüngere Lyrik-Generation griff dabei auf Anregungen vor allem von Charles Olson und Tadeusz Różewicz zurück, deren Ansichten Walter Höllerer in der Anthologie *Theorie der modernen Lyrik* (1965) vorgestellt hatte. Der »*projektive Vers*«, die offene »Feld-Komposition«, die Einsicht, daß »die richtige Form [. . .] die einzig und ausschließlich mögliche Ausdehnung des zur Debatte stehenden Inhalts ist« (Olson) und die Ablehnung »der Metapher als ›der besten schnellsten Mittlerin‹ zwischen dem Autor und seinem Leser« (Różewicz) bilden den Hintergrund für eine neue Entwicklung in der Lyrik, die 1965 mit Höllerers Thesen beginnt und welche Jürgen Theobaldy in seiner mit Gustav Zürcher verfaßten Bestandsaufnahme *Veränderungen der Lyrik* (1976) folgendermaßen skizziert: »Ersetzt

man das ›lange‹ Gedicht durch das ›neue‹ Gedicht, so hat man eine relativ genaue Beschreibung jener Tendenzen, die sich in der Lyrik gegen Ende der sechziger Jahre abzeichnen und die anfangs der siebziger Jahre bestimmend werden.«
Peter Hamm präsentierte in seiner Anthologie *Aussichten* bereits 1966 einige dieser »neuen« Autoren unter dem Stichwort »Wiederentdeckung der Wirklichkeit« und behauptete in einem *Nachwort* schon jene Verringerung der »Kluft zwischen Gedicht und Leben«, welche dann bald zu den selbstverständlichen Voraussetzungen der »neuen« Lyrik gehören sollte. »Es gibt kein anderes Material als das, was allen zugänglich ist und womit jeder alltäglich umgeht«, erklärte Rolf Dieter Brinkmann in einer Notiz zu seinem Gedichtband *Die Piloten* (1968), und Jürgen Theobaldy zog in seinem Beitrag im *Literaturmagazin 4* (1975) für diese Art von Alltagslyrik das Fazit: »Die jüngeren Lyriker sind mit ihren Gedichten ins Handgemenge gegangen, sie bleiben beweglich, sie lassen sich nicht darauf ein, ihre Gedichte, leicht und glatt wie Luftballons, in esoterische Höhen zu schicken [...].«
Zu den frühen und wichtigsten Repräsentanten dieser neuen Lyrik gehört zweifelsohne der 1979 verstorbene Lyriker und Romancier Nicolas Born, dessen Äußerungen aus dem Jahre 1967 heute im Rückblick nahezu prophetisch klingen: »Die Gedichte sollen roh sein, jedenfalls nicht geglättet; und die rohe, unartifizielle Formulierung, so glaube ich, wird wieder Poesie, die nicht geschmäcklerisch oder romantisierend ist, sondern geradenwegs daher rührt, daß der Schreiber Dinge, Beziehungen, Umwelt direkt angeht, das heißt also Poesie nicht mit Worten erfindet.« Wurde in den fünfziger Jahren, so ließe sich die Entwicklung vereinfachen, der neue Inhalt von der neuen Form erwartet, in den sechziger Jahren von der Reflexion auf Sprache oder von der Veränderung der Gesellschaft, so setzte man in den siebziger Jahren auf die alltägliche und persönliche Erfahrung der eigenen Umwelt und strebte schließlich eine »unverkrampfte Verbindung von Realismus und Phantastik« an, wie sie mit besonderem

Recht von Harald Hartung für Nicolas Borns dritten Gedichtband (*Das Auge des Entdeckers*, 1972) reklamiert worden ist; auf diese Weise ließen sich aber ebenso Borns frühere Arbeiten wie auch seine letzte Sammlung *Keiner für sich, alle für niemand* (in dem Band *Gedichte. 1967–1978*) charakterisieren.

I

Unser Text *Da hat er gelernt was Krieg ist sagt er* stammt aus Nicolas Borns zweitem, 1970 erschienenen Gedichtband *Wo mir der Kopf steht*, der Gedichte aus den Jahren 1967 bis 1970 enthält. Heinz Piontek stellte den Text außerdem 1972 in seiner Anthologie *Deutsche Gedichte seit 1960* als ein Paradigma für jene »Gedichte unserer Zeit« vor, die er unter anderem mit folgenden Stichworten beschreibt: »Alles Hochfliegende, Sich-Verströmende wird man hier vermissen. Nicht mit dem Herzen, schlicht mit dem Kopf wird gedacht. Kommt dennoch Leidenschaft ins Spiel, dann eine Leidenschaft der Unruhe. Sie läßt jenen Moralismus nicht erstarren, von dem offenbar alle diese Gedichteschreiber besessen sind. Wenn wir innewerden, daß wir leben, wollen wir auch erfahren, wie wir leben. Nicht anhand von repräsentativen Umfragen und Statistiken, sondern durch Empirie einzelner. Leben wird erträglicher durch die Solidarität in der Erfahrung. [...] Aus der Ehrlichkeit der Erfahrung erwächst Authentizität. Sie wird zum neuen Kriterium der Gedichte.«

Borns Text erzählt zwar sachlich, aber nicht ohne Parteinahme von einem Vater, der im Krieg war, aus der Perspektive des Sohnes. Man könnte den Text mit Harro Müller als ein »aktionales Erzählgedicht« ansprechen, weil hier die Handlung »in eine zeitliche Ordnung gebracht und zu einem Höhepunkt geführt« wird, oder als eine Art Ballade, welche Vergangenheit beschwört, um die eigene Gegenwart besser zu begreifen. Wie man den Text am Ende auch kategorisieren will, er fixiert in fünf Einstellungen Erinnerungen, Situa-

tionen, Beobachtungen, die für die Erfahrung der Generation von Nicolas Born symptomatisch sind. Er tut dies mit »rohen, unartifiziellen Formulierungen«, ohne Symbole, Metaphern und dergleichen Bedeutungsträger zu verwenden, und errichtet ganz im Sinne von Charles Olson eine offene »Feld-Komposition«, deren Form durch die »Ausdehnung« des Inhalts bestimmt wird. Die Sprache ist bewußt anti-artistisch, anti-poetisch, hält sich an ein Material, »das allen zugänglich ist und womit jeder alltäglich umgeht«, ja zeigt bei oberflächlicher Betrachtung eine scheinbare Nähe zur Prosa.
Doch schon der erste Teil des Gedichts beweist, wie subtil die Sätze formal gegliedert sind: durch Verszeilen, Interpunktionszeichen und Strophengrenzen. Es werden dadurch weniger Atempausen markiert als vielmehr rhythmische Bewegungen und Bedeutungsvarianten erzeugt. Dieses Verfahren setzt die Verse eindeutig gegen jede Art von Prosagedicht ab, indem es das Sprachmaterial durch eine spezifische Strukturierung differenziert. Das ließe sich wohl am besten am Enjambement erläutern, das Nicolas Born mit besonderer Virtuosität ebenso unauffällig wie überzeugend einsetzt. Wie in den ersten beiden Zeilen des Gedichts unterbricht er oft den rhythmischen Bogen, um Teile, die rhythmisch (oder auch grammatikalisch) nicht zusammengehören (wie die Zeile »in der Allee die sich hinten«), bedeutungsmäßig in einer harten Fügung zusammenzurücken. Dadurch entstehen Spannungen, neue Kombinationsmöglichkeiten, Akzentuierungen bei der Rezeption des Textes, welche die vorliegende Interpretation im einzelnen nicht nachzeichnen kann.

II

Borns Text hat fünf voneinander durch römische Numerierung abgesetzte Teile. Der erste Teil, der längste, ist nochmals in je drei Strophen, eine kürzere und zwei längere (von je 15 Zeilen) gegliedert. Die restlichen Teile bestehen aus je einer in sich geschlossenen Strophe, deren Zeilenzahlen sich nur geringfügig unterscheiden (II: 22; III: 19; IV: 21; V: 18). Teil I vergegenwärtigt (1: »Er hat eine Ahnung von Nichtwiederkommen«, 9: »Er ist im ganzen eine Überraschung«, 33: »Er ist da in voller Überlebensgröße«) verschiedene Begegnungen des lyrischen Ich mit dem »Vatermenschen / der in Rußland war« (37 f.) und veranschaulicht die Fremdheit in der Beziehung zwischen Vater und Sohn. Teil II berichtet von einer ebenfalls befremdlichen Situation, in welcher der Ersatzvater den Ersatzsohn mit dem Bild des richtigen Vaters vor sich hertreibt; die Teile III und IV kommentieren in zwei sich gegenseitig ergänzenden Einstellungen die Rückkehr des Vaters aus dem Krieg, während der letzte Teil (V) das Verhalten des Vaters in den Nachkriegsjahren kritisch zusammenfaßt und schließlich in den letzten Zeilen auf einen menschlichen Höhepunkt zuführt.

Der Text liefert Momentaufnahmen von einzelnen Situationen, die erstens den »Vatermenschen« in seinem Verhalten, seinen »Ritualen und Übereinkünften« (um hier programmatische Stichworte von Nicolas Born aus dem *Nachwort* zu dem Band *Wo mir der Kopf steht* aufzugreifen), in seinen klischeehaften Äußerungen damals und heute beschreiben, die zweitens die Atmosphäre, die Umwelt der Elternwelt wiedergeben, auf die das lyrische Ich reagiert, in der es heranwächst und von der es negativ oder positiv geprägt wird. Obwohl Born sich in anderen Geschichten keineswegs scheut, die biographischen Bezüge direkt mitzuteilen, beschränkt er sich hier auf die Nennung eines einzigen Namens: des Vater- und noch mehr Mutterfreundes, Asthmatikers und stellvertretenden Bürgermeisters »Theodor Anton Friebe (40)« (39), der in »Millingen am Rhein« (57) den Sohn seiner Freunde züchtigte.

Wenn auch ansonsten die direkten biographischen Bezüge fehlen, es kann keine Frage sein, daß es sich bei dem Erzählgedicht *Da hat er gelernt was Krieg ist sagt er* um spezifische autobiographische Erfahrungen des Lyrikers Nicolas Born handelt. Sie sind in diesem Text in der Mitteilungsstrategie bewußt allgemein (von Teil II abgesehen) gehalten, um den repräsentativen Charakter dieser Erfahrungen sowohl für die ältere als auch die jüngere Generation sichtbar zu machen und das ihnen inhärente Syndrom der Verfremdung zwischen den Generationen aufzuzeigen. Denn das Gedicht zitiert nicht nur die »Rituale und Übereinkünfte« des Vaters, der in üblicher Weise Rußland ein »rätselhaftes Land« (30) nennt und vom »Erlebnis der Weite« (28) redet, und signalisiert das Verhalten des zeitweiligen Ersatzvaters Friebe oder der Mutter, die zwar weinte, als ihr Sohn Schläge bezog, aber nicht einschritt (II), um ihm zu helfen, die sich merkwürdigerweise losriß, als ihr heimkehrender Mann sie umarmte (IV), um wiederum zu weinen (eine durchaus beredte Geste), sondern notiert ebenso die Reaktionsweisen des Sohnes, der den Vater als fremd erlebt (6: »riesengroß auf Fronturlaub«, 33: »Überlebensgröße«, 100: »er hatte den Krieg verloren«, 106: »erzog seine Kinder falsch mit Erfolg«) und zweifelsohne ständig Schwierigkeiten mit ihm hat. Trotzdem ist diese Elternwelt nicht einfach mit negativen und die kindliche Perspektive mit positiven Signalen besetzt. Der Autor richtet vielmehr das Teleskop ebenso auf die Perspektive des Kindes und des Heranwachsenden wie auf die Elternwelt. In den Nachbemerkungen zu seinem Gedichtband *Das Auge des Entdeckers* formuliert Born den Sachverhalt so: »Jeder eine ist auch jeder andere. Gleichzeitig und bei vollem Bewußtsein. Wir richten die Teleskope auf uns. Jeder ist rund um die Uhr jeder, die absolute Identität.«

III

Die Kinderperspektive wird in Einzelheiten in den drei Strophen von Teil I vorgeführt: da ist die Allee, die sich hinten verengt wie auf Fotos; wird der Vater, der auf Fotoformat geschrumpft war, plötzlich (auch das veränderte Zeitempfinden wird notiert: »kaum verschwunden ist er wieder da« [4]) wieder »riesengroß« (6); da klingt die

Stimme des Vaters etwas anders, und der Sohn flüchtet ins Einmach-Regal; da muß der Vater das neue Einvernehmen mit seinem Sohn durch »Geld und viele Worte« (35) erkaufen. »Ich liebe ihn nur wenn ich reite« (36), so bemerkt der Sohn in der letzten Strophe nicht ohne stolzes Herrschaftsgefühl, »auf dem hohen Nacken dieses Vatermenschen / der in Rußland war« (37f.). In diesem kleinen Vater-Sohn-Drama in drei Akten wird der Vater als durchaus gutmütig, der Sohn als berechnend und emotional, nicht eben altruistisch geschildert. Das Geschehen ist glaubhaft aus der Kinderperspektive dargestellt (die Flucht ins Einmach-Regal, der jähe Trotz und die allmähliche Versöhnung). Die mitgeteilten Äußerungen des Vaters (im Hinblick auf den letzten Fronturlaub und auf Rußland) und die Distanzierungssignale gegenüber den Eltern (7: »sagt er zu seiner Frau«, 21: »verlangen von mir das gleiche«, 34: »will auf einmal wieder mein Vater sein«) lassen zwar auf eine erstaunliche Beobachtungsgabe des Jungen schließen, aber ebenso auf eine stark gestörte Beziehung zu den Eltern.
In Teil II wird ein offensichtlich traumatisches Erlebnis vorgeführt, das diese gestörten Beziehungen sicher noch verstärkt hat. Während der Vater in Rußland war, vertrat eben jener Friebe dessen Stelle bei Mutter und Sohn. Gegen den aggressiven Ersatzvater führt der Sohn seinen eigenen ins Feld; aber es nützt nichts, er wird »hart« geschlagen und muß sich in effigie bei seinem richtigen Vater entschuldigen. Born drückt hier die väterliche Machtfunktion geschickt mit dem Bild (Foto) aus, das Friebe dazu benützt, den Gehorsam des Kindes zu erzwingen. Der gewalttätige Ersatzvater steht in deutlichem Kontrast zu dem offenbar gutmütigen Vatermenschen, auf dessen »hohen Nacken« der Sohn reiten darf. Die »Überlebensgröße« (die sich ebenso auf die Körpergröße wie auf das Überlebenspotential bezieht) und Machtautorität des wirklichen Vaters entlädt sich eben nicht in körperlichen Attacken und Strafaktionen; das bleibt dem asthmatischen, körperlich eher schwachen Friebe vorbehalten.

Nicht umsonst atmet dieser Sohn auf, als der Vater vom Krieg zurückkehrt (Teil III und IV), wenngleich er weiterhin seine Vorbehalte ihm gegenüber formuliert. Die Vorbehalte konzentrieren sich auf die Tatsache, daß der Vater behauptet, den Krieg in Rußland kennengelernt zu haben, aber keine Konsequenzen aus dieser behaupteten Erfahrung zieht. Er erzählt wohl »Geschichten von Feindberührung« (68) beim Bier, gesteht sogar, »Angst gehabt zu haben« (70), wiederholt eigentlich nur die Klischees seiner Generation, doch der Krieg, den er zu kennen vorgibt, hat ihn nicht grundsätzlich verändert, was sich auch in seinem Verhalten zeigt, als der Sohn wehrpflichtig wird.
Teil IV setzt die Heimkehr des Vaters im Februar 1947 mit deutlichen Verweisen auf die erste Strophe des Gedichts in Szene. Wirkte der Vater in der Anfangsstrophe (Teil I) noch »riesengroß«, so wird er nun als »schmaler älterer Mann« (87) vorgestellt, wobei die Veränderung der Perspektive zweierlei andeutet: einmal die Veränderung des Maßstabs beim heranwachsenden Sohn und einmal den körperlichen Zustand des aus russischer Gefangenschaft entlassenen Vaters. Neben dem mißlungenen Umarmungsversuch – vom Sohn mit distanzierter Kühle beobachtet – zwischen Vater und Mutter steht die Begrüßungsszene der Verwandten »mit Eigenheimer Korn« (93), die damit endet, daß der Vater sofort betrunken ist und ins Bett gebracht werden muß. Auf den »Nacken dieses Vatermenschen« (37) ließ sich offensichtlich nicht mehr bauen, als Vorbild schien er ausgedient zu haben. Für den Sohn hatte der Vater den Krieg verloren, und er lehnte auch »vorläufig« (99) jede Kommunikation mit ihm ab. Dieses Zu-Bett-Bringen des Vaters und das Hinterhertragen der Schuhe erinnern nicht von ungefähr wie die Szene mit Friebe an Erzählungen Kafkas: es geht hier wie dort um die Macht und Ohnmacht der Väter.
Scheinen in den Teilen III und IV die Anzeichen einer Entfremdung zwischen Vater und Sohn verstärkt, so setzt der Schlußteil (V), in dem das Erzählgedicht gipfelt, zunächst diesen Eindruck fort, bis in den letzten Zeilen

Born auf seine unterkühlte Weise die beziehungslose Distanz aufbricht: der ideologisch falsch eingestellte Vater drückt trotz seines Protests gegenüber der Frühschwangerschaft der Töchter spontan die Enkel an sein lädiertes Herz. Die Ohnmacht des Vaters, zum Teil ein Resultat des Kriegs, zum Teil persönlicher Schwäche, setzt sich im Nachkriegsdeutschland politisch in einer stereotypen Adenauer-Hörigkeit fort. Der Vater macht sich die Erfolgsideologie nach der Währungsreform zu eigen, baut ein Haus, trinkt und sieht gern fern, wird zuweilen sentimental, kurzum: unterscheidet sich in seinen Gewohnheiten, seinen Denk- und Verhaltensweisen wenig von seinen harmlosen und zufriedenen Generationsgenossen, denen die Adenauer-Ära mit ihrer Wirtschaftsideologie die selbstgefällige biedermeierliche Atmosphäre verdankte. Fast epigrammatisch, ganz unpathetisch klingt das Erzählgedicht mit dem Tod der Mutter aus, die damit ihrem Mann, der immer behauptet hatte, daß sie ihn »überleben« werde, »unrecht« gab (117 f.). Die »Schwierigkeiten« (die lange Trennung durch den Krieg und die Friebe-Episode) hatten also in der Tat, wie schon in Teil IV mitgeteilt wurde, »die Ehe« ausgehalten (98), und der Überlebende war jetzt wiederum – trotz einer »Herzattacke« – der stets angepaßte Vater.

IV

Das Erzählgedicht, so läßt sich zusammenfassen, schildert am persönlich-biographischen Modell beispielhaft die Problemgeschichte der bundesrepublikanischen Nachkriegsgeneration: dem angepaßten Vater, der eben nicht gelernt hat, »was Krieg ist«, denn sonst hätte er sich nach der Meinung des Sohnes »verändert« (65), steht die jüngere Generation mit ihrem gegensätzlichen Verhalten und ganz anderen Auffassungen gegenüber. Der Zweite Weltkrieg als Erfahrungsraum gehört dabei ebenso zu der Bedingung der Möglichkeit von Entfremdung wie später die Erfolgsideologie der Adenauer-Ära. Die Individualgeschichte ist eben nicht nur ein

Bestandteil der Familiengeschichte, sondern auch der politischen Geschichte Deutschlands vor und nach 1945. Die Analyse dieser Familiengeschichte soll Einsicht in die eigene Rolle ermöglichen, die der Schriftsteller Nicolas Born pronociert als eine »kollektive Rolle« verstand, als eine Weise, zu erfahren, *wo ihm der Kopf steht*, wie der Titel des Bandes heißt, dem unser Text entnommen ist und der mehrere Gedichte mit ähnlicher Thematik enthält. Nicht von ungefähr verstand Born seine Gedichte auch als Gespräche »zwischen unsern vielen möglichen Ichs und dem Ich, das aus uns geworden ist« (*Nachbemerkungen* zu *Das Auge des Entdeckers*); denn erst die Einsicht in die Bedingungen des gewordenen Ichs und seine in ihm festgeschriebenen Rollen schafft die Voraussetzung für die Befreiung von dem »Alleinvertretungsanspruch« der Realität und Zugang zu den möglichen Ichs.

Borns Familiengedicht, wie man es der thematischen Bestimmung nach nennen könnte, stammt aus der Zeit zwischen 1967 und 1970, die durch die Studentenrevolte, die Auflehnung der Söhne gegen die gesellschaftliche und politische Institution der Väter bestimmt war. Aber es ist kein Protestlied geworden, sondern ein präzis durchgeformter lyrischer Erkenntnis- oder Erfahrungsbericht, der auf differenzierte Weise die Wurzeln des Widerspruchs zwischen den Generationen freilegt. Born wählt bezeichnende Situationen aus der eigenen Kindheit aus, kommentiert und zitiert die Äußerungen und Verhaltensweisen des Vaters und deutet in diesem Kontext die Rollen der anderen Familienmitglieder an. Der erste Teil endet mit dem Liebeszoll, den der Vatermensch seinem Sohn entrichtet, der zweite mit der Niederlage des aufmüpfigen Sohnes gegen den aufgezwungenen Ersatzvater, der dritte und vierte mit der Schwächung des Vaterbildes und der fünfte mit dem wirtschaftlichen Erfolg des angepaßten Vaters, der allerdings »in der Familie um das letzte Wort« kämpfen muß.

Obwohl in jedem Teil eine Steigerung bis zu einer Art Schlußpointe zu beobachten ist (Ritt auf dem Nacken des

Vatermenschen, nach den Schlägen steht der Vater »wieder ganz ruhig auf dem Klavier«, Aufatmen über die Rückkehr des richtigen Vaters, der Kriegsverlierer), stellt eindeutig der letzte Teil die eigentliche Klimax dar. Nicht nur sind hier sechzehn Zeilen, welche die Situation der Nachkriegszeit auf knappem Raum vorführen, im Vergleich zu den vorausgehenden Strophen rhythmisch beschleunigt – ohne Enjambements, ohne starke Pausen –, sondern auch formal und thematisch auf die menschliche Geste hin gespannt. Die beiden letzten Zeilen von Teil V bringen mit der Dimension des Todes noch eine weitere Steigerung. Hinter der scheinbar negativen, eigentlich nur distanzierten Gestik (dem Prostest des Vaters »mit einer Herzattacke« [113] und dem Streit der Ehepartner, »wer wen überlebe« [117]) wird eine menschliche Anteilnahme erkennbar, welche die ideologischen Gegensätze transzendiert. Auf diese Weise erhalten die so spröde mitgeteilten Emotionssignale den von Born angestrebten Erkenntniswert (wie er es bereits auf der Umschlagklappe seines ersten Gedichtbands forderte).
Zwar erinnern die epigrammatischen Elemente in diesem Erzählgedicht noch etwas an die in den fünfziger und sechziger Jahren beliebte geschlossene Form des epigrammatischen Kurzgedichts, aber es zeigt schon überwiegend Merkmale des offenen langen Gedichts, wie es zuerst Höllerer, dann Herburger und zuletzt Theobaldy propagiert und Nicolas Born in der Praxis entscheidend mitentwickelt hat. Dieser Text aus der Übergangszeit vom Kurz- zum Langgedicht ist weder stoffarm noch anämisch, sondern bezieht seine »Ausdehnung vom Inhalt« (Robert Creeley). Nicht die Form bestimmt also hier die Substanz des Gedichts wie in den fünfziger Jahren, sondern umgekehrt: die Substanz die Form. Doch im Gegensatz zu den Wortrednern des Alltagsgedichts der siebziger Jahre gibt Born die formalen Errungenschaften des kurzen Gedichts nicht auf; er benutzt vielmehr davon, was er für die Darstellung seines Materials brauchen kann. »Form ist nie mehr als eine Ausdehnung von Inhalt«, dieses poetologische Credo der Lyriker des *Black*

Mountain Review hatte Nicolas Born bereits 1967 in eigener Sache dergestalt interpretiert: es besagt, »daß Form heute kein aufstülpbarer vorgefertigter (metrischer) Mechanismus sein darf«. Seine eigenen programmatischen Äußerungen beschließt er mit dem apodiktischen Satz: »Es gibt keine Banalität außer der Banalität des Ausdrucks.« Nicht zuletzt mit seiner eigenen Produktion hat Nicolas Born demonstriert, daß die Kunst des Ausdrucks nach wie vor ein Kriterium für poetische Qualität ist.

Literatur: Hans BENDER / Michael KRÜGER (Hrsg.): Was alles hat Platz in einem Gedicht? Aufsätze zur Lyrik seit 1965. München, 1977. – Ein Gedicht und sein Autor. Lyrik und Essay. Literarisches Colloquium Berlin 1967. München 1969. – Harald HARTUNG: Rückkehr zur Wirklichkeit. Zu neuen Gedichtbüchern. In: Neue Rundschau (1973) S. 134–149. – Harald HARTUNG: Die eindimensionale Poesie. Subjektivität und Oberflächlichkeit in der neuen Lyrik. In: Neue Rundschau (1978) S. 222–241. – Walter HINDERER: »Komm! ins Offene, Freund!« Tendenzen der westdeutschen Lyrik nach 1965. In: Paul Michael Lützeler / Egon Schwarz (Hrsg.): Deutsche Literatur in der Bundesrepublik seit 1965. Königstein (Ts.) 1980. S. 13–29. – Walter HÖLLERER (Hrsg.): Theorie der modernen Lyrik. Reinbek bei Hamburg 1965. – Lyrik-Katalog der Bundesrepublik. Gedichte, Biographien, Statements. Hrsg. von Jan Hans, Uwe Herms, Ralf Thenior. München 1979. – Harro MÜLLER: Formen des neuen deutschen Erzählgedichts. In: Der Deutschunterricht 2 (1969) S. 96–107. – Neue deutsche Lyrik. Beiträge zu Born, Brinkmann, Krechel, Theobaldy, Zahl u. a. Arbeitskreis linker Germanisten. Heidelberg. Juni 1977. – Peter RÜHMKORF: Strömungslehre I. Poesie. Reinbek bei Hamburg 1978. – Jürgen THEOBALDY / Gustav ZÜRCHER: Veränderung der Lyrik. Über westdeutsche Gedichte seit 1965. München 1976.

Rolf Dieter Brinkmann

Einen jener klassischen

schwarzen Tangos in Köln, Ende des
Monats August, da der Sommer schon

ganz verstaubt ist, kurz nach Laden
Schluß aus der offenen Tür einer

5 dunklen Wirtschaft, die einem
Griechen gehört, hören, ist beinahe

ein Wunder: für einen Moment eine
Überraschung, für einen Moment

Aufatmen, für einen Moment
10 eine Pause in dieser Straße,

die niemand liebt und atemlos
macht, beim Hindurchgehen. Ich

schrieb das schnell auf, bevor
der Moment in der verfluchten

15 dunstigen Abgestorbenheit Kölns
wieder erlosch.

Zitiert nach: Rolf Dieter Brinkmann: Westwärts 1 & 2. Gedichte. Mit Fotos des Autors. Reinbek bei Hamburg: Rowohlt, 1975. (das neue buch. 63.) S. 25. [Erstdruck.]

Thomas Zenke

Der Augenblick der Sensibilität

Rolf Dieter Brinkmanns Gedicht *Einen jener klassischen* gehört zu einer Gruppe von Gedichten, die zwischen 1970 und 1974 geschrieben und zu dem Band *Westwärts 1 & 2* zusammengestellt worden sind. Sie knüpfen an ein Programm für Lyrik an, das Brinkmann 1968/69 ›formuliert‹ hat – in seinem Gedichtband *Die Piloten*, aber vor allem in seinem Essay zu den von ihm übersetzten Gedichten Frank O'Haras und in seinem Nachwort zur Anthologie *ACID – Neue amerikanische Szene*.
Die Anthologie *ACID*, in der Brinkmann mit Ralf-Rainer Rygulla die amerikanische Underground-Kultur der sechziger Jahre beispielhaft vorstellte, war als Kampfansage gedacht gegen einen »total blinden Begriffsfetischismus« der politischen »Avantgarde«, gegen die Lustfeindlichkeit und Unsinnlichkeit »überanstrengter Reflexion«, gegen eine »die Spontaneität künstlerischer Tätigkeit« manipulierende dialektische Methode. Die Kampfansage wurde auch so verstanden in einer Zeit, die im Zeichen der kritischen Reflexion, der Weiterentwicklung politischer Theorie und Praxis stand. Martin Walser führte stellvertretend den Gegenangriff; er sah in den Verkündern dieser »neuesten Stimmung« Hersteller von »Bewußtseinspräparaten« für einen möglichen Faschismus. So wurde verstellt, was dieser subjektive und private Bruch mit der alten »Angst-Szene« Kultur – ein solcher Bruch war *ACID* in erster Linie – für Brinkmann und sein Schreiben bedeutete.
Die Überlegenheit der marktunabhängigen Underground-Literatur und -Kultur über die westeuropäische, vor allem deutsche Literatur besteht für Brinkmann zunächst darin, daß sie keine »alteingenisteten, verinnerlichten« Vorprogrammierungen und Vorurteile sprengen muß, wenn sie sich auf Gegenwart einläßt: Ihr Stoff liege da, müsse nur aufge-

hoben werden; das Nächstliegende, das unmittelbar Greifbare, alles könne »die Absprungbasis« für Literatur sein. Bei uns dagegen verhinderten der »Hörighaltungs- und Abrichtungscharakter« herrschender Ausdrucksformen und »die vorhandenen Reflexionsbarrieren« ein Empfinden und Vorstellen dessen, was für den einzelnen erfahrbare und erfahrene Welt sei. Brinkmanns Stoßrichtung geht also gegen abstrakte, bilderlose, unsinnliche Muster, in denen das Leben eingekapselt ist. Kritisiert wird einerseits eine Literatur, für die es Sachen nur in Form von Wörtern gibt und für die ein im Grunde verdinglichtes Sprachmaterial allenfalls Konstellationen bilden kann; andererseits eine Literatur, die die ›Idee‹ des Menschen vor den Menschen stellt und das Individuelle zurücknimmt im Interesse gesellschaftlicher Forderungen und Inhalte. In beiden Fällen, sagt Brinkmann, stelle sich das Ich tot. Nötig sei »Dasein, einfach nur: Dasein« – wie z. B. in der Lyrik Frank O'Haras. O'Hara gehe in der alltäglich-gewöhnlichen Umwelt New York nicht als Autor umher, der das Erfahrene umstilisiert »zum bloßen Beleg für irgendetwas« oder im Sinne einer »höheren« Absicht und Idee, sondern als ein physisch und psychisch Beteiligter, der das, was sich ihm im Augenblick anbietet, direkt annimmt und verbindet mit der gegenwärtigen psychischen Disposition: »Die Schlagzeile vom Zusammenbruch der Filmschauspielerin Lana Turner [...] ist Teil dieses einen Tags, Teil der in diesem Augenblick vorhandenen Emotion des Autors, der eilig herumläuft [...].« Eine derartige »neue Sensibilität« will nicht verleugnen, daß, was immer das Subjekt »sammelt«, »Oberfläche« ist. Soll heißen: das Ich greift die Dinge zuerst einmal so auf, wie sie sich exponieren, ohne sie ihrer Eigenart zu entkleiden, ohne sie auf Funktionen hin »durchschauen« zu wollen, ohne durch eine besondere Sehweise Wesenhaftes herauszufiltern; es beläßt ihnen selbst ihre Trivialität und Banalität. Aber die »Oberfläche« sendet zugleich Reize, denen sich das Ich aussetzt »wie zum ersten Mal«, durch die es sozusagen überrascht wird. Gleichzeitig werden sie nur empfangen,

wenn Erleben und Sentiment dafür disponiert sind, wenn sich das Ich öffnen, als betroffen erfahren kann. Dadurch entsteht im Gedicht keine Verdoppelung der »Oberfläche« oder eine bloße Abhängigkeit von Objektreizen; das empfindende und wahrnehmende Subjekt ist vielmehr Teil seiner Funde, die nur so, wie sie in den Text gelangt sind, von ihm gemacht werden konnten. Diese durchaus subjektiv geprägte Sensibilität für die »Oberfläche«, an deren »Stromkreis« sich das Ich wie beschrieben anschließt, setzt allerdings eine möglichst weitgehende Abkehr von einer poetischen Kunstsprache voraus, einer symbolischen, metaphorischen, dekorierenden, überhöhenden, und die Öffnung zu einer die Umwelt nicht absorbierenden »rohen, unartifiziellen Formulierung« (Nicolas Born).
Brinkmanns O'Hara-Lektüre enthält noch einen wichtigen Aspekt, der in der Notiz zum Gedichtband *Die Piloten* deutlicher wiederkehrt. Er skizziert eine Theorie des kreativen Augenblicks. O'Haras Ich ist jetzt und jetzt mitten in seiner Umwelt, mit ihr verschränkt in einer »punktuellen Situation«. Brinkmann nimmt den Gedanken in seiner Notiz auf und präzisiert: »Ich denke, daß das Gedicht die geeignetste Form ist, spontan erfaßte Vorgänge und Bewegungen, eine nur in einem Augenblick sich deutlich zeigende Empfindlichkeit konkret als snap-shot festzuhalten. Jeder kennt das, wenn zwischen Tür und Angel, wie man so sagt, das, was man in dem Augenblick zufällig vor sich hat, zu einem sehr präzisen, festen, zugleich aber auch sehr durchsichtigen Bild wird, hinter dem nichts mehr steht scheinbar isolierte Schnittpunkte.« Der »snap-shot« ist demnach die in einem zufälligen Ausschnitt (»isolierte Schnittpunkte«) erstarrte, an sich konfuse »Oberfläche«; »auf der Rückseite ist nichts«, wie Brinkmann genauer in seinem O'Hara-Essay sagt. Das heißt zweierlei: einerseits, daß es keine Hierarchie der Bilder gibt (Ledanff, S. 253); andererseits auch, daß die alltägliche ›Wirklichkeit‹ nicht mehr als Ganzes erfaßbar, nur im jeweiligen Moment registrierbar ist. Das je einzelne wird nun hier und jetzt unmittelbar, spontan aufgenommen,

wenn die »Empfindlichkeit« dafür da ist, wenn es fasziniert. Ist das der Fall, erfährt sich das Ich im Snap-shot zugleich sinnlich deutlich. Damit hat Rolf Dieter Brinkmann das Verhältnis zwischen Auslöser und Gedicht beschrieben ... So weit die Theorie, jetzt die poetische Praxis.

Einen jener klassischen – der Titel hält hin durch Aussparung, macht noch keinen Sinn, spannt die Erwartung. Der Leser gerät gleich in den Sog eines die Zeile überspringenden offenbar ausholenden Satzes und stellt sich auf Vorläufiges ein. Zugleich hebt ein Rhythmus an, der schwer und bedeutend voranschreitet bis zu dem auftaktlos und im gleichmäßigen Wechsel von betonter und unbetonter Silbe vorgetragenen »schwarzen Tangos« – womit zwar das erwartete Objekt bestimmt ist, nicht aber seine offensichtliche Merkwürdigkeit für das Ich, das hier emphatisch spricht. Noch spricht; denn abrupt wechselt die Tonlage, wird lakonisch-sachlich. Das Ich schiebt ›Erklärungen‹ ein, zögernd und um Genauigkeit bemüht; es notiert die Daten seines mit dem Ohr wahrgenommenen Fundes, Ort und Zeit, scheinbar Belangloses, möchte der Leser voreilig urteilen: in Köln Ende August nach Ladenschluß aus der Wirtschaft eines Griechen. Aber einmal scheint durch, wie beteiligt das Ich ist: Der Sommer sei »schon / ganz verstaubt« (2f.), also nicht nur staubig von langer Hitze, sondern abgelebt oder mit einem Brinkmann-Wort: »abgewrackt«. Derart hinhaltend, Erwartungen aufbauend und zugleich irritierend wiederholt das Ich in einer Satzbewegung, was in einem Augenblick beinahe wie ein Wunder erfahren wurde. Wie ein »Wunder« (7)? Eher wie ein Wunderwerk, das den öden Alltag blitzartig mit einem Glanz aufhellt. Brinkmann konkretisiert und verstärkt das Außerordentliche noch dadurch, daß das Ich den Tango in einer ihm unmittelbaren, scheinbar vertrauten Umgebung wahrgenommen hat, »in dieser Straße« (10). Aber in ihr funktionierte das Ich nur, war seine Umwelterfahrung offenbar ausgehöhlt. In ihr, »die niemand liebt und atemlos / macht, beim Hindurchgehen« (11f.), schien es nur zu passieren, ohne zu begegnen, innezuhalten, ohne bei sich, ohne wahrhaft heimisch zu sein; sich entfremdet durchhetzte es diese Straße. Hier nun trifft der Tango den Eilenden unvorbereitet und ruft etwas in ihm ab wie zum ersten Mal. Dies wird allerdings nur in seiner Wirkung auf das Ich benannt, genauer: in seiner entlastenden und befreienden Wirkung. Das Ich erfährt sich gleichsam überrascht in seiner ›Empfindlichkeit‹, wird sich sinnlich deutlich, sieht sich herausgenommen aus dem laufenden Verkehr, in dem es atemlos zirkulierte, atmet auf und erlebt die unerwartete Ruhe, »eine Pause in dieser Straße« (10), wie eine eigene Totalität. Das alles geschieht aber nur »für einen Moment« (7, 8, 9).

Für einen Moment – das heißt zunächst, daß der schwarze Tango plötzlich »da« ist, einfach »da« ohne Rückkoppelung an einen zeitlich voraufgegangenen Moment und ohne ideellen Zusammenhang mit anderen Dingen; daß er wie ein Snap-shot ist, von der sinnlichen Wahrnehmung unmittelbar, als wäre der Tango noch nie zu hören gewesen, fixiert und damit herausgelöst aus einem nur in seiner Konfusion erfahrbaren Alltag. Deshalb evoziert Brinkmann den Tango am Anfang seines Gedichtes in einem so eindrücklichen Ton. Für einen Moment – das heißt nun auch, daß das Ich durch seine Wahrnehmung ›aktualisiert‹ wird im Jetzt, gebannt im Augenblick seiner Hörerfahrung und für sich allein ist in einer ›punktuellen Situation‹, in einer »Pause« in dieser Straße, die ihr eigenes Tempo hat. Aber der Moment ist bedroht durch das Fortschreiten der Zeit, kann nicht »verweilen«, transzendieren zu einem Ganzen wie etwa bei Goethe. Augenblick reiht sich an Augenblick als kleinste Erlebniseinheit und damit herausgeschnitten Ding an Ding, ohne daß ein Zusammenhang, eine Synthese gestiftet werden kann. Das schärft den Nerv für das Enteilende, Vergängliche des Moments, in dem die Wahrnehmung da und das Ich sich deutlich ist. Und das Ich muß festhalten im Notat, was flüchtig ist und sonst verloren: »Ich / schrieb das schnell auf, bevor / der Moment in der verfluchten / dunstigen Abgestorbenheit Kölns / wieder erlosch« (12–16).

Peter Handke notiert in seinen Notizenfragmenten zur Laudatio anläßlich des Petrarca-Preises für Brinkmann 1975: »Heimat: kein Zustand, keine Offerte, sondern Zufall, Sekunden.« Das trifft gerade auf das Gedicht *Einen jener klassischen* zu. Es stellt diese »Sekunde« dar, in der das Ich ganz bei sich ist, in sich ruht, aufatmet, für einen Augenblick herausgehoben, nicht entfremdet in einem hektischen Großstadtalltag: einen Glücksmoment. Das Subjekt ist nicht verdrängt, kann sich behaupten in einer gesteigerten Sensibilität, sprengt das in der Straße ›eingekapselte Leben‹ auf und ist da. Doch diese Individuation geschieht im Stadium einer besonderen Empfänglichkeit, zufällig ausgelöst durch den Tango, für den das Ich zur Zeit ein Ohr hat und so sein eigenes Gesicht erkennt. Das ist ein schöner Lebensmoment, aber ein flüchtiger, keine ›Offerte‹ für den Feierabend nach Ladenschluß; zu schwer lastet die »verfluchte dunstige Abgestorbenheit Kölns«. Brinkmann verstärkt die zufällige Intensität des Daseins noch dadurch, daß er sie in Opposition setzt zu der abgelebten Öde, in der das Ich sich dennoch für einen Moment findet, in Opposition zu dem metaphorischen Beziehungsgeflecht aus »ganz verstaubt«, »Abgestorbenheit«, »verlöschen«. Und indem er dies tut, weist er nachdrücklich darauf hin, daß der Glücksmoment, in dem das Ich sich in seiner Sensibilität erfährt, immer wieder absorbiert wird von der toten und gespenstischen, lebensfeindlichen alltäglichen Großstadt. Darin steckt sicherlich auch Kritik am Alltagsleben (Ledanff, S. 252), vor allem jedoch Rebellion gegen die Subjektverdrängung und ein Appell zu einer die ›Wirklichkeit‹ aufbrechenden sinnlichen Wahrnehmung.
»Ich / schrieb das schnell auf«: Das Gedicht »ist« natürlich nicht, wie nicht zuletzt das Präteritum zeigt, der Augenblick der ästhetischen Erfahrung des die Straße passierenden Ich. Es wiederholt im Bewußtsein des schreibenden Autors die Ekstase des überraschenden Moments, indem es die Zufälligkeit, Spontaneität und Intensität der Wahrnehmung in die Struktur des Gedichts übersetzt – in jenem vorangestellten,

emphatisch herausgehobenen Fund, dem klassischen schwarzen Tango, der so unerhört ist, daß sich das Subjekt seiner durch knappe, abgebrochene, gleichsam vortastende Bestimmungen vergewissern muß. Aber das Gedicht übersetzt eben. Und bei aller Evokation, die den unerwarteten Wahrnehmungsmoment erneuert, fällt doch die Kontrolle des Schreibenden auf, man denke z. B. an das dreifache anaphorische, insistierende »für einen Moment« oder die hergestellten metaphorischen Bezüge. Hier reflektiert jemand über den Snap-shot, diesen zufälligen Ausschnitt aus einer unendlichen Bildkette, aus ewigen Vorgängen und Bewegungen, in dem sich das Ich als für den Augenblick sinnlich aufnahmebereit erkennt. Hier macht sich jemand etwas klar, ordnet ein, stellt Zusammenhänge her und schließt so das Gedicht. Er bewahrt zwar den Moment, aber er hebt auch zugleich das Transitorische auf. Deshalb hat Rolf Dieter Brinkmann andere Gedichte, Gedichte wie *Westwärts, Sonntagsgedicht* oder *Roma di Notte,* konsequent geöffnet, hat er die Augenblickswahrnehmung aus ihrer funktionalen Vermittlung gelöst und das so isolierte Wirklichkeitsfragment, das für sich ganz gegenwärtig ist, simultan gesetzt, auch typographisch. Der Augenblick ist hier nicht mehr ein besonderer, umgrenzter; sondern entspricht disparaten Ding- und Vorstellungszusammenhängen, die einfach da sind jetzt und jetzt, ohne daß das Ich im Mittelpunkt steht, so als könne es noch eine Einheit stiften, die orientiert. Doch das ist ein neues Kapitel der Poetik in Rolf Dieter Brinkmanns lyrischem Werk.

Zitierte Literatur: Rolf Dieter Brinkmann: Die Piloten. Neue Gedichte. Köln 1968. – Rolf Dieter Brinkmann / Ralf Rainer Rygulla (Hrsg.): ACID. Neue amerikanische Szene. Darmstadt 1969. – Susanne Ledanff: Die Augenblicksmetapher. Über Bildlichkeit und Spontaneität in der Lyrik. München 1981. – Frank O'Hara: Lunch Poems und andere Gedichte. Aus dem Amerikanischen übers. und mit einem Essay von Rolf Dieter Brinkmann. Köln 1969.

Wolf Wondratschek

In den Autos

Wir waren ruhig,
hockten in den alten Autos,
drehten am Radio
und suchten die Straße
5 nach Süden.

Einige schrieben uns Postkarten aus der Einsamkeit,
um uns zu endgültigen Entschlüssen aufzufordern.

Einige saßen auf dem Berg,
um die Sonne auch nachts zu sehen.

10 Einige verliebten sich,
wo doch feststeht, daß ein Leben
keine Privatsache darstellt.

Einige träumten von einem Erwachen,
das radikaler sein sollte als jede Revolution.

15 Einige saßen da wie tote Filmstars
und warteten auf den richtigen Augenblick,
um zu leben.

Einige starben,
ohne für ihre Sache gestorben zu sein.

20 Wir waren ruhig,
hockten in den alten Autos,
drehten am Radio
und suchten die Straße
nach Süden.

Zitiert nach: Wolf Wondratschek: Chuck's Zimmer. Alle Gedichte und Lieder. München: Heyne, 1982. (Heyne-Taschenbuch. 6030.) S. 82. © Wolf Wondratschek, München.
Erstdruck: Wolf Wondratschek: Das leise Lachen am Ohr eines andern. Gedichte / Lieder II. Frankfurt a. M.: Zweitausendeins, 1976.

Volker Hage

Über Wondratscheks *In den Autos*

Wie eine mustergültige Interpretation auszusehen hat, weiß ich heute sowenig wie vor fünfzehn Jahren, als ich in der Schule bei den Aufsätzen immer die Analyse eines Gedichts den anderen Themen vorzog. Auch mein Deutschlehrer konnte es uns nicht erklären. Immerhin wählte er keine Standardlyrik aus, wie sie fertig ›ausgelegt‹ in den Lesebüchern vorkommt, sondern neuere Gedichte, die er selbst nicht immer vollständig zu deuten wußte. Das gab er auch zu und machte damit Mut. Ich kapierte, daß es nicht darauf ankommt, alles zu verstehen, sondern daß es mitunter genügt, genau zu notieren, was an Absonderlichem auffällt. Nicht schamvoll zu verschweigen, was man nicht deuten kann, sondern zu beschreiben, warum man es nicht deuten kann, kurz: Fragen zu stellen, nicht krampfhaft mit Antworten aufzutrumpfen. Allerdings gab es in der Lyrik von damals auch handfeste Entdeckungen zu machen, die einer Interpretation als unumstößliche Befunde Glanz verliehen: Wer z. B. entdeckt hatte, daß in Enzensbergers Gedicht *Bildzeitung* (*Dreiunddreißig Gedichte*, S. 6) der irritierende Effekt der Verse »Markenstecher Uhrenkleber« und »Manitypistin Stenoküro« durch Vertauschung von Wortteilen zustande kommt, der konnte schon ganz zufrieden sein.
Jede Zeit hat ihre Gedichte. Das ist nicht nur eine Frage der

Moden. Es ist auch eine Frage des Stils im weitesten Sinne: des Lebensstils. Wenn Menschen anders miteinander umgehen, verändern sich auch ihre Sprechweisen. Wörter können ungebräuchlich werden (»Liebespaar«, »Verlobung«), weil die hinter ihnen stehenden Haltungen an Selbstverständlichkeit einbüßen, neue können auftauchen (»Beziehung«, »offene Partnerschaft«), Begriffe, die man vor Jahren nicht oder nicht im heutigen Sinne verwendet hätte. Natürlich folgt die Literatur nicht blind dem Alltagsgespräch, läuft nicht den Themen des Tages hinterher: Sie hat durchaus ihre eigenen Bewegungen, sucht ihre Sujets mal mehr, mal weniger in der Aktualität. Die deutsche Lyrik der siebziger Jahre wendete sich zum überwiegenden Teil von der metaphernreichen, oftmals dunklen und unzugänglichen Lyrik der sechziger Jahre ab und öffnete sich dem Alltag – formal wie thematisch: Der Ton entspricht weitgehend der Umgangssprache (experimentelle Schreibweisen wie Kleinschreibung und Verzicht auf Interpunktion treten zurück), das Erlebte und Erfahrene findet unverblümt Eingang in die Verse. Mit der Hinwendung auf durchaus private Dinge geht zugleich eine Abgrenzung gegen die politische Lyrik einher, die seit Mitte der sechziger Jahre den Studentenprotest vorweggenommen und begleitet hat. Die Gedichte der »Neuen Subjektivität« markieren eine gesellschaftspolitische Zäsur: Sie beschreiben den Rückzug einer sich aufrührerisch gebärdenden Generation und deren Rückbesinnung auf Probleme des Individuums.

In den Autos von Wolf Wondratschek: ein Gedicht, das für sich selbst spricht? Sichten wir zunächst, was offensichtlich ist. Die erste und letzte der acht unregelmäßigen Strophen sind identisch und umfassen die mittleren sechs wie ein Rahmen (1–5 und 20–24). Die Vergangenheitsform legt nahe, daß es sich um einen Rückblick handelt. Es gibt ein »Wir« in dem Gedicht und mehrere »Einige«. Schon beginnen die Fragen: Sind das verschiedene Gruppen von Menschen? Handelt es sich um Teilgruppen? Wer ist gemeint? Die Ausgangssituation, sie zumindest, scheint eindeutig zu sein: Ein paar Leute sitzen in Autos und sind auf dem Weg in den Süden. Aber stimmt das so? Sie sitzen ja nicht einfach in den Autos, sondern sie »hockten« (2), und sie sind anscheinend noch gar nicht nach Süden unterwegs, sondern suchen »die Straße / nach Süden« (4 f.) noch. *Die* Straße? Führen denn nicht viele Wege nach Rom? Hat man *die* Straße nicht gefunden und ist vereinzelt aufgebrochen – einige hierhin, einige dahin? Nicht mehr der kollektive Marsch, sondern der Aufbruch in eigener Verantwortung?

Doch ich greife vor. »Wir waren ruhig«, heißt der erste Satz. Ruhig – vor der großen Fahrt? Wäre nicht »unruhig« eher plausibel? Oder nur »ruhig«, um zu lauschen, was die Suche auf der Radioskala ergibt? Schaut man genau hin, zeigt sich, wie listig der Autor seine Aufzählung angeordnet hat. Betrachtet man die letzten drei Verse (3–5) isoliert, so »drehten« die Beteiligten am Radio und »suchten« – was? einen Sender? eine bestimmte Musik? Nein: den Weg nach Süden. Ist dieser Weg also nur eine Illusion, ein Traum? Es sieht so aus – auch wenn der Befund vorerst nicht eindeutig ist; zumindest wird diese Lesart von Wondratschek ermöglicht: Das Radioprogramm steht für die Sehnsucht nach Weite, nach Ferne, nach Zukunft. Den Beteiligten werden Verben des Stillstands zugeordnet (»waren ruhig« und »hockten«), die Bewegung ist nur eine scheinbare: Drehen – am Radioknopf, Suchen – möglicherweise nicht reale Ziele, sondern solche im Reich der Sehnsüchte.

Eine gewagte Interpretation? Sehen wir weiter. Auf die Eingangsstrophe kommen wir am Ende ohnehin zurück. Die folgende Strophe ist die erste von insgesamt sechs, die in betonter Gleichförmigkeit mit demselben Wort anheben: »Einige« (vgl. 6, 8, 10, 13, 15, 18). Die Literaturwissenschaft nennt das eine »Anapher«, eine Stilfigur, die auch in der Redekunst gern verwendet wird. »Einige schrieben uns Postkarten aus der Einsamkeit«, heißt es z. B. (6). Ein auffälliges Paradoxon: nicht die scheinbar in den Autos Reisenden versenden Grüße, sondern sie (oder nur ein Rest

von ihnen?) erhalten Nachrichten. Dies spricht für das Verharren der »Wir«-Gruppe: Nur wenige sind aufgebrochen. Oder ergibt das sechsmalige »Einige« am Ende das ursprüngliche »Wir«?
Es liegt nun nahe, für jede der sechs Kleingruppen nach Parallelen in der Wirklichkeit zu suchen. Mir ist es beim unbefangenen Lesen des Gedichts immer so ergangen, daß ich zu den einzelnen Strophen Assoziationen hatte und damit zufrieden war. Nun aber, wo ich Farbe bekennen muß, scheint mir das alles gar nicht so eindeutig zu sein. Gewiß, der Zerfall der Studentenbewegung könnte hier gemeint sein. Wondratschek, Jahrgang 1943, stand selbst eine Zeitlang dem ehemaligen SDS nah. Und sind nicht die Auswege und Abwege seiner Generation hier angedeutet: der Rückzug in die Innerlichkeit, die Suche nach Gott oder einem Ersatzheiligen, die Verirrung in den Terrorismus, der Marsch ins private Glück, der Sprung in den Narzißmus oder die Sucht nach Ruhm?
Doch, das alles ist wohl da. Aber wo genau? In welchem Vers? Wer sind die in der »Einsamkeit« (6), wer die »auf dem Berg« (8), wer sind die, die »starben, / ohne für ihre Sache gestorben zu sein« (18 f.)? Wondratscheks poetische Methode sorgt für einen Zustand der Unschärfe, des Ungefähren. Seine Figuren sind dem Leben nicht nachgebaut, sondern stehen in einem ironischen Zerrverhältnis zur Realität. Ja, fast ist ein wenig Sarkasmus zu spüren, wenn gerade die »aus der Einsamkeit« Postkarten verschicken, um andere »zu endgültigen Entschlüssen aufzufordern« (6 f.). Wem das als Bild für den isolierten Zustand der ehemaligen RAF-Truppe und ihren Ruf um Unterstützung erscheint, der wird zumindest über den Weg der Nachrichtenvermittlung irritiert sein müssen.
Und so ist es auch bei anderen Strophen: Sie führen sonderbare Situationen vor und enthalten paradoxe Behauptungen. Warum sitzen einige auf dem Berg? Die Antwort: »um die Sonne auch nachts zu sehen« (9). Der Kommentar zu jenen, die sich verlieben: »wo doch feststeht, daß ein Leben / keine

Privatsache darstellt« (11 f.). Das hat einen Hauch von Komik, und mir scheint, daß eine Qualität dieser Verse gerade in ihrer Verzerrung und Vagheit liegt. Nicht, weil Ungenauigkeit ein Zeichen guter Lyrik wäre, sondern weil hier ein Denken und Sprechen getroffen ist, vielleicht sogar parodiert wird, das es so und ähnlich gegeben hat (und gibt). Die Hilf- und Ratlosigkeit einer Generation wird in wenigen Zeilen sichtbar gemacht. Leben sei keine Privatsache, der Umgang miteinander müsse verändert, die Beziehungen der Geschlechter revolutioniert werden – aber einige verliebten sich einfach. Was nun?

Das Geheimnis des außergewöhnlichen Erfolges von Wondratscheks Lyrik (seine vier Gedichtbände sind in Zehntausenden von Exemplaren verbreitet) dürfte zwei auf den ersten Blick widersprüchliche Gründe haben: Zum einen spricht dieser Autor für seine Generation, stellt sich selbst dar, offenbart sich als Betroffener. Zum anderen ist er bissig, sarkastisch, wegwerfend. Seine Poetik ist die des bitteren Nachgeschmacks. Er kann sich Pathos und Sentimentalitäten leisten, denn im Grunde ist er ein Spötter. Er ermöglicht Identifikationen durch Distanz. So sehr er dabei auch mit von der Partie ist – immer ist er zugleich ein wenig draußen, außerhalb des von ihm Beschworenen.

Man kann ein Gedicht isoliert von den anderen Texten des Autors betrachten und analysieren. Doch eigentlich ist das eine künstliche Versuchsanordnung: Zumeist liest man die Gedichte ja im Zusammenhang eines Lyrikbands. Und jeder Leser von Gedichten weiß, daß sich der Zauber mancher Zeile erst durch unterirdische Korrespondenz mit anderen Gedichten des Autors voll entfaltet: Einzelne Wörter oder ganze Wendungen kehren wieder, spielen in fremden Kontexten eine ähnliche oder abgewandelte Rolle. Gewiß: ein Gedicht soll für sich stehen und einstehen können, doch schadet es nicht, einen Blick über den Zaun zu werfen.

Die Motive des Scheiterns, der Vergänglichkeit und Vergeblichkeit tauchen in Wondratscheks Versen – er nennt sie »Gedichte und Lieder« – immer wieder auf: unbekümmert

wie in den Texten der Popmusik. Und ganz ähnlich, scheint mir, wie man sich von solchen Musikstücken zum Träumen anregen lassen kann, gerade von aus dem Zusammenhang gerissenen Worten und Wörtern, ist auch diese Lyrik offen für die unmittelbare Aneignung: oft genügen Wendungen, einzelne Zeilen, um den Leser zu betören. »Und die Liebesgeschichten, das Leben, der Tod? / Geträumt, verfilmt, vergessen. / [. . .] / zehn Jahre dauerte unsere Zukunft, die jeder nun / allein zu Ende leben wird« – so heißt es in dem Gedicht *Todesspirale* aus Wondratscheks drittem Band *Männer und Frauen* (1978). Das ist Nähe und Ferne zugleich: ein Abgesang auf die Hoffnungen der eigenen Jugend, in gekonnter Naivität zusammengeschüttelt mit ewigen Menschheitsthemen: Liebe, Leben, Tod.
»Was ist aus der Geschichte mit unserer Zukunft geworden?« (*Männer und Frauen*, S. 20) – auch diese Frage kehrt wieder, ebenso wie die Motive des Reisens, des Träumens und des Kinos. Die Übergänge von Fiktion und Realität sind fließend. In einem Gedicht aus dem zweiten Lyrikband *Das leise Lachen am Ohr eines andern* (1976) finden sich die aufschlußreichen Zeilen: »Wir haben unsere Träume wahrgemacht / Wir haben uns im Kino nebenan ein Pferd geliehn / Und sind nach Süden geritten« (S. 62). Hier – in einem Liebesgedicht – ist der »Süden« erkennbar als Chiffre der Sehnsucht, der Wünsche. Schon im ersten Band *Chuck's Zimmer* (1974) heißt es in ebensolchem Zusammenhang unter dem bezeichnenden Titel *Das alte sentimentale Gefühl:* »wir sollten in den Süden fahren« (S. 45). Die Erfahrung der Wirklichkeit ist durchsetzt mit Klischees aus Filmen und Liedern, den Mythen der Gegenwart. »Ich fuhr einen *alten* Chevy«,* erfahren wir aus einem wahrscheinlich autobiographischen Gedicht von einer Amerika-Reise des Autors (*Männer und Frauen*, S. 62) – selbst die Wahl des Fahrzeugs hat noch einen Bezug zu diesen Mythen. Und schon erhält das Hocken »in den *alten* Autos«* einen anderen Beigeschmack. Ein letztes Zitat, fast wie ein Motto – aus einem Gedicht, das im zweiten Band unmittelbar auf den

Text *In den Autos* folgt: »Man möchte leben können vom Atmen, den *alten* Filmen, / vom Rock 'n Roll«* (*Das leise Lachen*, S. 11).

Damit ist einiges abgesteckt, wenn wir nun am Ende unseres Gedichts noch einmal auf die Eingangszeilen stoßen: unverändert beschließen sie das Gedicht, wie eine elegische Klammer. Oder kann man es auch anders lesen? Durchaus. Peter Rühmkorf hat folgende Interpretation gegeben: »Was uns am Anfang des Gedichtes noch so vag und zag und unentschieden erschien, dieser Singsang vom Aufbrechen und vom planlos beiläufigen Herumprobieren (hocken – drehen – suchen), das klingt im zweiten Durchgang beinah wie ein kleiner Trutzgesang. Ohne daß der Autor auch nur ein einziges Wörtchen an seiner Introduktion geändert hätte, lesen sich die un- und fast unterbetonten Aussagesätze auf einmal wie erklärte Ausrufesätze mit einem dick unterstrichenen *Wir* zu Beginn und einer erwartungsvoll in die Zukunft hineingepünktelten Hoffnungslinie beim Ausklang« (*Frankfurter Anthologie*, S. 269).

Liest Rühmkorf da – bei aller Bewunderung vor seinen schönen Formulierungen – nicht etwas viel Hoffnung in Wondratscheks Verse hinein? Für mich steckt in der Wiederholung eher Resignation als Hoffnung, eher Wehmut als Erwartung. Auch der Titel bleibt ja ambivalent: *In den Autos* – das schwebt zwischen Bewegung und Stillstand. Ja, hieße es »Südwärts« oder »Auf der Reise«! Im übrigen: die letzte Strophe steht wie die erste in der Vergangenheit. Es ist ein Rückblick, kein Ausblick.

Oder spricht der Sprecher im Gedicht aus einer fiktiven Zukunft zu uns? Beschreibt er unsere Gegenwart von einem imaginierten Außenstandpunkt? Dann wäre es nicht mehr nur ein Generationsgedicht, sondern vielleicht sogar eines über unser Zeitalter: »In den Autos« – das ist ja tatsächlich fast schon unser Leben. »Ruhig« sind wir, weil zufrieden, scheinbar zufrieden. Der Griff zum Autoradio verdeckt

* Hervorhebungen von mir. – V. H.

unsere Nervosität. Das Auto verschafft uns Mobilität – potentiell: jederzeit können wir die Straße nach Süden suchen. Doch wir hocken nur in unseren Autos: auf der Fahrt zur Arbeit, zum Einkaufen, zum Kino. So muß man dieses Gedicht nicht verstehen, aber auch diese Gedanken gehören zu ihm, sind von diesen Versen ausgelöst, wenn sie auch ihren Umrissen etwas grob folgen. Das aber gehört ja zum Reiz von Lyrik, von Literatur überhaupt: daß sie immer wieder zu uns selber führt.

Zitierte Literatur: Hans Magnus Enzensberger: Dreiunddreißig Gedichte. Stuttgart 1981. – Frankfurter Anthologie. Gedichte und Interpretationen. Hrsg. von Marcel Reich-Ranicki. Bd. 4. Frankfurt a. M. 1979. – Wolf Wondratschek: Chuck's Zimmer. Frankfurt a. M. 1974. – Wolf Wondratschek: Das leise Lachen. [Siehe Textquelle.] – Wolf Wondratschek: Männer und Frauen. Frankfurt a. M. 1978.

Weitere Literatur: Marcel Reich-Ranicki: Wolf Wondratschek oder Poesie in Jeans. In: Frankfurter Allgemeine Zeitung. 25. 7. 1981. – Otto F. Riewoldt: Wolf Wondratschek. In: Kritisches Lexikon zur deutschsprachigen Gegenwartsliteratur (KLG). Hrsg. von Heinz Ludwig Arnold. München 1978. [Dort weitere Literatur.]

Ursula Krechel

Meine Mutter

1

Als meine Mutter ein Vierteljahrhundert lang
Mutter gewesen war und Frau, aber das konnte sie
vergessen mit der Zeit, als sie so geworden war
wie eine anständige Frau werden mußte
klüger als die Großmutter, ergebener als die Tanten
sparsamer in der Küche und in der Liebe als eine
der das Glück in den Schoß gefallen war
als sie genug Krümel von der Tischdecke geschnippt
als sie die Hoffnung begraben hatte, einmal eine Dame
im Pelz zu sein wie in den Modeheften vor dem Krieg
die sie immer noch hinten in der Speisekammer hütete
als sie anfing, den Töchtern ins Gesicht zu sehen
auf der Suche nach Spuren, die sie im eigenen Gesicht
nicht fand, als sie nicht mehr vor Angst aufwachte
weil sie vom Bügeleisen geträumt hatte
das nicht ausgeschaltet war, als sie schon manchmal
wagte, die Beine am frühen Nachmittag
übereinanderzuschlagen, fraß sich ein Krebs
in ihre Gebärmutter, wuchs und wucherte
und drängte meine Mutter langsam aus dem Leben.

2

Zehn Tage nach ihrem Tod war sie im Traum plötzlich
wieder da. Als hätte jemand gerufen, zog es mich
zum Fenster der früheren Wohnung. Auf der Straße
winkten vier Typen aus einem zerbeulten VW
einer drückte dabei auf die Hupe. So ungefähr
sahen die berliner Freunde vor fünf Jahren aus.
Da winkt vom Rücksitz auch eine Frau:
meine Mutter. Zuerst sehe ich sie
halb versteckt hinter ihren neuen Bekannten.

30 Dann sehe ich nur noch sie
ganz groß wie im Kino, dann ihren mageren weißen Arm
auf dem auch in Nahaufnahme kein einziges Härchen
zu sehen ist. Wenn sie eilig am Gasherd hantierte
hatten ihr die Flammen häufig die Haare versengt.
35 Am Handgelenk trägt sie den silbernen Armreif
den ihr mein Vater noch vor der Verlobung geschenkt hat.
Mir hat sie ihn vererbt. Ich die gebohnerten Treppen hinab.
An der Haustür höre ich schon ein Kichern: Mama!
rufe ich, der Nachsatz will mir nicht über die Lippen.
40 Meine Mutter sitzt eingeklemmt zwischen zwei
lachenden Jungen. So fröhlich war sie lange nicht mehr.
Willst du nicht mitfahren? fragt sie. Aber im Auto
ist doch kein Platz, sage ich und blicke
verlegen durch ihre seidige Bluse
45 so eine trug sie zu Lebzeiten nie
auf ihre junge, noch ganz spitze Mädchenbrust
und denke, ich muß den Vater rufen. Da heult schon
der Motor auf, die klapprige Tür wird von innen
zugeworfen. An der Haustür könnte ich mich ohrfeigen.
50 Nicht einmal die Autonummer habe ich mir gemerkt.

Zitiert nach: Ursula Krechel: Nach Mainz! Gedichte. Darmstadt/Neuwied: Hermann Luchterhand, 1977. ^{2}1979. S. 5f. [Erstdruck.]

Elisabeth Hoffmann

Trauerarbeit. Zu Ursula Krechels Gedicht *Meine Mutter*

Einmal angenommen, jemand liest dieses Gedicht vor und hält nach dem ersten Teil ein: die Zuhörer werden, sofern ihnen der Text unbekannt war, wohl kaum eine Fortsetzung

erwarten. Angesichts seiner Aussage wirkt dieser erste, eigens numerierte Abschnitt sogar erschreckend vollständig. Der Krebstod erscheint als grausam folgerichtiges Ende des Lebens, von dem hier berichtet wird. Eine Frau, die sich vollkommen mit dem traditionellen Rollenbild identifiziert hat, erkrankt an dem weiblich-mütterlichen Organ schlechthin. Ihre begrenzte, weil Grenzen nie in Frage stellende Lebensklugheit war das magere Ergebnis eines langen und gewiß mühsamen Anpassungsprozesses (3–7: »als sie so geworden war / wie eine anständige Frau werden mußte / klüger als die Großmutter, ergebener als die Tanten / sparsamer in der Küche und in der Liebe als eine / der das Glück in den Schoß gefallen war«). Doch dieser Verzicht wird ihr nicht honoriert. Im Gegenteil: von Zweifeln an ihrer bisherigen Identität bleibt sie nicht verschont, eine Chance zur Veränderung hat sie dagegen keinesfalls mehr. Denn »als sie anfing, den Töchtern ins Gesicht zu sehen / auf der Suche nach Spuren, die sie im eigenen Gesicht / nicht fand« (12–14), war es bereits zu spät. Aus der Erkenntnis, etwas versäumt zu haben, konnte sie keine praktischen Konsequenzen ziehen. Selbst die kleinen Erleichterungen (14–16: »als sie nicht mehr vor Angst aufwachte / weil sie vom Bügeleisen geträumt hatte / das nicht ausgeschaltet war«) und minimalen Freiheiten (16–18: »als sie schon manchmal / wagte, die Beine am frühen Nachmittag / übereinanderzuschlagen«) vermag sie kaum mehr zu genießen. Denn eine unerbittliche Gleichzeitigkeit wird schon durch die beständige Wiederholung der Konjunktion »als« angedeutet. Die Frau, von der hier die Rede ist, stirbt in dem Augenblick, da der Wunsch nach Veränderung und erste zögernde Schritte in dieser Richtung sich abzeichnen.
Vielleicht erkrankt sie sogar, weil sie ahnt, daß ein tiefgreifender Wandel gar nicht mehr möglich ist, weil Wut und Trauer über das Versäumte sonst übermächtig würden. So zynisch es klingen mag, man ist versucht zu sagen, sie stirbt, wie es sich für eine »anständige« Frau gehört, nämlich passiv

und ergeben: der »Krebs [...] wuchs und wucherte / und drängte meine Mutter langsam aus dem Leben« (18–20).
Die Tragik dieses Schicksals, das dem hartnäckigen Vertrauen der meisten Menschen auf ausgleichende Gerechtigkeit hohnspricht, betont die Autorin durch die Art der Darstellung. Die Geschichte der Mutter wird in ein einziges monströses Satzgebilde gedrängt. Jeweils mit demselben Bindewort eingeleitete, epische Breite suggerierende Gliedsätze, denen meist noch ein untergeordneter Satz folgt, reihen sich aneinander, bis schließlich der übergeordnete Satz die entscheidende Information preisgibt. Diese ungewöhnliche syntaktische Konstruktion bewirkt zweierlei: zum einen wird die Spannung so kunstvoll gesteigert, daß der Schluß besonders kraß erscheint, zum anderen erhält die Entwicklung, wie bereits erwähnt, einen beinahe zwangsläufigen Charakter. Obwohl der Redefluß andauernd stockt, läuft er unaufhaltsam dem Ende zu. Die willkürliche Interpunktion erweckt sogar den Eindruck der Atemlosigkeit, da die eine Pause anzeigenden Kommata zum großen Teil fehlen.
Mit der eindringlichen Anklage einer empörenden Ungerechtigkeit, die ja nicht nur der einen, sondern vielen Frauen widerfahren ist, begnügt sich die Autorin nicht. Der zweite Teil, der sich von dem ersten auch durch den weniger komplizierten, parataktischen Satzbau unterscheidet, bringt mit und in seiner Traumhandlung ganz neue Dimensionen. Die Tochter, im ersten ›Kapitel‹ nur Berichterstatterin, wird jetzt aktive Mitspielerin und sieht sich im Traum mit der Vergangenheit konfrontiert: »Als hätte jemand gerufen, zog es mich / zum Fenster der früheren Wohnung.« Die »vier Typen aus einem zerbeulten VW«, die sich bald als die »neuen Bekannten« der Mutter entpuppen, erinnern die Tochter an die »berliner Freunde vor fünf Jahren«. Die Assoziation zur Studentenbewegung ist naheliegend, und zweifellos soll dies ein Hinweis auf die Erlebnisse sein, die im Gesicht der Tochter jene »Spuren« hinterlassen haben, die ihre Mutter »im eigenen Gesicht / nicht fand«. Wenn

aber ihre »neuen Bekannten« (29) im Traum den alten der Tochter ähnlich sehen, darf man annehmen, daß der Mutter nun auch vergleichbare Erfahrungen offenstehen. Überdies verkörpern die »vier Typen« mit dem »zerbeulten VW« (24) unbekümmerte jugendliche Lebensfreude. Es ist daher durchaus begreiflich, daß die Tochter ihre Mutter zunächst nur undeutlich, »halb versteckt hinter ihren neuen Bekannten« wahrnimmt.

Wie die »Nahaufnahme« (32) beweist, hat sich nicht nur der Umgang der Mutter, sondern auch ihr Äußeres verändert. Die glatte, mithin junge Haut (32: »kein einziges Härchen«) evoziert den Gedanken an ihre reale Jugend, die Zeit »vor der Verlobung« (36). Nicht nur der Altersunterschied ist gleichsam geschrumpft, die Tochter begibt sich auch räumlich auf die Ebene der Mutter: »Ich die gebohnerten Treppen hinab. / An der Haustür höre ich schon ein Kichern: Mama! / rufe ich, der Nachsatz will mir nicht über die Lippen« (37–39). Die letzte Zeile bildet eine deutliche Zäsur und läßt den Eindruck von Irritation und Zwielichtigkeit aufkommen. Da der geheimnisvolle »Nachsatz« unausgesprochen bleibt, ist es ungewiß, ob der vorhergehende Ausruf freudig erregt oder vielmehr erschrocken klingen soll. Wenn jedoch sogar im Traum ein Einfall »nicht über die Lippen« will, wird er eher angsteinflößend als angenehm sein. Für den Träumenden ist wohl die Erscheinung eines Verstorbenen, der ihm nahestand, dann besonders unheimlich, wenn ihm noch im Traum selbst bewußt ist, daß die betreffende Person nicht mehr lebt. Die Scheu der Tochter, den Ausruf zu vollenden, könnte also aus ihrer Desorientierung beim Anblick der Mutter, von deren Tod sie anscheinend überzeugt ist, resultieren. Schließlich gibt es keinen Grund zu der Annahme, ihre Erinnerungen an Ereignisse »zu Lebzeiten« oder der Einfall, daß die Mutter ihr den »Armreif / [. . .] vererbt« (35/37) hat, gehörten nicht zu der Traumhandlung.

In dem Abschnitt, der auf den unausgesprochenen Gedanken folgt, macht die Verwandlung der Mutter in den Augen

der Tochter weitere Fortschritte. Sie »sitzt eingeklemmt zwischen zwei / lachenden Jungen. So fröhlich war sie lange nicht mehr« (40 f.). Ihr unbefangenes Angebot mitzufahren findet bei der Tochter ein sehr zwiespältiges Echo: »Aber im Auto / ist doch kein Platz, sage ich und blicke / verlegen durch ihre seidige Bluse / so eine trug sie zu Lebzeiten nie / auf ihre junge, noch ganz spitze Mädchenbrust / und denke, ich muß den Vater rufen« (42–47). Sicherlich gilt es gerade an dieser Stelle mit psychologischen Deutungen behutsam umzugehen. Dennoch wird man fragen dürfen, ob dort für die Tochter »kein Platz« ist, wo die Mutter als Konkurrentin erscheint, weil sie ihre Sexualität *nicht* »vergessen« hat. Warum hält die Tochter die Anwesenheit des Vaters, der bisher nur an einer Stelle flüchtig erwähnt wurde, auf einmal für dringend erforderlich? Etwa damit er sich am Anblick dieser verjüngten attraktiven Person erfreut? Soll er sich nicht vielmehr – gemeinsam mit der Tochter – über das Treiben seiner gar nicht mehr so »anständigen Frau« empören und womöglich die Mutter zur Räson bringen? Offene Fragen – gewiß. Aber wem dieses ödipale Dreieck zu konstruiert erscheint, der möge bedenken, daß eine wesentliche Funktion des Traums darin besteht, unbewußte Wünsche und Ängste zu Wort kommen zu lassen.
In diesem Zusammenhang nicht unwichtig ist auch die Tatsache, daß die Mutter gerade in dem Moment verschwindet, als der Gedanke an den Vater heraufbeschworen wird. Das erinnert ein wenig an die aus Märchen und Sage bekannte Situation, in der ein verbotener Ausspruch, beispielsweise die Namensnennung, den unwiderruflichen Verlust der geliebten Person nach sich zieht. In dem Gedicht wird dem Schuldgefühl desjenigen, der zurückbleibt, ganz unpathetisch Ausdruck gegeben: »An der Haustür könnte ich mich ohrfeigen. / Nicht einmal die Autonummer habe ich mir gemerkt.« Mit dieser lakonischen selbstkritischen Bemerkung endet nicht nur die Traumsequenz, sondern der Text insgesamt. Die Mutter ist endgültig unerreichbar, das Versäumte nicht wiedergutzumachen. Der Schluß des Traums

verweist also wieder auf die Realitätsebene, indem der Gedanke an die Endgültigkeit des Todes realisiert wird.
Will man nun die Beziehung zwischen den beiden Teilen des Gedichts genauer untersuchen, gilt es die formalen und inhaltlichen Entsprechungen, die der Verknüpfung dienen, zu analysieren. Die im Traum erfolgreiche Suche der Mutter nach einer neuen Identität, wozu sie gewissermaßen Erlebnisse der Tochter benutzt, wurde bereits erwähnt. Eine weitere subtile Äquivalenz zwischen Realitäts- und Traumebene ergibt sich aus der Art und Weise, wie die »Hoffnung [...] / einmal eine Dame im Pelz zu sein« (9f.) auf ihren eigentlichen Kern zurückgeführt und eingelöst wird. Im Traum trägt die Mutter nämlich eine »seidige Bluse« (44), ein Kleidungsstück also, mit dem man eher Schmiegsamkeit und fließende, lässige Bewegung assoziiert als damenhafte Eleganz. Das ursprüngliche, aus »Modeheften vor dem Krieg« (10) stammende Idealbild wird dadurch zwar indirekt kritisiert, seine Gültigkeit in Frage gestellt; der sich dahinter verbergende Wunsch der Mutter nach einem schöneren, unbeschwerten Dasein, nach ein wenig Glanz und Überfluß kann hingegen auch von der Tochter akzeptiert werden. Die »seidige Bluse« wäre demnach als die ›wahre‹ Erfüllung eines legitimen und authentischen Anspruchs, der sich eben nur mit Hilfe des Klischees von der »Dame im Pelz« artikulieren konnte, zu verstehen.
Diese utopischen Elemente der Traumebene sind allerdings kaum dazu angetan, mit dem Schicksal der Mutter versöhnlich zu stimmen. Eher im Gegenteil: wenn nämlich die Mutter früher wirklich so aktiv und lebensfroh gewesen sein sollte, wie sie im Traum erscheint, wäre ihr Leben erst recht als verfehlt zu bezeichnen. Denn das hieße, daß *vorhandene* Ansätze einer befriedigenderen Entwicklung in den fünfundzwanzig Jahren seit der Familiengründung fast restlos vernichtet wurden. Eine optimistischere Deutung könnte sich hingegen allein auf die bloße Vermutung stützen, das Porträt des ersten Teils sei völlig einseitig und verzerrt. Die Tochter wisse eben nicht, die Befriedigung, die der Mutter

aus der Aufzucht der Kinder, der Sorge für das leibliche und seelische Wohl der Familie und nicht zuletzt aus der Anerkennung ihrer Leistung erwachsen sei, angemessen zu würdigen. Eine solche Argumentation kann sich jedoch kaum auf den Text, sondern im Grunde nur auf den begreiflichen Wunsch, dem Leben und Sterben der Mutter eine tröstliche Perspektive abzugewinnen, berufen. Die dem Gedicht selbst zu entnehmende Botschaft, daß der mehr oder minder freiwillige Verzicht auf Selbstverwirklichung längst nicht in jedem Fall honoriert wird, ist zwar pessimistischer, aber auch weniger illusionär.
Andererseits wäre es völlig verfehlt, die starke versöhnliche Tendenz des Textes zu ignorieren. Wie läßt sich dieser Widerspruch lösen? Ich glaube: dialektisch; oder bescheidener formuliert: im Hinblick auf die Tochter. Denn für sie hat das Bild einer selbstbewußten, aktiven und vitalen Mutter vermutlich durchaus eine tröstende und Hoffnung spendende Funktion. Während ihr das im ersten Teil geschilderte Leben nur als negatives Beispiel dienen kann, vermag sie sich mit den im Traum wahrgenommenen Seiten der Mutter, die ja möglicherweise im Keim vorhanden waren, sich aber nie voll entfalten durften, zu identifizieren. Das Dilemma, entweder so zu werden wie die Mutter oder sie ablehnen und jede Ähnlichkeit mit ihr leugnen zu müssen, bleibt der Tochter erspart.
Ebendieser Aspekt sollte verdeutlichen, worin der besondere Wert des Gedichts liegt. Ganz abgesehen von der ästhetischen Qualität, die sich vor allem in der gelungenen Kontrastierung und Verknüpfung der Traum- und der Realitätsebene erweist, wird hier ein überzeugender Ansatz zu erfolgversprechender Trauerarbeit präsentiert. Die Autorin führt uns eine produktive Form der Auseinandersetzung mit der elterlichen Biographie vor, die ohne Idealisierung, aber auch ohne Denunzierung auskommt.
Während Ursula Krechel in dem hier besprochenen Gedicht ihr Anliegen sehr subtil und behutsam vorträgt, erscheint die Aussage in anderen Texten des Lyrikbandes *Nach Mainz!*

oft allzu plakativ (vgl. Unruh, S. 89). Vor allem in dem Titelgedicht preist die Autorin in »hymnischer Naivität« (Stephan, S. 494) eine Form der Befreiung, die zur Pseudoemanzipation gerät. Es heißt dort: »Angela Davis, die Jungfrau Maria und ich / liegen in klammen weißen Betten / in einem Krankenhaus, dritte Klasse. / Wir reden nicht viel. Im Nebenraum / plärren die Säuglinge, die man uns abgepreßt hat.« Als die jungen Mütter erfahren, daß »alle Sozialisten nach Süddeutschland verbannt« sind, stürzen sie sich frohgemut und ohne ihre Babys – »Die Nachkommen gehen eigene Wege« – in den Rhein: »Obwohl wir gegen den Strom schwimmen, kommen wir / gut voran.« Von der »Roten Hilfe begrüßt«, landen die drei wohlbehalten in »Mainz«. (Dort gab es schließlich einmal eine richtige Jakobinerrepublik!) Mehr als ein »liebenswert versponnener Utopismus, der besser nicht auf seinen ernsthaften politischen Gehalt abgeklopft werden sollte« (Stephan, S. 495), ist da nicht zu entdecken.
Ein Gedicht wie *Meine Mutter* ist dem oben erwähnten Text nicht etwa deswegen vorzuziehen, weil es sich auf private Leiden und Konflikte konzentriert, sondern weil es in dem besonderen Schicksal allgemeine Strukturen erkennbar macht, weil es die ökonomischen, sozialen und ideologischen Zwänge keineswegs verschweigt und weil es auf eine in leuchtenden Farben geschilderte Utopie, die jede schlimme oder auch nur schwierige Realität schlicht überspringt, verzichtet.

Zitierte Literatur: Peter M. STEPHAN: Das Gedicht in der Marktlücke. Abschließende Marginalien zur Diskussion über die »Neue Subjektivität« in der Lyrik. In: Akzente 24 (1977) S. 493–504. – Angela UNRUH: »Die Vortäuschung des aufrechten Gangs ist eine brotlose Kunst«. Zu dem Gedichtband »Nach Mainz« von Ursula Krechel. In: Neue deutsche Lyrik. Beiträge zu Born, Brinkmann, Krechel, Theobaldy, Zahl u. a. Verantwortl. Michael Buselmeier und Martin Grzimek. Heidelberg 1977. S. 87–93.

Karin Kiwus

An die Dichter

Die Welt ist eingeschlafen
in der Stunde eurer Geburt

allein mit den Tagträumen
erweckt ihr sie wieder

5 roh und süß und wild
auf ein Abenteuer

eine Partie Wirklichkeit lang
unbesiegbar im Spiel

Zitiert nach: Karin Kiwus: Von beiden Seiten der Gegenwart. Gedichte. Frankfurt a. M.: Suhrkamp, 1976. S. 67. [Erstdruck.]

Walter Hinck

Kleine Poetik des Tagtraums. Zu Karin Kiwus' Gedicht *An die Dichter*

Fast so alt wie die Dichtung ist ihre poetische Selbstreflexion, das Nachdenken der Dichter über ihre besondere Aufgabe und ihre besondere Freiheit, über ihre Macht, ihre Grenzen und ihre schöpferische Sprengkraft. Spätestens seit den *Carmina* des römischen Dichters Horaz dient das Lied (die Ode, das Gedicht) auch dem Ausdruck dichterischen Selbstbewußtseins, dichterischer Selbstbestimmung; und unüberschaubar ist die Reihe lyrischer Versuche, die sich dem Beispiel des Horaz anschließen, um es in unendlicher Vielfalt abzuwandeln.

In diese Reihe gehören Barockgedichte über die deutsche Poeterei wie auch die bescheiden-koketten Verse *An die Dichtkunst* des Anakreontikers Friedrich von Hagedorn, Schillers durchaus nicht ›idealistische‹ Votivtafel *An den Dichter* (»Laß Sprache dir sein, was der Körper den Liebenden. Er nur / Ist's, der die Wesen trennt und der die Wesen vereint«) wie Goethes gar nicht so ›klassische‹ Verse »Dichter lieben nicht zu schweigen, / wollen sich der Menge zeigen«, Heines Selbsttrost und Zuspruch an den Dichter (»Wenn man an dir Verrat geübt, / Sei du um so treuer«), wie Emanuel Geibels selbstgewisse und selbstgefällige Verse über den »König Dichter« oder die zahllosen Sängergedichte und -balladen der deutschen Literatur. In die Reihe gehören Hölderlins beschwörende Oden über den *Dichterberuf*, *An die jungen Dichter, Die scheinheiligen Dichter* oder *An unsre großen Dichter,* die den Dichter als Seher und Führer sakralisierenden Verse Stefan Georges (*Der Dichter in Zeiten der Wirren*), aber auch der grundsätzliche Widerruf, die Abrechnung, Ernst Tollers *An die Dichter:* »Anklag ich Euch, Ihr Dichter, / verbuhlt in Worte, Worte, Worte! / Ihr wissend nickt mit Greisenköpfen, / Berechnet Wirbelwirkung, lächelnd und erhaben, / Ihr im Papierkorb feig versteckt! / Auf die Tribüne, Angeklagte!«

Unmöglich, hier auf mehr hinzudeuten als auf einen Bruchteil der Variationen des Themas, der Spielarten zwischen rühmender und ächtender, erhabener und ironischer Anrede an den Dichter, zwischen absolutem Vertrauen in die Dichtung und totaler Verzweiflung an ihr. Karin Kiwus' *An die Dichter* steht in einer so umfassenden und verzweigten Überlieferung poetologischer Lyrik, daß das Gedicht überfordert wäre, wollte man es an ihr messen, und daß sich der Interpret übernähme, wollte er sich auf beschränktem Raum an einer detaillierten geschichtlichen Einordnung versuchen.

Das Gedicht hält sich in der Mitte zwischen zu hohen und zu niedrigen Erwartungen. Nicht als Protagonist der politischen Aktion wird der Dichter verstanden, nicht als ihr Instrument die Dichtung. Der Aufbruchsoptimismus der Studentenrevolte von 1968, das Erlebnis ihrer Berliner Studienzeit schlägt sich in Karin Kiwus' Gedichten nur noch in Form eines schwachen und eher negativen Echos, als Erinnerung an das Scheitern nieder: »Aufklärung Solidarität Protestmärsche Fahnen / alle Bewegungen / sind zu Stehkadern erstarrt« (*Exit*). Das Gedicht hält Distanz zur Poetik ›politischer‹ Lyrik. Im Nachwort zur Reclam-Auswahl ihrer Gedichte, in dem sie die »Frage-und-Antwort-Rituale« bei Leseveranstaltungen protokolliert hat, wird die Autorin sogar direkt (mit einer Meinung, die man nicht teilen muß): »Die Politik verdirbt die Gedichte und die Poesie vereinfacht die Politik.« Politische Zusammenhänge seien »in ihrer ganzen Komplexität durch die Poesie nun gerade nicht zu ergründen und zu erfassen«.

Andererseits werden die Dichter keineswegs als Parasiten der Gesellschaft, als Gaukler oder gar Lügner diffamiert. Eine lebendige, verlebendigende Kraft wird ihnen zugeschrieben. Ihre Fähigkeit, die Welt wieder zu erwecken, ist aber nicht mit jener Gottgleichheit zu verwechseln, die nach der Genie-Ästhetik des Sturm und Drang den Künstler zu einem zweiten Schöpfer der Welt werden läßt. Bescheidener sind Aufgabe und Vermögen der Dichter: Erstarrtes wieder beweglich zu machen, vergessenen Möglichkeiten neue Wege zu öffnen, Hoffnungen zu mobilisieren.

Mit einem Paradoxon setzt das Gedicht ein. Was für eine Welt kann das sein, die bei der Geburt der Dichter »eingeschlafen« ist? Offenbar doch nur eine, auf die der einzelne beim Eintritt in die menschliche Gemeinschaft Verzicht leisten muß, die ihm vorenthalten wird durch die Lebensbindungen, sei es in der Familie, der Gesellschaft oder dem Staat, durch die Zwänge sozialer Rollen, durch den Daseinskampf – eine Welt, die nur durch Träume (wieder)gewonnen werden kann.

Aber es sind keine Träume und keine Traumwelten im gewöhnlichen Wortsinn, von denen hier die Rede ist, keine Träume, die im Schlaf kommen, und keine Traumwelten, die beim Erwachen für immer zerfallen. Sigmund Freud hat vom Nachttraum den Tagtraum oder Wachtraum unterschieden: die seelische Arbeit verknüpft einen aktuellen, wunscherweckenden Anlaß oder Eindruck mit der Erinnerung an eine frühe Wunscherfüllung und schafft sich nun im Tagtraum, in der Phantasie eine zukunftsbezogene Situation, die jenen Wunsch erfüllt. Sieht Freud in den Tagträumen auch das Rohmaterial der poetischen Produktion, so liefert doch seine Traumdeutung nur Ansätze zu einer Ästhetik – Ansätze, die dann in Ernst Blochs *Ästhetik des Vor-Scheins* kunsttheoretisch ausgebaut werden. Für Bloch ist der Tagtraum nicht wie für die Psychoanalyse Freuds, »die alle Träume nur als Wege zu Verdrängtem achtet«, bloße Vorstufe zum Nachttraum; er ist in der Kunst »exaktes Phantasieexperiment der Vollkommenheit«, »antizipierend«, hat mit »Selbst- und Welterweiterung«, mit »Besserhabenwollen« zu tun und enthält einen »unermüdlichen Antrieb, damit das Vorgemalte auch erreicht werde« (S. 34, 43, 48, 35).

Was Freud die Anknüpfung an frühe (zumeist kindliche) Erlebnisse nennt, ist in Karin Kiwus' Gedicht im Bild der Wiedererweckung erfaßt, und zwar sogar als Rückgriff auf ein vorgeburtliches Stadium. Zugleich aber eignet hier den Tagträumen das aktivierende, ja experimentierende Moment des Blochschen Begriffs. Alle wichtigen Wörter der dritten Strophe deuten auf Wunscherfüllung, »wild« und »Abenteuer« zudem auf den unaufhaltsamen Antrieb zu neuer Selbst- und Welterfahrung und auf deren Zukunftscharakter. In den Tagträumen bahnt sich ein Akt der Welteroberung an.

Die letzte Strophe des Gedichts nimmt diesen Gedanken im Motiv der Unbesiegbarkeit wieder auf, schränkt ihn durch das Moment der begrenzten Dauer ein und setzt die Tagträume in Beziehung zum Spiel. Erneut bringt sich die psychoanalytische Argumentation in Erinnerung: für Freud sind sowohl der Tagtraum wie die Dichtung Ersatz und Fortsetzung einstigen kindlichen Spielens. Aber wenn auch »Spiel« dem Wortsinn nach kindliches Spielen mit einschließt, so spricht doch der Schlußvers vom dichterischen, ästhetischen Spiel, von einem Handeln durch Einbildungskraft und Sprache, das sich mit seiner Eigengesetzlichkeit aus dem Zusammenhang unmittelbarer praktischer Zwecke ausgrenzt. Selbsterweiterung und Welteroberung bleiben ein Abenteuer im Herrschaftsgebiet und Reservat der Phantasie.

Doch nun erhält die Zeile »eine Partie Wirklichkeit lang« ihr Gewicht. Auch im Substantiv »Partie« schwingt neben der Wortbedeutung von ›Abschnitt‹ die von »Spiel« mit (eine Partie machen, und zwar im Karten- oder Glücksspiel – tatsächlich hat ja die Wunscherfüllung in Tagträumen Glückscharakter). Entscheidend aber ist, daß hier etwas benannt wird, was in Spannung steht zum ästhetischen Spiel: die Wirklichkeit. Das Spiel, obwohl Ausgrenzung aus den Zwängen der Wirklichkeit, erreicht doch Wirklichkeit: als Spiel mit der Wirklichkeit. Das »Phantasieexperiment« ist Vorwegnahme. »Die Tagphantasie startet [...] mit Wünschen« und »will an den Erfüllungsort«, sagt Bloch; die »Wachträume ziehen [...] ins ungeworden-ungefüllte oder utopische Feld« (S. 44, 64). Die Tagträume der Dichter sind Vorgriffe auf Wirklichkeit im Medium der Utopie.

Mit ihrer utopischen Eigenschaft aber ist der Dichtung auch jene Intention zur »Weltverbesserung« eingepflanzt, die Bloch dem Tagtraum zuschreibt (S. 43). Die Wiedererweckung der Welt, zu der nach Karin Kiwus die Dichter befähigt sind, antizipiert zugleich eine verbesserte Welt. Die Dichter haben mit den Wachträumen den Schlüssel zur früheren Welt wie zur künftigen – vielleicht erklärt sich so auch der Titel des Gedichtbandes *Von beiden Seiten der Gegenwart*.

Wie sehr Karin Kiwus' Verse *An die Dichter* im Bann einer Ästhetik des Vor-Scheins und der Hoffnung stehen, wird

sinnfälliger durch den Vergleich des Achtzeilers mit einem anderen zeitgenössischen poetologischen Gedicht, mit der *Rede vom Gedicht* von Christoph Meckel (S. 80). In einem Punkt erweist sich Meckels Gedicht scheinbar sogar als Gegenentwurf oder ideologiekritischer Einspruch: das Gedicht sei »nicht der Ort, wo der Schmerz verheilt« oder »die Hoffnung verklärt« werde; es spreche von »Verwüstung und Auswurf, von klapprigen Utopien«, vom »Elend, vom Elend, vom Elend des Traums«. Utopisches wird hier in die Nähe der Lebenslüge gerückt. Enthüllungsfunktion und Wahrheitsrigorismus kennzeichnen das Gedicht-Modell Meckels. Von Mühsal und Tod, von »vergifteten Sprachen« und von »der zu Tode verwundeten Wahrheit« habe das Gedicht zu reden; es sei »nicht der Ort, wo die Schönheit gepflegt« und »der Engel geschont« werde. Vielleicht trifft Meckel den Kern seiner Poetik in der Bestimmung des Gedichts als einer »Chronik der Leiden«.
Mit solcher Ästhetik des Leidens einerseits und mit der Ästhetik des Vor-Scheins oder der Hoffnung andererseits sind zwei polare Möglichkeiten gegenwärtiger Dichtung umrissen, ist eine ernsthafte Alternative bezeichnet (denn selbstverständlich dürfen die Tagträume in Karin Kiwus' Gedicht nicht mit dem elenden, illusionären Traum und mit den »klapprigen« Utopien verwechselt werden, die Meckels »Rede vom Gedicht« bloßgestellt wünscht). Aber weder wollen die Gedichte von Christoph Meckel noch die von Karin Kiwus jeweils allesamt vom Anspruch des einen poetologischen Gedichts her gedeutet und beurteilt werden. Ohnehin geht das dichterische Werk von Autoren nie ganz in ihrer Poetik auf.
Immerhin ist festzuhalten, daß sich die Gedichte des ersten Gedichtbandes von Karin Kiwus wie die des zweiten, *Angenommen später*, nur zum Teil auf der Höhe der Poetik bewegen, die der Achtzeiler *An die Dichter* mit der äußersten Verdichtung lyrischer Sprache entwickelt. Überall dort reichen die Gedichte an diese Ebene heran, wo das Ich, zumal das Frauen-Ich, aus Beschränkungen aufbricht, neuer

Selbst- und Welterfahrung entgegengeht, wo aus Dissonanzen die Hoffnung auf eine andere Gegenwart wächst, »die von Begriffen wie ›Zärtlichkeit‹, ›Geborgenheit‹ und ›Kindheit‹ bestimmt würde«, wo es gelingt, die »eigene Subjektivität zu erfahren und anzuerkennen« (Wischenbart, S. 4). Andererseits kann gerade die »Subjektivität« auch das Ich in der erlebten Enge festhalten.
Was in der Lyrik der siebziger Jahre den Namen »Neue Subjektivität« bekam – und von »Neuer Subjektivität« spricht mit Beziehung auf Karin Kiwus' ersten Gedichtband ausdrücklich Helmut Heißenbüttel –, das sucht oft gerade nicht die Erweiterung des Ich (mit dem Gedicht *An die Dichter* zu sprechen: das Abenteuer), sondern verharrt in Selbstgenügsamkeit und hält die banalste Alltagserfahrung schon für das Alpha und Omega der Poesie. Solche Lyrik erliegt gerade jener Trivialität, die sie durch die schöpferische Subjektivität aufbrechen sollte; solche »Neue Subjektivität« ist gerade gekennzeichnet durch den Verlust von Subjektivität. Auch in den Bänden von Karin Kiwus gibt es Gedichte, in denen die Kräfte der Phantasie, des Tagtraums brachliegen.
Nichts natürlich ist zu sagen gegen die Überprüfung eigener Wachträume. Utopische Vorgriffe sind nichts Starres, für alle Zeiten Festgelegtes, sondern müssen von der Gegenwart her (zu der sie Gegenentwürfe sind) jeweils fortgeschrieben werden. Die Hoffnung stärkt sich an der Skepsis; auch Enttäuschungen entbinden die Einbildungskraft. Daß eine Ästhetik der Hoffnung nicht nur für die großen, sondern auch die kleinen, vorläufigen ›Lösungen‹ Platz läßt, zeigt eines der letzten Gedichte im Band *Angenommen später* (S. 74), das Gedicht *Lösung*:

Im Traum
nicht einmal mehr
suche ich
mein verlorenes Paradies
bei dir

ich erfinde es
besser allein
für mich

In Wirklichkeit
will ich
einfach nur leben
mit dir so gut
es geht.

Unverkennbar ist das resignative Moment – mit Bloch zu sprechen: verkleinert ist das »utopische Feld«. Am Erfüllungsort wird der Partner nicht mehr miterwartet; in seinem utopischen Impuls sieht sich das Subjekt zurückgeworfen auf sich selbst. Eine soziale Dimension des Wachtraums ist verlorengegangen, ja, sie hat sich nicht einmal in den Nachttraum hinüberretten können. Im Zusammenleben mit dem Partner wird ein Minimum an Wunscherfüllung akzeptiert. Aber nicht aufgegeben hat das Ich sein Ziel der Selbst- und Welterweiterung. Erhalten geblieben ist eine Bastion der Tagphantasie, von der aus neue Ausfälle ins »Abenteuer« möglich werden. So wendet sich die Botschaft der Verse *An die Dichter* als Appell auf die Autorin selbst zurück.

Zitierte Literatur: Ernst Bloch: Ästhetik des Vor-Scheins. Hrsg. von Gert Ueding. Bd. 2. Frankfurt a. M. 1974. – Karin Kiwus: Angenommen später. Gedichte. Frankfurt a. M. 1979. – Karin Kiwus: 39 Gedichte. Mit einem Nachw. der Autorin. Stuttgart 1981. – Christoph Meckel: Ausgewählte Gedichte 1955–1978. Königstein (Ts.) 1979. – Rüdiger Wischenbart: Karin Kiwus. In: Kritisches Lexikon zur deutschsprachigen Gegenwartsliteratur (KLG). Hrsg. von Heinz Ludwig Arnold. München 1978.
Weitere Literatur: Peter Demetz: Die Poesie und der Alltag. In: Frankfurter Allgemeine Zeitung. 29. 5. 1976. – Michael Hamburger: Seizing the moment. In: The Times Literary Supplement. 19. 9. 1976. – Rudolf Hartung: Vielstimmig und bravourös. In: Süddeutsche Zeitung. 10./11. 6. 1976. – Helmut Heissenbüttel: Nicht-Liebe-Gedichte. In: Deutsche Zeitung. 9. 4. 1976. – Rolf Michaelis: Mit offenen Augen träumen. In: Die Zeit. 9. 4. 1976. – Hans Christian Kosler: Tag und Tagtraum. In: Frankfurter Rundschau. 14. 8. 1976. – Karl Krolow: Dreimal neue Lyrik. In: Der Tagesspiegel. 18. 4. 1976.

Autorenregister

Gesamtregister der Bände 1–6